# VICTOR HUGO

# CROMWELL

D1492863

*Chronologie et introduction*

*par*

Annie Ubersfeld
maître-assistant à la Faculté des Lettres
et Sciences humaines de Besançon

GARNIER-FLAMMARION

# CROMWELL

# CHRONOLOGIE

CHRONOLOGIE

**1772** : *19 juin* : Naissance à Nantes de Sophie-Françoise Trébuchet, mère de Hugo.

**1773** : *15 novembre* : Naissance à Nancy de Léopold-Joseph-Sigisbert Hugo.

**1802** : *26 février* : Naissance de *Victor-Marie Hugo*, à Besançon.

**1804** : Mme Hugo et ses enfants à Paris.

**1807** (fin) : Mme Hugo et ses enfants vont rejoindre le père en Italie.

**1808** : Retour à Paris. Léopold Hugo en Espagne.

**1809** : *Mai* : Installation aux Feuillantines.

**1810** : *Mars* : Départ pour l'Espagne. Victor et son frère Eugène au Collège des Nobles à Madrid.

**1812** : *Mars* : Retour à Paris ; *octobre* : Le général Lahorie, amant de Mme Hugo, fusillé pour complicité de coup d'Etat.

**1814** : Léopold Hugo défenseur de Thionville ; dissentiment grave entre les époux, qui entament une procédure en divorce. Victor et Eugène enlevés par leur tante sur l'ordre de leur père.

**1815** : *13 février* : Victor et Eugène entrent à la pension Cordier.

**1816** : Victor écrit des vers et prépare l'école Polytechnique.
*Octobre* : Les enfants entrent à Louis-le-Grand. Premiers essais dramatiques, poursuivis l'année suivante.

**1817** : *25 août* : Victor obtient une mention de l'Académie française pour son poème *Bonheur que procure l'Etude*.

**1818** : Premières *Odes*.
*Août* : Les garçons retournent vivre avec leur mère. Hugo écrit le premier *Bug-Jargal*.

**1819** : Couronné aux Jeux Floraux.
*Décembre* : Fonde le *Conservateur littéraire*.

**1820** : Odes et articles. Mme Hugo refuse son consentement au mariage de Victor avec son amie d'enfance Adèle Foucher.

**1821** : Composition de *Han d'Islande*
*27 juin* : Mort de Mme Hugo.

**1822** : *Mars* : Victor fiancé.
*8 juin* : Odes et poésies diverses.
*Juin-juillet* : Hugo obtient deux pensions.
*12 octobre* : Mariage de Hugo avec Adèle Foucher. Eugène décidément fou.

**1823** : *8 février* : Publication de *Han d'Islande*.

**1823** : *Juillet* : Début de la *Muse française*.
*16 juillet-9 octobre* : Naissance et mort du petit Léopold-Victor.

**1824** : *13 mars* : *Nouvelles Odes*.
*6 juin* : Chateaubriand, chassé du ministère Villèle, passe à l'opposition.
*15 juin* : La *Muse française* cesse de paraître.
*28 août* : Naissance de Léopoldine.

**1825** : *29 avril* : Hugo nommé chevalier de la Légion d'honneur.
*29 mai* : Assiste au sacre de Charles X.
*Juin* : *Ode sur le Sacre*.
*Juin-juillet* : *Les Deux Iles* où l'on entend déjà l'obsession napoléonienne.
*Août* : Voyage dans les Alpes avec Nodier et leurs familles.
*Septembre* : *Au Colonel G. A. Gustaffson*, méditation sur l'histoire et sur le pouvoir royal.

**1826** : *Janvier* : Fin du remaniement du second *Bug Jargal*, et *préface*.
*30 janvier* : Publication du second *Bug-Jargal*, sans nom d'auteur.
*Février* : Hugo souffre des yeux.
*Juin* : *Les Têtes du Sérail (Orientales)*.

*30 juillet :* Publication par la *Quotidienne* d'un article (anonyme) de Hugo sur le *Cinq-Mars* de Vigny.

*6 août :* Hugo commence le 1er acte de *Cromwell*.

*24 août :* Il achève ce 1er acte.

— Il écrit la *préface* des *Odes et Ballades.*

*31 août :* Il commence le 2e acte de *Cromwell.*

*20 septembre :* Il achève ce 2e acte.

*22 septembre :* Il commence le 3e acte.

*9 octobre :* Il achève le 3e acte.

*11 octobre :* Il commence le 4e acte.

*19 octobre :* Mort de Talma, à qui Hugo avait parlé de *Cromwell* et à qui il destinait le rôle.

*25 octobre :* Hugo achève le 4e acte de *Cromwell.*

*28 octobre :* Il commence le 5e acte.

*2 novembre :* Naissance de Charles Hugo, le second fils du poète.

*3 novembre :* Hugo s'interrompt dans la rédaction de *Cromwell*, V, II.

*7 novembre :* Publication des *Odes et Ballades.*

*9 décembre :* Hugo se remet à *Cromwell.*

*31 décembre :* Lettre de Hugo à une Académie provinciale, contenant un éloge de Napoléon.

**1827** (début) : Hugo reprend et termine *Amy Robsart.*

*1er janvier : Cromwell :* Fin de la scène VI de l'acte V.

*Janvier :* Début de l'amitié de Hugo et de Sainte-Beuve.

*24 janvier :* Scandale au bal donné à l'Ambassade d'Autriche : les maréchaux invités sont annoncés par leurs noms et non par leurs glorieux titres ducaux.

*26 janvier : Cromwell :* V, VII.

*1er février :* Fin de la scène VII.

*Début février : Ode à la Colonne de la Place Vendôme.*

*8 février : Cromwell :* V, VIII.

*Vers le 12 février :* Lecture par Hugo chez Pierre Foucher des 4 premiers actes de *Cromwell*. Vigny et Sainte-Beuve présents.

*Février :* Lettre de Sainte-Beuve à Hugo à propos de la lecture de *Cromwell.*

*28 février :* Début de la scène IX de l'acte V de *Cromwell.*

*12 mars :* Nouvelle lecture de *Cromwell* (les 3 premiers actes).

*15 mars :* Hugo achève la scène X de l'acte V de *Cromwell.*

*26 mars :* Lecture chez Pierre Foucher des 2 derniers actes (?) de *Cromwell.*

*Fin mars :* Hugo va s'installer 11, rue Notre-Dame-des-Champs : il pourra plus aisément recevoir ses amis poètes.

*2 juin :* Hugo lit les 3 premiers actes de *Amy Robsart* au nouveau directeur de l'Odéon.

*7 août :* Reprise du travail sur *Cromwell* (V, XII).

*1er septembre :* *Amy Robsart* reçue à l'Odéon.

*Août-septembre :* *Cromwell* enfin achevé.

*30 septembre :* Hugo commence la *Préface* de *Cromwell.*

*Fin septembre :* Hugo termine la rédaction de la *Préface.*

*Fin octobre :* Hugo écrit la *Note sur ces Notes.*

*Milieu novembre :* Hugo lit la *Préface* à ses amis.

*5 décembre :* Publication de *Cromwell* chez Ambroise Dupont.

*6 décembre :* Extraits de *Cromwell* dans le *Globe.*

**1828 :** *Nuit du 28 au 29 janvier :* Mort du général Hugo.

*13 février :* Echec d'*Amy Robsart.*

*21 octobre :* Naissance de Victor-François, deuxième fils de Hugo.

*26 décembre :* Achève *Le Dernier Jour d'un Condamné.*

**1829 :** *19 janvier :* Publication des *Orientales.*

*3 février :* Publication du *Dernier Jour d'un Condamné.*

*1er au 30 juin :* Ecrit *Marion de Lorme.*

*13 août :* Interdiction de *Marion.*

*29 août-24 septembre :* Hugo écrit *Hernani.*

**1830 :** *25 février :* Première représentation d'*Hernani.*

*Juillet :* Travaille à *Notre-Dame de Paris.*

*28 juillet :* Naissance d'Adèle Hugo, deuxième fille du poète.

*Novembre :* Début du conflit avec Sainte-Beuve à propos de Mme Hugo.

**1831 :** *16 mars :* Publication de *Notre-Dame-de-Paris.*

*11 août :* Première de *Marion de Lorme.*

*30 novembre :* Publication des *Feuilles d'Automne.*

**1832 :** *15 mars :* Nouvelle préface pour *le Dernier Jour d'un Condamné.*

*8 octobre :* Hugo s'installe Place Royale, pour 18 ans.

*23 novembre :* Interdiction du *Roi s'amuse,* dont la première datait de la veille.

**1833 :** *2 février :* Première de *Lucrèce Borgia.*

*16 février :* Première nuit d'amour de Hugo avec Juliette Drouet qui l'aimera pendant cinquante ans.

*6 novembre :* Première de *Marie Tudor.*

**1834** : *19 mars* : *Littérature et Philosophies mêlées.*
*6 Juillet* : Publication de *Claude Gueux* dans la Revue de Paris.
*6 septembre* : Publication de *Claude Gueux* en librairie.

**1835** : *28 avril* : Première d'*Angelo, tyran de Padoue.*
*Juillet-août* : Hugo voyage avec Juliette dans l'Est et en Normandie.
*27 octobre* : *Chants du Crépuscule.*

**1836** : *Juin-juillet* : Voyage en Bretagne et en Normandie.

**1837** : *20 février* : Mort d'Eugène Hugo à l'asile de Charenton.
*Mai-juin* : Hugo fêté par le duc et la duchesse d'Orléans.
*26 juin* : *Les Voix intérieures.*
*21 octobre* : Ecrit *Tristesse d'Olympio.*

**1838** : *8 novembre* : Première de *Ruy Blas.*

**1839** : *12-14 juillet* : Obtient la grâce de Barbès.
*Juillet-août* : Ecrit le drame resté inachevé des *Jumeaux.*

**1839** : *Août-novembre* : Voyage dans l'Est, la Suisse et la Provence, avec Juliette.

**1840** : *16 mai* : *Les Rayons et les Ombres.*
*Août-novembre* : Grand voyage sur le Rhin, avec Juliette.

**1841** : *7 janvier* : Elu à l'Académie française, après trois échecs.

**1842** : *12-28 janvier* : *Le Rhin.*

**1843** : *15 février* : Mariage de Léopoldine Hugo et de Charles Vacquerie.
*7 mars* : Première des *Burgraves*, œuvre très discutée.
*4 septembre* : Mort de Léopoldine et de son mari, noyés accidentellement.

**1845** : *13 avril* : Nommé pair de France.
*5 juillet* : Flagrant délit d'adultère avec la jolie Mme Biard.
*Novembre* : Commence un roman qui deviendra *Les Misérables.*

**1846-1847** : Travaille à ce roman.

**1848** : *24 février* : Tente, lors de la révolution, d'obtenir la régence pour la duchesse d'Orléans.
*4 juin* : Elu député conservateur.

**1849** : *13 février* : Réélu député conservateur.
*Juillet-octobre* : Ses discours lui aliènent la sympathie de la droite.

**1850** : Interventions diverses à la chambre.

**1851** : *2 décembre* : Coup d'Etat de Louis-Napoléon Bonaparte. Hugo tente sans succès d'organiser la résistance.
*11 décembre* : S'enfuit à Bruxelles, aidé par Juliette.

**1852** : *5 août* : S'installe à Jersey. Publication à Bruxelles de *Napoléon le Petit*.
Travaille aux *Châtiments* et aux *Contemplations*.

**1853** : *6 septembre* : Mme de Girardin, à Jersey, initie Hugo et les siens au spiritisme.
*21 novembre* : Les *Châtiments*.

**1855** : *31 octobre* : Expulsé de Jersey, s'installe à Guernesey.

**1856** : *23 avril* : Publication des *Contemplations*.

**1856-1858** : Travaille à plusieurs œuvres, *La Fin de Satan, Dieu, Les Petites Epopées* (plus tard *La Légende des Siècles*), *L'Ane, la Pitié suprême*.

**1859** : *28 septembre* : La *Légende des Siècles*.

**1860-1861** : Travaille aux *Misérables*.

**1862** : *30 mars* à Bruxelles, *3 avril* à Paris : Publication des *Misérables*.

**1863** : *18 mai* : Fuite d'Adèle Hugo.

**1864** : *14 avril* : Publication de *William Shakespeare*.

**1865** : *25 octobre* : Publication des *Chansons des rues et des bois*, en chantier depuis plusieurs années.

**1865-1866** : Ecrit plusieurs pièces du *Théâtre en liberté*.

**1866** : *12 mars* : Les *Travailleurs de la mer*.

**1868** : *16 août* : Naissance de Georges, petit-fils de Hugo.
*27 août* : Mort de Mme Hugo.

**1869** : *Janvier-février* : Ecrit *Margarita, L'Epée*.
*19 avril* : Publication de *L'Homme qui rit*.
*Mai-juin* : Ecrit *Torquemada*.
*29 septembre* : Naissance de Jeanne, petite-fille du poète.

**1870** : *5 septembre* : Rentre à Paris le lendemain de la proclamation de la République.

**1871** : *13 mars :* Mort de Charles Hugo.
*21 mars :* Hugo à Bruxelles.
*30 mai :* Expulsé de Belgique pour avoir offert asile aux Communards, se rend au Luxembourg.

**1872** : *20 avril :* Publication de *l'Année Terrible.*

**1873** : *26 décembre :* Mort de François-Victor, deuxième fils du poète.

**1874** : *20 février :* Publication de *Quatrevingt-Treize.*

**1875** : *Mai-novembre :* Publication d'*Actes et Paroles*, I et II.

**1876** : *30 janvier :* Sénateur de Paris.
*22 mai :* Intervention pour l'amnistie.
*5 juillet : Actes et Paroles*, III.

**1877** : *26 février : La Légende des Siècles*, 2e série.
*12 mai : L'Art d'être grand-père.*
*1er octobre : Histoire d'un Crime*, 1re partie.

**1878** : *Mars : Histoire d'un Crime*, 2e partie.
*29 avril : Le Pape.*
*27 juin :* Hugo est atteint d'une congestion cérébrale.

**1879** : *Février : La Pitié suprême.*

**1880** : *Avril : Religions et Religion.*
*24 octobre : L'Ane.*

**1881** : *31 mai : Les Quatre Vents de l'Esprit.*

**1882** : *26 mai : Torquemada.*

**1883** : *11 mai :* Mort de Juliette Drouet, sa compagne depuis cinquante ans.
*9 juin :* Troisième série de *La Légende des Siècles.*

**1885** : *14 mai :* Est atteint d'une congestion pulmonaire.
*22 mai :* Mort du poète.
*1er juin :* Funérailles nationales.

# INTRODUCTION

L'histoire littéraire a coutume de mettre l'accent sur la *Préface de Cromwell*, — négligeant le drame — ou plutôt elle voit dans le drame l'illustration théâtralement manquée — des thèses de la préface. Ce n'est pas par vain désir de changement que nous renversons l'ordre établi. En fait, la création originale, c'est le drame et, plus encore que la préface, les contemporains ont admiré l'œuvre géante et nouvelle qui se présentait à eux avec la fraîcheur et l'audace d'une création sans concession. La préface, elle, est méditation sur l'œuvre, — « révélations de l'exécution », dit Hugo — et, à travers l'œuvre, sur les conditions d'un renouvellement du théâtre. On nous permettra donc ici de suivre le mouvement créateur de Hugo, et de présenter l'œuvre dramatique avant de nous tourner vers sa post-face critique.

Le drame lui-même est infiniment plus brillant et plus riche qu'on ne l'imagine d'ordinaire et la critique actuelle s'efforce de lui rendre la justice qu'il mérite [1], en montrant dans *Cromwell*, non seulement l'annonce de tout le théâtre de Hugo, mais déjà beaucoup des thèmes organisateurs de l'œuvre et de la pensée hugolienne.

En 1825 Hugo, conscient de son génie, éprouve avec la plus grande clarté qu'il ne peut l'imposer que par le théâtre. Quels que soient ses succès dans le domaine de la poésie lyrique, il ne sera jamais que le second, le très brillant second derrière Lamartine. Le roman, malgré Walter Scott, n'a pas conquis ses lettres de noblesse. Mais bien au-delà des préoccupations de carrière, le théâtre

1. Il nous est agréable de reconnaître ici ce que nous devons à M. Duchet pour sa récente et brillante introduction à *Cromwell* (*Victor Hugo*, éd. Club du Livre), à M. Seebacher, pour son étude neuve et décisive « *Comment peut-on être Milton ?* » (*Le Paradis Perdu*, recueil collectif, Minard, 1967). Nous tenons à remercier M. G. Rosa, qui nous a permis de prendre connaissance de son travail inédit sur *Cromwell et les problèmes de l'histoire*, dont les analyses extrêmement précises ont éclairé pour nous la portée de *Cromwell* en tant que « drame de l'histoire ».

conserve pour Hugo le double prestige d'être le *grand genre*, celui où s'illustrèrent ces classiques qu'il faut vaincre — et d'être une tribune, le domaine littéraire où la parole souveraine du génie peut reprendre par l'éloquence politique le flambeau de l'efficacité foudroyante.

Mais il y a plus : ce que les hommes ont alors à dire de nouveau, c'est au théâtre qu'ils doivent l'exprimer : la victoire du romantisme ne peut s'accomplir que sur la scène : « La jeunesse en France veut une révolution théâtrale », s'écrie le *Globe*, le 1er octobre 1825. Libéraux et ultras sont d'accord pour affirmer la nécessité d'un bouleversement qui débarrasserait le théâtre de ses formes vieillies. Dans cette lutte un Stendhal, écrivant *Racine et Shakespeare*, se retrouve aux côtés de Chateaubriand qu'il déteste. Bien plus, tous revendiquent pour le théâtre avec la même netteté, le droit et le devoir d'exprimer les réalités historiques, et voient dans l'histoire l'outil de la rénovation littéraire.

*L'heure.*

> Il se faisait tant de bruit sur la terre, qu'il était impossible que quelque chose de ce tumulte n'arrivât pas jusqu'au cœur des peuples. (*Préface de Cromwell.*)

Stendhal avec sa vigueur abrupte définit cette perspective nouvelle (*Racine et Shakespeare*, 1824) : « De mémoire d'historien, jamais peuple n'a éprouvé, dans ses mœurs et dans ses plaisirs, de changement plus rapide et plus total que celui de 1770 à 1823 ; et l'on veut nous donner toujours la même littérature ! » ; comment offrir encore de la tragédie à des « gens qui, au lieu de lire Quinte-Curce et d'étudier Tacite, ont fait la campagne de Moscou et vu de près les étranges transactions de 1814 ». « C'est donc à l'histoire —, dit le baron d'Eckstein[1], que connaissait bien Hugo, et dont les vues politiques étaient fort opposées à celles de Stendhal, — c'est donc à la politique qu'il faut s'adresser pour leur arracher toutes les conceptions dramatiques possibles. » Hugo s'insère dans la même pensée : « La queue du dix-huitième siècle traîne encore dans le dix-neuvième ; mais ce n'est pas nous, jeunes hommes qui avons vu Bonaparte, qui la lui porterons. » (*Préface de Cromwell.*)

1. *Le Catholique*, 1826.

Mais si le théâtre doit être historique, c'est parce qu'il doit être actuel, refléter les préoccupations du temps, et corrélativement, parce que l'histoire est signifiante, parce qu'elle éclaire le présent et permet de dégager de la méditation des situations historiques du passé la compréhension du monde actuel. C'est la thèse de Chateaubriand, dans cet *Essai sur les révolutions,* qu'il revoit et complète en ces mêmes années : les révolutions du passé permettent d'expliquer ce phénomène monstrueux et terrible que fut la Révolution française.

Or en 1825-1826, l'urgence est grande de tenter de comprendre le présent : Hugo n'est pas seul à être touché par le désarroi. Des signes non équivoques permettent de deviner dans ces années 1825-1826 la fragilité du système monarchique de la Restauration : la personne de Louis XVIII avait, si l'on peut dire, « camouflé » les lézardes qui apparaissent d'une façon éclatante dès l'avènement de Charles X. Le divorce de la monarchie et de la société bourgeoise s'affirme dans la mesure où la Restauration s'efforce d'effacer les conquêtes de la Révolution : les indemnités aux émigrés (le fameux « Milliard ») dresse contre la royauté l'ensemble de la bourgeoisie. Le conflit se concentre autour du problème de la liberté et en particulier de la liberté de la presse [1], que réclament tous les opposants, ultras ou libéraux. La rupture de Chateaubriand avec le pouvoir, après son renvoi du ministère, rend la liberté à ses jeunes disciples romantiques, à Hugo comme à Vigny. C'est sur le problème de la liberté d'expression que s'établit la conjonction entre les opposants ultras et libéraux, conjonction qui, du fait même du point où elle s'établit, conduit nécessairement à une sorte de victoire morale des libéraux.

Dans le domaine du théâtre les positions sont particulièrement claires : ce qui est en jeu, c'est le problème de la censure théâtrale et la possibilité, par exemple, « d'approfondir les deux caractères sur lesquels repose toute la civilisation moderne, le Prêtre et le Roi » (Vigny, *Lettre à Lord ***,* 1827). A quoi Hugo fait écho, peu d'années plus tard, dans la Préface de *Marion de Lorme* (1831) : « Aucun moyen de traduire naïvement, grandement, loyalement sur la scène, avec l'impartialité, mais aussi avec la sévérité de l'artiste, un roi, un prêtre, un seigneur, le

1. Les menaces contre la presse se précisent dans les années 1825-1826, où le pouvoir prépare la fameuse « Loi de Justice et d'Amour », muselant définitivement les journaux.

Moyen Age, l'histoire, le passé. » Si paradoxal que cela puisse paraître, il est donc naturel que les jeunes écrivains de 1825, mêmes monarchistes, même ultras, aient eu le sentiment de défendre la liberté en revendiquant le droit pour le théâtre de représenter les sociétés humaines dans leur ensemble ; le poids de la censure est tel qu'ils se sentent objectivement « révolutionnaires » en peignant Louis XIII ou la maréchale d'Ancre. Par la force des choses, être *romantique*, c'est être antigouvernemental : dès 1824, la pensée officielle, en la personne du très classique Auger, dénonce en pleine Académie le scandale du romantisme. La lutte littéraire conduit donc les jeunes romantiques à la distance et au retrait par rapport au trône et à l'autel. Il devient urgent pour tous de repenser conjointement problèmes politiques et problèmes littéraires : l'opposition modérée, représentée par exemple par *le Globe* (qui soutiendra si vivement *Cromwell*) cherche une idéologie de rechange, qui ne soit ni la pensée ultra, ni le libéralisme voltairien d'un Stendhal.

## Hugo et Cromwell.

> Mon père, vieux soldat, ma mère ven-
> déenne.

L'affrontement des peuples et des rois paraît à nouveau proche, et les préoccupations politiques envahissent tous les esprits : il est inutile de chercher ailleurs le caractère essentiellement politique de *Cromwell*, la part secondaire qu'y prennent les passions individuelles. Le sujet de *Cromwell* est dans l'air : il offre aux contemporains la possibilité de penser l'histoire présente à la faveur d'un événement du passé qui, renouvelant à la fois le souvenir de la Révolution et de la mort de Louis XVI, celui de Napoléon et de la succession révolutionnaire et celui de la Restauration, permet à l'écrivain de jouer sur trois plans à la fois.

Les *Cromwell* ne sont pas rares jusqu'en 1826 à commencer par celui que Balzac fit à 19 ans. Mais une des caractéristiques de ces œuvres est de mettre en scène la confrontation, l'opposition tragique du roi et du régicide, de Charles Ier et de Cromwell.

Le propos de Hugo est autre : il choisit de mettre en lumière le moment où Cromwell se voit contraint, après la mort du roi et de la royauté, de remettre sur pied une

nouvelle légitimité. Aussi le problème posé n'est-il pas
celui du régicide et de la révolution, mais celui du pouvoir
qui peut succéder à une révolution. A Cromwell se trouve
posée non pas la question : « dois-je tuer un roi ? », mais
« serai-je roi, moi, le régicide ? », et plus généralement :
« quelle forme de souveraineté puis-je instaurer ? ». Ainsi
Hugo s'installe-t-il délibérément dans le paradoxe histo-
rico-politique, à ce moment étrange et privilégié que
signale aussi Villemain : « Ici commence un des plus singuliers tableaux de la vie du Protecteur, et celui peut-être
qui fait le mieux ressortir les ressources de son génie...
On ne saurait imaginer... un plus étonnant problème que
Cromwell destructeur du trône, parvenant à réconcilier
les esprits avec l'idée de la royauté rétablie dans sa personne [1]. » Choisir ce moment pour Hugo, c'est déjà opter
contre le roi et contre la royauté, contre le caractère
cyclique de l'histoire, contre l'idée même de la restauration. Mais il y a là bien autre chose qu'une conversion
politique : le conflit majeur de son temps, Hugo est fait
pour l'exprimer. Il a été toute son enfance le « jeune
jacobite » dont quelques années plus tard il publiera le
journal [2]. Enfant, adolescent, il épouse passionnément
les haines et les parti-pris de Sophie, sa « mère ven-
déenne », contre le père. Il a été monarchiste et
« ultra »; il a dans les odes défendu le trône et l'autel.
Puis, sa mère morte, la Restauration enlisée dans sa
médiocrité, il s'est rapproché lentement de son père.
Invité au sacre de Charles X, il a vu de près, avec
dégoût, l'entourage royal. Il a tenté de faire vivre la *Muse
Française*, organe du romantisme monarchiste; en vain :
la *Muse* a été sabordée de l'intérieur. Et c'est au père,
soldat de Napoléon, général d'Empire, qu'il adresse enfin
l'émouvante et lourde dédicace de *Cromwell*. Après
quelles angoisses ? : c'est dans sa chair qu'il éprouve le
conflit de son siècle, conflit qui est, au niveau de sa
conscience d'homme, rigoureusement sans solution.
On n'efface ni la mort ni l'histoire. Mais il faut les
comprendre, les assumer, à la limite, les vivre, sans refus
et sans compromission. Plus qu'une option politique
nouvelle, encore peu assurée à cette date, ce que traduit
le *Cromwell* c'est une situation tragique.

Or c'est la position biographique particulière de Hugo

1. Villemain, *Histoire de Cromwell*, 1819, II, 9, cité par Cl. Duchet,
*op. cit.*
2. Dans *Littérature et Philosophie mêlées*, 1834.

qui en fait l'homme privilégié pour traduire, non seulement l'alliance accidentelle entre les opposants, mais plus généralement, plus cruellement, la « difficulté d'être » dans la société en 1826, la difficulté pour un jeune bourgeois, mais aussi pour un artiste, de trouver dans un monde à l'avenir incertain l'option vitale ouvrant sur le futur.

C'est dans cette perspective qu'on peut comprendre l'importance de *Cromwell* et de sa *Préface*. Il est le cri de ralliement de tous les opposants intellectuels : de là son apparence conciliatrice et l'appui que lui prêtent les doctrinaires du *Globe*. Mais le paradoxe hugolien réside dans le fait que le poète, lui, refusant de jouer la conciliation, approfondit les oppositions, dit non à toute solution de facilité, et laisse, si l'on peut dire, sa conclusion en suspens.

*Walter Scott.*

> Peu d'historiens sont aussi fidèles que ce romancier. (Hugo, *La Muse française,* juillet 1823.)

La conception première de *Cromwell* et la volonté de Hugo de faire une peinture fidèle, exhaustive, de l'Angleterre du XVIIᵉ siècle, sont déjà plus ou moins consciemment liées à l'évolution de la pensée de Hugo, à sa tentation libérale. Cette résurrection du passé au théâtre, c'est une conception libérale. Les libéraux, théoriciens et dramaturges, un Stendhal, un Vitet, un Mérimée, tous les auteurs de « scènes historiques », s'efforcent de donner au drame historique nouveau qu'ils cherchent à promouvoir cet aspect de copie littérale du passé, de reproduction de l'histoire dans sa vérité matérielle et morale immédiate. Ils veulent mettre en lumière les forces réelles qui font avancer l'histoire et avant tout l'importance décisive du peuple, le rôle des masses populaires qui ont fait la révolution et bouleversé le monde. De là chez eux le refus de mettre l'accent sur le grand homme, l'homme du destin ou de la providence.

C'est la leçon littéraire que Hugo rencontre aussi dans Walter Scott. L'admiration de Hugo pour le romancier ne date pas de ces années, elle est bien antérieure, et l'article de 1823 sur *Quentin Durward* répond à un article du *Conservateur littéraire* de décembre 1819. Tout se

passe comme si l'exemple littéraire de Walter Scott avait
déjà conduit le poète au seuil du libéralisme, comme si
la « libéralisation » de la forme avait précédé celle de la
pensée : comme l'a admirablement montré Lukacs [1], le
génie de Walter Scott est de donner la peinture complète
d'un conflit historique compris dans sa totalité complexe
et ses dramatiques contradictions individuelles et
sociales : « toute une époque de crise... avec ses mœurs,
ses lois, ses modes, son esprit, ses lumières, ses superstitions, ses événements, et son peuple que toutes ces causes
premières pétrissent tour à tour comme une cire molle ».
(Préface de Cromwell.)

C'est ainsi que la volonté première de Hugo dans la
rénovation du drame est celle d'une représentation totale
de la société ; la tâche du dramaturge est la peinture scru-
puleuse non seulement du moment historique, mais des
structures, des différents groupes humains et de leurs
conflits. La première démarche de Hugo est donc celle
de l'historien ou si l'on peut dire du romancier de l'histoire et sa perspective est, presque intégralement, celle
du réalisme historique de Walter Scott. En particulier ce
qui le frappe dans les romans scottiens, c'est la volonté du
créateur de peindre les conflits dans leur douloureuse et
insoluble incidence individuelle [2].

## Naissance de l'œuvre

Peut-être faut-il voir dans la lecture des Woodstock, de
Walter Scott, dont la localisation historique est identique
à celle de Cromwell, et où apparaît une image du Protecteur tout à fait proche, l'étincelle finale qui précipite la
rédaction de Cromwell. Woodstock paraît dans sa traduction française en mai 1826. Mais l'origine est sûrement
plus ancienne et il est très difficile de démêler dans une
œuvre aussi vaste et aussi riche, ce qu'on est convenu
d'appeler les sources. Peut-être le Mémorial de Sainte-
Hélène, paru en 1823, a-t-il été le point de départ des
réflexions de Hugo sur le rôle du grand homme dans la
société moderne, sur la réussite et l'échec du héros.
En 1825, Hugo lit Shakespeare, et par un anachronisme

---

1. Lukacs, Le Roman historique, traduction française de R. Sailley,
1965.
2. Cf. dans l'article cité de la Muse française l'admirable portrait
que Hugo trace de Quentin Durward, héros du livre.

curieux et naturel, passe de cette lecture à celle des documents historiques sur la révolution anglaise du XVIIe siècle. Sur ce terrain, la plus importante de ses sources est l'*Histoire de Cromwell*, de Villemain (1819), la dernière en date est l'*Histoire des Révolutions d'Angleterre* de Guizot (1826-1827).

Au début d'avril 1826, Vigny publie son *Cinq-Mars*, auquel Hugo consacre un compte rendu très élogieux : il admire le personnage de Richelieu, et « de quel pinceau l'auteur a touché ce personnage colossal. Richelieu fut une sorte d'usurpateur; mais *un de ces hommes si extra-ordinaires, qu'on ne sait ni comment les admettre au rang suprême, ni comment les en retrancher* » (Chateaubriand, *sur Buonaparte*).

Le 6 août 1826, Hugo commence le 1er acte de *Cromwell* (1.020 vers), qu'il achève le 24 août; le second acte (1.300 vers), commencé le 31 août, est terminé le 20 septembre, le 3e (plus de 1.700 vers), est écrit du 22 septembre au 9 octobre; le rythme de rédaction s'accélère. Le 4e acte (un peu moins de 1.000 vers) est écrit presque aussi vite : du 11 au 25 octobre. Hugo commence aussitôt l'acte V (28 oct.), mais l'interrompt bientôt (3 nov.), peut-être troublé par la naissance de son fils Charles (2 nov.). Après une pause d'un mois, il reprend son travail le 9 décembre, avec moins d'élan; il écrit 500 vers jusqu'au 1er janvier puis ralentit son rythme : en février il n'écrit que 34 vers en 20 jours. Puis il se remet au travail apparemment le 15 mars, pour s'arrêter quelques jours plus tard et ne reprendre qu'au début d'août. Sa volonté créatrice a-t-elle été brisée par la mort de Talma, qui dans un dîner au *Rocher de Cancale* aurait, selon le *Victor Hugo raconté par un témoin de sa vie*, dit à Hugo : « Un Cromwell fait par vous ne peut être joué que par Talma ». « Quelque temps après (le 19 octobre 1826), Talma était mort. M. Victor Hugo, n'ayant plus d'acteur, ne se pressa plus », ajoute le *Victor Hugo raconté*, « et put donner à son drame des développements que n'aurait pas comportés la représentation ». Si la mort de Talma a pu ralentir l'activité créatrice de Hugo, elle n'est aucunement responsable de l'ampleur « injouable » du drame : quatre actes, nous venons de le voir en étaient déjà complètement écrits.

Il est plus vraisemblable de supposer que Hugo éprouve à achever son œuvre des difficultés internes, que son dénouement se dérobe à lui : ainsi s'explique que par deux fois (en février et mars 1827), Hugo donne lecture de son œuvre inachevée, comme pour chercher hors de lui un élément qui lui échappe.

Le 7 août 1827, Hugo reprend enfin le dernier acte de *Cromwell* qu'il achève peut-être dès la fin d'août. Au début d'octobre il écrit la *Préface* qu'il lit à ses amis dans le courant du mois de novembre. *Cromwell* paraît le 5 décembre, et le lendemain le *Globe* lui consacre un numéro entier.

Pouvait-il songer à faire jouer une œuvre aussi monstrueusement étendue ? Hugo affirme dans la *Préface* « qu'il [Cromwell] a été dans toutes ses parties composé pour la scène », et que seule la pensée de la censure l'a arrêté : « désespérant d'être jamais mis en scène, il s'est livré libre et docile aux fantaisies de la composition ». Mais il n'exclut pas la possibilité d' « extraire de ce drame une pièce qui se hasarderait alors sur la scène ». Jusqu'à la fin de sa vie Hugo rêve de tirer de Cromwell une « comédie » jouable. Et dès la parution les admirateurs réclament à Hugo une version pour la scène : « quand il (*Cromwell*) escaladera le théâtre, il y fera une révolution, et la question sera résolue ».

Mais jamais Hugo ne songe réellement à réduire *Cromwell*. Etait-ce même une tâche possible ? Et le « gigantisme » de l'œuvre, la part énorme que tient la peinture minutieuse de l'époque, avec tous ses détails, pouvaient-ils être ramenés à d'autres proportions sans que se trouvent modifiées non seulement l'économie générale de l'œuvre, mais sa signification ?

*Le monde.*

> Cromwell, centre et pivot de cette cour, de ce peuple, de ce monde... *(Préface)*

La peinture de l'histoire dans Cromwell est peinture de roman : une esthétique nouvelle du drame aboutit à ce tableau énorme, fourmillant de détails. Une lecture sérieuse de ses sources historiques lui permet d'accumuler une masse de renseignements qu'il choisit avec beaucoup d'habileté, mais aussi apparemment avec la volonté d'en utiliser le plus possible, de donner, de l'Angleterre de Cromwell une image exacte, « consciencieuse », c'est son mot, et en outre prodigieusement vaste, comme si l'exactitude se devait d'être exhaustive, totale et de conduire à une reconstitution sans faille du passé historique.

C'est cette exigence de totalité qui nous vaut de voir évoluer soixante personnages, pris dans les milieux les plus divers ; ainsi se trouvent différenciés, avec une finesse de roman, les personnages opposés des deux conspirations, pris dans leur histoire individuelle, leurs intérêts économiques, leurs tempéraments. Bien loin d'être l'incarnation abstraite des partis affrontés dans un vaste conflit, ils représentent toutes les nuances psychologiques, jusqu'à l'émiettement : bien mieux ils se colorent mutuellement, selon une recette que Hugo inaugure ici, et qui sera l'une des clefs de sa psychologie dramatique. En quelques lignes de dialogue, s'opposent, chez les Cavaliers, le bouillant Rochester et Ormond le pur, Jenkins, le juriste intègre, et William Murray, hobereau vaniteux et stupide. Même l'uniformité puritaine n'empêche pas la variété des visages : le fanatique et le commerçant, le poète Milton et le soudard Syndercombe. L'effort de différenciation va au-delà de la silhouette et du costume, jusqu'au langage : le pédantisme biblique des puritains, l'élégance des cavaliers, la préciosité d'un Rochester ou d'un Davenant, le ton épique de Milton, et jusqu'à l'éloquence diffuse et rocailleuse du Protecteur dans son dernier discours.

C'est toute l'activité de Cromwell que Hugo déroule à nos yeux, dans le détail, par les procédés les plus divers : allusions, compliments, méditations sur le passé, scènes « historiques », comme la réception des ambassadeurs. Rien d'important ne manque au tableau de l'histoire de Cromwell.

Le décor, c'est la ville de Londres, palais et tavernes, courtines et salles d'apparat, jusqu'à la grande cour du Ve acte, où le peuple se presse pour assister au geste suprême, assassinat ou couronnement. Meubles, décors, costumes sont reproduits avec une minutie déjà caractéristique de l'esthétique hugolienne du drame.

Mais cette volonté totale d'exactitude n'exclut pas un sens mystérieux du choix. Dans la richesse du réel historique, ce qu'il met en lumière, c'est le plus étrange et le plus incongru : les quatre fous de Cromwell, dont l'histoire n'a pas retenu les noms, mais bien l'existence. Et il joue avec les noms saugrenus des Puritains : Louez-Dieu-Pimpleton, ou Vis-Pour-Ressusciter-Jéroboam-d'Emer ; il joue avec leur langage, avec leur utilisation imprévue et barbare des citations bibliques.

Le respect des lieux, lui aussi, est mystérieusement

« gauchi » : si Cromwell se retrouve dans la pièce d'où le roi Charles Ier sortit par la fenêtre pour son exécution capitale (III), c'est que cette fenêtre historiquement exacte ouvre, si l'on peut dire, sur le drame entier du régicide. La couleur locale s'épanouit en symbole. Les costumes unissent exactitude et valeur signifiante : le noir de l'Angleterre puritaine sur le vêtement de Cromwell triomphe des diaprures des ambassadeurs étrangers. Les costumes des fous chantent — formes et couleurs — le sarcasme et le sinistre. Le baroque somptueux de la reconstitution historique nourrit l'angoisse dramatique. L'obscurité propice où les sentinelles lancent leur grand cri : « Tout va bien. Veillez-vous ? » est trouée soudain de flambeaux et de torches.

L'exactitude psychologique signifiante, elle aussi, aboutit à une étrange conséquence dramatique : une sorte de faille intérieure, de faiblesse intime rend inefficace l'action des personnages, conduit à l'échec des deux conspirations jumelles. La précision dans l'analyse individuelle et dans la caractérisation sociale éclaire l'effondrement politique des hommes. Carr, par fanatisme aveugle (ou clairvoyant ?), Rochester par incurable légèreté, Barebone par cupidité, Jenkins par rigueur juridique, Lambert par inexcusable lâcheté, Milton même par sa pureté de poète et de mage, compromettent ou trahissent objectivement les projets et les intérêts de leur parti. Leurs déterminations individuelles mettent en péril leur rôle historique; leur appartenance sociale et leur choix idéologique bien loin d'éclairer et d'affermir leur conduite politique la rendent incertaine et contradictoire. De là l'extraordinaire impression d'agitation vaine, de fourmilière bousculée par un coup de pied, que donne le tableau des deux conspirations, royaliste et puritaine, et de leur échec presque simultané.

Or un tel tableau, s'il correspond dans tous les détails à l'Angleterre au milieu du XVIIe siècle, n'en est pas moins caractéristique de la situation politique des dernières années de la Restauration où tous les partis sont renvoyés dos à dos pour agitation brouillonne et inefficacité bavarde. La peinture d'histoire cesse subtilement d'être reconstitution du passé pour devenir méditation sur le présent, éclairant l'impuissance politique et le crépuscule de la monarchie, à la lumière des séquelles d'une révolution avortée.

*Le héros.*

> Quand son nom gigantesque, entouré d'auréoles
> Se dresse dans mon vers de toute sa hauteur...
> Toujours Napoléon, éblouissant et sombre
> Sur le seuil du siècle est debout.
>                          (*Lui, Orientales*, 40, déc. 1828)

Cette transposition historique, ce double registre sans
cesse présent à l'esprit du lecteur, c'est la peinture de
Cromwell qui les manifeste le mieux. C'est lui qui est à
la fois le Cromwell de l'histoire, et le Napoléon dont le
mythe se dessine jour après jour plus net dans les poèmes
de Hugo, des *Funérailles de Louis XVIII*, septembre 1824
(le « démon régicide »), à l'ode admirable *Les Deux Iles*
(juil. 1826) où il est le « géant captif », et aux deux
*Orientales* exaltées qui terminent le recueil (*Bounaberdi*
et *Lui*, nov.-déc. 1828). Certes Cromwell représente à la
fois la Révolution, Napoléon, et l'homme de génie rêvé
que n'a pas eu la Restauration. Mais avant tout, il ressemble à Napoléon : comme lui, il possède à la fois génie
militaire et génie politique, comme lui, il humilie les rois
(« ... les rois perdaient leur maître », s'écrie Cromwell,
songeant à son assassinat), comme lui, il gouverne donc
jusqu'au plus infime détail, sous l'œil de sa mystérieuse
étoile. Il porte au flanc sa plaie, son régicide, comme
Napoléon, l'assassinat du duc d'Enghien [1], crime majeur
aux yeux des royalistes, comme lui, il confisque à son
profit une révolution victorieuse et se trouve acculé à
tenter d'établir une nouvelle légitimité dont il serait le
créateur et l'origine. Comme lui, il sait demeurer en
contact avec le peuple et « percevoir dans des réactions
minimes et insignifiantes le changement d'humeur du
peuple ou d'une classe [2] ».

En face du néant historique de ses contemporains, en
face de ces pygmées incertains et batailleurs, Hugo
dresse la figure du géant, de l'homme de génie égal à la
grandeur de son siècle. Si le drame est « miroir de
concentration », comme il le dit dans la *Préface*, cette
concentration se fait autour du héros, centre du drame.

---

1. L'éloquence de Chateaubriand se déchaîne sur ce point dans
*De Buonaparte et des Bourbons;* et Hugo s'écrie : « ... d'Enghien sur la
poudre mourut, sous un arrêt que rien ne peut absoudre. » (*Au Colonel
Gustaffson*, 30 sept. 1825.)
2. Lukacs, *op. cit.*

Si tout dans les événements est exact historiquement, tout est rapporté à Cromwell, à son action, à son génie. L'ensemble de la pièce tend donc à une héroïsation du personnage principal : non seulement il occupe le devant de la scène, mais tout est fait pour montrer en ce laps de temps très court le souvenir de ses victoires militaires, ses réussites diplomatiques, son triomphe politique, l'avilissement du Parlement, l'écrasement des deux conspirations, et plus encore le pardon méprisant du dernier acte et son habile victoire sur lui-même. Sa grandeur et son efficacité sont le thème dominant de la pièce, et se mesurent non seulement au mépris dont il abreuve également rois et bourgeois, nobles et parlementaires, mais à l'agrandissement épique que Hugo n'hésite pas à faire subir à son personnage : le mage Manassé voit au ciel l'étoile de Cromwell, et quand il rencontre dans la nuit le Protecteur déguisé en soldat, il s'effondre en reconnaissant la main terrible, instrument du destin : « Ah! c'est bien cette main, large à porter le monde! »

### De Caïn à Satan.

> On vient au même point de l'enfer et du ciel.
> Le sang souillait Caïn et paraît Samuel —
> Oui, voilà bien Satan; il ressemble à Cromwell!
> 
> (*Cromwell*, IV, VIII)

Mais si Hugo dresse un Cromwell plus grand que nature, ce n'est pas seulement dans le bien et la réussite, mais aussi dans le mal. Le personnage a son côté sombre. De même qu'à la grandeur napoléonienne répond l'assassinat du duc d'Enghien, fait pour couper définitivement la France des Bourbons, de même la grandeur de Cromwell a pour rançon son crime, deux fois assimilé dans la pièce à celui de Caïn. On sait que pour Hugo, la figure de Caïn est celle du crime inexpiable; le régicide, traditionnellement assimilé au parricide, est ici rapproché du meurtre familial, racine de tout crime. La fille même de Cromwell, cette Francis tant chérie, maudit ainsi les régicides :

> Que chacun d'eux ressemble à Caïn, le banni ! (III, v)

Le souvenir du régicide est partout présent dans la pièce, jusque dans les objets : la fenêtre de l'exécution est

bloquée par la rouille du sang [1], et le trône du dernier
acte est construit par les mêmes ouvriers que l'échafaud
de Charles Ier. Hugo emprunte à Walter Scott le portrait
du vieil homme bourrelé de remords, poursuivi par un
spectre :

> Montrant au meurtrier sa main de sang rougie,
> Sa blessure incurable et toujours élargie.

Devant lui, blanche et pure, ignorante de son crime [2],
se dresse sa conscience vivante, ou pour mieux dire son
innocence passée, sa fille Francis ; séparé d'elle par son
crime et son silence, il est du même coup éternellement
séparé de lui-même. Et pourtant ce crime, il est contraint
de l'assumer ; il en a des remords, mais jamais un regret :
« J'ai dû frapper le roi. » Il a manié « la hache d'un
peuple » (IV, VIII). La conscience et l'acceptation du mal
en font un autre personnage : il est l'être, grand entre
tous, qui a perdu volontairement sa blancheur première
pour être grand par le mal : il est l' « archange mortel »
(ainsi le nomme Milton), Lucifer, Satan. Invectives et
plaisanteries ramènent perpétuellement, dans le langage,
l'assimilation de Cromwell à Satan. Le fou Elespuru unit
dans sa chanson (III, I) le vieux Nick (le diable) et le
vieux Noll (Olivier Cromwell) :

> Dites, — quel est le plus diable,
> Du vieux Nick ou du vieux Noll ? —
> Sait-on qui Satan préfère
> Des serpents dont il est père ?

Jamais Hugo ne nous laisse oublier que Milton est le
poète de Satan ; et il y a une ironie dans la condamnation
littéraire du Satan de Milton par Cromwell :

> Quant à votre grand diable, autre Léviathan, *(il rit)*
> C'est mauvais.

En Cromwell comme en Napoléon coïncident le mal et
la grandeur, l'un étant la contrepartie nécessaire de
l'autre : « Tu domines notre âge ; ange ou démon, qu'importe ? » dit Hugo de Napoléon dans *Lui* [3].
   Cette assimilation de Cromwell (ou de Napoléon) à

---

1. « On l'ouvre rarement — la serrure est rouillée...
   C'est du sang de Stuart la fenêtre souillée. » (II, XV)
2. Cette ignorance est d'autant plus vraie et significative qu'elle est
plus invraisemblable ; le tragique dans le théâtre de Hugo est presque
toujours fait d'une faute ou d'un crime qu'ignore et doit ignorer l'être
aimé.
3. Les *Orientales*, XL.

l'ange du mal n'est pas un romantique effet de style : il est le destructeur, celui qui a jeté à bas l'ancien monde, et l'ancien système de valeurs, celui qui a porté le fer et le feu dans le rassurant édifice de la monarchie de droit divin : l'échafaud de Charles Ier ne s'est pas contenté d'emporter la tête d'un roi, il a découronné la royauté de son auréole sacrée. Travail destructeur, satanique, mais nécessaire, dont Cromwell porte le poids criminel, mais que jamais, à aucun moment de la pièce, Hugo n'accepte de condamner.

## Cromwell humilié.

> ... le théologien, le pédant, le mauvais poète, le visionnaire, le bouffon, le père, le mari, l'homme-Protée, en un mot le Cromwell double, *homo et vir*. (*Préface*)

En 1826-1827, nous l'avons vu, Hugo est confronté à Napoléon, contraint à la nécessité de le comprendre, dans ses victoires et dans son échec, dans son génie et dans ses faiblesses, pour mesurer au plus juste la place du grand homme dans la cité. Il ne faudrait pas voir dans *Cromwell* l'hymne au grand homme, sauveur de la cité, exalté sans mesure aux dépens des hommes. Son royalisme encore tout proche défend Hugo du césarisme : le culte de Napoléon s'accompagne chez lui de sérieuses réserves.

Ainsi s'opposent chez Cromwell, à la grandeur du héros dans le bien comme dans le mal, la petitesse de l'homme, sa faiblesse, l'échec inscrit dans sa propre nature. L'héroïsation de Cromwell est corrélative de la dérision qui s'installe à l'intérieur du personnage. Le grotesque découronne le grand homme, que définissent sarcastiquement ses Fous : « Nous sommes ses bouffons, mais il est notre fou. » « Tibère-Dandin », dit Hugo, dans la *Préface*, et de le montrer tremblant devant sa femme (II, III : « Ah! mon Dieu, c'est ma femme! »), sensible aux coups d'épingle, refusant malgré sa grandeur d'âme de pardonner à qui l'a moqué (« Il pardonne plutôt un complot qu'un sarcasme », V, XIII), avare, peu scrupuleux, alliant le cynisme à la superstition, non dénué d'hypocrisie : « *Homo et vir* » conclut Hugo dans l'étincelant couplet de la *Préface* où il oppose les déterminations du génie, et celles, dérisoires, de l'individu Cromwell. Le clivage qui, partageant les personnages de la pièce, en fait des êtres non réconciliés, passe aussi à l'intérieur de Cromwell. La scène où Cromwell livre ses confidences à son secrétaire Thurloë et discute affaires avec lui est à la fois exaltation du grand homme politique et humour noir [1].

Mais si la faiblesse individuelle est partie intégrante du personnage, si, selon les formules hugoliennes, le « grotesque » s'intègre au « sublime » dans le personnage de Cromwell, il est difficile de voir dans les seules limitations de sa nature la cause de son échec : ces limitations sont liées à celles qu'il rencontre dans son action. C'est l'obstacle qui renvoie Cromwell à ses propres faiblesses d'homme. La superstition de Cromwell, si intéressante, est l'image de la résistance du monde à l'action créatrice du génie; elle est la reconnaissance par le héros de forces non dominées, auxquelles il est contraint de se soumettre; par sa superstition, le héros victorieux courbe tête devant la fatalité, et la scène où Cromwell interroge l'astrologue Manassé est le pivot de toute la pièce (III, XVII) :

> Si tu veux être roi, mon fils, ta mort est sûre.

Si l'échec est inscrit par là dans la trame de la pièce et au cœur même du personnage héroïque, c'est que le monde offre à Cromwell une matière rebelle : pour lui l'échec, c'est « les autres ». La faiblesse des hommes arrête son action : « le présent lui tue l'avenir », dit Hugo dans une formule saisissante de la *Préface*, indiquant ainsi les causes de son échec fondamental. La volonté de l'homme de génie ne suffit pas à triompher des hommes.

### Les Fous.

> Nous sommes ses bouffons, mais il est notre fou.

Ainsi la conception du grand homme, celui qui, seul, fait avancer l'histoire, se trouve-t-elle mise en question par l'introduction d'un élément dramatique nouveau, la dérision. Or la dérision dans la pièce se rattache à ce que Hugo dans sa *Préface* définit longuement sous le nom de *grotesque*. Dérisoire la faiblesse des conspirateurs, nobles ou bourgeois; dérisoire ce Barebone arrêté dans le

---

1. Cette scène est peut-être empruntée à la scène de structure si voisine où le Turcaret de Lesage s'entretient avec son clerc, M. Rofle.

meurtre de Cromwell par la pensée du beau trône qui ne lui sera jamais payé. Dérisoire ce brillant conspirateur qui s'appelle Rochester, étincelant de vie et de gaîté, mais affublé d'un déguisement de chapelain puritain, couvert du nom d'Obededom, amoureux transi, poète ridicule, conspirateur contraint à boire le somnifère qu'il destinait à sa victime, finalement époux d'une horrible duègne. Les fous de Cromwell l'assimilent à eux :

> Est-il moins fou que nous, ce chapelain morose ?
> Il attache son foudre avec un ruban rose! (III, 1)

Fou, certes, le premier de ces héros de la fantaisie qui sont le sel du théâtre de Hugo, mais d'autant plus dérisoire qu'il est plongé au cœur de l'action avec ses illusions, son complot ridicule, son déguisement, ses étourderies et l'absurdité de son amour.

Les fous, eux, échappent à l'illusion; ils sont les sujets, non l'objet de la dérision. L'admirable première scène de l'acte III, cet acte précisément intitulé *les Fous*, montre les bouffons dans leur rôle : ils savent la conspiration des Cavaliers, mais se gardent d'intervenir : essentiellement contemplateurs, ils regardent, observent et rient :

> GIRAFF
>
> Quoi donc! l'avertir ? nous ?
> Es-tu fou, Gramadoch ? Est-ce là notre affaire ?...
>
> GRAMADOCH
>
> ... Regardons. Nous allons voir passer sous nos yeux
> Vingt acteurs, tour à tour calmes, tristes, joyeux;
> Nous dans l'ombre, muets, spectateurs philosophes,
> Applaudissons les coups, rions aux catastrophes...

Refusant délibérément d'agir, ils se contentent de chanter, rythmant par leurs chansons la marche au néant de Cromwell. Ils sont les miroirs d'une société qui se défait et leurs chansons en reflètent la décomposition; les fous chantent les puritains qui ne sont plus puritains (« l'esprit puritain meurt, dit Rochester; l'or rend un saint docile »), la futilité des cavaliers, Olivier Cromwell, lui-même, le vieux Noll, donnant la main au vieux Nick, le grand diable d'enfer; le fou Trick chante (III, 1) la « légende » de la décomposition sociale :

> Siècle bizarre!
> Job et Lazare
> D'or sont cousus.
> ... Titans pygmées
> Et nains géants!
> Voilà mon âge.
> Rien ne surnage

Dans ce chaos
Que les fléaux.
... Nos grands Césars
Sont des lézards
... Nos fiers Brutus
Sont des Plutus
Notre Jupin
Est un Scapin...

C'est déjà le « soleil couché » des *Chants du Crépuscule*.
La révolution des « saints » est aussi morte que la monarchie tuée par le Protecteur.

Leur rôle contemplateur, leur silence et leur refus
devant l'événement, leur impuissance objective, signale
leur parenté avec le peuple, ce peuple qui, dans *Cromwell*,
parle par les fous et par les ouvriers du Ve acte, ce peuple
qui, comme les fous, s'exprime par des chansons[1], comme
eux n'a pas droit à la parole, comme eux est réduit au
rôle de spectateur de l'histoire; c'est Milton qui dit :

(amèrement) — Ah oui !
Le peuple ! — Toujours simple et toujours ébloui,
Il vient sur une scène à ses dépens ornée,
Voir par d'autres que lui jouer sa destinée. (V, IX)

Et plus clairement encore les fous :

ELESPURU

Et le peuple ?

TRICK

Il regarde. Il ressemble
Au léopard qui voit deux loups lutter ensemble.
Il attend, et les laisse en paix se déchirer,
Content que le vaincu lui reste à dévorer. (V, VII)

A la scène X, chacun des personnages ressent physi-
quement le silence du peuple et la menace qu'il fait
peser :

OVERTON (... en... montrant le peuple consterné)

Il menace : il se tait.

Comme celle des fous la révolte du peuple est encore
impuissante et dérisoire : c'est le fou Gramadoch qui
relève le gant contre la royauté de Cromwell, affrontant
le champion du nouveau roi, à l'aide d'une batte de
bouffon.

Mais si les fous sont le peuple, ils le représentent dans
sa faiblesse et sa dégradation; le grotesque est horrible

1. Voir sur ce point la remarquable analyse de J. Seebacher, Introduction aux *Chansons des Rues et des Bois*, même collection.

dans une société où la force populaire est dénaturée par la misère et n'apparaît que sous un travesti ridicule. Loin d'être méprisante, cette image du peuple, cette liaison du peuple et du grotesque est déjà chez Hugo porteuse de signification.

Ce sont les fous qui donnent à l'œuvre son climat littéraire particulier. Ce sont eux qui, s'établissant en spectateurs, transforment l'histoire en pur spectacle « plein de bruit et de fureur »; c'est leur bouffonnerie qui donne son sens au tragique de l'échec de Cromwell, et oppose à l'héroïsation de la figure centrale leur lucidité destructrice : « Satan fait les tyrans au plaisir des bouffons. » (III, 1.) Dégonflant l'enflure, ils jugent la folie des autres comme dans l'étonnante scène finale de l'acte IV, et dénoncent la similitude entre la folie de Cromwell et la leur, similitude qui n'est pas de pure forme, mais signifie très précisément l'effort *dérisoire* de Cromwell pour imposer sa volonté au monde :

> GRAMADOCH
>
> Et pourtant quoiqu'il porte un monde sur son cou,
> De ceux dont nous parlons Cromwell est le plus fou.
> Il veut être encor roi : la mort est à sa porte. (IV, IX)

Le rôle littéraire des bouffons est d'établir la distance, introduisant par leur attitude une sorte de théâtre dans le théâtre, et par leurs chansons un lyrisme inverse, une sorte de contre-élévation.

Mais là ne se borne pas leur rôle. Bien loin de n'être que le véhicule d'un baroque shakespearien, les fous mettent en lumière l'idée-clef de l'œuvre : l'impossibilité pour l'homme de génie de faire triompher sa propre politique dans une société en décomposition, où la corruption des hommes et des choses est plus forte que son vouloir et que son génie, d'assurer l'avenir au milieu du chaos des intérêts contradictoires, ce chaos qui est la matière dramatique du *Cromwell*. Les fous dénoncent l'illusion « romantique » de Cromwell : le génie ne saurait à lui seul mettre sa marque au monde; il ne peut être le premier des hommes libres lorsqu'il n'y a pas ou qu'il n'y a plus d'hommes libres. Si la liberté est morte, ou si elle n'est pas née encore, force est à Cromwell de tenter de ressusciter, par delà la légitimité morte, une autre légitimité, qui seule rachèterait son rôle destructeur : seul le sacre, créant une nouvelle autorité mystique, de nouvelles valeurs, permettrait à Cromwell non seulement d'effacer son crime, mais de lui donner sa véritable signification d'étape provisoire, de passage nécessaire par le mal. Tel est le sens de la formule étrange des Fous : « Cromwell veut être roi ; Satan veut être Dieu. » Ainsi se trouve justifié le désir apparemment absurde du Protecteur de se faire roi. Obtenir la couronne, ce n'est pas tant cesser d'être régicide que remplacer la loi du passé par la loi de l'avenir, créer enfin l'avenir. Mais une telle tentative, les Fous la voient, la jugent et la condamnent : « S'il fait ce dernier pas... la mort l'attend. » (IV, IX.)

*Milton.*

> Toi, redeviens Cromwell à la voix de Milton.

Les fous l'ont dit : Cromwell n'a pas d'avenir. Le spectateur a présent à l'esprit ce « grain de sable » pascalien qui quelques mois plus tard renvoie Cromwell au néant. Il n'a pas d'avenir dans ses enfants : Richard Cromwell refuse de se faire l'héritier de son père :

> J'ai plus que je ne vaux et que je ne désire.
> J'aime les bois, les prés, le loisir, le repos. (V, XIII)

Cromwell s'est trompé sur lui : il n'a ni l'énergie du parricide, ni celle du règne : il n'est rien ; en sa personne l'individu privé, *homo*, l'emporte définitivement sur le *vir ;* avoir obtenu l'hérédité est inutile à Cromwell. Et Francis, la fille chérie, royaliste, loin d'être créature de l'avenir, est tout entière tournée vers le passé, conscience de la faute et du remords, figure de l'irrémédiable et de la division intérieure.

Alors ? s'il est bien entendu que la solitude du grand homme le condamne, puisque sa grandeur se mesure à la grandeur de ce qu'il a en face de lui, Hugo pourrait écraser Cromwell sous la légitimité bafouée, sous la royauté de droit divin. Quelques années plus tôt — s'il avait pu écrire un *Cromwell* —, peut-être l'aurait-il fait. A présent, s'il humilie son grand homme c'est aux pieds des prophètes démocrates, Carr et Milton. Dans une scène étonnante, parodie retournée du fameux « Prends un siège, Cinna », on voit le puritain Carr dénoncer au tyran la conspiration ourdie contre lui, et Cromwell, Auguste humilié, courber la tête sous l'indulgence insultante de son adversaire républicain. Plus décisif encore est dans la pièce le rôle de Milton. A l'acte III (scène IV), il adjure Cromwell de sauver la liberté :

> Sois plus que roi. Remonte à ta hauteur première.

C'est lui encore qui, au dernier acte, au moment suprême, pousse à l'intention de Cromwell le cri de l'avertissement divin : MANE, THECEL, PHARES, l'arrêtant sur la voie de la tyrannie et de la mort, et tentant de lui rendre son nom de héros. C'est le peuple ici, ce peuple pour la liberté duquel Milton a prononcé un si éloquent plaidoyer, qui l'emporte sur le grand homme ou plutôt qui sauve le grand homme de la défaite et de la mort. Après son refus du trône et sa généreuse clémence, Cromwell se tourne presque humblement vers Milton et le questionne : « Milton est-il content ? » A quoi le poète répond avec hauteur : « Il attend. » Le mage aveugle, par la bouche duquel parle le peuple encore muet, attend l'avenir. C'est lui qui unit dans sa parole le peuple et Dieu : lui qui condamne au nom de Dieu la trahison de Cromwell envers la liberté :

> ... L'homme en qui j'adorais la vérité [1] vivante !
> Ah ! pour jamais ici je viens te dire adieu,
> Roi fatal, révolté contre *le peuple et Dieu* [2] ! (V, VIII)

On pressent ici le geste de Beethoven, déchirant la dédicace de l'*Héroïque* à Bonaparte. Les faiblesses de Milton (sa vanité d'écrivain), comme sa lucidité prophétique, apparentent sa figure à celles des fous ; grotesque et sublime se tiennent par la main : c'est le fou Gramadoch qui s'écrie (V, VII) : « Voici maître Milton : — Nous sommes au complet [3]. » Par tous ces traits, il est déjà le mage hugolien, aveugle, poète, proche du peuple, proche des fous, proche de Dieu : la constellation miltonienne ouvre le drame sur les possibilités de l'avenir humain : « la mission du poète qui plonge aux sources bibliques et aux océans du futur consiste à se faire l'écho prophétique d'un paradis retrouvé, où le peuple à venir et le Dieu conquis ne se distingueront plus » [4].

---

1. Hugo a hésité entre les mots *vérité* et *liberté*.
2. Souligné par nous.
3. « Et il n'est pas indifférent que la parenté profonde qui existe entre le poète et les fous se révèle précisément au moment où ils sont réunis pour assister, comme le peuple, au sacre de Cromwell. » (G. Rosa, *o.c.*)
4. J. Seebacher, *o.c.*

Mais si le personnage de Milton est l'annonce de ce qui sera l'une des idées-clefs de la pensée de Hugo, le remplacement du guerrier par le mage (savant, poète ou prophète), l'attitude de Milton comme celle de Carr définit aussi le retrait actuel du penseur, l'exil intérieur devant les impossibilités de l'histoire : Carr retourne à sa prison volontaire, Milton attend. Quand les conditions objectives excluent les solutions concrètes, seules restent au penseur, au poète, l'exil et la prophétie.

*Hugo et l'histoire.*

Pour Hugo, *Cromwell* est une étape dans la façon de penser l'histoire : entre une conception progressive de l'histoire et une vue cyclique qui montre dans le processus historique l'éternel recommencement « révolution-homme providentiel-restauration », Hugo ne choisit pas : il renvoie dos à dos la conception « ultra » de l'histoire qui voit dans l'apparente évolution une sorte de lent glissement où la tradition et l'inertie des choses reprennent le dessus après les bonds catastrophiques de la société, — et la conception libérale d'une marche de l'humanité vers l'avenir, chacun des sauts révolutionnaires marquant (avec toute sorte de nuances) au-delà des destructions un pas irréversible du progrès. Refusant l'option, Hugo montre contradictoirement les deux pôles de l'histoire, sans essayer de résoudre l'opposition, en l'approfondissant au contraire.

En cet instant crucial où Cromwell saisit la couronne, il s'aperçoit qu'il ne peut ni couronner la révolution en sa personne, faisant faire ainsi à l'histoire un saut décisif, ni renoncer à la voie « royale » du pouvoir en instaurant une légitimité de la république. Reflétant les apories réelles de la politique de la Restauration, le Cromwell de Hugo, semblable en cela au Cromwell de l'histoire, renonce à prendre l'initiative qui ouvrirait vers l'avenir mais sans en perdre la nostalgie : « Quand serai-je donc roi ? » Le drame s'achève donc sur le refus d'une solution objective. Le comble du génie politique aboutit à ce cri d'une impuissante espérance, auquel le destin répond — le spectateur le sait — par un refus. Le dernier acte déploie apparemment le triomphe du Protecteur, un triomphe « augustéen », auquel ne manquent ni le pardon aux conjurés, ni la victoire sur soi, ni l'applaudissement d'un peuple qui se fait l'exécuteur de la vengeance [1]. Et pourtant le plus haut génie, « à la fois pouvant et puissant [2] », aboutit à cet instant où il se défait lui-même devant l'impossible, où, selon l'énergique expression de la *Préface*, « sa destinée rate ». Expression paradoxale dans la mesure où le fondateur de l'Angleterre moderne ne saurait être considéré comme ayant « raté » sa destinée, expression vraie, dans la mesure où entre ses désirs et sa réussite, s'ouvre la terrible faille de l'histoire.

De là l'aspect paradoxal de l'œuvre, d'une œuvre politique qui refuse d'ouvrir sur une conclusion politique, qui sans cacher son mépris définitif pour la monarchie [3] et ses sympathies libérales, renvoie au néant toute perspective d'action pratique. Déjà sensible à l'aspect « crépusculaire » de la Restauration, Hugo récuse pour le présent aussi bien la solution républicaine que le césarisme ou la monarchie. Tout se passe comme si, à un moment déterminé de l'histoire, il n'y avait pas de solution objective, comme si rien ne pouvait combler le fossé entre Cromwell et son peuple, et à l'intérieur de l'homme Cromwell, l'abîme entre la part du destin créateur et du génie, et la part de l'individu concret : *homo et vir*.

*Un océan.*

C'est dans cette perspective qu'on peut le mieux comprendre les aspects littéraires de l'œuvre. Et le plus visible de ces aspects c'est le gigantisme. Non seulement parce que, comme le dit Hugo dans la *Préface*, « ce n'est pas trop d'une soirée entière pour dérouler un peu largement tout un homme d'élite, toute une époque de crise », non seulement parce qu'on ne saurait rêver de réduire *Cromwell* sans l'amputer d'une part de ses trois éléments

---

1. Telle est la signification du lynchage de Syndercombe (dernière scène).

2. Hugo, *Océan, fragment inédit.*

3. Toute la pièce paraît être plus qu'un thrène funèbre en l'honneur de la monarchie, un acte de décès : jamais l'idée d'une restauration des souverains légitimes n'intervient dans la pièce, comme si rien ne pouvait exister après Cromwell, comme si un changement de dynastie n'était pas un remède à cette maladie mortelle, à cette lèpre fatale des couronnes. Quand Cromwell pense (c'est historique) à donner sa fille en mariage au prétendant et à restaurer ainsi les Stuarts, il écarte cette folle idée d'un geste dédaigneux : c'est impossible, la royauté est pourrie dans la personne même du jeune prétendant : « Et pour me pardonner il est trop débauché. »

constitutifs, la masse, le héros, le prophète, — mais plus
précisément, parce qu'il ne choisit pas, qu'il ne veut pas
choisir entre une conception « romanesque » du drame à
la manière de Walter Scott, où tout l'essentiel est dans le
tableau historique d'une certaine société avec ses classes
et ses couches sociales bien définies dont les rapports
cernent et déterminent le conflit principal — et une
conception proprement dramatique, où l'essentiel, c'est
le héros, l'homme décisif, résumant dans sa personne et
dans son action le conflit central. De là cette extraordinaire oscillation entre la fresque historique et le drame
centré autour d'un puissant personnage, — Jules César,
Auguste, Attila — oscillation due, nous le voyons bien,
non seulement à une incertitude littéraire de Hugo, mais
au fait qu'il lui faut montrer l'homme de génie limité dans
son action par la faiblesse historique de la société,
l'homme de génie qui ne peut être l'incarnation d'un
peuple, parce que ce peuple n'est encore qu'une foule
discontinue. De là le caractère paradoxal de l'œuvre : à
la fois intensément dramatique et injouable, parce que
trop vaste, à la fois répandue en mille ruisselets et si
concentrée qu'elle obéit pratiquement aux trois unités.
Le gigantisme de Cromwell n'est pas à proprement parler
épique — l'épique étant réservé à la parole prophétique
ou poétique des Voyants, Manassé, Carr, Milton —, il
est réaliste. Il est l'image de l'histoire au XIXe siècle, qui
loin d'être réduite à la petite sphère où se décide le sort
d'une nation, privilégiés et dirigeants, s'étend ou devrait
s'étendre cette fois jusqu'aux limites du peuple, jusqu'aux
*ouvriers* (c'est le titre du dernier acte), ces ouvriers qui
*construisent le trône ou l'échafaud.* L'impossibilité dramatique créée par le gigantisme de *Cromwell* est l'image de
l'impossibilité pour l'homme seul, pour le génie napoléo-
nien, de dominer une matière aussi vaste, encore inorga-
nisée, — le « peuple-océan ».

*L'Antithèse.*

De là l'importance de la coupure, de l'opposition entre
des aspects et des domaines inconciliables. De là le rôle
littéraire de l'antithèse, dans *Cromwell*, si puissamment
dessinée qu'elle va parfois jusqu'à l'outrance : nous trou-
vons ici peut-être le premier essai réussi de cette « poétique de l'antithèse », qui s'épanouira plus tard dans

l'œuvre de Hugo, et qui dès lors correspond, non à un besoin rhétorique, mais à une vue cohérente du penseur. Pour Hugo, les contradictions existent objectivement, inscrites au cœur même de la réalité; le rôle du créateur littéraire, comme celui de l'homme politique n'est pas de, les dissimuler, encore moins de les résoudre : l'esthétique du goût et la politique du compromis lui feront éternellement horreur. L'artiste creuse les contrastes, place aux côtés de Cromwell ses fous ricanants, rend ridicule son sublime Milton, montre le Protecteur tremblant devant sa femme et devant son astrologue, fait mourir héroïquement le stupide Syndercombe, met en lumière la sottise et la futilité des conjurés royalistes, mais aussi leur dignité devant la défaite et la mort; met en évidence dans les causes qui favorisent l'entreprise royale de Cromwell celles-là mêmes qui l'empêchent d'aboutir. L'antithèse n'est pas un éclairage commode, elle est la lumière de la vérité, quand le divorce de l'individu et de l'histoire prend ce visage tragique. C'est le génie propre de Hugo que d'accepter les vues contradictoires du monde, la vérité non réconciliée; la solution pour lui n'est pas dans l'effacement des contradictions, mais dans leur approfondissement, jusqu'à la rupture.

Le personnage de Cromwell est le nœud vivant de ces contradictions explosives. De là le paradoxe de son attitude. « Cromwell veut se faire roi, Satan veut être Dieu. » Il ne peut y parvenir. Mais y a-t-il une autre voie possible pour Cromwell que ce renversement total ? Y a-t-il un autre moyen de *salut* ? « Roi fatal, révolté contre le Peuple et Dieu », il ne peut réussir que par la réconciliation avec le peuple et Dieu qu'en devenant, ce qui lui est historiquement interdit — à la fois populaire et divin.

### La prophétie.

Aussi l'évocation de l'avenir est-elle, non pas vue politique, solution concrète au moins imaginée, mais rêve épique et prophétique. L'ouverture démocratique vers l'avenir qui sera la sienne dans les œuvres de l'exil, *Les Misérables* ou *La Fin de Satan*, l'acceptation du mal et de la violence dans l'histoire, les révolutions voulues par Dieu, autant de perspectives qui n'apparaissent pas encore à Hugo — pas plus que les chemins de sa réconciliation avec lui-même.

C'est aux prophètes du peuple qu'appartient le dernier mot, et le *grotesque*, auquel ils n'échappent pas plus que Cromwell lui-même, provient de leur décalage par rapport au monde présent, du fait qu'ils incarnent ce qui n'existe pas encore. Si Cromwell ne peut être roi, c'est que le grand homme ne saurait être roi de *rien*. Or ce qui existe dans la pensée, sans exister encore dans le monde, c'est le domaine de Dieu. De là l'appel à Dieu et l'ouverture sur la providence; de là l'évocation biblique, apocalyptique dans la bouche de Carr, cet étrange « Waterloo » prémonitoire, de là l'image cosmique des astres invoqués par Manassé, de là l'exhortation prophétique de Milton. Les grands moments épiques de la pièce, les grandes tirades bibliques traduisent le seul recours, le recours ambigu à ce Dieu qu'invoquent à la fois Carr le puritain et le Juif Manassé, ce Dieu, dont le visage humain est le peuple. Silencieux et cachés l'un et l'autre; parlant par la voix de Manassé, comme par celle de Milton, prenant pour truchement « un aveugle et un fou », mais refusant une réponse à l'interrogation passionnée de Cromwell. Cette œuvre où toute religion est moquée, où puritains et catholiques [1] sont également ridicules et dérisoires, où tout est farce et parodie dans le sacré, est en ses profondeurs profondément religieuse, dans la mesure où elle est appel à une providence. Providence obscure, sinistre, qui ne montre à l'homme, pour l'heure que son visage spectral de fatalité. Providence cependant dans la mesure où l'avenir et la justice de Dieu sont déjà, dans l'œuvre, appelés et prophétisés.

## La Préface de Cromwell.

Pourquoi cette préface, qui est en fait une post-face ? Hugo s'en explique, d'abord avec une prescience ironique : « tandis que les critiques s'acharnent sur la préface [...] il peut arriver que l'ouvrage lui-même leur échappe » — ensuite, plus sérieusement : il veut tracer « la carte du voyage poétique » qu'il vient de faire, et tirer les enseignements de son expérience créatrice. Mais n'en doutons pas, Hugo, malgré des formules pleines de modestie, désirait faire de ces réflexions un manifeste et étendre ses méditations personnelles jusqu'à une théorie complète du drame.

---

1. Sans parler du Juif Manassé !

Les idées de la *Préface* ne sortent pas toutes armées du cerveau de Hugo. Les sources en sont non seulement diverses, mais hétéroclites. Les unes sont plus ou moins d'idéologie ultra : le point de départ, l'idée que la littérature est l'expression de la société et reflète un certain état de l'évolution sociale, provient de Bonals, probablement par l'intermédiaire de Madame de Staël ; il s'agit d'ailleurs de réflexions qui sont alors tombées dans le domaine public, et que les penseurs libéraux reprennent aux conservateurs. L'attitude qui consiste à accuser de tout mal le XVIIIe, en faisant une confusion plus ou moins volontaire entre la philosophie des Lumières et l'ancien régime, c'est celle de Mme de Staël dans *De L'Allemagne*. Les développements spiritualistes sur le rôle de la religion chrétienne dans la création d'une sensibilité, d'une *mélancolie* moderne, sortent directement du *Génie du christianisme*. La théorie des trois âges de la littérature, vraie « tarte à la crème » des littérateurs du temps, paraît venir d'Allemagne, peut-être de Herder, par Mme de Staël ; on remarquera que Hegel en donne une autre version, plus élaborée.

Mais à ses maîtres conservateurs, ont succédé pour Hugo des influences nouvelles. Claude Duchet fait remarquer qu'une bonne part des idées de la *Préface* se trouvent déjà dans un opuscule du libéral modéré Guizot, la *Notice biographique et littéraire sur Shakespeare* (1821). La fréquentation de l'équipe du *Globe*, et surtout la nouvelle amitié avec Sainte-Beuve, ont contribué à donner à la *Préface* son allure libérale.

De là cette apparente incohérence, et ces incertitudes concernant par exemple la place du temps présent dans l'évolution de l'humanité : aurore ou crépuscule ? Cependant, la *Préface*, bien plus nettement que l'œuvre, souligne le glissement irréversible de sa pensée et de son idéologie : le portrait de Cromwell qu'il trace dans la dernière partie est, nommément, écrit en opposition à celui de Bossuet : à l'étroitesse « monolithique » de Bossuet, Hugo oppose la mouvante richesse de la vie.

Mais le plus étonnant dans la *Préface* n'est pas que Hugo y reste encore empêtré dans ses contradictions idéologiques — quoique se dessine nettement la ligne de son évolution —, l'étonnant est que Hugo dégage de ces incertitudes une thèse vigoureuse, originale et aussi prometteuse d'avenir que la pièce elle-même.

*Une œuvre complexe.*

Le schéma de la *Préface* est apparemment simple, mais il se caractérise par des retours à des niveaux différents des idées-clefs, reprises, approfondies ou soulignées. L'essai débute par une analyse de l'*évolution de la littérature* en relation avec l'évolution de l'histoire, aboutissant à une analyse de la sensibilité moderne ; à partir de là, la transition est aisée vers le *grotesque* compris comme l'élément nouveau des temps modernes dans le domaine de l'art. Suit une très longue analyse du grotesque, considéré sous ses aspects divers et dans son rôle esthétique. Or le grotesque fait partie intégrante du *drame* dont il est un des deux éléments essentiels. Le drame est ainsi, après l'ode et l'épopée, appartenant aux âges précédents, la forme littéraire des temps modernes. D'où la nécessité du mélange des *genres*, ce mélange prohibé par le classicisme. L'attaque contre l'« arbitraire distinction des genres » forme la transition vers une *mise en question de tout le système dramatique classique*. La conclusion de ce développement conduit à une exaltation de la *liberté* du créateur.

Intervient alors une sorte de retournement. La liberté n'aboutit pas à l'abandon de la rigueur créatrice, l'*art n'est pas la nature*, et Hugo se livre à une sorte d'analyse des contraintes fécondes : concentration, peinture de la vie intérieure, couleur historique, lutte contre le « commun », usage du vers.

Enfin Hugo fait une discrète *apologie de l'œuvre* présente ; il montre la richesse immense du drame, richesse psychologique dans la peinture de Cromwell, richesse historique dans le tableau des hommes. Il se défend contre le reproche de dispersion, et contre celui d'avoir fait une œuvre monstrueuse, injouable : il revendique l'énormité pour le drame vrai, en même temps qu'il en appelle à une *critique nouvelle*, qui aurait le sens d'une esthétique du *contraste*.

*Evolution.*

Le point de départ de l'œuvre, c'est l'idée, partout répétée, qu'il y a une évolution de l'humanité, et corollaire de celle-ci une évolution de l'art ; reprenant sur ce point la thèse d'un Diderot, il se prononce contre la notion d'un beau absolu, et pour la relativité de l'art, conçu, non pas comme autonome, mais comme produit de l'activité humaine, et lié en tant que tel aux autres aspects de l'histoire : « la poésie, dit-il, se superpose toujours à la société ». Notons d'ailleurs l'idée, souvent implicite, et parfois clairement exprimée, qu'il s'agit d'une évolution progressive : « Le genre humain dans son ensemble a grandi, s'est développé, a mûri comme l'un d'entre nous »; la supériorité du christianisme sur le paganisme est comme le garant de la supériorité des temps modernes sur le passé. Toute la *Préface* est une défense de ce qui naît contre ce qui meurt, du présent et de l'avenir contre le passé. Et, curieusement, l'esprit moderne est défini non seulement comme « l'esprit de mélancolie et de méditation », mais comme « l'esprit d'examen et de curiosité »; Voltaire et Chateaubriand se disputent ici la définition de la « modernité. »

Sur le terrain littéraire l'idée d'évolution prend une forme plus prudente : ce qui caractérise chaque époque, c'est un genre littéraire prédominant. En plaçant la *Genèse* à l'origine de toute poésie, Hugo se défend de croire à une perfectibilité de l'art, et enterre du même coup la querelle des Anciens et des Modernes. Mais tout le mouvement évolutif de la *Préface* conduit au drame comme à la forme la plus haute de l'art : « ... le contact du difforme a donné au sublime moderne quelque chose de plus pur, de plus grand, de plus sublime enfin que le beau antique... Le drame est la poésie complète ». Même l'évolution de l'art est orientée : permanence et progrès s'unissent en elle. Le drame est présenté comme une synthèse (« les deux génies rivaux unissent leur double flamme, et de cette flamme jaillit Shakespeare »), transcendant lyrisme et épopée, et les contenant encore; il y a du *drame* déjà chez Dante et Milton.

Le mouvement qui emporte la littérature dans son ensemble n'épargne pas le langage : « Une langue ne se fixe point. L'esprit humain est toujours en marche ». Et Hugo lie l'évolution du langage à l'évolution de l'ensemble de la société : « Quand le corps change, comment l'habit ne changerait-il pas ? ». Mais il est loin de s'en tenir à une vue sommaire et purement sociologique de l'évolution de la langue : il y a une « logique de la langue » que doit respecter le travail du créateur » et la part la plus visible du changement est dans le vocabulaire : « Toute époque a ses idées propres, il faut aussi qu'elle ait les mots propres à ces idées. »

*La sclérose du passé.*

La démarche essentielle de Hugo dans la *Préface* paraît donc de lutter pour l'établissement d'une littérature nouvelle contre la sclérose du passé. Il adopte l'essentiel des thèses libérales d'un Stendhal et pourrait reprendre à son compte le mot célèbre « sur le « romanticisme », littérature capable de donner le plus de plaisir possible à nos contemporains ».

Ce qui frappe ici, c'est évidemment l'attaque contre le classicisme, et particulièrement contre les formes vieillies du théâtre. La critique hugolienne de « l'ancien régime littéraire » est centrée sur la tragédie, et particulièrement sur « la règle des deux unités », apparemment appuyée « sur la vraisemblance, dit Hugo, alors que c'est le réel qui la tue ». Hugo attaque le « vestibule », « lieu banal », « contraire... à la vraisemblance », non pas tant au nom même de cette vraisemblance, que parce que l'unité de lieu stérilise l'action tragique, anéantit le spectacle historique : « Nous ne voyons en quelque sorte sur le théâtre que les coudes de l'action; ses mains sont ailleurs. » De même l'unité de temps est une mutilation : « l'action encadrée dans les vingt-quatre heures est aussi ridicule qu'encadrée dans le vestibule... La cage des unités ne renferme qu'un squelette. » L'effort de Hugo est de retourner l'argument habituel des classiques : nos grands hommes de théâtre du XVIIᵉ siècle se sont assez bien accommodés de ce lit de Procuste; il montre avec verve « les plumes arrachées à Corneille et à Racine », et le caractère desséchant et destructeur de la critique des règles et du faux goût. Sur ce point Hugo reprend les arguments de Mme de Staël : c'est le goût de l'Ancien Régime et surtout celui du XVIIIᵉ siècle, pour cette « poésie fardée, mouchetée, poudrée... cette littérature à paniers, à pompons et à falbalas ». Mais, plus profondément Hugo en a à tout formalisme littéraire et surtout à ce cloisonnement qui interdit le mélange des genres : « l'arbitraire distinction des genres croule vite devant la raison et le goût ».

*Le drame historique.*

En fait les attaques de Hugo ne sont pas condamnation de ce qui est, mais refus des interdits. La part critique de la *Préface* n'a donc pas à proprement parler d'existence autonome : elle est la part négative et défensive, malgré les apparences, d'une théorie positive de la littérature et du drame.

Ce que recouvre l'attaque contre les unités, c'est le refus de toute convention qui restreindrait les possibilités de peinture de l'histoire; pas de vague péristyle, puisque : « le lieu où telle catastrophe s'est passée en devient un témoin terrible et ineffaçable... Le poète oserait-il décapiter Charles I<sup>er</sup> et Louis XVI ailleurs que dans ces places sinistres d'où l'on peut voir White-Hall et les Tuileries, comme si leur échafaud servait de pendant à leur palais ? ». — De même la règle des vingt-quatre heures est avant tout antihistorique : « Toute action a sa durée propre comme son lieu particulier. Verser la même dose de temps sur tous les événements!... » Faire tenir en un jour « tous ces faits, tous ces peuples, toutes ces figures que la providence déroule à si grandes masses dans la réalité! C'est mutiler hommes et choses, c'est faire grimacer l'histoire ». Le drame doit donner à l'histoire la place de se déployer en toute liberté.

### « *La liberté comme la lumière.* »

Le mot clef de la *Préface*, c'est « liberté ». Encore faut-il chercher à savoir ce que recouvre ce vocable. Son champ d'application est immense. Liberté, le refus de toute contrainte imposée de l'extérieur; de toute règle pré-établie, voire de tout art poétique constitué : l'intention du poète étant davantage « de défaire que de faire des poétiques ». Liberté, le refus d'être restreint, par des prescriptions formelles dans le choix du sujet. Liberté, l' « actualisation » des préoccupations et des thèmes. Liberté, la possibilité du mélange des genres. Et pour Hugo, cette liberté, vaste et infinie, a pour caractère propre non seulement de n'être pas limitée, mais d'être *moderne*, de s'accorder avec l'esprit général de l'époque : « Le temps en est venu, et il serait étrange qu'à cette époque, la liberté, comme la lumière, pénétrât partout, excepté dans ce qu'il y a de plus nativement libre au monde, les choses de la pensée. » Liberté totale donc pour le génie, qui découvre ou invente ses propres lois de création. Hugo nè nie pas l'existence de lois, les unes « lois générales de la nature qui planent sur l'art tout entier », les autres résultant « des conditions d'existence propres à chaque sujet », mais il confie au génie le soin de les « extraire » de la réalité. La liberté dans l'art a pour corollaire l'autonomie du génie créateur.

Sur ce point encore la part négative et critique de la *Préface* recouvre et conditionne sa part positive : l'attaque contre l'imitation (« que le poète se garde donc de copier qui que ce soit, pas plus Shakespeare que Molière ») est en liaison directe avec ce thème central qui est le contact sans intermédiaire du génie et de la nature « le poète... ne doit prendre conseil que de la nature, de la vérité... ». Rien de plus étranger à Hugo que l'idée d'un domaine autonome de l'art qui se développerait selon ses lois propres, indépendantes du réel. La création c'est le rapport *actuel* du génie avec le réel. L'imitation, fille du passé, s'insère arbitrairement entre le monde et le créateur, pour le limiter et l'enchaîner : « C'est le dieu qui se fait valet ». La théorie de la liberté dans l'art ouvre donc sur une théorie du génie que l'on retrouve, intacte et magnifiée, dans *William Shakespeare*.

### *Une poétique de la totalité.*

> C'est de la féconde union du type grotesque au type sublime que naît le génie moderne.

La tâche du génie est en effet de créer une œuvre qui soit totale, qui refuse d'exclure un élément du réel, et ne se contente pas d'abstractions. Au-delà d'une attaque contre une critique étroite prohibant le mélange des genres, Hugo fonde l'essentiel de sa poétique sur un principe qui a frappé les contemporains : le grotesque. La théorie du grotesque paraît, à Sainte-Beuve, comme à Rémusat, la part la plus neuve de la *Préface*.

La notion de grotesque est, dans la *Préface*, encore plus riche, peut-être que celle de liberté. Le grotesque fut, selon Hugo, pratiquement « étranger à l'antiquité »; il est un type nouveau, moderne, il apporte « la différence

fondamentale qui sépare l'art moderne de l'art antique »,
la littérature romantique de la littérature classique ».

Dans cette extraordinaire revue des formes infinies du
grotesque, Hugo lui-même établit la distinction essentielle : il y a le grotesque du rire et le grotesque de
l'angoisse : « d'une part il crée le difforme et l'horrible,
de l'autre, le comique et le bouffon ».

Mais dans l'un et l'autre cas, les éléments grotesques
seront colorés d'une nuance difficile à définir, et qui sera
l'étrange, l'insolite, le fantastique, ce qui est non-
conforme, en marge. De là l'ouverture sur l'imagination
et le fantastique, « les vampires, les ogres, les aulnes, les
psylles... », mais aussi les fées. Sans oublier le fantastique
social : « les orgies de Callot... le mendiant rongé de vermine de Murillo », « les sorcières de Macbeth », tout ce
qu'élimine et rejette le conformisme social.

Hugo met en lumière non pas seulement la nouveauté
du grotesque (sans oublier de lui chercher dans le Moyen
Age et même dans l'Antiquité des répondants), mais les
raisons de son efficacité esthétique : il offre par rapport
au sublime un *contraste* stimulant, mais Hugo raffine sur
cette idée banale, et montre le rôle de pause du grotesque : un « temps d'arrêt », dit-il, « un point de départ
d'où l'on s'élève vers le beau avec une perception plus
fraîche et plus excitée ». Plus profondément, le grotesque
est l'instrument qui lui permet de briser la superstition
de la beauté, de cette « beauté créée pour les heureux », 
comme dit Eluard. Il oppose la richesse infinie du mal,
du laid, à la limitation linéaire du beau : « le beau n'a
qu'un type ; le laid en a mille ». Et s'il montre le caractère
purement humain du beau, il indique la parenté du grotesque avec toutes les forces cachées, avec les puissances
profondes du monde : si le beau est « restreint comme
nous », « ce que nous appelons le laid au contraire, est un
détail d'un grand ensemble et qui s'harmonise, non pas
avec l'homme, mais avec la création tout entière. » De là
l'aspect cosmique du grotesque. De là aussi la sympathie
naturelle qui s'établit entre le grotesque et ces forces sou-
terraines de la société que recèle la vie populaire. Hugo
n'insiste pas explicitement sur cet aspect, mais tous les
exemples qu'il donne sont liés directement ou indirecte-
ment au peuple ; les personnages grotesques qu'il évoque,
Scaramouche, Polichinelle, Sganarelle, Sosie, sont des
héros populaires, et l'une des grandes sources du grotesque, dans l'architecture, comme dans le folklore, ce

sont « les traditions populaires du Moyen Age ». « Les
graciosos de comédie », comme « les fous de cour » sont
créatures du peuple.

Mais Hugo nous met en garde contre l'erreur de croire
que la prédominance du grotesque doive être exclusive.
Ce qui fait le drame, ce n'est pas le grotesque, mais
l'alliance du grotesque avec le sublime, son « alliance
intime et créatrice avec le beau ». Comme la nature, le
créateur « mêle dans ses créations... l'ombre à la lumière,
le grotesque au sublime, en d'autres termes, le corps à
l'âme, la bête à l'esprit ». Cette idée esthétique, Hugo le
dit expressément, repose sur une conception qui sera toujours la sienne, jusqu'à la *Bouche d'Ombre*, et qui voit
dans l'homme « l'anneau commun des deux chaînes d'êtres
qui embrassent la création... » Cette « harmonie des
contraires », elle est dans l'homme, avant d'être dans
l'art ; elle explique et justifie l'union du grotesque et du
sublime ; la séparation systématique de ces deux éléments
ne pouvant, dit Hugo, produire que des « abstractions »,
leur union, fondée sur le « réel », permettra au créateur
de « représenter l'homme ».

« *La raison infinie, absolue du créateur.* »

Représenter l'homme, oui, dans toute sa complexité,
dans ses rapports cosmiques avec l'ensemble de la nature,
« illuminer à la fois l'intérieur et l'extérieur des hommes »,
tout dire de l'homme, puisque « tout ce qui est dans la
nature est dans l'art ». Mais se garder d'imaginer que
l'art puisse être simple reproduction du réel : « le domaine
de l'art et celui de la nature sont parfaitement distincts ».
Si le drame est le miroir du monde, il est « un miroir de
concentration ». Hugo exalte la nécessité de tout ce qui
rend le drame difficile, de ces « ronces » qui obstruent
« les avenues de l'art ». Ronces, la peinture historique
précise et colorée. Ronces, la précision et la correction
grammaticales. Ronces surtout l'usage du vers, et tout
particulièrement du vers alexandrin dans le drame. Hugo
attaque sans les nommer les tenants de la tragédie historique en prose, Mme de Staël et surtout Stendhal. Le
grand ennemi de l'art, c'est ce que Hugo appelle le
*commun*, qu'il rattache nommément à cette démocratie
qui « coule toujours à pleins bords dans les esprits »,
comme le dit dédaigneusement Royer-Collard cité par

Hugo. Contre la « scène historique », contre ce qu'on appellera plus tard la « tranche de vie », Hugo défend une position apparemment aristocratique de l'art. Le drame historique en prose est libéral et populaire. Mais n'est-il pas aussi l'expression littéraire d'un certain philistinisme de la bourgeoisie, de ce refus de l'art qui est aux yeux des romantiques l'un des traits caractéristiques de cette « démocratie de riches », comme dit Balzac. Le vers est l'obstacle par excellence, le rempart contre le « commun », le « trivial », la peinture du réel faussement représenté, *anobli*, c'est-à-dire vulgarisé. Pour Hugo, le culte du mot propre, même vulgaire, et l'usage du vers, sont les deux faces paradoxales de la même réalité, qui est l'art.

En fait l'apologie du vers que propose Hugo dans sa *Préface* est si l'on peut dire incomplète. Le drame lui-même va plus loin. Si la poésie est indispensable au drame, c'est que l'action véritable est poésie, que Milton, dans *Cromwell*, le prophète de l'avenir, est *poète*. Le poète représente dans le drame la puissance de la création disciplinée par le vers qui lui donne une « forme de bronze » : « c'est le fer qui devient acier ».

Nous touchons au point sur lequel le drame, qui déborde infiniment la *Préface*, coïncide avec elle, — le point où s'unissent toutes les lignes de force de la *Préface* elle-même : la notion de *génie*. Si l'idée du génie et de ses rapports avec le peuple et avec l'histoire domine le drame, dans la *Préface*, le génie poétique, souveraine liberté, brise les règles pour en établir de nouvelles; sa puissance synthétique et totalisante creuse les contrastes, établit les liens entre l'homme et le monde, harmonise le grotesque et le sublime, et sa connivence avec le futur donne son sens à l'évolution de l'art et peut-être du monde. Notion confuse encore; mais que toute l'existence critique de Hugo le conduit à approfondir, pas à pas, jusqu'aux fulgurantes analyses de *William Shakespeare*.

Ici déjà, nous entendons, au milieu des angoisses et des incertitudes de son temps et de sa génération, la voix de la certitude intérieure du jeune créateur, assuré de sa mission, en possession de sa « raison infinie », et selon l'admirable formule finale, préférant, pour créer et dominer l'avenir, « des armes » à des « armoiries ».

Annie UBERSFELD.

# BIBLIOGRAPHIE

HUGO : *Cromwell*. Ed. origin., 1827, chez Ambroise Dupont. *Œuvres*. Édition de l'Imprimerie Nationale. Édition complète Club du Livre (en cours de publication).

Sur l'ensemble de la personnalité et de l'œuvre hugolienne :

J.-B. BARRÈRE : *Hugo, l'homme et l'œuvre*, Boivin, 1952.

H. GUILLEMIN : *Victor Hugo par lui-même*, Seuil, 1951.

Sur la pensée et la création chez Hugo, l'ouvrage considérable de Pierre ALBOUY : *La Création mythologique chez Victor Hugo*, Corti, 1963.

Sur l'œuvre dramatique de Hugo l'excellent petit ouvrage de Jean GAUDON : *Victor Hugo dramaturge*, l'Arche, 1955.

Sur le mouvement romantique dans son ensemble :

P. MOREAU : *Le Romantisme*, de Gigord, 1932.

Sur *Cromwell*, deux études récentes, très importantes :

Cl. DUCHET : *Victor Hugo et l'âge d'homme*, 1967 (Hugo, Club du Livre, III).

J. SEEBACHER : *Comment peut-on être Milton ;* (*Le Paradis Perdu* 1667-1967, études publiées sous la direction de Jacques Blondel, coll. *Situations*, n° 13, Minard, 1967).

Sur la *Préface de Cromwell*, l'étude déjà ancienne de M. SOURIAU : *La Préface de Cromwell*, Boivin, 1897.

# CROMWELL

## A MON PÈRE

*Que le livre lui soit dédié*
*Comme l'auteur lui est dévoué.*

V. H. — 1827.

# PRÉFACE

Le drame qu'on va lire n'a rien qui le recommande à l'attention ou à la bienveillance du public. Il n'a point, pour attirer sur lui l'intérêt des opinions politiques, l'avantage du *veto* de la censure administrative, ni même, pour lui concilier tout d'abord la sympathie littéraire des hommes de goût, l'honneur d'avoir été officiellement rejeté par un comité de lecture infaillible.

Il s'offre donc aux regards, seul, pauvre et nu, comme l'infirme de l'Evangile, *solus, pauper, nudus*.

Ce n'est pas du reste sans quelque hésitation que l'auteur de ce drame s'est déterminé à le charger de notes et d'avant-propos. Ces choses sont d'ordinaire fort indifférentes aux lecteurs. Ils s'informent plutôt du talent d'un écrivain que de ses façons de voir ; et, qu'un ouvrage soit bon ou mauvais, peu leur importe sur quelles idées il est assis, dans quel esprit il a germé. On ne visite guère les caves d'un édifice dont on a parcouru les salles, et quand on mange le fruit de l'arbre, on se soucie peu de la racine.

D'un autre côté, notes et préfaces sont quelquefois un moyen commode d'augmenter le poids d'un livre et d'accroître, en apparence du moins, l'importance d'un travail ; c'est une tactique semblable à celle de ces généraux d'armée, qui, pour rendre plus imposant leur front de bataille, mettent en ligne jusqu'à leurs bagages. Puis, tandis que les critiques s'acharnent sur la préface et les érudits sur les notes, il peut arriver que l'ouvrage lui-même leur échappe et passe intact à travers leurs feux croisés, comme une armée qui se tire d'un mauvais pas entre deux combats d'avant-poste et d'arrière-garde.

Ces motifs, si considérables qu'ils soient, ne sont pas ceux qui ont décidé l'auteur. Ce volume n'avait pas besoin

d'être *enflé*, il n'est déjà que trop gros. Ensuite, et l'auteur
ne sait comment cela se fait, ses préfaces, franches et
naïves, ont toujours servi près des critiques plutôt à le
compromettre qu'à le protéger. Loin de lui être de bons
et fidèles boucliers, elles lui ont joué le mauvais tour de
ces costumes étranges qui, signalant dans la bataille le
soldat qui les porte, lui attirent tous les coups et ne sont
à l'épreuve d'aucun.

Des considérations d'un autre ordre ont influé sur
l'auteur. Il lui a semblé que si, en effet, on ne visite
guère par plaisir les caves d'un édifice, on n'est pas fâché
quelquefois d'en examiner les fondements. Il se livrera
donc, encore une fois, avec une préface, à la colère des
feuilletons. *Che sara, sara.* Il n'a jamais pris grand souci
de la fortune de ses ouvrages, et il s'effraye peu du *qu'en-
dira-t-on* littéraire. Dans cette flagrante discussion qui
met aux prises les théâtres et l'école, le public et les aca-
démies, on n'entendra pas sans quelque intérêt
la voix d'un solitaire *apprentif* de nature et de vérité,
qui s'est de bonne heure retiré du monde littéraire par
amour des lettres, et qui apporte de la bonne foi à défaut
de *bon goût*, de la conviction à défaut de talent, des
études à défaut de science.

Il se bornera du reste à des considérations générales
sur l'art, sans en faire le moins du monde un boulevard
à son propre ouvrage, sans prétendre écrire un réquisi-
toire ni un plaidoyer pour ou contre qui que ce soit.
L'attaque ou la défense de son livre est pour lui moins
que pour tout autre la chose importante. Et puis les
luttes personnelles ne lui conviennent pas. C'est toujours
un spectacle misérable que de voir ferrailler les amours-
propres. Il proteste donc d'avance contre toute inter-
prétation de ses idées, toute application de ses paroles,
disant avec le fabuliste espagnol :

> *Quien haga aplicaciones*
> *Con su pan se lo coma.*

A la vérité, plusieurs des principaux champions des
« saines doctrines littéraires » lui ont fait l'honneur de
lui jeter le gant, jusque dans sa profonde obscurité, à
lui, simple et imperceptible spectateur de cette curieuse
mêlée. Il n'aura pas la fatuité de le relever. Voici, dans
les pages qui vont suivre, les observations qu'il pourrait
leur opposer; voici sa fronde et sa pierre; mais d'autres,

s'ils veulent, les jetteront à la tête des Goliaths *classiques*.

Cela dit, passons.

Partons d'un fait : la même nature de civilisation, ou, pour employer une expression plus précise, quoique plus étendue, la même société n'a pas toujours occupé la terre. Le genre humain dans son ensemble a grandi, s'est développé, a mûri comme un de nous. Il a été enfant, il a été homme; nous assistons maintenant à son imposante vieillesse. Avant l'époque que la société moderne a nommée antique, il existe une autre ère, que les Anciens appelaient *fabuleuse*, et qu'il serait plus exact d'appeler *primitive*. Voilà donc trois grands ordres de choses successifs dans la civilisation, depuis son origine jusqu'à nos jours. Or, comme la poésie se superpose toujours à la société, nous allons essayer de démêler, d'après la forme de celle-ci, quel a dû être le caractère de l'autre, à ces trois grands âges du monde : les temps primitifs, les temps antiques, les temps modernes.

Aux temps primitifs, quand l'homme s'éveille dans un monde qui vient de naître, la poésie s'éveille avec lui. En présence des merveilles qui l'éblouissent et qui l'enivrent, sa première parole n'est qu'un hymne. Il touche encore de si près à Dieu que toutes ses méditations sont des extases, tous ses rêves des visions. Il s'épanche, il chante comme il respire. Sa lyre n'a que trois cordes, Dieu, l'âme, la création; mais ce triple mystère enveloppe tout, mais cette triple idée comprend tout. La terre est encore à peu près déserte. Il y a des familles, et pas de peuples; des pères, et pas de rois. Chaque race existe à l'aise; point de propriété, point de loi, point de froissements, point de guerres. Tout est à chacun et à tous. La société est une communauté. Rien n'y gêne l'homme. Il mène cette vie pastorale et nomade par laquelle commencent toutes les civilisations, et qui est si propice aux contemplations solitaires, aux capricieuses rêveries. Il se laisse faire, il se laisse aller. Sa pensée, comme sa vie, ressemble au nuage qui change de forme et de route, selon le vent qui le pousse. Voilà le premier homme, voilà le premier poète. Il est jeune, il est lyrique. La prière est toute sa religion : l'ode est toute sa poésie.

Ce poème, cette ode des temps primitifs, c'est la Genèse.

Peu à peu cependant cette adolescence du monde s'en va. Toutes les sphères s'agrandissent; la famille devient tribu, la tribu devient nation. Chacun de ces groupes d'hommes se parque autour d'un centre commun, et voilà les royaumes. L'instinct social succède à l'instinct nomade. Le camp fait place à la cité, la tente au palais, l'arche au temple. Les chefs de ces naissants Etats sont bien encore pasteurs, mais pasteurs de peuples ; leur bâton pastoral a déjà forme de sceptre. Tout s'arrête et se fixe. La religion prend une forme ; les rites règlent la prière ; le dogme vient encadrer le culte. Ainsi le prêtre et le roi se partagent la paternité du peuple ; ainsi à la communauté patriarcale succède la société théocratique.

Cependant les nations commencent à être trop serrées sur le globe. Elles se gênent et se froissent ; de là les chocs d'empires, la guerre. Elles débordent les unes sur les autres ; de là les migrations de peuples, les voyages. La poésie reflète ces grands événements ; des idées elle passe aux choses. Elle chante les siècles, les peuples, les empires. Elle devient épique, elle enfante Homère.

Homère, en effet, domine la société antique. Dans cette société, tout est simple, tout est épique. La poésie est religion, la religion est loi. A la virginité du premier âge a succédé la chasteté du second. Une sorte de gravité solennelle s'est empreinte partout, dans les mœurs domestiques comme dans les mœurs publiques. Les peuples n'ont conservé de la vie errante que le respect de l'étranger et du voyageur. La famille a une patrie ; tout l'y attache ; il y a le culte du foyer, le culte des tombeaux.

Nous le répétons, l'expression d'une pareille civilisation ne peut être que l'épopée. L'épopée y prendra plusieurs formes, mais ne perdra jamais son caractère. Pindare est plus sacerdotal que patriarcal, plus épique que lyrique. Si les annalistes, contemporains nécessaires de ce second âge du monde, se mettent à recueillir les traditions et commencent à compter avec les siècles, ils ont beau faire, la chronologie ne peut chasser la poésie ; l'histoire reste épopée. Hérodote est un Homère.

Mais c'est surtout dans la tragédie antique que l'épopée ressort de partout. Elle monte sur la scène grecque sans rien perdre en quelque sorte de ses proportions gigantesques et démesurées. Ses personnages sont encore des héros, des demi-dieux, des dieux ; ses ressorts, des songes, des oracles, des fatalités ; ses tableaux, des dénombrements, des funérailles, des combats. Ce que chantaient les rapsodes, les acteurs le déclament, voilà tout.

Il y a mieux. Quand toute l'action, tout le spectacle du poème épique ont passé sur la scène, ce qui reste, le chœur le prend. Le chœur commente la tragédie, encourage les héros, fait des descriptions, appelle et chasse le jour, se réjouit, se lamente, quelquefois donne la décoration, explique le sens moral du sujet, flatte le peuple qui l'écoute. Or, qu'est-ce que le chœur, ce bizarre personnage placé entre le spectacle et le spectateur, sinon le poète complétant son épopée ?

Le théâtre des Anciens est, comme leur drame, grandiose, pontifical, épique. Il peut contenir trente mille spectateurs ; on y joue en plein air, en plein soleil ; les représentations durent tout le jour. Les acteurs grossissent leur voix, masquent leurs traits, haussent leur stature ; ils se font géants, comme leurs rôles. La scène est immense. Elle peut représenter tout à la fois l'intérieur et l'extérieur d'un temple, d'un palais, d'un camp, d'une ville. On y déroule de vastes spectacles. C'est, et nous ne citons ici que de mémoire, c'est Prométhée sur sa montagne ; c'est Antigone cherchant du sommet d'une tour son frère Polynice dans l'armée ennemie *(Les Phéniciennes)* ; c'est Evadné se jetant du haut d'un rocher dans les flammes où brûle le corps de Capanée (*Les Suppliantes* d'Euripide) ; c'est un vaisseau qu'on voit surgir au port, et qui débarque sur la scène cinquante princesses avec leur suite (*Les Suppliantes* d'Eschyle). Architecture et poésie, là, tout porte un caractère monumental. L'Antiquité n'a rien de plus solennel, rien de plus majestueux. Son culte et son histoire se mêlent à son théâtre. Ses premiers comédiens sont des prêtres ; ses jeux scéniques sont des cérémonies religieuses, des fêtes nationales.

Une dernière observation qui achève de marquer le caractère épique de ces temps, c'est que par les sujets qu'elle traite, non moins que par les formes qu'elle adopte, la tragédie ne fait que répéter l'épopée. Tous les tragiques anciens détaillent Homère. Mêmes fables, mêmes catastrophes, mêmes héros. Tous puisent au fleuve homérique. C'est toujours *l'Iliade* et *l'Odyssée*. Comme Achille traînant Hector, la tragédie grecque tourne autour de Troie.

Cependant l'âge de l'épopée touche à sa fin. Ainsi que la société qu'elle représente, cette poésie s'use en pivotant sur elle-même. Rome calque la Grèce, Virgile copie Homère ; et, comme pour finir dignement, la poésie épique expire dans ce dernier enfantement.

Il était temps. Une autre ère va commencer pour le monde et pour la poésie.

Une religion spiritualiste, supplantant le paganisme matériel et extérieur, se glisse au cœur de la société antique, la tue, et dans ce cadavre d'une civilisation décrépite dépose le germe de la civilisation moderne. Cette religion est complète, parce qu'elle est vraie; entre son dogme et son culte, elle scelle profondément la morale. Et d'abord, pour premières vérités, elle enseigne à l'homme qu'il a deux vies à vivre, l'une passagère, l'autre immortelle; l'une de la terre, l'autre du ciel. Elle lui montre qu'il est double comme sa destinée, qu'il y a en lui un animal et une intelligence, une âme et un corps; en un mot, qu'il est le point d'intersection, l'anneau commun des deux chaînes d'êtres qui embrassent la création, de la série des êtres matériels et de la série des êtres incorporels, la première, partant de la pierre pour arriver à l'homme, la seconde, partant de l'homme pour finir à Dieu.

Une partie de ces vérités avait peut-être été soupçonnée par certains sages de l'Antiquité, mais c'est de l'Évangile que date leur pleine, lumineuse et large révélation. Les écoles païennes marchaient à tâtons dans la nuit, s'attachant aux mensonges comme aux vérités dans leur route de hasard. Quelques-uns de leurs philosophes jetaient parfois sur les objets de faibles lumières qui n'en éclairaient qu'un côté, et rendaient plus grande l'ombre de l'autre. De là tous ces fantômes créés par la philosophie ancienne. Il n'y avait que la sagesse divine qui pût substituer une vaste et égale clarté à toutes ces illuminations vacillantes de la sagesse humaine. Pythagore, Epicure, Socrate, Platon, sont des flambeaux; le Christ, c'est le jour.

Du reste, rien de plus matériel que la théogonie antique. Loin qu'elle ait songé, comme le christianisme, à diviser l'esprit du corps, elle donne forme et visage à tout, même aux essences, même aux intelligences. Tout chez elle est visible, palpable, charnel. Ses dieux ont besoin d'un nuage pour se dérober aux yeux. Ils boivent, mangent, dorment. On les blesse, et leur sang coule; on les estropie, et les voilà qui boitent éternellement. Cette religion a des dieux et des moitiés de dieux. Sa foudre se forge sur une enclume, et l'on y fait entrer, entre autres ingrédients, trois rayons de pluie tordue, *tres imbris torti radios*. Son Jupiter suspend le monde à une chaîne d'or; son soleil monte un char à quatre chevaux; son enfer est un précipice dont la géographie marque la bouche sur le globe; son ciel est une montagne.

Aussi le paganisme, qui pétrit toutes ses créations de la même argile, rapetisse la divinité et grandit l'homme. Les héros d'Homère sont presque de même taille que ses dieux. Ajax défie Jupiter. Achille vaut Mars. Nous venons de voir comme au contraire le christianisme sépare profondément le souffle de la matière. Il met un abîme entre l'âme et le corps, un abîme entre l'homme et Dieu.

A cette époque, et pour n'omettre aucun trait de l'esquisse à laquelle nous nous sommes aventuré, nous ferons remarquer qu'avec le christianisme et par lui, s'introduisait dans l'esprit des peuples un sentiment nouveau, inconnu des Anciens et singulièrement développé chez les Modernes, un sentiment qui est plus que la gravité et moins que la tristesse : la mélancolie. Et en effet, le cœur de l'homme, jusqu'alors engourdi par des cultes purement hiérarchiques et sacerdotaux, pouvait-il ne pas s'éveiller et sentir germer en lui quelque faculté inattendue, au souffle d'une religion humaine parce qu'elle est divine, d'une religion qui fait de la prière du pauvre la richesse du riche, d'une religion d'égalité, de liberté, de charité ? Pouvait-il ne pas voir toutes choses sous un aspect nouveau, depuis que l'Evangile lui avait montré l'âme à travers les sens, l'éternité derrière la vie ?

D'ailleurs, en ce moment-là même, le monde subissait une si profonde révolution, qu'il était impossible qu'il ne s'en fît pas une dans les esprits. Jusqu'alors les catastrophes des empires avaient été rarement jusqu'au cœur des populations; c'étaient des rois qui tombaient, des majestés qui s'évanouissaient, rien de plus. La foudre n'éclatait que dans les hautes régions, et, comme nous l'avons déjà indiqué, les événements semblaient se dérouler avec toute la solennité de l'épopée. Dans la société antique, l'individu était placé si bas, que, pour qu'il fût frappé, il fallait que l'adversité descendît jusque dans sa famille. Aussi ne connaissait-il guère l'infortune, hors des douleurs domestiques. Il était presque inouï que les malheurs généraux de l'Etat dérangeassent sa vie. Mais à l'instant où vint s'établir la société chrétienne, l'ancien continent était bouleversé. Tout était remué jusqu'à la racine. Les événements, chargés de ruiner l'ancienne

Europe et d'en rebâtir une nouvelle, se heurtaient, se précipitaient sans relâche, et poussaient les nations pêle-mêle, celles-ci au jour, celles-là dans la nuit. Il se faisait tant de bruit sur la terre, qu'il était impossible que quelque chose de ce tumulte n'arrivât pas jusqu'au cœur des peuples. Ce fut plus qu'un écho, ce fut un contre-coup. L'homme, se repliant sur lui-même en présence de ces hautes vicissitudes, commença à prendre en pitié l'humanité, à méditer sur les amères dérisions de la vie. De ce sentiment, qui avait été pour Caton païen le désespoir, le christianisme fit la mélancolie.

En même temps, naissait l'esprit d'examen et de curio-sité. Ces grandes catastrophes étaient aussi de grands spectacles, de frappantes péripéties. C'était le Nord se ruant sur le Midi, l'univers romain changeant de forme, les dernières convulsions de tout un monde à l'agonie. Dès que ce monde fut mort, voici que des nuées de rhéteurs, de grammairiens, de sophistes, viennent s'abattre, comme des moucherons, sur son immense cadavre. On les voit pulluler, on les entend bourdonner dans ce foyer de putréfaction. C'est à qui examinera, commentera, discutera. Chaque membre, chaque muscle, chaque fibre du grand corps gisant est retourné en tout sens. Certes, ce dut être une joie, pour ces anatomistes de la pensée, que de pouvoir, dès leur coup d'essai, faire des expériences en grand; que d'avoir, pour premier *sujet*, une société morte à disséquer.

Ainsi, nous voyons poindre à la fois et comme se don-nant la main, le génie de la mélancolie et de la méditation, le démon de l'analyse et de la controverse. A l'une des extrémités de cette ère de transition, est Longin, à l'autre saint Augustin. Il faut se garder de jeter un œil dédai-gneux sur cette époque où était en germe tout ce qui depuis a porté fruit, sur ce temps dont les moindres écrivains, si l'on nous passe une expression triviale, mais franche, ont fait fumier pour la moisson qui devait suivre. Le Moyen Age est enté sur le bas empire.

Voilà donc une nouvelle religion, une société nouvelle; sur cette double base, il faut que nous voyions grandir une nouvelle poésie. Jusqu'alors, et qu'on nous pardonne d'exposer un résultat que de lui-même le lecteur a déjà dû tirer de ce qui a été dit plus haut, jusqu'alors, agissant en cela comme le polythéisme et la philosophie antique, la muse purement épique des Anciens n'avait étudié la nature que sous une seule face, rejetant sans pitié de l'art presque tout ce qui, dans le monde soumis à son imitation, ne se rapportait pas à un certain type du beau. Type d'abord magnifique, mais, comme il arrive toujours de ce qui est systématique, devenu dans les derniers temps faux, mesquin et conventionnel. Le christianisme amène la poésie à la vérité. Comme lui, la muse moderne verra les choses d'un coup d'œil plus haut et plus large. Elle sentira que tout dans la création n'est pas humainement *beau*, que le laid y existe à côté du beau, le difforme près du gracieux, le grotesque au revers du sublime, le mal avec le bien, l'ombre avec la lumière. Elle se demandera si la raison étroite et relative de l'artiste doit avoir gain de cause sur la raison infinie, absolue, du créateur; si c'est à l'homme à rectifier Dieu; si une nature mutilée en sera plus belle; si l'art a le droit de dédoubler, pour ainsi dire, l'homme, la vie, la création; si chaque chose marchera mieux quand on lui aura ôté son muscle et son ressort; si, enfin, c'est le moyen d'être harmonieux que d'être incomplet. C'est alors que, l'œil fixé sur des événements tout à la fois risibles et formidables, et sous l'influence de cet esprit de mélancolie chrétienne et de critique philosophique que nous observions tout à l'heure, la poésie fera un grand pas, un pas décisif, un pas qui, pareil à la secousse d'un tremblement de terre, changera toute la face du monde intellectuel. Elle se mettra à faire comme la nature, à mêler dans ses créations, sans pourtant les confondre, l'ombre à la lumière, le grotesque au sublime, en d'autres termes, le corps à l'âme, la bête à l'esprit; car le point de départ de la religion est toujours le point de départ de la poésie. Tout se tient.

Ainsi voilà un principe étranger à l'Antiquité, un type nouveau introduit dans la poésie; et, comme une condition de plus dans l'être modifie l'être tout entier, voilà une forme nouvelle qui se développe dans l'art. Ce type, c'est le grotesque. Cette forme, c'est la comédie.

Et ici, qu'il nous soit permis d'insister; car nous venons d'indiquer le trait caractéristique, la différence fondamentale qui sépare, à notre avis, l'art moderne de l'art antique, la forme actuelle de la forme morte, ou, pour nous servir de mots plus vagues, mais plus accrédités, la littérature *romantique* de la littérature *classique*.

— Enfin! vont dire ici les gens qui, depuis quelque temps, nous *voient venir*, nous vous tenons! vous voilà pris sur le fait! Donc, vous faites du *laid* un type d'imitation, du *grotesque* un élément de l'art! Mais les grâces...

mais le bon goût... Ne savez-vous pas que l'art doit rectifier la nature ? qu'il faut *l'anoblir?* qu'il faut *choisir?* Les Anciens ont-ils jamais mis en œuvre le laid et le grotesque ? ont-ils jamais mêlé la comédie à la tragédie ? L'exemple des Anciens, messieurs! D'ailleurs, Aristote... D'ailleurs, Boileau... D'ailleurs, La Harpe... — En vérité!

Ces arguments sont solides, sans doute, et surtout d'une rare nouveauté. Mais notre rôle n'est pas d'y répondre. Nous ne bâtissons pas ici de système, parce que Dieu nous garde des systèmes. Nous constatons un fait. Nous sommes historien et non critique. Que ce fait plaise ou déplaise, peu importe! il est. — Revenons donc, et essayons de faire voir que c'est de la féconde union du type grotesque au type sublime que naît le génie moderne, si complexe, si varié dans ses formes, si inépuisable dans ses créations, et bien opposé en cela à l'uniforme simplicité du génie antique; montrons que c'est de là qu'il faut partir pour établir la différence radicale et réelle des deux littératures.

Ce n'est pas qu'il fût vrai de dire que la comédie et le grotesque étaient absolument inconnus des Anciens. La chose serait d'ailleurs impossible. Rien ne vient sans racine; la seconde époque est toujours en germe dans la première. Dès *l'Iliade,* Thersite et Vulcain donnent la comédie, l'un aux hommes, l'autre aux dieux. Il y a trop de nature et trop d'originalité dans la tragédie grecque, pour qu'il n'y ait pas quelquefois de la comédie. Ainsi, pour ne citer toujours que ce que notre mémoire nous rappelle, la scène de Ménélas avec la portière du palais (*Hélène,* acte I); la scène du Phrygien (*Oreste,* acte IV). Les tritons, les satyres, les cyclopes, sont des grotesques; les sirènes, les furies, les parques, les harpies, sont des grotesques; Polyphème est un grotesque terrible; Silène est un grotesque bouffon.

Mais on sent ici que cette partie de l'art est encore dans l'enfance. L'épopée, qui, à cette époque, imprime sa forme à tout, l'épopée pèse sur elle, et l'étouffe. Le grotesque antique est timide, et cherche toujours à se cacher. On sent qu'il n'est pas sur son terrain, parce qu'il n'est pas dans sa nature. Il se dissimule le plus qu'il peut. Les satyres, les tritons, les sirènes sont à peine difformes. Les parques, les harpies sont plutôt hideuses par leurs attributs que par leurs traits; les furies sont belles, et on les appelle *euménides,* c'est-à-dire *douces, bienfaisantes.* Il y a un voile de grandeur ou de divinité sur d'autres grotesques. Polyphème est géant; Midas est roi; Silène est dieu.

Aussi la comédie passe-t-elle presque inaperçue dans le grand ensemble épique de l'Antiquité. A côté des chars olympiques, qu'est-ce que la charrette de Thespis? Près des colosses homériques, Eschyle, Sophocle, Euripide, que sont Aristophane et Plaute? Homère les emporte avec lui, comme Hercule emportait les Pygmées, cachés dans sa peau de lion.

Dans la pensée des Modernes, au contraire, le grotesque a un rôle immense. Il y est partout; d'une part, il crée le difforme et l'horrible; de l'autre, le comique et le bouffon. Il attache autour de la religion mille superstitions originales, autour de la poésie mille imaginations pittoresques. C'est lui qui sème à pleines mains dans l'air, dans l'eau, dans la terre, dans le feu, ces myriades d'êtres intermédiaires que nous retrouvons tout vivants dans les traditions populaires du Moyen Age; c'est lui qui fait tourner dans l'ombre la ronde effrayante du sabbat, lui encore qui donne à Satan les cornes, les pieds de bouc, les ailes de chauve-souris. C'est lui, toujours lui, qui tantôt jette dans l'enfer chrétien ces hideuses figures qu'évoquera l'âpre génie de Dante et de Milton, tantôt le peuple de ces formes ridicules au milieu desquelles se jouera Callot, le Michel-Ange burlesque. Si du monde idéal il passe au monde réel, il y déroule d'intarissables parodies de l'humanité. Ce sont des créations de sa fantaisie que les Scaramouches, ces Crispins, ces Arlequins, grimaçantes silhouettes de l'homme, types tout à fait inconnus à la grave Antiquité, et sortis pourtant de la classique Italie. C'est lui enfin qui, colorant tour à tour le même drame de l'imagination du Midi et de l'imagination du Nord, fait gambader Sganarelle autour de don Juan et ramper Méphistophélès autour de Faust.

Et comme il est libre et franc dans son allure! comme il fait hardiment saillir toutes ces formes bizarres que l'âge précédent avait si timidement enveloppées de langes! La poésie antique, obligée de donner des compagnons au boiteux Vulcain, avait tâché de déguiser leur difformité en l'étendant en quelque sorte sur des proportions colossales. Le génie moderne conserve ce mythe des forgerons surnaturels, mais il lui imprime brusquement un caractère tout opposé et qui le rend bien plus frappant; il change les géants en nains; des cyclopes il fait les gnomes. C'est avec la même originalité qu'à l'hydre, un peu banale,

de Lerne, il substitue tous ces dragons locaux de nos
légendes : la gargouille de Rouen, la gra-ouilli de Metz,
la chairsallée de Troyes, la drée de Montlhéry, la tarasque
de Tarascon, monstres de formes si variées et dont les
noms baroques sont un caractère de plus. Toutes ces
créations puisent dans leur propre nature cet accent énergique et profond devant lequel il semble que l'Antiquité
ait parfois reculé. Certes, les euménides grecques sont
bien moins horribles, et par conséquent bien moins
vraies, que les sorcières de *Macbeth*. Pluton n'est pas le
diable.

Il y aurait, à notre avis, un livre bien nouveau à faire
sur l'emploi du grotesque dans les arts. On pourrait
montrer quels puissants effets les Modernes ont tirés de
ce type fécond sur lequel une critique étroite s'acharne
encore de nos jours. Nous serons peut-être tout à l'heure
amenés par notre sujet à signaler en passant quelques
traits de ce vaste tableau. Nous dirons seulement ici
que, comme objectif auprès du sublime, comme moyen
de contraste, le grotesque est, selon nous, la plus riche
source que la nature puisse ouvrir à l'art. Rubens le
comprenait sans doute ainsi, lorsqu'il se plaisait à mêler
à des déroulements de pompes royales, à des couronne-
ments, à d'éclatantes cérémonies, quelque hideuse figure
de nain de cour. Cette beauté universelle que l'Antiquité
répandait solennellement sur tout n'était pas sans monotonie; la même impression, toujours répétée, peut fati-
guer à la longue. Le sublime sur le sublime produit malai-
sément un contraste, et l'on a besoin de se reposer de
tout, même du beau. Il semble, au contraire, que le grotesque soit un temps d'arrêt, un terme de comparaison,
un point de départ d'où l'on s'élève vers le beau avec une
perception plus fraîche et plus excitée. La salamandre
fait ressortir l'ondine; le gnome embellit le sylphe.

Et il serait exact aussi de dire que le contact du difforme a donné au sublime moderne quelque chose de
plus pur, de plus grand, de plus sublime enfin que le
beau antique; et cela doit être. Quand l'art est conséquent avec lui-même, il mène bien plus sûrement chaque
chose à sa fin. Si l'Elysée homérique est fort loin de ce
charme éthéré, de cette angélique suavité du paradis
de Milton, c'est que sous l'éden il y a un enfer bien
autrement horrible que le Tartare païen. Croit-on que
Françoise de Rimini et Béatrix seraient aussi ravissantes
chez un poète qui ne nous enfermerait pas dans la tour

de la Faim et ne nous forcerait point à partager le repoussant repas d'Ugolin? Dante n'aurait pas tant de grâce, s'il n'avait pas tant de force. Les naïades charnues, les robustes tritons, les zéphyrs libertins ont-ils la fluidité diaphane de nos ondins et de nos sylphides ? N'est-ce pas parce que l'imagination moderne sait faire rôder hideusement dans nos cimetières les vampires, les ogres, les aulnes, les psylles, les goules, les brucolaques, les aspioles, qu'elle peut donner à ses fées cette forme incorporelle, cette pureté d'essence dont approchent si peu les nymphes païennes ? La Vénus antique est belle, admirable sans doute; mais qui a répandu sur les figures de Jean Goujon cette élégance svelte, étrange, aérienne? qui leur a donné ce caractère inconnu de vie et de grandiose, sinon le voisinage des sculptures rudes et puissantes du Moyen Age ?

Si, au milieu de ces développements nécessaires, et qui pourraient être beaucoup plus approfondis, le fil de nos idées ne s'est pas rompu dans l'esprit du lecteur, il a compris sans doute avec quelle puissance le grotesque, ce germe de la comédie, recueilli par la muse moderne, a dû croître et grandir dès qu'il a été transporté dans un terrain plus propice que le paganisme et l'épopée. En effet, dans la poésie nouvelle, tandis que le sublime représentera l'âme telle qu'elle est, épurée par la morale chrétienne, lui jouera le rôle de la bête humaine. Le premier type, dégagé de tout alliage impur, aura en apanage tous les charmes, toutes les grâces, toutes les beautés; il faut qu'il puisse créer un jour Juliette, Desdémona, Ophélia. Le second prendra tous les ridicules, toutes les infirmités, toutes les laideurs. Dans ce partage de l'humanité et de la création, c'est à lui que reviendront les passions, les vices, les crimes; c'est lui qui sera luxurieux, rampant, gourmand, avare, perfide, brouillon, hypocrite; c'est lui qui sera tour à tour Iago, Tartufe, Basile; Polonius, Harpagon, Bartholo; Falstaff, Scapin, Figaro. Le beau n'a qu'un type; le laid en a mille. C'est que le beau, à parler humainement, n'est que la forme considérée dans son rapport le plus simple, dans sa symétrie la plus absolue, dans son harmonie la plus intime avec notre organisation. Aussi nous offre-t-il toujours un ensemble complet, mais restreint comme nous. Ce que nous appelons le laid, au contraire, est un détail d'un grand ensemble qui nous échappe, et qui s'harmonise, non pas avec l'homme, mais avec la création tout entière. Voilà pourquoi il nous présente sans cesse des aspects nouveaux, mais incomplets.

C'est une étude curieuse que de suivre l'avènement et la marche du grotesque dans l'ère moderne. C'est d'abord une invasion, une irruption, un débordement ; c'est un torrent qui a rompu sa digue. Il traverse en naissant la littérature latine qui se meurt, y colore Perse, Pétrone, Juvénal, et y laisse *L'Ane d'or* d'Apulée. De là, il se répand dans l'imagination des peuples nouveaux qui refont l'Europe. Il abonde à flots dans les conteurs, dans les chroniqueurs, dans les romanciers. On le voit s'étendre du sud au septentrion. Il se joue dans les rêves des nations tudesques, et en même temps vivifie de son souffle ces admirables *romanceros* espagnols, véritable *Iliade* de la chevalerie. C'est lui, par exemple, qui, dans le roman de *la Rose*, peint ainsi une cérémonie auguste, l'élection d'un roi :

> Un grand vilain lors ils élurent,
> Le plus ossu qu'entr'eux ils eurent.

Il imprime surtout son caractère à cette merveilleuse architecture qui, dans le Moyen Age, tient la place de tous les arts. Il attache son stigmate au front des cathédrales, encadre ses enfers et ses purgatoires sous l'ogive des portails, les fait flamboyer sur les vitraux, déroule ses monstres, ses dogues, ses démons autour des chapiteaux, le long des frises, au bord des toits. Il s'étale sous d'innombrables formes sur la façade de bois des maisons, sur la façade de pierre des châteaux, sur la façade de marbre des palais. Des arts il passe dans les mœurs ; et tandis qu'il fait applaudir par le peuple les *graciosos* de comédie, il donne aux rois les fous de cour. Plus tard, dans le siècle de l'étiquette, il nous montrera Scarron sur le bord même de la couche de Louis XIV. En attendant, c'est lui qui meuble le blason, et qui dessine sur l'écu des chevaliers ces symboliques hiéroglyphes de la féodalité. Des mœurs, il pénètre dans les lois ; mille coutumes bizarres attestent son passage dans les institutions du Moyen Age. De même qu'il avait fait bondir dans son tombereau Thespis barbouillé de lie, il danse avec la basoche sur cette fameuse table de marbre qui servait tout à la fois de théâtre aux farces populaires et aux banquets royaux. Enfin, admis dans les arts, dans les mœurs, dans les lois, il entre jusque dans l'église. Nous le voyons ordonner, dans chaque ville de la catholicité, quelqu'une de ces cérémonies singulières, de ces processions étranges où la religion marche accompagnée de toutes les superstitions, le sublime environné de tous les grotesques. Pour le peindre d'un trait, telle est, à cette aurore des lettres, sa verve, sa vigueur, sa sève de création, qu'il jette du premier coup sur le seuil de la poésie moderne trois Homères bouffons : Arioste, en Italie; Cervantes, en Espagne; Rabelais, en France.

Il serait surabondant de faire ressortir davantage cette influence du grotesque dans la troisième civilisation. Tout démontre, à l'époque dite *romantique*, son alliance intime et créatrice avec le beau. Il n'y a pas jusqu'aux plus naïves légendes populaires qui n'expliquent quelquefois avec un admirable instinct ce mystère de l'art moderne. L'Antiquité n'aurait pas fait *la Belle et la Bête*.

Il est vrai de dire qu'à l'époque où nous venons de nous arrêter la prédominance du grotesque sur le sublime, dans les lettres, est vivement marquée. Mais c'est une fièvre de réaction, une ardeur de nouveauté qui passe; c'est un premier flot qui se retire peu à peu. Le type du beau reprendra bientôt son rôle et son droit, qui n'est pas d'exclure l'autre principe, mais de prévaloir sur lui. Il est temps que le grotesque se contente d'avoir un coin du tableau dans les fresques royales de Murillo, dans les pages sacrées de Véronèse; d'être mêlé aux deux admirables *Jugements derniers* dont s'enorgueilliront les arts, à cette scène de ravissement et d'horreur dont Michel-Ange enrichira le Vatican, à ces effrayantes chutes d'hommes que Rubens précipitera le long des voûtes de la cathédrale d'Anvers. Le moment est venu où l'équilibre entre les deux principes va s'établir. Un homme, un poète roi, *poeta soverano*, comme Dante le dit d'Homère, va tout fixer. Les deux génies rivaux unissent leur double flamme, et de cette flamme jaillit Shakespeare.

Nous voici parvenus à la sommité poétique des temps modernes. Shakespeare, c'est le drame; et le drame, qui fond sous un même souffle le grotesque et le sublime, le terrible et le bouffon, la tragédie et la comédie, le drame est le caractère propre de la troisième époque de poésie, de la littérature actuelle.

Ainsi, pour résumer rapidement les faits que nous avons observés jusqu'ici, la poésie a trois âges, dont chacun correspond à une époque de la société : l'ode, l'épopée, le drame. Les temps primitifs sont lyriques, les temps antiques sont épiques, les temps modernes sont dramatiques. L'ode chante l'éternité, l'épopée solennise l'histoire, le drame peint la vie. Le caractère de la première poésie est la naïveté, le caractère de la seconde est la simplicité, le caractère de la troisième, la vérité. Les rapsodes marquent la transition des poètes lyriques aux poètes épiques, comme les romanciers des poètes épiques aux poètes dramatiques. Les historiens naissent avec la seconde époque; les chroniqueurs et les critiques avec la troisième. Les personnages de l'ode sont des colosses : Adam, Caïn, Noé; ceux de l'épopée sont des géants : Achille, Atrée, Oreste; ceux du drame sont des hommes : Hamlet, Macbeth, Othello. L'ode vit de l'idéal, l'épopée du grandiose, le drame du réel. Enfin, cette triple poésie découle de trois grandes sources : la Bible, Homère, Shakespeare.

Telles sont donc, et nous nous bornons en cela à relever un résultat, les diverses physionomies de la pensée aux différentes ères de l'homme et de la société. Voilà ses trois visages, de jeunesse, de virilité et de vieillesse. Qu'on examine une littérature en particulier, ou toutes les littératures en masse, on arrivera toujours au même fait : les poètes lyriques avant les poètes épiques, les poètes épiques avant les poètes dramatiques. En France, Malherbe avant Chapelain, Chapelain avant Corneille; dans l'ancienne Grèce, Orphée avant Homère, Homère avant Eschyle; dans le livre primitif, la *Genèse* avant les *Rois*, les *Rois* avant *Job ;* ou, pour reprendre cette grande échelle de toutes les poésies que nous parcourions tout à l'heure, la Bible avant l'*Iliade*, l'*Iliade* avant Shakespeare.

La société, en effet, commence par chanter ce qu'elle rêve, puis raconte ce qu'elle fait, et enfin se met à peindre ce qu'elle pense. C'est, disons-le en passant, pour cette dernière raison que le drame, unissant les qualités les plus opposées, peut être tout à la fois plein de profondeur et plein de relief, philosophique et pittoresque.

Il serait conséquent d'ajouter ici que tout dans la nature et dans la vie passe par ces trois phases, du lyrique, de l'épique et du dramatique, parce que tout naît, agit et meurt. S'il n'était pas ridicule de mêler les fantasques rapprochements de l'imagination aux déductions sévères du raisonnement, un poète pourrait dire que le lever du soleil, par exemple, est un hymne, son midi une éclatante épopée, son coucher un sombre drame où luttent le jour et la nuit, la vie et la mort. Mais ce serait là de la poésie, de la folie peut-être ; et *qu'est-ce que cela prouve ?*

Tenons-nous-en aux faits rassemblés plus haut : complétons-les d'ailleurs par une observation importante. C'est que nous n'avons aucunement prétendu assigner aux trois époques de la poésie un domaine exclusif, mais seulement fixer leur caractère dominant. La Bible, ce divin monument lyrique, renferme, comme nous l'indiquions tout à l'heure, une épopée et un drame en germe, les *Rois* et *Job*. On sent dans tous les poèmes homériques un reste de poésie lyrique et un commencement de poésie dramatique. L'ode et le drame se croisent dans l'épopée. Il y a tout dans tout ; seulement il existe dans chaque chose un élément générateur auquel se subordonnent tous les autres, et qui impose à l'ensemble son caractère propre.

Le drame est la poésie complète. L'ode et l'épopée ne le contiennent qu'en germe ; il les contient l'une et l'autre en développement ; il les résume et les enserre toutes deux. Certes, celui qui a dit : *les Français n'ont pas la tête épique*, a dit une chose juste et fine ; si même il eût dit *les Modernes*, le mot spirituel eût été un mot profond. Il est incontestable cependant qu'il y a surtout du génie épique dans cette prodigieuse *Athalie*, si haute et si simplement sublime que le siècle royal ne l'a pu comprendre. Il est certain encore que la série des drames chroniques de Shakespeare présente un grand aspect d'épopée. Mais c'est surtout la poésie lyrique qui sied au drame ; elle ne le gêne jamais, elle se plie à tous ses caprices, se joue sous toutes ses formes, tantôt sublime dans Ariel, tantôt grotesque dans Caliban. Notre époque, dramatique avant tout, est par cela même éminemment lyrique. C'est qu'il y a plus d'un rapport entre le commencement et la fin ; le coucher du soleil a quelques traits de son lever ; le vieillard redevient enfant. Mais cette dernière enfance ne ressemble pas à la première ; elle est aussi triste que l'autre était joyeuse. Il en est de même de la poésie lyrique. Eblouissante, rêveuse à l'aurore des peuples, elle reparaît sombre et pensive à leur déclin. La Bible s'ouvre riante avec la *Genèse*, et se ferme sur la menaçante *Apocalypse*. L'ode moderne est toujours inspirée, mais n'est plus ignorante. Elle médite plus qu'elle ne contemple ; sa rêverie est mélancolie. On voit, à ses enfantements, que cette muse s'est accouplée au drame.

Pour rendre sensibles par une image les idées que nous

venons d'aventurer, nous comparerions la poésie lyrique
primitive à un lac paisible qui reflète les nuages et les
étoiles du ciel; l'épopée est le fleuve qui en découle et
court, en réfléchissant ses rives, forêts, campagnes et
cités, se jeter dans l'océan du drame. Enfin, comme le
lac, le drame réfléchit le ciel; comme le fleuve, il réfléchit
ses rives; mais seul il a des abîmes et des tempêtes.

C'est donc au drame que tout vient aboutir dans la
poésie moderne. *Le Paradis perdu* est un drame avant
d'être une épopée. C'est, on le sait, sous la première de
ces formes qu'il s'était présenté d'abord à l'imagination
du poète, et qu'il reste toujours imprimé dans la mémoire
du lecteur, tant l'ancienne charpente dramatique est
encore saillante sous l'édifice épique de Milton! Lorsque
Dante Alighieri a terminé son redoutable *Enfer*, qu'il en
a refermé les portes, et qu'il ne lui reste plus qu'à nommer
son œuvre, l'instinct de son génie lui fait voir que ce
poème multiforme est une émanation du drame, non
de l'épopée; et sur le frontispice du gigantesque monument, il écrit de sa plume de bronze : *Divina Commedia*.

On voit donc que les deux seuls poètes des temps
modernes qui soient de la taille de Shakespeare se rallient
à son unité. Ils concourent avec lui à empreindre de la
teinte dramatique toute notre poésie; ils sont comme
lui mêlés de grotesque et de sublime; et, loin de tirer à
eux dans ce grand ensemble littéraire qui s'appuie sur
Shakespeare, Dante et Milton sont en quelque sorte les
deux arcs-boutants de l'édifice dont il est le pilier central,
les contreforts de la voûte dont il est la clef.

Qu'on nous permette de reprendre ici quelques idées
déjà énoncées, mais sur lesquelles il faut insister. Nous y
sommes arrivé, maintenant il faut que nous en repar-
tions.

Du jour où le christianisme a dit à l'homme : « Tu es
double, tu es composé de deux êtres, l'un périssable,
l'autre immortel, l'un charnel, l'autre éthéré, l'un
enchaîné par les appétits, les besoins et les passions,
l'autre emporté sur les ailes de l'enthousiasme et de la
rêverie, celui-ci enfin toujours courbé vers la terre, sa
mère, celui-là sans cesse élancé vers le ciel, sa patrie »;
de ce jour le drame a été créé. Est-ce autre chose en effet
que ce contraste de tous les jours, que cette lutte de tous
les instants entre deux principes opposés qui sont toujours
en présence dans la vie, et qui se disputent l'homme
depuis le berceau jusqu'à la tombe ?

La poésie née du christianisme, la poésie de notre temps est donc le drame; le caractère du drame est le réel; le réel résulte de la combinaison toute naturelle de deux types, le sublime et le grotesque, qui se croisent dans le drame, comme ils se croisent dans la vie et dans la création. Car la poésie vraie, la poésie complète, est dans l'harmonie des contraires. Puis, il est temps de le dire hautement, et c'est ici surtout que les exceptions confirmeraient la règle, tout ce qui est dans la nature est dans l'art.

En se plaçant à ce point de vue pour juger nos petites règles conventionnelles, pour débrouiller tous ces labyrinthes scolastiques, pour résoudre tous ces problèmes mesquins que les critiques des deux derniers siècles ont laborieusement bâtis autour de l'art, on est frappé de la promptitude avec laquelle la question du théâtre moderne se nettoie. Le drame n'a qu'à faire un pas pour briser tous ces fils d'araignée dont les milices de Lilliput ont cru l'enchaîner dans son sommeil.

Ainsi, que des pédants étourdis (l'un n'exclut pas l'autre) prétendent que le difforme, le laid, le grotesque, ne doit jamais être un objet d'imitation pour l'art, on leur répond que le grotesque, c'est la comédie, et qu'apparemment la comédie fait partie de l'art. Tartufe n'est pas beau, Pourceaugnac n'est pas noble; Pourceaugnac et Tartufe sont d'admirables jets de l'art.

Que si, chassés de ce retranchement dans leur seconde ligne de douanes, ils renouvellent leur prohibition du grotesque allié au sublime, de la comédie fondue dans la tragédie, on leur fait voir que, dans la poésie des peuples chrétiens, le premier de ces deux types représente la bête humaine, le second l'âme. Ces deux tiges de l'art, si l'on empêche leurs rameaux de se mêler, si on les sépare systématiquement, produiront pour tous fruits, d'une part des abstractions de vices, de ridicules; de l'autre, des abstractions de crime, d'héroïsme et de vertu. Les deux types, ainsi isolés et livrés à eux-mêmes, s'en iront chacun de leur côté, laissant entre eux le réel, l'un à sa droite, l'autre à sa gauche. D'où il suit qu'après ces abstractions, il restera quelque chose à représenter, l'homme; après ces tragédies et ces comédies, quelque chose à faire, le drame.

Dans le drame, tel qu'on peut, sinon l'exécuter, du moins le concevoir, tout s'enchaîne et se déduit ainsi que dans la réalité. Le corps y joue son rôle comme l'âme; et les hommes et les événements, mis en jeu par ce double agent, passent tour à tour bouffons et terribles, quelquefois terribles et bouffons tout ensemble. Ainsi le juge dira : *A la mort, et allons dîner !* Ainsi le sénat romain délibérera sur le turbot de Domitien. Ainsi Socrate, buvant la ciguë et conversant de l'âme immortelle et du dieu unique, s'interrompra pour recommander qu'on sacrifie un coq à Esculape. Ainsi Elisabeth jurera et parlera latin. Ainsi Richelieu subira le capucin Joseph, et Louis XI son barbier, maître Olivier le Diable. Ainsi Cromwell dira : *J'ai le parlement dans mon sac et le roi dans ma poche ;* ou, de la main qui signe l'arrêt de mort de Charles I$^{er}$, barbouillera d'encre le visage d'un régicide qui le lui rendra en riant. Ainsi César dans le char de triomphe aura peur de verser. Car les hommes de génie, si grands qu'ils soient, ont toujours en eux bête qui parodie leur intelligence. C'est par là qu'ils touchent à l'humanité, c'est par là qu'ils sont dramatiques. « Du sublime au ridicule il n'y a qu'un pas », disait Napoléon, quand il fut convaincu d'être homme; et cet éclair d'une âme de feu qui s'entr'ouvre illumine à la fois l'art et l'histoire, ce cri d'angoisse est le résumé du drame et de la vie.

Chose frappante, tous ces contrastes se rencontrent dans les poètes eux-mêmes, pris comme hommes. A force de méditer sur l'existence, d'en faire éclater la poignante ironie, de jeter à flots le sarcasme et la raillerie sur nos infirmités, ces hommes qui nous font tant rire deviennent profondément tristes. Ces Démocrites sont aussi des Héraclites. Beaumarchais était morose, Molière était sombre, Shakespeare mélancolique.

C'est donc une des suprêmes beautés du drame que le grotesque. Il n'en est pas seulement une convenance, il en est souvent une nécessité. Quelquefois il arrive par masses homogènes, par caractères complets : Dandin, Prusias, Trissotin, Brid'oison, la nourrice de Juliette; quelquefois empreint de terreur, ainsi : Richard III, Bégears, Tartufe, Méphistophélès; quelquefois même voilé de grâce et d'élégance, comme Figaro, Osrick, Mercutio, don Juan. Il s'infiltre partout, car de même que les plus vulgaires ont mainte fois leurs accès de sublime, les plus élevés payent fréquemment tribut au trivial et au ridicule. Aussi, souvent insaisissable, souvent imperceptible, est-il toujours présent sur la scène, même quand il se tait, même quand il se cache. Grâce à lui, point d'impressions monotones. Tantôt il jette du rire, tantôt de l'horreur dans la tragédie. Il fera rencontrer l'apothicaire à Roméo, les trois sorcières à Macbeth, les fossoyeurs à Hamlet. Parfois enfin il peut sans discordance, comme dans la scène du roi Lear et de son fou, mêler sa voix criarde aux plus sublimes, aux plus lugubres, aux plus rêveuses musiques de l'âme.

Voilà ce qu'a su faire entre tous, d'une manière qui lui est propre et qu'il serait aussi inutile qu'impossible d'imiter, Shakespeare, ce dieu du théâtre, en qui semblent réunis, comme dans une trinité, les trois grands génies caractéristiques de notre scène : Corneille, Molière, Beaumarchais.

On voit combien l'arbitraire distinction des genres croule vite devant la raison et le goût. On ne ruinerait pas moins aisément la prétendue règle des deux unités. Nous disons deux et non *trois* unités, l'unité d'action ou d'ensemble, la seule vraie et fondée, étant depuis longtemps hors de cause.

Des contemporains distingués, étrangers et nationaux, ont déjà attaqué, et par la pratique et par la théorie, cette loi fondamentale du code pseudo-aristotélique. Au reste, le combat ne devait pas être long. A la première secousse elle a craqué, tant était vermoulue cette solive de la vieille masure scolastique !

Ce qu'il y a d'étrange, c'est que les routiniers prétendent appuyer leur règle des deux unités sur la vraisemblance, tandis que c'est précisément le réel qui la tue. Quoi de plus invraisemblable et de plus absurde en effet que ce vestibule, ce péristyle, cette antichambre, lieu banal où nos tragédies ont la complaisance de venir se dérouler, où arrivent, on ne sait comment, les conspirateurs pour déclamer contre le tyran, le tyran pour déclamer contre les conspirateurs, chacun à leur tour, comme s'ils s'étaient dit bucoliquement :

*Alternis cantemus; amant alterna Camenæ.*

Où a-t-on vu vestibule ou péristyle de cette sorte ? Quoi de plus contraire, nous ne dirons pas à la vérité, les scolastiques en font bon marché, mais à la vraisemblance ? Il résulte de là que tout ce qui est trop caractéristique, trop intime, trop local, pour se passer dans l'antichambre ou dans le carrefour, c'est-à-dire tout le drame, se passe dans la coulisse. Nous ne voyons en

quelque sorte sur le théâtre que les coudes de l'action;
ses mains sont ailleurs. Au lieu de scènes, nous avons
des récits; au lieu de tableaux, des descriptions. De graves
personnages placés, comme le chœur antique, entre le
drame et nous, viennent nous raconter ce qui se fait dans
le temple, dans le palais, dans la place publique, de
façon que souventes fois nous sommes tentés de leur
crier : « Vraiment! mais conduisez-nous donc là-bas! On
s'y doit bien amuser, cela doit être beau à voir! » A quoi
ils répondraient sans doute : « Il serait possible que cela
vous amusât ou vous intéressât, mais ce n'est point là
la question; nous sommes les gardiens de la dignité de
la Melpomène française. » Voilà!

Mais, dira-t-on, cette règle que vous répudiez est
empruntée au théâtre grec. — En quoi le théâtre et le
drame grecs ressemblent-ils à notre drame et à notre
théâtre ? D'ailleurs nous avons déjà fait voir que la prodigieuse étendue de la scène antique lui permettait d'em-
brasser une localité tout entière, de sorte que le poète
pouvait, selon les besoins de l'action, la transporter à
son gré d'un point du théâtre à un autre, ce qui équivaut
bien à peu près aux changements de décorations. Bizarre
contradiction! le théâtre grec, tout asservi qu'il était à
un but national et religieux, est bien autrement libre
que le nôtre, dont le seul objet cependant est le plaisir,
et, si l'on veut, l'enseignement du spectateur. C'est que
l'un n'obéit qu'aux lois qui lui sont propres, tandis que
l'autre s'applique des conditions d'être parfaitement
étrangères à son essence. L'un est artiste, l'autre est
artificiel.

On commence à comprendre de nos jours que la localité exacte est un des premiers éléments de la réalité.
Les personnages parlants ou agissants ne sont pas les
seuls qui gravent dans l'esprit du spectateur la fidèle
empreinte des faits. Le lieu où telle catastrophe s'est
passée en devient un témoin terrible et inséparable; et
l'absence de cette sorte de personnage muet décomplé-
terait dans le drame les plus grandes scènes de l'histoire.
Le poète oserait-il assassiner Rizzio ailleurs que dans la
chambre de Marie Stuart ? poignarder Henri IV ailleurs
que dans cette rue de la Ferronnerie, tout obstruée de
haquets et de voitures ? brûler Jeanne d'Arc autre part
que dans le Vieux-Marché ? dépêcher le duc de Guise
autre part que dans ce château de Blois où son ambition
fait fermenter une assemblée populaire ? décapiter

Charles I$^{er}$ et Louis XVI ailleurs que dans ces places sinistres d'où l'on peut voir White-Hall et les Tuileries, comme si leur échafaud servait de pendant à leur palais ?

L'unité de temps n'est pas plus solide que l'unité de lieu. L'action, encadrée de force dans les vingt-quatre heures, est aussi ridicule qu'encadrée dans le vestibule. Toute action a sa durée propre comme son lieu particulier. Verser la même dose de temps à tous les événements ! appliquer la même mesure sur tout ! On rirait d'un cordonnier qui voudrait mettre le même soulier à tous les pieds. Croiser l'unité de temps à l'unité de lieu comme les barreaux d'une cage, et y faire pédantesquement entrer, de par Aristote, tous ces faits, tous ces peuples, toutes ces figures que la providence déroule à si grandes masses dans la réalité ! c'est mutiler hommes et choses, c'est faire grimacer l'histoire. Disons mieux : tout cela mourra dans l'opération ; et c'est ainsi que les mutilateurs dogmatiques arrivent à leur résultat ordinaire : ce qui était vivant dans la chronique est mort dans la tragédie. Voilà pourquoi, bien souvent, la cage des unités ne renferme qu'un squelette.

Et puis si vingt-quatre heures peuvent être comprises dans deux, il sera logique que quatre heures puissent en contenir quarante-huit. L'unité de Shakespeare ne sera donc pas l'unité de Corneille. Pitié !

Ce sont là pourtant les pauvres chicanes que depuis deux siècles la médiocrité, l'envie et la routine font au génie ! C'est ainsi qu'on a borné l'essor de nos plus grands poètes. C'est avec les ciseaux des unités qu'on leur a coupé l'aile. Et que nous a-t-on donné en échange de ces plumes d'aigle retranchées à Corneille et à Racine ? Campistron.

Nous concevons qu'on pourrait dire : — Il y a dans des changements trop fréquents de décoration quelque chose qui embrouille et fatigue le spectateur, et qui produit sur son attention l'effet de l'éblouissement ; il peut aussi se faire que des translations multipliées d'un lieu à un autre lieu, d'un temps à un autre temps, exigent des contre-expositions qui le refroidissent ; il faut craindre encore de laisser dans le milieu d'une action des lacunes qui empêchent les parties du drame d'adhérer étroitement entre elles, et qui en outre déconcertent le spectateur parce qu'il ne se rend pas compte de ce qu'il peut y avoir dans ces vides... — Mais ce sont là précisément les difficultés de l'art. Ce sont là de ces obstacles propres à tels ou tels sujets, et sur lesquels on ne saurait statuer une fois pour toutes. C'est au génie à les résoudre, non aux *poétiques* à les éluder.

Il suffirait enfin, pour démontrer l'absurdité de la règle des deux unités, d'une dernière raison, prise dans les entrailles de l'art. C'est l'existence de la troisième unité, l'unité d'action, la seule admise de tous parce qu'elle résulte d'un fait : l'œil ni l'esprit humain ne sauraient saisir plus d'un ensemble à la fois. Celle-là est aussi nécessaire que les deux autres sont inutiles. C'est elle qui marque le point de vue du drame; or, par cela même, elle exclut les deux autres. Il ne peut pas plus y avoir trois unités dans le drame que trois horizons dans un tableau. Du reste, gardons-nous de confondre l'unité avec la simplicité d'action. L'unité d'ensemble ne répudie en aucune façon les actions secondaires sur lesquelles doit s'appuyer l'action principale. Il faut seulement que ces parties, savamment subordonnées au tout, gravitent sans cesse vers l'action centrale et se groupent autour d'elle aux différents étages ou plutôt sur les divers plans du drame. L'unité d'ensemble est la loi de perspective du théâtre.

Mais, s'écrieront les douaniers de la pensée, de grands génies les ont pourtant subies, ces règles que vous rejetez! — Eh oui, malheureusement! Qu'auraient-ils donc fait, ces admirables hommes, si l'on les eût laissés faire? Ils n'ont pas du moins accepté vos fers sans combat. Il faut voir comme Pierre Corneille, harcelé à son début pour sa merveille du *Cid*, se débat sous Mairet, Claveret, d'Aubignac et Scudéry! comme il dénonce à la postérité les violences de ces hommes qui, dit-il, se font *tout blancs d'Aristote!* Il faut voir comme on lui dit, et nous citons des textes du temps : « Ieune homme, il faut apprendre auant que d'enseigner, et à moins que d'être vn Scaliger ou vn Heinsius, cela n'est pas supportable! » Là-dessus Corneille se révolte et demande si c'est donc qu'on veut le faire descendre, « beaucoup au dessovbs de Claueret! » Ici Scudéry s'indigne de tant d'orgueil et rappelle à « ce trois fois grand avthevr du Cid... les modestes paroles par où le Tasse, le plus grand homme de son siècle, a commencé l'apologie du plus beau de ses ouurages, contre la plus aigre et la plus iniuste Censure, qu'on fera peut-être iamais. M. Corneille, ajoute-t-il, tesmoigne bien en ses Responses qu'il est aussi loing de la modération que du mérite de cet excellent avthevr. » Le *jeune*

*homme* si *justement* et si *doucement censuré* ose résister ;
alors Scudéry revient à la charge ; il appelle à son secours
l'*Académie éminente :* « Prononcez, O MES IVGES, un arrest
digne de vous, et qui face sçavoir à toute l'Europe que
le *Cid* n'est point le chef-d'œuure du plus grand homme
de Frâce, mais ouy bien la moins iudicieuse pièce de
M. Corneille mesme. Vous le deuez, et pour vostre gloire
en particulier, et pour celle de nostre nation en général,
qui s'y trouue intéressée : veu que les estrangers qui
pourroient voir ce beau chef-d'œuure, eux qui ont eu
des Tassos et des Guarinis, croyroient que nos plus
grands maistres ne sont que des apprentifs. » Il y a dans
ce peu de lignes instructives toute la tactique éternelle
de la routine envieuse contre le talent naissant, celle qui
se suit encore de nos jours, et qui a attaché, par exemple,
une si curieuse page aux jeunes essais de lord Byron.
Scudéry nous la donne en quintessence. Ainsi, les précédents ouvrages d'un homme de génie toujours préférés
aux nouveaux, afin de prouver qu'il descend au lieu de
monter, *Mélite* et *la Galerie du Palais* mis au-dessus du
*Cid ;* puis les noms de ceux qui sont morts toujours jetés
à la tête de ceux qui vivent : Corneille lapidé avec Tasso
et Guarini (Guarini !), comme plus tard on lapidera
Racine avec Corneille, Voltaire avec Racine, comme on
lapide aujourd'hui tout ce qui s'élève avec Corneille,
Racine et Voltaire. La tactique, comme on voit, est usée,
mais il faut qu'elle soit bonne, puisqu'elle sert toujours.
Cependant le pauvre diable de grand homme soufflait
encore. C'est ici qu'il faut admirer comme Scudéry, le
capitan de cette tragi-comédie, poussé à bout, le rudoie
et le malmène, comme il démasque sans pitié son artillerie classique, comme il « fait voir » à l'auteur du *Cid*
« quels doiuent estre les épisodes, d'après Aristote, qui
l'enseigne aux chapitres dixiesme et seiziesme de sa
Poétique », comme il foudroie Corneille, de par ce même
Aristote « au chapitre vnziesme de son Art Poétique, dans
lequel on voit la condamnation du *Cid* » ; de par Platon
« liure dixiesme de sa République », de par Marcelin,
« au liure vingt-septiesme ; on le peut voir » ; de par « les
tragédies de Niobé et de Jephté » ; de par « l'Ajax de
Sophocle » ; de par « l'exemple d'Euripide » ; de par
« Heinsius, au chapitre six, Constitution de la Tragédie ;
et Scaliger le fils dans ses poésies » ; enfin, de par « les
Canonistes et les Iurisconsultes, au titre des Nopces ».
Les premiers arguments s'adressaient à l'académie, le

dernier allait au cardinal. Après les coups d'épingle, le
coup de massue. Il fallut un juge pour trancher la
question. Chapelain décida. Corneille se vit donc
condamné, le lion fut muselé, ou, pour dire comme
alors, la *corneille* fut *déplumée*. Voici maintenant le côté
douloureux de ce drame grotesque : c'est après avoir été
ainsi rompu dès son premier jet, que ce génie, tout
moderne, tout nourri du Moyen Age et de l'Espagne, forcé
de mentir à lui-même et de se jeter dans l'Antiquité,
nous donna cette Rome castillane, sublime sans contredit, mais où, excepté peut-être dans le *Nicomède* si moqué
du dernier siècle pour sa fière et naïve couleur, on ne
retrouve ni la Rome véritable, ni le vrai Corneille.

Racine éprouva les mêmes dégoûts, sans faire d'ailleurs
la même résistance. Il n'avait, ni dans le génie ni dans
le caractère, l'âpreté hautaine de Corneille. Il plia en
silence, et abandonna aux dédains de son temps sa ravis-
sante élégie d'*Esther*, sa magnifique épopée d'*Athalie*.
Aussi on doit croire que, s'il n'eût pas été paralysé comme
il l'était par les préjugés de son siècle, s'il eût été moins
souvent touché par la torpille classique, il n'eût point
manqué de jeter Locuste dans son drame entre Narcisse
et Néron, et surtout n'eût pas relégué dans la coulisse
cette admirable scène du banquet où l'élève de Sénèque
empoisonne Britannicus dans la coupe de la réconciliation. Mais peut-on exiger de l'oiseau qu'il vole sous le
récipient pneumatique ? Que de beautés pourtant nous
coûtent les *gens de goût*, depuis Scudéry jusqu'à La Harpe !
on composerait une bien belle œuvre de tout ce que leur
souffle aride a séché dans son germe. Du reste, nos grands
poètes ont encore su faire jaillir leur génie à travers toutes
ces gênes. C'est souvent en vain qu'on a voulu les murer
dans les dogmes et dans les règles. Comme le géant
hébreu, ils ont emporté avec eux sur la montagne les
portes de leur prison.

On répète néanmoins, et quelque temps encore sans
doute on ira répétant : — Suivez les règles ! Imitez les
modèles ! Ce sont les règles qui ont formé les modèles !
— Un moment ! Il y a en ce cas deux espèces de modèles,
ceux qui se sont faits d'après les règles, et, avant eux,
ceux d'après lesquels on a fait les règles. Or dans laquelle
de ces deux catégories le génie doit-il se chercher une
place ? Quoiqu'il soit toujours dur d'être en contact avec
les pédants, ne vaut-il pas mille fois mieux leur donner
des leçons qu'en recevoir d'eux ? Et puis, imiter ? Le

reflet vaut-il la lumière ? le satellite qui se traîne sans cesse dans le même cercle vaut-il l'astre central et générateur ? Avec toute sa poésie, Virgile n'est que la lune d'Homère.

Et voyons : qui imiter ? — Les Anciens ? Nous venons de prouver que leur théâtre n'a aucune coïncidence avec le nôtre. D'ailleurs, Voltaire, qui ne veut pas de Shakespeare, ne veut pas des Grecs non plus. Il va nous dire pourquoi : « Les Grecs ont hasardé des spectacles non moins révoltants pour nous. Hippolyte, brisé par sa chute, vient compter ses blessures et pousser des cris douloureux. Philoctète tombe dans ses accès de souffrance; un sang noir coule de sa plaie. Œdipe, couvert du sang qui dégoutte encore du reste de ses yeux qu'il vient d'arracher, se plaint des dieux et des hommes. On entend les cris de Clytemnestre que son propre fils égorge, et Electre crie sur le théâtre : « Frappez, ne l'épargnez pas, elle n'a pas épargné notre père. » Prométhée est attaché sur un rocher avec des clous qu'on lui enfonce dans l'estomac et dans les bras. Les Furies répondent à l'ombre sanglante de Clytemnestre par des hurlements sans aucune articulation... L'art était dans son enfance du temps d'Eschyle comme à Londres du temps de Shakespeare. » — Les Modernes ? Ah! imiter des imitations! Grâce!

— *Mà*, nous objectera-t-on encore, à la manière dont vous concevez l'art, vous paraissez n'attendre que de grands poètes, toujours compter sur le génie ? — L'art ne compte pas sur la médiocrité. Il ne lui prescrit rien, il ne la connaît point, elle n'existe point pour lui; l'art donne des ailes et non des béquilles. Hélas! d'Aubignac a suivi les règles, Campistron a imité les modèles. Que lui importe! Il ne bâtit point son palais pour les fourmis. Il les laisse faire leur fourmilière, sans savoir si elles viendront appuyer sur sa base cette parodie de son édifice.

Les critiques de l'école scolastique placent leurs poètes dans une singulière position. D'une part, ils leur crient sans cesse : « Imitez les modèles! » De l'autre, ils ont coutume de proclamer que « les modèles sont inimitables »! Or, si leurs ouvriers, à force de labeur, parviennent à faire passer dans ce défilé quelque pâle contre-épreuve, quelque calque décoloré des maîtres, ces ingrats, à l'examen du *refaccimiento* nouveau, s'écrient tantôt : « Cela ne ressemble à rien! » tantôt : « Cela ressemble à tout! »

Et, par une logique faite exprès, chacune de ces deux formules est une critique.

Disons-le donc hardiment. Le temps en est venu, et il serait étrange qu'à cette époque, la liberté, comme la lumière, pénétrât partout, excepté dans ce qu'il y a de plus nativement libre au monde, les choses de la pensée. Mettons le marteau dans les théories, les poétiques et les systèmes. Jetons bas ce vieux plâtrage qui masque la façade de l'art! Il n'y a ni règles, ni modèles; ou plutôt il n'y a d'autres règles que les lois générales de la nature qui planent sur l'art tout entier, et les lois spéciales qui, pour chaque composition, résultent des conditions d'existence propres à chaque sujet. Les unes sont éternelles, intérieures, et restent; les autres variables, extérieures, et ne servent qu'une fois. Les premières sont la charpente qui soutient la maison; les secondes l'échafaudage qui sert à la bâtir et qu'on refait à chaque édifice. Celles-ci enfin sont l'ossement, celles-là le vêtement du drame. Du reste, ces règles-là ne s'écrivent pas dans les poétiques. Richelet ne s'en doute pas. Le génie, qui devine plutôt qu'il n'apprend, extrait, pour chaque ouvrage, les premières de l'ordre général des choses, les secondes de l'ensemble isolé du sujet qu'il traite; non pas à la façon du chimiste qui allume son fourneau, souffle son feu, chauffe son creuset, analyse et détruit; mais à la manière de l'abeille, qui vole sur ses ailes d'or, se pose sur chaque fleur, et en tire son miel, sans que le calice perde rien de son éclat, la corolle rien de son parfum.

Le poète, insistons sur ce point, ne doit donc prendre conseil que de la nature, de la vérité, et de l'inspiration qui est aussi une vérité et une nature. *Quando he*, dit Lope de Vega,

> *Quando he de escrivir una comedia,*
> *Encierro los preceptos con seis llaves.*

Pour enfermer les préceptes, en effet, ce n'est pas trop de *six clefs*. Que le poète se garde surtout de copier qui que ce soit, pas plus Shakespeare que Molière, pas plus Schiller que Corneille. Si le vrai talent pouvait abdiquer à ce point sa propre nature, et laisser ainsi de côté son originalité personnelle, pour se transformer en autrui, il perdrait tout à jouer ce rôle de Sosie. C'est le dieu qui se fait valet. Il faut puiser aux sources primitives. C'est la même sève, répandue dans le sol, qui produit tous les

arbres de la forêt, si divers de port, de fruits, de feuillage. C'est la même nature qui féconde et nourrit les
génies les plus différents. Le vrai poète est un arbre qui
peut être battu de tous les vents et abreuvé de toutes les
rosées, qui porte ses ouvrages comme ses fruits, comme
le *fablier* portait ses fables. A quoi bon s'attacher à un
maître ? se greffer sur un modèle ? Il vaut mieux encore
être ronce ou chardon, nourri de la même terre que le
cèdre et le palmier, que d'être le fungus ou le lichen de
ces grands arbres. La ronce vit, le fungus végète. D'ailleurs, quelque grands qu'ils soient, ce cèdre et ce palmier,
ce n'est pas avec le suc qu'on en tire qu'on peut devenir
grand soi-même. Le parasite d'un géant sera tout au
plus un nain. Le chêne, tout colosse qu'il est, ne peut
produire et nourrir que le gui.

Qu'on ne s'y méprenne pas, si quelques-uns de nos
poètes ont pu être grands, même en imitant, c'est que,
tout en se modelant sur la forme antique, ils ont souvent
encore écouté la nature et leur génie, c'est qu'ils ont été
eux-mêmes par un côté. Leurs rameaux se cramponnaient
à l'arbre voisin, mais leur racine plongeait dans le sol de
l'art. Ils étaient le lierre, et non le gui. Puis sont venus
les imitateurs en sous-ordre, qui n'ayant ni racine en
terre, ni génie dans l'âme, ont dû se borner à l'imitation.
Comme dit Charles Nodier, *après l'école d'Athènes, l'école
d'Alexandrie*. Alors la médiocrité a fait déluge; alors ont
pullulé ces poétiques, si gênantes pour le talent, si
commodes pour elle. On a dit que tout était fait, on a
défendu à Dieu de créer d'autres Molières, d'autres
Corneilles. On a mis la mémoire à la place de l'imagination. La chose même a été réglée souverainement : il
y a des aphorismes pour cela. « *Imaginer*, dit La Harpe
avec son assurance naïve, ce n'est au fond que *se res-
souvenir.* »

La nature donc! La nature et la vérité. — Et ici, afin
de montrer que, loin de démolir l'art, les idées nouvelles
ne veulent que le reconstruire plus solide et mieux fondé,
essayons d'indiquer quelle est la limite infranchissable
qui, à notre avis, sépare la réalité selon l'art de la réalité
selon la nature. Il y a étourderie à les confondre, comme
le font quelques partisans peu avancés du *romantisme*. La
vérité de l'art ne saurait jamais être, ainsi que l'ont dit
plusieurs, la réalité *absolue*. L'art ne peut donner la
chose même. Supposons en effet un de ces promoteurs
irréfléchis de la nature absolue, de la nature vue hors

de l'art, à la représentation d'une pièce romantique, du
*Cid*, par exemple. — Qu'est cela ? dira-t-il au premier
mot. Le Cid parle en vers ! Il n'est pas *naturel* de parler
en vers. — Comment voulez-vous donc qu'il parle ? —
En prose. — Soit. — Un instant après : — Quoi, repren-
dra-t-il s'il est conséquent, le Cid parle français ! — Eh
bien ? — La *nature* veut qu'il parle sa langue, il ne peut
parler qu'espagnol. — Nous n'y comprendrons rien;
mais soit encore. — Vous croyez que c'est tout ? Non pas;
avant la dixième phrase castillane, il doit se lever et
demander si ce Cid qui parle est le véritable Cid, en
chair et en os ? De quel droit cet acteur, qui s'appelle
Pierre ou Jacques, prend-il le nom de Cid ? Cela est
*faux*. — Il n'y a aucune raison pour qu'il n'exige pas
ensuite qu'on substitue le soleil à cette rampe, des arbres
*réels*, des maisons *réelles* à ces menteuses coulisses. Car,
une fois dans cette voie, la logique nous tient au collet,
on ne peut plus s'arrêter.

On doit donc reconnaître, sous peine de l'absurde, que
le domaine de l'art et celui de la nature sont parfaitement
distincts. La nature et l'art sont deux choses, sans quoi
l'une ou l'autre n'existerait pas. L'art, outre sa partie
idéale, a une partie terrestre et positive. Quoi qu'il fasse,
il est encadré entre la grammaire et la prosodie, entre
Vaugelas et Richelet. Il a, pour ses créations les plus
capricieuses, des formes, des moyens d'exécution, tout
un matériel à remuer. Pour le génie, ce sont des instru-
ments; pour la médiocrité, des outils.

D'autres, ce nous semble, l'ont déjà dit : le drame est
un miroir où se réfléchit la nature. Mais si ce miroir est
un miroir ordinaire, une surface plane et unie, il ne ren-
verra des objets qu'une image terne et sans relief, fidèle,
mais décolorée; on sait ce que la couleur et la lumière
perdent à la réflexion simple. Il faut donc que le drame
soit un miroir de concentration qui, loin de les affaiblir,
ramasse et condense les rayons colorants, qui fasse d'une
lueur une lumière, d'une lumière une flamme. Alors
seulement le drame est avoué de l'art.

Le théâtre est un point d'optique. Tout ce qui existe
dans le monde, dans l'histoire, dans la vie, dans l'homme,
tout doit et peut s'y réfléchir, mais sous la baguette
magique de l'art. L'art feuillette les siècles, feuillette la
nature, interroge les chroniques, s'étudie à reproduire
la réalité des faits, surtout celle des mœurs et des caractères, bien moins léguée au doute et à la contradiction

que les faits, restaure ce que les annalistes ont tronqué, harmonise ce qu'ils ont dépareillé, devine leurs omissions et les répare, comble leurs lacunes par des imaginations qui aient la couleur du temps, groupe ce qu'ils ont laissé épars, rétablit le jeu des fils de la providence sous les marionnettes humaines, revêt le tout d'une forme poétique et naturelle à la fois, et lui donne cette vie de vérité et de saillie qui enfante l'illusion, ce prestige de réalité qui passionne le spectateur, et le poète le premier, car le poète est de bonne foi. Ainsi le but de l'art est presque divin : ressusciter, s'il fait de l'histoire; créer, s'il fait de la poésie.

C'est une grande et belle chose que de voir se déployer avec cette largeur un drame où l'art développe puissamment la nature; un drame où l'action marche à la conclusion d'une allure ferme et facile, sans diffusion et sans étranglement; un drame enfin où le poète remplisse pleinement le but multiple de l'art, qui est d'ouvrir au spectateur un double horizon, d'illuminer à la fois l'intérieur et l'extérieur des hommes; l'extérieur, par leurs discours et leurs actions; l'intérieur, par les *a parte* et les monologues; de croiser, en un mot, dans le même tableau, le drame de la vie et le drame de la conscience.

On conçoit que, pour une œuvre de ce genre, si le poète doit *choisir* dans les choses (et il le doit), ce n'est pas le *beau*, mais le *caractéristique*. Non qu'il convienne de *faire*, comme on dit aujourd'hui, *de la couleur locale*, c'est-à-dire d'ajouter après coup quelques touches criardes çà et là sur un ensemble du reste parfaitement faux et conventionnel. Ce n'est point à la surface du drame que doit être la couleur locale, mais au fond, dans le cœur même de l'œuvre, d'où elle se répand au dehors, d'elle-même, naturellement, également, et, pour ainsi parler, dans tous les coins du drame, comme la sève qui monte de la racine à la dernière feuille de l'arbre. Le drame doit être radicalement imprégné de cette couleur des temps; elle doit en quelque sorte y être dans l'air, de façon qu'on ne s'aperçoive qu'en y entrant et qu'en en sortant qu'on a changé de siècle et d'atmosphère. Il faut quelque étude, quelque labeur pour en venir là; tant mieux. Il est bon que les avenues de l'art soient obstruées de ces ronces devant lesquelles tout recule, excepté les volontés fortes. C'est d'ailleurs cette étude, soutenue d'une ardente inspiration, qui garantira le drame d'un vice qui le tue, le *commun*. Le commun est le défaut des poètes à courte vue et à courte haleine. Il faut qu'à cette optique de la scène, toute figure soit ramenée à son trait le plus saillant, le plus individuel, le plus précis. Le vulgaire et le trivial même doit avoir un accent. Rien ne doit être abandonné. Comme Dieu, le vrai poète est présent partout à la fois dans son œuvre. Le génie ressemble au balancier qui imprime l'effigie royale aux pièces de cuivre comme aux écus d'or.

Nous n'hésitons pas, et ceci prouverait encore aux hommes de bonne foi combien peu nous cherchons à déformer l'art, nous n'hésitons point à considérer le vers comme un des moyens les plus propres à préserver le drame du fléau que nous venons de signaler, comme une des digues les plus puissantes contre l'irruption du *commun*, qui, ainsi que la démocratie, coule toujours à pleins bords dans les esprits. Et ici, que la jeune littérature, déjà riche de tant d'hommes et de tant d'ouvrages, nous permette de lui indiquer une erreur où il nous semble qu'elle est tombée, erreur trop justifiée d'ailleurs par les incroyables aberrations de la vieille école. Le nouveau siècle est dans cet âge de croissance où l'on peut aisément se redresser.

Il s'est formé, dans les derniers temps, comme une pénultième ramification du vieux tronc classique, ou mieux comme une de ces excroissances, un de ces polypes que développe la décrépitude et qui sont bien plus un signe de décomposition qu'une preuve de vie, il s'est formé une singulière école de poésie dramatique. Cette école nous semble avoir eu pour maître et pour souche le poète qui marque la transition du dix-huitième siècle au dix-neuvième, l'homme de la description et de la périphrase, ce Delille qui, dit-on, vers sa fin, se vantait, à la manière des dénombrements d'Homère, d'avoir *fait* douze chameaux, quatre chiens, trois chevaux, y compris celui de Job, six tigres, deux chats, un jeu d'échecs, un trictrac, un damier, un billard, plusieurs hivers, beaucoup d'étés, force printemps, cinquante couchers de soleil, et tant d'aurores qu'il se perdait à les compter.

Or Delille a passé dans la tragédie. Il est le père (lui, et non Racine, grand Dieu!) d'une prétendue école d'élégance et de bon goût qui a fleuri récemment. La tragédie n'est pas pour cette école ce qu'elle est pour le bonhomme Gilles Shakespeare, par exemple, une source d'émotions de toute nature; mais un cadre commode à la solution d'une foule de petits problèmes descriptifs qu'elle se propose chemin faisant. Cette muse, loin de repousser, comme la véritable école classique française, les trivialités et les bassesses de la vie, les recherche au contraire et les ramasse avidement. Le grotesque, évité comme mauvaise compagnie par la tragédie de Louis XIV, ne peut passer tranquille devant celle-ci. *Il faut qu'il soit décrit !* c'est-à-dire *anobli*. Une scène de corps de garde, une révolte de populace, le marché aux poissons, le bagne, le cabaret, la *poule au pot* de Henri IV, sont une bonne fortune pour elle. Elle s'en saisit, elle débarbouille cette canaille, et coud à ces vilenies son clinquant et ses paillettes; *purpureus assuitur pannus.* Son but paraît être de délivrer des lettres de noblesse à toute cette roture du drame; et chacune de ces lettres du grand scel est une tirade.

Cette muse, on le conçoit, est d'une bégueulerie rare. Accoutumée qu'elle est aux caresses de la périphrase, le mot propre, qui la rudoierait quelquefois, lui fait horreur. Il n'est point de sa dignité de parler naturellement. Elle *souligne* le vieux Corneille pour ses façons de dire crûment :

> ... *Un tas d'hommes perdus de dettes* et de crimes.
> ... Chimène, *qui l'eût cru ?* Rodrigue, *qui l'eût dit ?*
> ... Quand leur Flaminius *marchandait* Annibal.
> ... Ah! ne me *brouillez* pas avec la république! Etc., etc.

Elle a encore sur le cœur son : *Tout beau, monsieur !* Et il a fallu bien des *seigneur !* et bien des *madame !* pour faire pardonner à notre admirable Racine ses *chiens* si monosyllabiques, et ce *Claude* si brutalement *mis dans le lit* d'Agrippine.

Cette *Melpomène*, comme elle s'appelle, frémirait de toucher une chronique. Elle laisse au costumier le soin de savoir à quelle époque se passent les drames qu'elle fait. L'histoire à ses yeux est de mauvais ton et de mauvais goût. Comment, par exemple, tolérer des rois et des reines qui jurent ? Il faut les élever de leur dignité royale à la dignité tragique. C'est dans une promotion de ce genre qu'elle a anobli Henri IV. C'est ainsi que le roi du peuple, nettoyé par M. Legouvé, a vu son *ventre-saint-gris* chassé honteusement de sa bouche par deux sentences, et qu'il a été réduit, comme la jeune fille du fabliau, à ne plus laisser tomber de cette bouche royale que des perles, des rubis et des saphirs; le tout faux, à la vérité.

En somme, rien n'est si *commun* que cette élégance et cette noblesse de convention. Rien de trouvé, rien d'imaginé, rien d'inventé dans ce style. Ce qu'on a vu partout, rhétorique, ampoule, lieux communs, fleurs de collège, poésie de vers latins. Des idées d'emprunt vêtues d'images de pacotille. Les poètes de cette école sont élégants à la manière des princes et princesses de théâtre, toujours sûrs de trouver dans les cases étiquetées du magasin manteaux et couronnes de similor, qui n'ont que le malheur d'avoir servi à tout le monde. Si ces poètes ne feuillettent pas la Bible, ce n'est pas qu'ils n'aient aussi leur gros livre, *le Dictionnaire des rimes*. C'est là leur source de poésie, *fontes aquarum*.

On comprend que dans tout cela la nature et la vérité deviennent ce qu'elles peuvent. Ce serait grand hasard qu'il en surnageât quelque débris dans ce cataclysme de faux art, de faux style, de fausse poésie. Voilà ce qui a causé l'erreur de plusieurs de nos réformateurs distingués. Choqués de la roideur, de l'apparat, du *pomposo* de cette prétendue poésie dramatique, ils ont cru que les éléments de notre langage poétique étaient incompatibles avec le naturel et le vrai. L'alexandrin les avait tant de fois ennuyés, qu'ils l'ont condamné, en quelque sorte, sans vouloir l'entendre, et ont conclu, un peu précipitamment peut-être, que le drame devait être écrit en prose.

Ils se méprenaient. Si le faux règne en effet dans le style comme dans la conduite de certaines tragédies françaises, ce n'était pas aux vers qu'il fallait s'en prendre, mais aux versificateurs. Il fallait condamner, non la forme employée, mais ceux qui avaient employé cette forme; les ouvriers, et non l'outil.

Pour se convaincre du peu d'obstacles que la nature de notre poésie oppose à la libre expression de tout ce qui est vrai, ce n'est peut-être pas dans Racine qu'il faut étudier notre vers, mais souvent dans Corneille, toujours dans Molière. Racine, divin poète, est élégiaque, lyrique, épique; Molière est dramatique. Il est temps de faire justice des critiques entassées par le mauvais goût du dernier siècle sur ce style admirable, et de dire hautement que Molière occupe la sommité de notre drame, non seulement comme poète, mais encore comme écrivain. *Palmas vere habet iste duas.*

Chez lui, le vers embrasse l'idée, s'y incorpore étroitement, la resserre et la développe tout à la fois, lui prête une figure plus svelte, plus stricte, plus complète, et nous la donne en quelque sorte en élixir. Le vers est la forme optique de la pensée. Voilà pourquoi il convient surtout à la perspective scénique. Fait d'une certaine façon, il communique son relief à des choses qui, sans lui, passeraient insignifiantes et vulgaires. Il rend plus solide et plus fin le tissu du style. C'est le nœud qui arrête le fil. C'est la ceinture qui soutient le vêtement et lui donne tous ses plis. Que pourraient donc perdre à entrer dans le vers la nature et le vrai ? Nous le demandons à nos prosaïstes eux-mêmes, que perdent-ils à la poésie de Molière ? Le vin, qu'on nous permette une trivialité de plus, cesse-t-il d'être du vin pour être en bouteille ?

Que si nous avions le droit de dire quel pourrait être, à notre gré, le style du drame, nous voudrions un vers libre, franc, loyal, osant tout dire sans pruderie, tout exprimer sans recherche; passant d'une naturelle allure de la comédie à la tragédie, du sublime au grotesque; tour à tour positif et poétique, tout ensemble artiste et inspiré, profond et soudain, large et vrai; sachant briser à propos et déplacer la césure pour déguiser sa monotonie d'alexandrin; plus ami de l'enjambement qui l'allonge que de l'inversion qui l'embrouille; fidèle à la rime, cette esclave reine, cette suprême grâce de notre poésie, ce générateur de notre mètre; inépuisable dans la variété de ses tours, insaisissable dans ses secrets d'élégance et de facture; prenant, comme Protée, mille formes sans changer de type et de caractère, fuyant la *tirade ;* se jouant dans le dialogue; se cachant toujours derrière le personnage; s'occupant avant tout d'être à sa place, et lorsqu'il lui adviendrait d'être *beau*, n'étant beau en quelque sorte que par hasard, malgré lui et sans le savoir; lyrique, épique, dramatique, selon le besoin; pouvant parcourir toute la gamme poétique, aller de haut en bas, des idées les plus élevées aux plus vulgaires, des plus bouffonnes aux plus graves, des plus extérieures aux plus abstraites, sans jamais sortir des limites d'une scène parlée; en un mot, tel que le ferait l'homme qu'une fée aurait doué de l'âme de Corneille et de la tête de Molière. Il nous semble que ce vers-là serait bien *aussi beau que de la prose.*

Il n'y aurait aucun rapport entre une poésie de ce genre et celle dont nous faisions tout à l'heure l'autopsie cadavérique. La nuance qui les sépare sera facile à indi-

quer, si un homme d'esprit, auquel l'auteur de ce livre
doit un remerciement personnel, nous permet de lui en
emprunter la piquante distinction : l'autre poésie était
descriptive, celle-ci serait pittoresque.

Répétons-le surtout, le vers au théâtre doit dépouiller
tout amour-propre, toute exigence, toute coquetterie. Il
n'est là qu'une forme, et une forme qui doit tout admettre,
qui n'a rien à imposer au drame, et au contraire doit
tout recevoir de lui pour tout transmettre au spectateur :
français, latin, textes de lois, jurons royaux, locutions
populaires, comédie, tragédie, rire, larmes, prose et poésie.
Malheur au poète si son vers fait la petite bouche! Mais
cette forme est une forme de bronze qui encadre la pensée
dans son mètre, sous laquelle le drame est indestructible,
qui le grave plus avant dans l'esprit de l'acteur, avertit
celui-ci de ce qu'il omet et de ce qu'il ajoute, l'empêche
d'altérer son rôle, de se substituer à l'auteur, rend chaque
mot sacré, et fait que ce qu'a dit le poète se retrouve
longtemps après encore debout dans la mémoire de l'au-
diteur. L'idée, trempée dans le vers, prend soudain
quelque chose de plus incisif et de plus éclatant. C'est
le fer qui devient acier.

On sent que la prose, nécessairement bien plus timide,
obligée de sevrer le drame de toute poésie lyrique ou
épique, réduite au dialogue et au positif, est loin d'avoir
ces ressources. Elle a les ailes bien moins larges. Elle est
ensuite d'un beaucoup plus facile accès; la médiocrité y
est à l'aise; et, pour quelques ouvrages distingués comme
ceux que ces derniers temps ont vus paraître, l'art serait
bien vite encombré d'avortons et d'embryons. Une autre
fraction de la réforme inclinerait pour le drame écrit en
vers et en prose tout à la fois, comme a fait Shakespeare.
Cette manière a ses avantages. Il pourrait cependant y
avoir disparate dans les transitions d'une forme à l'autre,
et quand un tissu est homogène, il est bien plus solide.
Au reste, que le drame soit écrit en prose, qu'il soit écrit
en vers, qu'il soit écrit en vers et en prose, ce n'est là
qu'une question secondaire. Le rang d'un ouvrage doit
se fixer non d'après sa forme, mais d'après sa valeur
intrinsèque. Dans des questions de ce genre, il n'y a
qu'une solution; il n'y a qu'un poids qui puisse faire
pencher la balance de l'art : c'est le génie.

Au demeurant, prosateur ou versificateur, le premier,
l'indispensable mérite d'un écrivain dramatique, c'est la
correction. Non cette correction toute de surface, qualité

ou défaut de l'école descriptive, qui fait de Lhomond et
de Restaut les deux ailes de son Pégase; mais cette correction intime, profonde, raisonnée, qui s'est pénétrée du
génie d'un idiome, qui en a sondé les racines, fouillé les
étymologies; toujours libre, parce qu'elle est sûre de son
fait, et qu'elle va toujours d'accord avec la logique de la
langue. Notre Dame la grammaire mène l'autre aux
lisières; celle-ci tient en laisse la grammaire. Elle peut
oser, hasarder, créer, inventer son style : elle en a le droit.
Car, bien qu'en aient dit certains hommes qui n'avaient
pas songé à ce qu'ils disaient, et parmi lesquels il faut
ranger notamment celui qui écrit ces lignes, la langue
française n'est pas *fixée* et ne se fixera point. Une langue
ne se fixe pas. L'esprit humain est toujours en marche,
ou, si l'on veut, en mouvement, et les langues avec lui.
Les choses sont ainsi. Quand le corps change, comment
l'habit ne changerait-il pas ? Le français du dix-neuvième
siècle ne peut pas plus être le français du dix-huitième,
que celui-ci n'est le français du dix-septième, que le
français du dix-septième n'est celui du seizième. La
langue de Montaigne n'est plus celle de Rabelais, la
langue de Pascal n'est plus celle de Montaigne, la langue
de Montesquieu n'est plus celle de Pascal. Chacune de
ces quatre langues, prise en soi, est admirable, parce
qu'elle est originale. Toute époque a ses idées propres,
il faut qu'elle ait aussi les mots propres à ces idées. Les
langues sont comme la mer, elles oscillent sans cesse. A
certains temps, elles quittent un rivage du monde de la
pensée et en envahissent un autre. Tout ce que leur flot
déserte ainsi sèche et s'efface du sol. C'est de cette façon
que des idées s'éteignent, que des mots s'en vont. Il en
est des idiomes humains comme de tout. Chaque siècle
y apporte et en emporte quelque chose. Qu'y faire ? cela
est fatal. C'est donc en vain que l'on voudrait pétrifier la
mobile physionomie de notre idiome sous une forme
donnée. C'est en vain que nos Josués littéraires crient
à la langue de s'arrêter; les langues ni le soleil ne s'arrêtent plus. Le jour où elles se *fixent*, c'est qu'elles
meurent. — Voilà pourquoi le français de certaine école
contemporaine est une langue morte.

   Telles sont, à peu près, et moins les développements
approfondis qui en pourraient compléter l'évidence, les
idées *actuelles* de l'auteur de ce livre sur le drame. Il est
loin du reste d'avoir la prétention de donner son essai
dramatique comme une émanation de ces idées, qui bien

au contraire ne sont peut-être elles-mêmes, à parler naïvement, que des révélations de l'exécution. Il lui serait fort commode sans doute et plus adroit d'asseoir son livre sur sa préface et de les défendre l'un par l'autre. Il aime mieux moins d'habileté et plus de franchise. Il veut donc être le premier à montrer la ténuité du nœud qui lie cet avant-propos à ce drame. Son premier projet, bien arrêté d'abord par sa paresse, était de donner l'œuvre toute seule au public ; *el demonio sin las cuernas*, comme disait Yriarte. C'est après l'avoir dûment close et terminée, qu'à la sollicitation de quelques amis probablement bien aveuglés, il s'est déterminé à compter avec lui-même dans une préface, à tracer, pour ainsi parler, la carte du voyage poétique qu'il venait de faire, à se rendre raison des acquisitions bonnes ou mauvaises qu'il en rapportait, et des nouveaux aspects sous lesquels le domaine de l'art s'était offert à son esprit. On prendra sans doute avantage de cet aveu pour répéter le reproche qu'un critique d'Allemagne lui a déjà adressé, de faire « une poétique pour sa poésie ». Qu'importe ? Il a d'abord eu bien plutôt l'intention de défaire que de faire des poétiques. Ensuite, ne vaudrait-il pas toujours mieux faire des poétiques d'après une poésie, que de la poésie d'après une poétique ? Mais non, encore une fois, il n'a ni le talent de créer, ni la prétention d'établir des systèmes. « Les systèmes, dit spirituellement Voltaire, sont comme des rats qui passent par vingt trous, et en trouvent enfin deux ou trois qui ne peuvent les admettre. » C'eût donc été prendre une peine inutile et au-dessus de ses forces. Ce qu'il a plaidé, au contraire, c'est la liberté de l'art contre le despotisme des systèmes, des codes et des règles. Il a pour habitude de suivre à tout hasard ce qu'il prend pour son inspiration, et de changer de moule autant de fois que de composition. Le dogmatisme, dans les arts, est ce qu'il fuit avant tout. A Dieu ne plaise qu'il aspire à être de ces hommes, romantiques ou classiques, qui font *des ouvrages dans leur système*, qui se condamnent à n'avoir jamais qu'une forme dans l'esprit, à toujours *prouver* quelque chose, à suivre d'autres lois que celles de leur organisation et de leur nature. L'œuvre artificielle de ces hommes-là, quelque talent qu'ils aient d'ailleurs, n'existe pas pour l'art. C'est une théorie, non une poésie.

Après avoir, dans tout ce qui précède, essayé d'indiquer quelle a été, selon nous, l'origine du drame, quel est son caractère, quel pourrait être son style, voici le moment de redescendre de ces sommités générales de l'art au cas particulier qui nous y a fait monter. Il nous reste à entretenir le lecteur de notre ouvrage, de ce *Cromwell ;* et comme ce n'est pas un sujet qui nous plaise, nous en dirons peu de chose en peu de mots.

Olivier Cromwell est du nombre de ces personnages de l'histoire qui sont tout ensemble très célèbres et très peu connus. La plupart de ses biographes, et dans le nombre il en est qui sont historiens, ont laissé incomplète cette grande figure. Il semble qu'ils n'aient pas osé réunir tous les traits de ce bizarre et colossal prototype de la réforme religieuse, de la révolution politique d'Angleterre. Presque tous se sont bornés à reproduire sur des dimensions plus étendues le simple et sinistre profil qu'en a tracé Bossuet, de son point de vue monarchique et catholique, de sa chaire d'évêque appuyée au trône de Louis XIV.

Comme tout le monde, l'auteur de ce livre s'en tenait là. Le nom d'Olivier Cromwell ne réveillait en lui que l'idée sommaire d'un fanatique régicide, grand capitaine. C'est en furetant la chronique, ce qu'il fait avec amour, c'est en fouillant au hasard les mémoires anglais du dix-septième siècle, qu'il fut frappé de voir se dérouler peu à peu devant ses yeux un Cromwell tout nouveau. Ce n'était plus seulement le Cromwell militaire, le Cromwell politique de Bossuet ; c'était un être complexe, hétérogène, multiple, composé de tous les contraires, mêlé de beaucoup de mal et de beaucoup de bien, plein de génie et de petitesse ; une sorte de Tibère-Dandin, tyran de l'Europe et jouet de sa famille ; vieux régicide, humiliant les ambassadeurs de tous les rois, torturé par sa jeune fille royaliste ; austère et sombre dans ses mœurs et entretenant quatre fous de cour autour de lui ; faisant de méchants vers ; sobre, simple, frugal, et guindé sur l'étiquette ; soldat grossier et politique délié ; rompu aux arguties théologiques et s'y plaisant ; orateur lourd, diffus, obscur, mais habile à parler le langage de tous ceux qu'il voulait séduire ; hypocrite et fanatique ; visionnaire dominé par des fantômes de son enfance, croyant aux astrologues et les proscrivant ; défiant à l'excès, toujours menaçant, rarement sanguinaire ; rigide observateur des prescriptions puritaines, perdant gravement plusieurs heures par jour à des bouffonneries ; brusque et dédaigneux avec ses familiers, caressant avec les sectaires qu'il redoutait ; trompant ses remords avec des subtilités,

rusant avec sa conscience; intarissable en adresse, en
pièges, en ressources; maîtrisant son imagination par son
intelligence; grotesque et sublime; enfin, un de ces
hommes *carrés par la base*, comme les appelait Napoléon,
le type et le chef de tous ces hommes complets, dans sa
langue exacte comme l'algèbre, colorée comme la poésie.

Celui qui écrit ceci, en présence de ce rare et frappant
ensemble, sentit que la silhouette passionnée de Bossuet
ne lui suffisait plus. Il se mit à tourner autour de cette
haute figure, et il fut pris alors d'une ardente tentation
de peindre le géant sous toutes ses faces, sous tous ses
aspects. La matière était riche. A côté de l'homme de
guerre et de l'homme d'Etat, il restait à crayonner le
théologien, le pédant, le mauvais poète, le visionnaire, le
bouffon, le père, le mari, l'homme-Protée, en un mot le
Cromwell double, *homo et vir*.

Il y a surtout une époque dans sa vie où ce caractère
singulier se développe sous toutes ses formes. Ce n'est
pas, comme on le croirait au premier coup d'œil, celle du
procès de Charles Iᵉʳ, toute palpitante qu'elle est d'un
intérêt sombre et terrible; c'est le moment où l'ambitieux essaya de cueillir le fruit de cette mort. C'est l'instant où Cromwell, arrivé à ce qui eût été pour quelque
autre la sommité d'une fortune possible, maître de l'Angleterre dont les mille factions se taisent sous ses pieds,
maître de l'Ecosse dont il fait un pachalik, et de l'Irlande,
dont il fait un bagne, maître de l'Europe par ses flottes,
par ses armées, par sa diplomatie, essaie enfin d'accomplir le premier rêve de son enfance, le dernier but de sa
vie, de se faire roi. L'histoire n'a jamais caché plus haute
leçon sous un drame plus haut. Le Protecteur se fait
d'abord prier; l'auguste farce commence par des adresses
de communautés, des adresses de villes, des adresses de
comtés; puis c'est un bill du parlement. Cromwell, auteur
anonyme de la pièce, en veut paraître mécontent; on le
voit avancer une main vers le sceptre et la retirer; il
s'approche à pas obliques de ce trône dont il a balayé
la dynastie. Enfin, il se décide brusquement; par son
ordre, Westminster est pavoisé, l'estrade est dressée, la
couronne est commandée à l'orfèvre, le jour de la cérémonie est fixé. Dénouement étrange! C'est ce jour-là
même, devant le peuple, la milice, les communes, dans
cette grande salle de Westminster, sur cette estrade dont
il comptait descendre roi, que, subitement, comme en
sursaut, il semble se réveiller à l'aspect de la couronne,

demande s'il rêve, ce que veut dire cette cérémonie, et dans un discours qui dure trois heures refuse la dignité royale. — Etait-ce que ses espions l'avaient averti de deux conspirations combinées des cavaliers et des puritains, qui devaient, profitant de sa faute, éclater le même jour? Etait-ce révolution produite en lui par le silence ou les murmures de ce peuple, déconcerté de voir son régicide aboutir au trône? Etait-ce seulement sagacité du génie, instinct d'une ambition prudente, quoique effrénée, qui sait combien un pas de plus change souvent la position et l'attitude d'un homme, et qui n'ose exposer son édifice plébéien au vent de l'impopularité? Etait-ce tout cela à la fois? C'est ce que nul document contemporain n'éclaircit souverainement. Tant mieux; la liberté du poète en est plus entière, et le drame gagne à ces latitudes que lui laisse l'histoire. On voit ici qu'il est immense et unique; c'est bien là l'heure décisive, la grande péripétie de la vie de Cromwell. C'est le moment où sa chimère lui échappe, où le présent lui tue l'avenir, où, pour employer une vulgarité énergique, sa destinée *rate*. Tout Cromwell est en jeu dans cette comédie qui se joue entre l'Angleterre et lui.

Voilà donc l'homme, voilà l'époque qu'on a tenté d'esquisser dans ce livre.

L'auteur s'est laissé entraîner au plaisir d'enfant de faire mouvoir les touches de ce grand clavecin. Certes, de plus habiles en auraient pu tirer une haute et profonde harmonie, non de ces harmonies qui ne flattent que l'oreille, mais de ces harmonies intimes qui remuent tout l'homme, comme si chaque corde du clavier se nouait à une fibre du cœur. Il a cédé, lui, au désir de peindre tous ces fanatismes, toutes ces superstitions, maladies des religions à certaines époques; à l'envie de *jouer de tous ces hommes*, comme dit Hamlet; d'étager au-dessous et autour de Cromwell, centre et pivot de cette cour, de ce peuple, de ce monde, ralliant tout à son unité et imprimant à tout son impulsion, et cette double conspiration tramée par deux factions qui s'abhorrent, se liguent pour jeter bas l'homme qui les gêne, mais s'unissent sans se mêler; et ce parti puritain, fanatique, divers, sombre, désintéressé, prenant pour chef l'homme le plus petit pour un si grand rôle, l'égoïste et pusillanime Lambert; et ce parti des cavaliers, étourdi, joyeux, peu scrupuleux, insouciant, dévoué, dirigé par l'homme qui, hormis le dévouement, le représente le moins, le probe et sévère Ormond; et

ces ambassadeurs, si humbles devant le soldat de fortune ;
et cette cour étrange toute mêlée d'hommes de hasard
et de grands seigneurs disputant de bassesse ; et ces
quatre bouffons que le dédaigneux oubli de l'histoire
permettait d'imaginer ; et cette famille dont chaque
membre est une plaie de Cromwell ; et ce Thurloë,
l'*Achates* du Protecteur ; et ce rabbin juif, cet Israël Ben-
Manassé, espion, usurier et astrologue, vil de deux côtés,
sublime par le troisième ; et ce Rochester, ce bizarre
Rochester, ridicule et spirituel, élégant et crapuleux,
jurant sans cesse, toujours amoureux et toujours ivre,
ainsi qu'il s'en vantait à l'évêque Burnet, mauvais poète
et bon gentilhomme, vicieux et naïf, jouant sa tête et se
souciant peu de gagner la partie pourvu qu'elle l'amuse,
capable de tout, en un mot, de ruse et d'étourderie, de
folie et de calcul, de turpitude et de générosité ; et ce
sauvage Carr, dont l'histoire ne dessine qu'un trait, mais
bien caractéristique et bien fécond ; et ces fanatiques de
tout ordre et de tout genre, Harrison, fanatique pillard ;
Barebone, marchand fanatique ; Syndercomb, tueur ;
Augustin Garland, assassin larmoyant et dévot ; le brave
colonel Overton, lettré un peu déclamateur ; l'austère et
rigide Ludlow, qui alla plus tard laisser sa cendre et son
épitaphe à Lausanne ; enfin « Milton et quelques autres
qui avaient de l'esprit », comme dit un pamphlet de 1675
(*Cromwell politique*), qui nous rappelle le *Dantem quem-
dam* de la chronique italienne.

Nous n'indiquons pas beaucoup de personnages plus
secondaires, dont chacun a cependant sa vie réelle et son
individualité marquée, et qui tous contribuaient à la
séduction qu'exerçait sur l'imagination de l'auteur cette
vaste scène de l'histoire. De cette scène il a fait ce drame.
Il l'a jeté en vers, parce que cela lui a plu ainsi. On verra
du reste à le lire combien il songeait peu à son ouvrage
en écrivant cette préface, avec quel désintéressement,
par exemple, il combattait le dogme des unités. Son drame
ne sort pas de Londres, il commence le 25 juin 1657 à
trois heures du matin et finit le 26 à midi. On voit qu'il
entrerait presque dans la prescription classique, telle que
les professeurs de poésie la rédigent maintenant. Qu'ils
ne lui en sachent du reste aucun gré. Ce n'est pas avec
la permission d'Aristote, mais avec celle de l'histoire, que
l'auteur a groupé ainsi son drame ; et parce que, à intérêt
égal, il aime mieux un sujet concentré qu'un sujet éparpillé.

Il est évident que ce drame, dans ses proportions

actuelles, ne pourrait s'encadrer dans nos représentations scéniques. Il est trop long. On reconnaîtra peut-être cependant qu'il a été dans toutes ses parties composé pour la scène. C'est en s'approchant de son sujet pour l'étudier que l'auteur reconnut ou crut reconnaître l'impossibilité d'en faire admettre une reproduction fidèle sur notre théâtre, dans l'état d'exception où il est placé, entre le Charybde académique et le Scylla administratif, entre les jurys littéraires et la censure politique. Il fallait opter : ou la tragédie pateline, sournoise, fausse, et jouée, ou le drame insolemment vrai, et banni. La première chose ne valait pas la peine d'être faite ; il a préféré tenter la seconde. C'est pourquoi, désespérant d'être jamais mis en scène, il s'est livré libre et docile aux fantaisies de la composition, au plaisir de la dérouler à plus larges plis, aux développements que son sujet comportait, et qui, s'ils achèvent d'éloigner son drame du théâtre, ont du moins l'avantage de le rendre presque complet sous le rapport historique. Du reste, les comités de lecture ne sont qu'un obstacle de second ordre. S'il arrivait que la censure dramatique, comprenant combien cette innocente, exacte et consciencieuse image de Cromwell et de son temps est prise en dehors de notre époque, lui permît l'accès du théâtre, l'auteur, mais dans ce cas seulement, pourrait extraire de ce drame une pièce qui se hasarderait alors sur la scène, et serait sifflée.

Jusque-là il continuera de se tenir éloigné du théâtre. Et il quittera toujours assez tôt, pour les agitations de ce monde nouveau, sa chère et chaste retraite. Fasse Dieu qu'il ne se repente jamais d'avoir exposé la vierge obscurité de son nom et de sa personne aux écueils, aux bourrasques, aux tempêtes du parterre, et surtout (car qu'importe une chute ?) aux tracasseries misérables de la coulisse ; d'être entré dans cette atmosphère variable, brumeuse, orageuse, où dogmatise l'ignorance, où siffle l'envie, où rampent les cabales, où la probité du talent a si souvent été méconnue, où la noble candeur du génie est quelquefois si déplacée, où la médiocrité triomphe de rabaisser à son niveau les supériorités qui l'offusquent, où l'on trouve tant de petits hommes pour un grand, tant de nullités pour un Talma, tant de myrmidons pour un Achille ! Cette esquisse semblera peut-être morose et peu flattée ; mais n'achève-t-elle pas de marquer la différence qui sépare notre théâtre, lieu d'intrigues et de tumultes, de la solennelle sérénité du théâtre antique ?

Quoi qu'il advienne, il croit devoir avertir d'avance le petit nombre de personnes qu'un pareil spectacle tenterait, qu'une pièce extraite de *Cromwell* n'occuperait toujours pas moins de la durée d'une représentation. Il est difficile qu'un théâtre *romantique* s'établisse autrement. Certes, si l'on veut autre chose que ces tragédies dans lesquelles un ou deux personnages, types abstraits d'une idée purement métaphysique, se promènent solennellement sur un fond sans profondeur, à peine occupé par quelques têtes de confidents, pâles contre-calques des héros, chargés de remplir les vides d'une action simple, uniforme et monocorde; si l'on s'ennuie de cela, ce n'est pas trop d'une soirée entière pour dérouler un peu largement tout un homme d'élite, toute une époque de crise; l'un avec son caractère, son génie qui s'accouple à son caractère, ses croyances qui les dominent tous deux, ses passions qui viennent déranger ses croyances, son caractère et son génie, ses goûts qui déteignent sur ses passions, ses habitudes qui disciplinent ses goûts, musèlent ses passions, et ce cortège innombrable d'hommes de tout échantillon que ces divers agents font tourbillonner autour de lui; l'autre, avec ses mœurs, ses lois, ses modes, son esprit, ses lumières, ses superstitions, ses événements, et son peuple que toutes ces causes premières pétrissent tour à tour comme une cire molle. On conçoit qu'un pareil tableau sera gigantesque. Au lieu d'une individualité, comme celle dont le drame abstrait de la vieille école se contente, on en aura vingt, quarante, cinquante, que sais-je? de tout relief et de toute proportion. Il y aura foule dans le drame. Ne serait-il pas mesquin de lui mesurer deux heures de durée pour donner le reste de la représentation à l'opéra-comique ou à la farce? d'étriquer Shakespeare pour Bobèche? — Et qu'on ne pense pas, si l'action est bien gouvernée, que de la multitude des figures qu'elle met en jeu puisse résulter fatigue pour le spectateur ou papillotage dans le drame. Shakespeare, abondant en petits détails, est en même temps, et à cause de cela même, imposant par un grand ensemble. C'est le chêne qui jette une ombre immense avec des milliers de feuilles exiguës et découpées.

Espérons qu'on ne tardera pas à s'habituer en France à consacrer toute une soirée à une seule pièce. Il y a en Angleterre et en Allemagne des drames qui durent six heures. Les Grecs, dont on nous parle tant, les Grecs, et à la façon de Scudéry nous invoquons ici le classique

Dacier, chapitre VII de sa *Poétique*, les Grecs allaient
parfois jusqu'à se faire représenter douze ou seize pièces
par jour. Chez un peuple ami des spectacles, l'attention
est plus *vivace* qu'on ne croit. *Le Mariage de Figaro*, ce
nœud de la grande trilogie de Beaumarchais, remplit
toute la soirée, et qui a-t-il jamais ennuyé ou fatigué ?
Beaumarchais était digne de hasarder le premier pas vers
ce but de l'art moderne, auquel il est impossible de faire,
avec deux heures, germer ce profond, cet invincible
intérêt qui résulte d'une action vaste, vraie et multiforme. Mais, dit-on, ce spectacle, composé d'une seule
pièce, serait monotone et paraîtrait long. Erreur ! Il
perdrait au contraire sa longueur et sa monotonie actuelles.
Que fait-on en effet maintenant ? On divise les jouissances
du spectateur en deux parts bien tranchées. On lui donne
d'abord deux heures de plaisir sérieux, puis une heure de
plaisir folâtre ; avec l'heure d'entr'actes que nous ne comptons pas dans le plaisir, en tout quatre heures. Que ferait
le drame romantique ? Il broierait et mêlerait artistement
ensemble ces deux espèces de plaisir. Il ferait passer
à chaque instant l'auditoire du sérieux au rire, des exci-
tations bouffonnes aux émotions déchirantes, *du grave au
doux, du plaisant au sévère*. Car, ainsi que nous l'avons
déjà établi, le drame, c'est le grotesque avec le sublime,
l'âme sous le corps, c'est une tragédie sous une comédie.
Ne voit-on pas que, vous reposant ainsi d'une impression
par une autre, aiguisant tour à tour le tragique sur le
comique, le gai sur le terrible, s'associant même au besoin
les fascinations de l'opéra, ces représentations, tout en
n'offrant qu'une pièce, en vaudraient bien d'autres ? La
scène romantique ferait un mets piquant, varié, savou-
reux, de ce qui sur le théâtre classique est une médecine
divisée en deux pilules.

Voici que l'auteur de ce livre a bientôt épuisé ce qu'il
avait à dire au lecteur. Il ignore comment la critique
accueillera et ce drame, et ces idées sommaires, dégarnies
de leurs corollaires, appauvries de leurs ramifications,
ramassées en courant et dans la hâte d'en finir. Sans doute
elles paraîtront aux « disciples de La Harpe » bien effron-
tées et bien étranges. Mais si, par aventure, toutes nues
et tout amoindries qu'elles sont, elles pouvaient contri-
buer à mettre sur la route du vrai ce public dont l'éducation est déjà si avancée, et que tant de remarquables
écrits, de critique ou d'application, livres ou journaux,
ont déjà mûri pour l'art, qu'il suive cette impulsion sans

s'occuper si elle lui vient d'un homme ignoré, d'une voix sans autorité, d'un ouvrage de peu de valeur. C'est une cloche de cuivre qui appelle les populations au vrai temple et au vrai Dieu.

Il y a aujourd'hui l'ancien régime littéraire comme l'ancien régime politique. Le dernier siècle pèse encore presque de tout point sur le nouveau. Il l'opprime notamment dans la critique. Vous trouvez, par exemple, des hommes vivants qui vous répètent cette définition du goût échappée à Voltaire : « Le goût n'est autre chose pour la poésie que ce qu'il est pour les ajustements des femmes. » Ainsi, le goût, c'est la coquetterie. Paroles remarquables qui peignent à merveille cette poésie fardée, mouchetée, poudrée, du dix-huitième siècle, cette littérature à paniers, à pompons et à falbalas. Elles offrent un admirable résumé d'une époque avec laquelle les plus hauts génies n'ont pu être en contact sans devenir petits, du moins par un côté, d'un temps où Montesquieu a pu et dû faire *le Temple de Gnide*, Voltaire *le Temple du goût*, Jean-Jacques *le Devin du village*.

Le goût, c'est la raison du génie. Voilà ce qu'établira bientôt une autre critique, une critique forte, franche, savante, une critique du siècle qui commence à pousser des jets vigoureux sous les vieilles branches desséchées de l'ancienne école. Cette jeune critique, aussi grave que l'autre est frivole, aussi érudite que l'autre est ignorante, s'est déjà créé des organes écoutés, et l'on est quelquefois surpris de trouver dans les feuilles les plus légères d'excellents articles émanés d'elle. C'est elle qui, s'unissant à tout ce qu'il y a de supérieur et de courageux dans les lettres, nous délivrera de deux fléaux : le *classicisme* caduc, et le faux *romantisme*, qui ose poindre aux pieds du vrai. Car le génie moderne a déjà son ombre, sa contre-épreuve, son parasite, son *classique*, qui se grime sur lui, se vernit de ses couleurs, prend sa livrée, ramasse ses miettes, et semblable à l'*élève du sorcier*, met en jeu, avec des mots retenus de mémoire, des éléments d'action dont il n'a pas le secret. Aussi fait-il des sottises que son maître a mainte fois beaucoup de peine à réparer. Mais ce qu'il faut détruire avant tout, c'est le vieux faux goût. Il faut en dérouiller la littérature actuelle. C'est en vain qu'il la ronge et la ternit. Il parle à une génération jeune, sévère, puissante, qui ne le comprend pas. La queue du dix-huitième siècle traîne encore dans le dix-neuvième ;

mais ce n'est pas nous, jeunes hommes qui avons vu
Bonaparte, qui la lui porterons.

Nous touchons donc au moment de voir la critique
nouvelle prévaloir, assise, elle aussi, sur une base large,
solide et profonde. On comprendra bientôt généralement
que les écrivains doivent être jugés, non d'après les
règles et les genres, choses qui sont hors de la nature et
hors de l'art, mais d'après les principes immuables de
cet art et les lois spéciales de leur organisation personnelle.
La raison de tous aura honte de cette critique qui a roué
vif Pierre Corneille, bâillonné Jean Racine, et qui n'a
risiblement réhabilité John Milton qu'en vertu du code
épique du père le Bossu. On consentira, pour se rendre
compte d'un ouvrage, à se placer au point de vue de
l'auteur, à regarder le sujet avec ses yeux. On quittera,
et c'est M. de Chateaubriand qui parle ici, *la critique
mesquine des défauts pour la grande et féconde critique des
beautés.* Il est temps que tous les bons esprits saisissent
le fil qui lie fréquemment ce que, selon notre caprice
particulier, nous appelons *défaut* à ce que nous appelons
*beauté.* Les défauts, du moins ce que nous nommons
ainsi, sont souvent la condition native, nécessaire, fatale,
des qualités.

*Scit genius, natale comes qui temperat astrum.*

Où voit-on médaille qui n'ait son revers ? talent qui
n'apporte son ombre avec sa lumière, sa fumée avec sa
flamme ? Telle tache peut n'être que la conséquence
indivisible de telle beauté. Cette touche heurtée, qui me
choque de près, complète l'effet et donne la saillie à
l'ensemble. Effacez l'une, vous effacez l'autre. L'originalité se compose de tout cela. Le génie est nécessairement inégal. Il n'est pas de hautes montagnes sans profonds précipices. Comblez la vallée avec le mont, vous
n'aurez plus qu'un steppe, une lande, la plaine des
Sablons au lieu des Alpes, des alouettes et non des
aigles.

Il faut aussi faire la part du temps, du climat, des
influences locales. La Bible, Homère, nous blessent
quelquefois par leurs sublimités mêmes. Qui voudrait y
retrancher un mot ? Notre infirmité s'effarouche souvent
des hardiesses inspirées du génie, faute de pouvoir
s'abattre sur les objets avec une aussi vaste intelligence.
Et puis, encore une fois, il y a de ces *fautes* qui ne

prennent racine que dans les chefs-d'œuvre; il n'est
donné qu'à certains génies d'avoir certains défauts. On
reproche à Shakespeare l'abus de la métaphysique, l'abus
de l'esprit, des scènes parasites, des obscénités, l'emploi
des friperies mythologiques de mode dans son temps, de
l'extravagance, de l'obscurité, du mauvais goût, de l'enflure, des aspérités de style. Le chêne, cet arbre géant
que nous comparions tout à l'heure à Shakespeare et qui
a plus d'une analogie avec lui, le chêne a le port bizarre,
les rameaux noueux, le feuillage sombre, l'écorce âpre et
rude; mais il est le chêne.

Et c'est à cause de cela qu'il est le chêne. Que si vous
voulez une tige lisse, des branches droites, des feuilles
de satin, adressez-vous au pâle bouleau, au sureau creux,
au saule pleureur; mais laissez en paix le grand chêne.
Ne lapidez pas qui vous ombrage.

L'auteur de ce livre connaît autant que personne les
nombreux et grossiers défauts de ses ouvrages. S'il lui
arrive trop rarement de les corriger, c'est qu'il répugne
à revenir après coup sur une chose faite. Il ignore cet
art de souder une beauté à la place d'une tache, et il n'a
jamais pu rappeler l'inspiration sur une œuvre refroidie.
Qu'a-t-il fait d'ailleurs qui vaille cette peine ? Le travail
qu'il perdrait à effacer les imperfections de ses livres, il
aime mieux l'employer à dépouiller son esprit de ses
défauts. C'est sa méthode de ne corriger un ouvrage que
dans un autre ouvrage.

Au demeurant, de quelque façon que son livre soit
traité, il prend ici l'engagement de ne le défendre ni en
tout ni en partie. Si son drame est mauvais, que sert de
le soutenir? S'il est bon, pourquoi le défendre ? Le temps
fera justice du livre, ou la lui rendra. Le succès du
moment n'est que l'affaire du libraire. Si donc la colère
de la critique s'éveille à la publication de cet essai, il la
laissera faire. Que lui répondrait-il ? Il n'est pas de ceux
qui parlent, ainsi que le dit le poète castillan, *par la
bouche de leur blessure,*

*Por la boca de su herida...*

Un dernier mot. On a pu remarquer que dans cette
course un peu longue à travers tant de questions diverses,
l'auteur s'est généralement abstenu d'étayer son opinion
personnelle sur des textes, des citations, des autorités.
Ce n'est pas cependant qu'elles lui eussent fait faute. —

« Si le poète établit des choses impossibles selon les règles de son art, il commet une faute sans contredit; mais elle cesse d'être faute, lorsque par ce moyen il arrive à la fin qu'il s'est proposée; car il a trouvé ce qu'il cherchait. » — « Ils prennent pour galimatias tout ce que la faiblesse de leurs lumières ne leur permet pas de comprendre. Ils traitent surtout de ridicules ces endroits merveilleux où le poète, afin de mieux entrer dans la raison, sort, s'il faut ainsi parler, de la raison même. Ce précepte effectivement, qui donne pour règle de ne point garder quelquefois de règles, est un mystère de l'art qu'il n'est pas aisé de faire entendre à des hommes sans aucun goût... et qu'une espèce de bizarrerie d'esprit rend insensibles à ce qui frappe ordinairement les hommes. » — Qui dit cela? c'est Aristote. Qui dit ceci? c'est Boileau. On voit à ce seul échantillon que l'auteur de ce drame aurait pu comme un autre se cuirasser de noms propres et se réfugier derrière des réputations. Mais il a voulu laisser ce mode d'argumentation à ceux qui le croient invincible, universel et souverain. Quant à lui, il préfère des raisons à des autorités; il a toujours mieux aimé des armes que des armoiries.

Octobre 1827.

# CROMWELL

# PERSONNAGES

OLIVIER CROMWELL, lord Protecteur d'Angleterre.
ÉLISABETH BOURCHIER, Protectrice.
RICHARD CROMWELL, fils aîné du Protecteur.

MISTRESS FLETWOOD.
LADY FALCONBRIDGE.
LADY CLEYPOLE.
LADY FRANCIS.

⎱ Filles
⎰ du
⎰ Protecteur.

FLETWOOD, lieutenant général, gendre du Protecteur.
DESBOROUGH, major général, beau-frère du Protecteur.
RICH, COMTE DE WARWICK.
LE COMTE DE CARLISLE, capitaine des gardes du Protecteur.
LORD BROGHILL, lieutenant général.
WHITELOCKE, lord-commissaire du sceau.
SIR CHARLES WOLSELEY.
M. WILLIAM LENTHALL.
PIERPOINT.
STOUPE, secrétaire d'Etat pour les Affaires étrangères.
THURLOË, secrétaire du Protecteur.
JOHN MILTON, secrétaire interprète près le Conseil privé.

⎱
⎰ Conseil
⎰ privé

JACQUES BUTLER, MARQUIS D'ORMOND.
WILMOT, COMTE DE ROCHESTER.
DAVENANT, poète lauréat.
SEDLEY.
LORD DROGHEDA.
LORD ROSEBERRY.
SIR PETERS DOWNIE.
LORD CLIFFORD.
LE DOCTEUR JENKINS.
SIR RICHARD WILLIS.
SIR WILLIAM MURRAY.

⎱
⎰ Conjurés
⎰ royalistes.

LAMBERT, lieutenant général.
LUDLOW, lieutenant général.
HARRISON, major général.
OVERTON, colonel.
JOYCE, colonel.
PRIDE, colonel.
WILDMAN, major.
AUGUSTIN GARLAND, membre du parlement.
PLINLIMMON, membre du parlement.

⎱
⎰ Conjurés
⎰ puritains.

SYNDERCOMB, soldat.
BAREBONE, corroyeur et tapissier du Protecteur.
LOUEZ-DIEU-PIMPLETON.
MORT-AU-PÉCHÉ-PALMER.
VIS - POUR - RESSUSCITER - JÉROBOAM -
   D'ÉMER.
CARR.

} Conjurés
  puritains

WALLER, poète.
LE SERGENT MAYNARD.
LE COLONEL JEPHSON.
LE COLONEL GRACE.
DAME GUGGLIGOY, duègne de lady Francis.
MANASSÉ-BEN-ISRAËL, rabbin juif.
LE Dr LOCKYER, chapelain du Protecteur.

DON LUIS DE CARDENAS, ambassadeur d'Espagne; SA SUITE.
LE DUC DE CRÉQUI, ambassadeur de France.
MANCINI, neveu du cardinal Mazarin.
LEUR SUITE.
FILIPPI, envoyé de Christine de Suède; SA SUITE.
HANNIBAL SESTHEAD, cousin du roi de Danemarck; SES DEUX
   PAGES.
TROIS ENVOYÉS VAUDOIS.
SIX ENVOYÉS DES PROVINCES-UNIES.

TRICK.
GIRAFF.
GRAMADOCK.
ELESPURU.

} Les quatre
  fous
  du Pro-
  tecteur.

TOM.
ÉNOCH.
NAHUM.
LE CHEF DES OUVRIERS. — DES OUVRIERS.

L'ORATEUR DU PARLEMENT.
LE PARLEMENT. — CLERCS. — MASSIERS. — SERGENTS.
LE CLERC DU PARLEMENT.
LE LORD MAIRE.
LES ALDERMEN. — LES GREFFIERS DE VILLE. — LES SERGENTS DE
  LA CITÉ.
LE HAUT SHÉRIFF.
SERGENTS D'ARMES. — ARCHERS DE VILLE.
LE CHEF DE LA DÉPUTATION DES RANTERS; RANTERS.
LE CHAMPION D'ANGLETERRE.
QUATRE HALLEBARDIERS.
LE CRIEUR PUBLIC.
VALETS DE VILLE. — HALLEBARDIERS. — ARCHERS. — CAVALIERS,
  TÊTES-RONDES, GÉNÉRAUX, COLONELS, SEIGNEURS ET COURTISANS.
  — PAGES. — MOUSQUETAIRES, PERTUISANIERS, GENTILSHOMMES-GARDES
  DU CORPS DU PROTECTEUR. — HUISSIERS DE VILLE. — BOURGEOIS.
  — SOLDATS. — PEUPLE.

# ACTE PREMIER
## LES CONJURÉS

### LA TAVERNE DES TROIS-GRUES

Des tables, des chaises de bois grossier. — Une porte au fond du
théâtre donnant sur une place. Intérieur d'une vieille maison du
Moyen Age.

## SCÈNE PREMIÈRE

LORD ORMOND, déguisé en tête-ronde, cheveux coupés très courts,
chapeau à haute forme et à larges bords, habit de drap noir, haut-
de-chausses de serge noire, grandes bottes; LORD BROGHILL,
costume de cavalier élégant et négligé, chapeau à plumes, haut-
de-chausses et pourpoint de satin à taillades, bottines.

#### LORD BROGHILL

*Il entre par la porte du fond qui reste en-
trouverte et qui laisse apercevoir la place et les
vieilles maisons éclairées par le petit jour. Il
tient un billet ouvert à la main et le lit attentive-
ment. Lord Ormond est assis à une table dans un
coin obscur.*

« Demain, vingt-cinq juin mil six cent cinquante-sept,
Quelqu'un, que lord Broghill autrefois chérissait,
Attend de grand matin ledit lord aux *Trois-Grues*,
Près de la halle au vin, à l'angle des deux rues. »

*Il regarde autour de lui.*

5 — Voilà bien la taverne; — et c'est le même lieu
Que Charle, à Worcester abandonné de Dieu,
Seul, disputant sa tête après son diadème,
Avait, pour fuir Cromwell, choisi dans Londres même.

*Il reporte les yeux sur la lettre.*

— Mais ce billet qu'hier j'ai reçu, d'où vient-il ?
10 L'écriture...

#### LORD ORMOND *(se levant)*

Que Dieu conserve lord Broghill !

LORD BROGHILL *(l'examinant d'un air dédaigneux
de la tête aux pieds)*

Quoi ! c'est donc toi, l'ami, qui me fais à cette heure
Pour ce bouge enfumé déserter ma demeure !
Dis ton nom. D'où viens-tu ? pourquoi ? de quelle part ?
Que me veux-tu ? — J'ai vu cet homme quelque part.

LORD ORMOND

15 Lord Broghill !

LORD BROGHILL

Réponds donc ! les marauds de ta sorte
Sont faits pour amuser nos gens à notre porte ;
Et c'est là tout l'honneur, pour les traiter fort bien,
Que ceux de notre rang doivent à ceux du tien.
Je te trouve hardi !

LORD ORMOND

Mylord, sans vous déplaire,
20 Sont-ce là les discours d'un seigneur populaire ?
D'un ami de Cromwell ?

LORD BROGHILL

Cromwell, vieux puritain,
Si tu le réveillais par hasard si matin,
Te ferait, pour changer le cours de tes idées,
Pendre à quelque gibet, haut de trente coudées.

LORD ORMOND *(à part)*

25 Plutôt que l'éveiller, j'espère l'endormir !

LORD BROGHILL

Cromwell, qui sur le trône enfin va s'affermir,
Saura bien châtier la canaille insolente...

LORD ORMOND

Son trône est un billot, et sa pourpre est sanglante.
Transfuge serviteur des Stuarts, je le vois,
30 Vous l'avez oublié.

LORD BROGHILL

Ce regard... cette voix...
Mais qui donc êtes-vous ?

LORD ORMOND

Broghill me le demande !
Rappelez-vous, mylord, les guerres de l'Irlande.
Tous deux ensemble alors nous y servions le roi.

LORD BROGHILL

C'est le comte d'Ormond ! mon vieil ami, c'est toi !

*Il lui prend les mains avec affection.*

35 — Toi dans Londre ! et, grand Dieu ! la veille du jour
[même
Où Cromwell triomphant s'élève au rang suprême !
Ta tête est mise à prix. Si l'on vient à savoir...
Que fais-tu donc ici, malheureux ?

LORD ORMOND

Mon devoir.

LORD BROGHILL

T'ai-je pu méconnaître ? Ah ! — Mais cet air sinistre,
40 Mylord, — les ans, — surtout cet habit de ministre...
Vous êtes si changé !

LORD ORMOND

Je le suis moins que vous,
Broghill ! devant Cromwell vous pliez les genoux.
Broghill se courbe aux pieds d'un régicide infâme !
Moi, j'ai changé d'habits, mais toi, de cœur et d'âme !
45 Te voilà, toi qu'on vit si grand dans nos combats !
Tu ne montais si haut que pour tomber si bas !

LORD BROGHILL *(choqué)*

Ah ! — vaincu, je vous plains ; proscrit, je vous révère ;
Mais ce langage...

LORD ORMOND

Est juste autant qu'il est sévère.
Pourtant, écoute-moi, tu peux tout réparer.
50 Sers-moi...

LORD BROGHILL

Près de Cromwell ! Oui, je cours l'implorer.
Je puis sauver ta vie : elle est proscrite...

LORD ORMOND

Arrête !
Demande-moi plutôt de protéger ta tête.

Ton insultant appui, ton protecteur, ton roi,
Ton Cromwell est plus près de sa perte que moi.

LORD BROGHILL

55 Qu'entends-je ?

LORD ORMOND

               Ecoute donc. Dévoré de tristesse,
Las des titres mesquins de protecteur, d'altesse,
Cromwell veut être enfin, au dais royal porté,
Salué par les rois du nom de majesté.
Cromwell, dans ce butin que chacun se partage,
60 Prend de Charles Premier le sanglant héritage.
Il l'aura tout entier ! son trône et son cercueil.
Le régicide roi saura dans son orgueil
Que la couronne est lourde, et, bien qu'on s'en empare,
Qu'elle écrase parfois les têtes qu'elle pare !

LORD BROGHILL

65 Que dis-tu ?

LORD ORMOND

               Que demain, à l'heure où Westminster
S'ouvrira pour ce roi, que va sacrer l'enfer,
Sur les marches du trône un instant usurpées,
On le verra sanglant rouler sous nos épées !

LORD BROGHILL

Insensé ! son cortège est l'armée, et toujours
70 Ce mouvant mur de fer enveloppe ses jours.
Sais-tu bien seulement le nombre de ses gardes ?
Comment percerez-vous trois rangs de hallebardes,
Ses pesants fantassins, ses hérauts, ses massiers,
Ses mousquetaires noirs, ses rouges cuirassiers ?

LORD ORMOND

75 Ils sont à nous.

LORD BROGHILL

               Quel est l'espoir où tu te fondes,
De voir aux cavaliers s'unir les têtes-rondes !

LORD ORMOND

Tu verras de tes yeux, ici, dans un moment,
Les gens du roi mêlés à ceux du parlement.
Aux sombres puritains leur fanatisme parle.
80 Ils ne veulent pas plus d'Olivier que de Charle.

Si Cromwell se fait roi, Cromwell meurt sous leurs coups.
Son rival et leur chef, Lambert se joint à nous ;
A remplacer Cromwell il ose bien prétendre ;
Mais nous verrons plus tard ! L'or d'Espagne et de
> [Flandre
85 Nous a fait dans ces murs de nombreux affidés.
Bref, la partie est belle, et nous jetons les dés !

### LORD BROGHILL

Cromwell est bien adroit ! vous jouez votre tête.

### LORD ORMOND

Dieu sait pour qui demain doit être un jour de fête.
Notre complot, Broghill, est d'un succès certain.
90 Rochester doit ici m'amener ce matin
Sedley, Jenkins, Clifford, Davenant le poète
Qui nous porte du roi la volonté secrète.
Au même rendez-vous viendront Carr, Harrison,
Sir Richard Willis...

### LORD BROGHILL

            Mais ceux-là sont en prison.
95 Ce sont des ennemis que dans la Tour de Londre
Cromwell tient enfermés.

### LORD ORMOND

            Un mot va te confondre.
Liés au même sort par des nœuds différents,
Pour abattre Olivier, nous comptons dans nos rangs
Le gardien de la Tour, Barksthead le régicide,
100 Que l'espoir du pardon à nous servir décide.
Tu vois avec quel art le complot est formé.
Dans un vaste réseau Cromwell est enfermé.
Il n'échappera pas ! Les partis unanimes
Sous le trône qu'il dresse ont creusé des abîmes.
105 Voilà pour quel dessein je viens du continent.
Je voudrais te sauver, Broghill ; et maintenant
Je t'interpelle au nom de Charles Deux, mon maître,
Veux-tu vivre fidèle, ou veux-tu mourir traître ?

### LORD BROGHILL

Ah ! que dis-tu ?

### LORD ORMOND

Reviens sous le drapeau royal.

LORD BROGHILL

110 Hélas ! je fus aussi sujet digne et loyal,
Ormond ; pour notre roi, dans les guerres civiles,
J'ai pris des châteaux forts, j'ai défendu des villes,
Et je suis devenu, par un destin cruel,
De soldat des Stuarts, courtisan de Cromwell !
115 Laisse à son triste sort un malheureux transfuge,
Cher Ormond ; à ton tour, écoute, et sois mon juge.
— C'était durant la guerre avec le parlement.
J'étais venu dans Londre armer un régiment ;
Et caché comme toi, ma tête était proscrite.
120 Un jour, d'un inconnu je reçois la visite ;
C'était Cromwell. — Ma vie était en son pouvoir.
Il me sauva. Pour lui, j'oubliai mon devoir ;
Il s'empara de moi ; bientôt, que te dirai-je ?
Je devins comme lui rebelle et sacrilège,
125 A ses républicains mon bras servit d'appui,
Et, levé pour mon roi, combattit contre lui.
— Depuis, Cromwell m'a fait membre de sa pairie,
Lieutenant général de son artillerie,
Lord de sa haute cour et du conseil privé.
130 Ainsi, par ses faveurs dans sa cour élevé,
S'il tombe, auprès de lui je dois tomber victime ;
Et je ne puis, rebelle à mon roi légitime,
Quelque amour qui me lie à sa noble maison,
Dans la fidélité rentrer sans trahison.

LORD ORMOND

135 Triste et commun effet des troubles domestiques !
A quoi tiennent, mon Dieu, les vertus politiques ?
Combien doivent leur faute à leur sort rigoureux !
Et combien semblent purs, qui ne furent qu'heureux !
Broghill ! brise avec nous le joug qui nous opprime ;
140 Prouve ton repentir !

LORD BROGHILL

                              Quoi ! par un nouveau crime ?
Non. Je puis être, ami, pour ton fatal secret,
Sinon complice, au moins un confident discret,
Mais c'est là tout. Je dois, neutre dans cette lutte,
Subir votre triomphe, adoucir votre chute,
145 Quel que soit le vainqueur, toujours fidèle à tous,
Périr avec Cromwell, ou le fléchir pour vous.

LORD ORMOND

Te taire sans agir ! ainsi donc tu vas être
Perfide envers Cromwell, sans servir ton vrai maître.
Sois donc ami sincère ou sincère ennemi,
150 Et ne reste pas traître et fidèle à demi !
Dénonce-moi plutôt !

LORD BROGHILL *(fièrement)*

Cette parole, comte,
Si vous n'étiez proscrit, vous m'en rendriez compte !

LORD ORMOND *(lui tendant la main)*

Pardonne, cher Broghill ! je suis un vieux soldat.
Vingt ans, fidèle au roi, j'ai rempli mon mandat.
155 Presque tous mes combats, presque tous mes services
Sont écrits sur mon corps en larges cicatrices ;
J'äi reçu des leçons de plus d'un chef expert,
Du marquis de Montrose et du prince Rupert ;
J'ai commandé sans morgue, obéi sans murmure ;
160 J'ai blanchi sous le casque et vieilli sous l'armure ;
J'ai vu mourir Strafford ; j'ai vu périr Derby ;
J'ai vu Dunbar, Tredagh, Worcester, Naseby,
Ces luttes des seuls bras qui pouvaient sur la terre
Abattre ou soutenir le trône d'Angleterre ;
165 J'ai vu tomber ce trône, ébranlé dans les camps ;
Fait la guerre aux ranters, aux saints, aux prédicants ;
Et ma main, aux combats sans relâche occupée,
Sait ce qu'il faut de coups pour émousser l'épée.
Eh bien ! je touche enfin au but de mes travaux,
170 Cromwell va succomber ! voici des jours nouveaux !
Mais pour ternir ma joie, empoisonner ma gloire,
Faut-il qu'un vieil ami meure de ma victoire ?
Compagnon, souviens-toi que nous avons tous deux
Baigné du même sang nos glaives hasardeux,
175 Et des mêmes combats respiré la poussière.
Pour la deuxième fois, Broghill, pour la dernière,
Je t'interpelle, au nom du bon plaisir royal,
Veux-tu vivre fidèle ou mourir déloyal ?
Réfléchis. Pour répondre Ormond te laisse une heure.

*Il écrit quelques mots sur un papier et le présente
à Broghill.*

180 Voici mon nom d'emprunt, ma secrète demeure...

LORD BROGHILL *(repoussant le papier)*

Ah ! ne me le dis point ! Non. J'en sais trop déjà.
Longtemps la même tente, ami, nous protégea,
Je le sais ; mais il faut que mon sort s'accomplisse.
Adieu. Je ne serai délateur ni complice.
185 J'oublierai tout ceci. Mais écoute un conseil :
Es-tu sûr du succès dans un complot pareil ?
Rien n'échappe à Cromwell. Il surveille l'Europe,
Son œil partout l'épie, et sa main l'enveloppe.
Et lorsque ton bras cherche où tu le frapperas,
190 Peut-être il tient le fil qui fait mouvoir ton bras.
Tremble, Ormond !

LORD ORMOND *(blessé)*

                    Lord Broghill ! laissez-moi, je vous
Ormond baise les mains de votre seigneurie.    [prie

*Lord Broghill sort et la porte du fond se referme
sur lui.*

## SCÈNE II

LORD ORMOND *(seul)*

N'y pensons plus !

*Il s'assied, et paraît méditer profondément.
Pendant qu'il rêve, on entend une voix, qui
s'approche par degrés, chanter sur un air gai les
couplets suivants :*

Un soldat au dur visage,
Une nuit, arrête un page,
Un page à l'œil de lutin.
— Beau page ! beau page ! alerte !
Où courez-vous si matin,
Lorsque la rue est déserte,
En justaucorps de satin ?

— Bon soldat, sous ma simarre,
Je porte épée et guitare ;
Et je vais au rendez-vous.
Je fléchis mainte rebelle,
Et je nargue maint jaloux.
Ma guitare est pour la belle,
Ma rapière est pour l'époux.

*La voix s'interrompt.*

*On frappe à la porte du fond. Puis la voix
reprend :*

Mais la noire sentinelle,
Roulant sa sombre prunelle,
Répond du haut de la tour :
— Beau page, on ne te croit guère.
Qui t'éveille avant le jour ?
C'est un rendez-vous de guerre
Plus qu'un rendez-vous d'amour.

*On frappe encore plus fort.*

### LORD ORMOND *(se levant pour ouvrir)*

      Qui chante ainsi ? c'est quelque fou,
Ou Rochester. *(Il ouvre et regarde dans la rue.)*
      Lui-même. — Allons, sur son genou
195 Le voilà griffonnant.

*Lord Rochester entre gaiement, un crayon et un
papier à la main.*

## SCÈNE III

LORD ORMOND, LORD ROCHESTER, costume de cavalier très
élégant et chargé de bijoux et de rubans, sous un manteau puritain de gros drap gris ; chapeau de tête-ronde à grande forme. Sa
calotte noire cache mal des cheveux blonds dont une boucle sort
derrière les oreilles, suivant la mode des jeunes cavaliers d'alors.

### LORD ROCHESTER *(avec une légère salutation)*

      Pardonnez, mylord comte.
J'écrivais ma chanson. — Il faut que je vous conte...

*Il se met à écrire sur son genou.*

Dieu garde votre grâce ! — A peine y voit-on clair. —
Vous attendez nos gens ? — Comment trouvez-vous l'air ?

*Il chante.*

Un soldat au dur visage,
Une nuit, arrête un page...

Pour notre instruction l'exil a bien son prix !
200 C'est un vieil air français qu'on m'apprit à Paris.

### LORD ORMOND *(hochant la tête)*

Je crains que le soldat n'arrête le beau page
Tout de bon.

### LORD ROCHESTER *(regardant sa chanson)*

      Ah ! le reste est au bas de la page.

*Il tend la main à lord Ormond.*

— Bien, toujours le premier au poste ! —Et nos amis ?—
Auriez-vous mieux aimé, mylord, que j'eusse mis :

> Un soldat au dur visage
> Arrête sur son passage
> Un page à l'œil de lutin...

Au lieu de :

> Un soldat au dur visage,
> Une nuit, arrête un page,
> Un page... *et cœtera ?*

205 La répétition, *un page*, a de la grâce,
N'est-ce pas ? Les Français...

LORD ORMOND

Mylord, faites-moi grâce.
Je n'ai point l'esprit fait à juger ce talent.

LORD ROCHESTER

Vous, mylord ? je vous tiens pour un juge excellent.
Et, pour vous le prouver, à votre seigneurie
210 Je vais lire un quatrain nouveau.

*Il se drape et prend un accent emphatique.*

« Belle Egérie !... »

*Il s'interrompt.*

Devinez, je vous prie, à qui c'est adressé ?

LORD ORMOND

Mylord, l'instant de rire, il me semble, est passé.

*A part.*

Charle est fou comme lui, corps Dieu ! de me l'adjoindre !

LORD ROCHESTER

Mais c'est fort sérieux, et ce n'est pas le moindre
215 De mes quatrains. D'ailleurs, l'objet est si charmant !
C'est pour Francis Cromwell.

LORD ORMOND

Francis Cromwell !

LORD ROCHESTER

Vraiment !

J'en suis fort amoureux.

LORD ORMOND

De la plus jeune fille

De Cromwell !

LORD ROCHESTER

De Cromwell ! Elle est, d'honneur, gentille.
Que dis-je ? c'est un ange enfin !

LORD ORMOND

De par le ciel !

220 Lord Rochester épris de...

LORD ROCHESTER

De Francis Cromwell.
A votre étonnement sans peine je devine
Que vous n'avez pas vu cette beauté divine.
Dix-sept ans, cheveux noirs, grand air, blancheur de lys,
Et de si belles mains ! et des yeux si jolis !
225 Mylord ! une sylphide ! une nymphe ! une fée !
C'est hier que je l'ai vue. Elle était mal coiffée ;
N'importe ! tout est bien, tout lui sied, tout lui va !
On dit que l'autre mois dans Londre elle arriva,
Et que, loin de Cromwell par sa tante élevée,
230 Elle porte en son cœur la loyauté gravée,
Qu'elle aime fort le roi.

LORD ORMOND

Pur conte, Rochester !
Mais où l'avez-vous vue ?

LORD ROCHESTER

Hier même, à Westminster,
A ce banquet royal que la cité de Londre
Donnait au vieux Cromwell. — Dieu veuille le confondre !
235 J'étais fort curieux de voir le Protecteur.
Mais quand, de son estrade atteignant la hauteur,
J'eus aperçu Francis, si belle et si modeste,
Immobile et charmé, je n'ai plus vu le reste.
Ivre, en vain en tous sens par la foule poussé,
240 Mon œil au même objet restait toujours fixé ;
Et je n'aurais pu dire, en sortant de la fête,
Si Cromwell en parlant penche ou lève la tête,
S'il a le front trop bas ou bien le nez trop long,
Ni s'il est triste ou gai, laid ou beau, noir ou blond.
245 Je n'ai dans tout cela rien vu, rien qu'une femme,

Et depuis cette vue, oui, mylord, sur mon âme,
Je suis fou !

LORD ORMOND

Je vous crois.

LORD ROCHESTER

Voici mon madrigal.
C'est dans le goût nouveau...

LORD ORMOND

Cela m'est fort égal.

LORD ROCHESTER

Egal ! non pas vraiment. Vous savez bien qu'en somme
250 Shakspeare est un barbare et Wither un grand homme.
Trouve-t-on dans *Macbeth* un seul rondeau galant ?
Le goût anglais fait place au français ; le talent...

LORD ORMOND (à part)

Peste du goût anglais ! du goût français ! du diable !
Du quatrain ! Sa folie est irrémédiable !    *(Haut.)*
255 Excusez-moi, mylord. A parler nettement,
Vous devriez plutôt, dans un pareil moment,
Me donner quelque avis, me dire où nous en sommes,
Combien au rendez-vous viendront de gentilshommes,
Si l'on peut dans Lambert voir un appui réel,
260 Que chanter des quatrains aux filles de Cromwell !

LORD ROCHESTER

Mylord est vif !... Je puis sans trahison, j'espère,
Etre épris d'une fille.

LORD ORMOND

Et l'êtes-vous du père ?

LORD ROCHESTER

Vous vous fâchez ? vraiment, je ne vois pas pourquoi.
Mon histoire, à coup sûr, amuserait le roi.
265 Dans sa fille à Cromwell je fais encor la guerre.
Et d'ailleurs avec lui je ne me gêne guère.
Sans nous être jamais rencontrés, que je crois,
Nous avons eu tous deux pour maîtresse à la fois
Cette lady Dysert, qui, cessant le scandale,
270 Va, dit-on, épouser ce bon lord Lauderdale.

LORD ORMOND

Je n'aurais jamais cru qu'on pût calomnier
Cromwell ; mais il est chaste ; et pourquoi le nier ?
D'un vrai réformateur il a les mœurs austères.

LORD ROCHESTER (*riant*)

Lui ! cette austérité cache bien des mystères,
275 Et le vieil hypocrite a, par plus d'un côté,
Prouvé qu'un puritain touche à l'humanité.
Revenons, s'il vous plaît, au quatrain...

LORD ORMOND (*à part*)

                              Par Saint George !
Il me poursuit encor, le quatrain sur la gorge !

*Haut et avec solennité.*

Ecoutez, lord Wilmot, comte de Rochester,
280 Vous êtes jeune, et moi, je vieillis, mon très cher.
J'ai les traditions de la chevalerie.
C'est pourquoi j'ose dire à votre seigneurie
Que tous ces madrigaux, sonnets, quatrains, rondeaux,
Chansons, dont à Paris s'amusent les badauds,
285 Sont bons, comme une chose entre nous dédaignée,
Pour les bourgeois, et gens de petite lignée.
Des avocats en font, mylord ! mais vos égaux
Rougiraient d'aligner quatrains et madrigaux.
Mylord, vous êtes noble, et de noblesse ancienne.
290 Votre écusson supporte, autant qu'il m'en souvienne,
La couronne de comte et le manteau de pair,
Avec cette légende : *Aut nunquam aut semper*, —
Je sais mal le latin, s'il faut que je le dise ;
Mais en anglais, voici le sens de la devise :
295 *Soyez l'appui du roi, de vos droits féodaux,*
*Et ne composez pas de vers et de rondeaux.*
*C'est le lot du bas peuple !* — Ainsi, lord d'Angleterre,
Ne faites plus, soigneux du rang héréditaire,
Ce que dédaignerait le moindre baronnet
300 Ou hobereau, portant gambière et bassinet !
Plus de vers !

LORD ROCHESTER

                    De par Dieu ! c'est un arrêt en forme
Que cela ! Je conviens que ma faute est énorme.
Mais entre autres rimeurs, tous gens du plus bas lieu,
J'ai pour complice Armand Duplessis Richelieu,

305 Le cardinal poète; et moi, pourquoi le taire ?
    La licorne du roi, le lion d'Angleterre
    Serviraient de supports à mes deux écussons,
    Que je ferais encor des vers et des chansons !

                                            *A part.*

    Le bon vieux gentilhomme est d'une humeur de dogue.

                              *Il regarde à la porte et s'écrie :*

310 Ha ! venez varier un peu le dialogue,
    Davenant !

                    *Entre Davenant. Simple costume noir. Grand
                    manteau et grand chapeau.*


## SCÈNE IV

### LORD ORMOND, LORD ROCHESTER, DAVENANT

            LORD ROCHESTER *(courant à Davenant)*

            Cher poète ! on vous attend ici
    Pour vous lire un quatrain !

                    DAVENANT *(saluant les deux lords)*

                            C'est un autre souci
    Qui m'amène. Que Dieu, mylords, vous accompagne !

                        LORD ORMOND

    Vous apportez, monsieur, des ordres d'Allemagne ?

                        DAVENANT

315 Oui, je viens de Cologne.

                        LORD ORMOND

                        Avez-vous vu le roi ?

                        DAVENANT

    Non. Mais sa majesté m'a parlé.

                        LORD ORMOND

                                Sur ma foi,
    Je ne vous comprends pas.

                        DAVENANT

                            Voici tout le mystère.
    Avant d'autoriser mon départ d'Angleterre,

Cromwell me fit venir. Il exigea de moi
320 Ma parole d'honneur de ne pas voir le roi.
Je le promis. A peine arrivé dans Cologne,
Je me souvins des tours qu'on m'apprit en Gascogne;
Et j'écrivis au roi de souffrir que la nuit
Je fusse sans lumière en sa chambre introduit.

LORD ROCHESTER *(riant)*

325 Vraiment !

DAVENANT *(à lord Ormond)*

Sa majesté, qui daigna le permettre,
M'entretint, m'honora d'un ordre à vous remettre;
C'est ainsi que, fidèle à mon double devoir,
J'ai su parler au roi, sans toutefois le voir.

LORD ROCHESTER *(riant plus fort)*

Ah ! Davenant ! La ruse est bien des mieux ourdies.
330 Ce n'est pas la moins drôle entre vos comédies.

LORD ORMOND *(bas à Rochester)*

Drôle ! je n'entends pas chicaner sur ce point.
Au serment d'un poëte on ne regarde point;
Mais ces subtilités, que d'autres noms je nomme,
Ne satisferaient pas l'honneur d'un gentilhomme.

*A Davenant.*

335 Et l'ordre écrit du roi ?

DAVENANT

Je le porte toujours
Au fond de mon chapeau, dans un sac de velours.
Là du moins je suis sûr que nul ne l'ira prendre.

> *Il tire de son chapeau un sac de velours cramoisi,*
> *en extrait un parchemin scellé et le remet à*
> *lord Ormond, qui le reçoit à genoux et l'ouvre*
> *après l'avoir baisé avec respect.*

LORD ROCHESTER *(bas à Davenant)*

Pendant qu'il lit cela, je veux vous faire entendre
Des vers...

LORD ORMOND *(lisant, moitié haut, moitié bas)*

« Jacques Butler, notre digne et féal
340 Comte et marquis d'Ormond, il faut qu'à White-Hall
Jusqu'auprès de Cromwell Rochester s'introduise... »

LORD ROCHESTER

A merveille ! le roi veut-il que je séduise
Sa fille ?   *(A Davenant.)*
     Mon quatrain célèbre ses appas.

LORD ORMOND *(continuant de lire)*

« Qu'on mêle un narcotique au vin de ses repas...
345 ... Endormi, dans son lit il faut qu'on l'investisse...
Nous l'amener vivant... Nous nous ferons justice.
D'ailleurs, en Davenant ayez toujours crédit.
C'est notre bon plaisir. Vous le tiendrez pour dit.
CHARLES, ROI. »

> *Il remet avec le même cérémonial la lettre royale
> à Davenant, qui la baise, la replace dans le sac
> de velours, et cache le tout dans son chapeau.*

    — Mais la chose est plus facile à dire
350 Qu'à faire, en vérité. Comment diable introduire
Rochester chez Cromwell ? Il faudrait être adroit !...

DAVENANT

Je connais chez Cromwell un vieux docteur en droit,
Un certain John Milton, secrétaire-interprète,
Aveugle, assez bon clerc, mais fort méchant poète.

LORD ROCHESTER

355 Qui ? ce Milton, l'ami des assassins du roi,
Qui fit l'*Iconoclaste*, et je ne sais plus quoi !
L'antagoniste obscur du célèbre Saumaise !

DAVENANT

D'être de ses amis aujourd'hui je suis aise.
Il manque au Protecteur un chapelain, je crois.

*Montrant Rochester*

360 Milton peut à mylord faire obtenir l'emploi.

LORD ORMOND *(riant)*

Rochester chapelain ! la mascarade est drôle !

LORD ROCHESTER

Et pourquoi non, mylord ? je sais jouer un rôle
Dans une comédie, et j'ai fait le larron;
— Vous savez, Davenant ? — dans le *Roi bûcheron*.
365 D'un docteur puritain je prends le personnage;
Il suffit de prêcher jusqu'à se mettre en nage,

Et de toujours parler du dragon, du veau d'or,
Des flûtes de Jezer et des antres d'Endor.
Pour entrer chez Cromwell, d'ailleurs, la voie est sûre.

DAVENANT *(s'assied à table et écrit un billet)*

370 Avec ce mot de moi, mylord, je vous assure
Qu'au vieux diable Milton vous recommandera,
Et que pour chapelain le diable vous prendra.

LORD ROCHESTER

Je verrai Francis !

> *Il avance la main avec empressement pour*
> *prendre la lettre de Davenant.*

DAVENANT

Mais souffrez que je la plie.

LORD ROCHESTER

Francis !

LORD ORMOND *(à lord Rochester)*

Pour la petite, au moins, pas de folie !

LORD ROCHESTER

Non, non !   *(A part.)*
375         Si je pouvais lui glisser mon quatrain !
Un quatrain quelquefois met les choses en train.

> *Haut à Davenant.*

Çà ! dans la place admis, que me faudra-t-il faire ?

DAVENANT *(lui remettant une fiole)*

Voici dans cette fiole un puissant somnifère.
On sert toujours le soir au futur souverain
380 De l'hypocras, où trempe un brin de romarin.
Mêlez-y cette poudre, et séduisez la garde
De la porte du parc.   *(S'adressant à Ormond.)*
                    Le reste nous regarde.

LORD ORMOND

Mais pourquoi donc le roi veut-il qu'un coup de main
Enlève cette nuit Cromwell, qui meurt demain ?
385 Sa mort par les siens même est jurée.

DAVENANT

                              Au contraire.
Aux coups des puritains le roi veut le soustraire.

Il veut se passer d'eux. D'ailleurs, il est souvent
Bon d'avoir pour otage un ennemi vivant.

LORD ROCHESTER

Et de l'argent ?

DAVENANT

Un brick, mouillé dans la Tamise,
390 Porte une somme en or qui nous sera transmise;
Et pour tout cas urgent, Manassé, juif maudit,
Nous ouvre au denier douze un généreux crédit.

LORD ORMOND

Fort bien.

DAVENANT

Gardons toujours l'appui des têtes-rondes.
Nous ébranlons un chêne aux racines profondes !
395 Que leur concours nous reste, et que le vieux renard,
S'il trompe nos filets, tombe sous leur poignard !

LORD ROCHESTER

Bien dit, cher Davenant ! voilà des mots sonores !
C'est bien en vrai poète user des métaphores !
Cromwell à la fois *chêne* et *renard* ! c'est très beau.
400 Un renard *poignardé* ! — Vous êtes le flambeau
Du Pinde anglais ! Aussi je réclame, mon maître,
Votre avis...

LORD ORMOND (à part)

Le quatrain sur l'eau va reparaître.

LORD ROCHESTER

Sur des vers qu'hier soir...

LORD ORMOND

Mylord, est-ce l'endroit ?...

LORD ROCHESTER (à part)

Que tous ces grands seigneurs sont d'un génie étroit !
405 Qu'un lord ait par hasard de l'esprit, il déroge !

DAVENANT (à Rochester)

Mylord, quand Charles Deux sera dans Windsor-Loge,
Vous nous direz vos vers, et sur ces mêmes bancs
Nous convierons Wither, Waller et Saint-Albans. —
Vous plairait-il, mylord, qu'à présent je m'abstinsse ?...

LORD ORMOND

410 Oui, conspirons en paix !     *(A Davenant.)*

　　　　　　　　— C'est parler comme un prince,

Monsieur ! —　　*(A part.)*

　　　　　　　　Wilmot devrait rougir de honte, oui;

Davenant, le poète ! est bien moins fou que lui.

LORD ROCHESTER *(à Davenant)*

Vous ne voulez donc pas écouter ?...

DAVENANT

　　　　　　　　　　　Mais je pense

Que mylord Rochester lui-même m'en dispense.

415 Nous avons plusieurs points à discuter touchant

Notre complot...

LORD ROCHESTER

　　　　　　Monsieur croit mon quatrain méchant !

Parce qu'on n'a pas fait des *tragi-comédies !*

Des *mascarades*... — Soit, monsieur ! —

　　　　　　　　　　　　*Bas à lord Ormond.*

　　　　　　　　　　　Des  rapsodies !

C'est jalousie, au moins, s'il se récuse !

DAVENANT

　　　　　　　　　　　　Eh quoi !

420 Mylord se fâcherait ?

LORD ROCHESTER

　　　　　　　Au diable ! laissez-moi.

DAVENANT

Ah ! je ne pensais pas vous blesser, sur ma vie !

LORD ORMOND

Veuillez, mylord...

LORD ROCHESTER *(se détournant)*

　　　　　　　L'orgueil !

DAVENANT

　　　　　　　　Mylord, daignez...

LORD ROCHESTER *(le repoussant)*

　　　　　　　　　　　L'envie !

LORD ORMOND *(vivement)*

Saint George ! à la douceur je ne suis pas enclin.
Pour une goutte d'eau déborde un vase plein.
425 — Mylord ! le pire fat qui dans Paris s'étale,
Le dernier dameret de la place Royale,
Avec tous ses plumets sur son chapeau tombants,
Son rabat de dentelle et ses nœuds de rubans,
Sa perruque à tuyaux, ses bottes évasées,
430 A l'esprit, moins que vous, plein de billevesées !

LORD ROCHESTER *(furieux)*

Mylord, vous n'êtes point mon père !... A vos discours
Vos cheveux gris pourraient porter un vain secours.
Votre parole est jeune, et nous fait de même âge.
Vous me rendrez, pardieu, raison de cet outrage !

LORD ORMOND

435 De grand cœur! — Votre épée au vent, beau damoiseau !

*Ils tirent tous deux leurs épées.*

D'honneur ! Je m'en soucie autant que d'un roseau !

*Ils croisent leurs épées.*

DAVENANT *(se jetant entre eux)*

Mylords ! y pensez-vous ? — La paix ! la paix sur l'heure !

LORD ROCHESTER *(ferraillant)*

L'ami ! la paix est bonne, et la guerre est meilleure.

DAVENANT *(s'efforçant toujours de les séparer)*

Si le crieur de nuit vous entendait ?

*On frappe à la porte.*

Je croi

440 Qu'on frappe.    *(On frappe plus fort.)*
                    Au nom de Dieu, mylords !

*Les combattants continuent.*

Au nom du roi !

*Les deux adversaires s'arrêtent et baissent leurs
épées. On frappe.*

Tout est perdu ! — La garde est peut-être appelée.
Paix !

*Les deux lords remettent leurs épées dans le
fourreau, leurs grands chapeaux sur leur tête,
et s'enveloppent de leurs capes. — On frappe
encore. — Davenant va ouvrir.*

## SCÈNE V

LES MÊMES, CARR, costume complet de tête-ronde.

*Il s'arrête gravement sur le seuil de la porte, et salue les trois cavaliers de la main, sans ôter son chapeau.*

#### CARR

N'est-ce pas ici, mes frères, l'assemblée
Des saints ?

#### DAVENANT *(lui rendant son salut)*

Oui.   *(Bas à lord Ormond.)*
           — C'est ainsi que se nomment entre eux
Ces damnés puritains. —   *(Haut à Carr.)*
                         Soyez le bienheureux,
445 Le bienvenu, mon frère, en ce conventicule.

*Carr s'approche lentement.*

#### LORD ORMOND *(bas à lord Rochester)*

Notre accès belliqueux était fort ridicule,
Mylord. Restons-en là. J'avais le premier tort.
Soyons amis.

#### LORD ROCHESTER *(s'inclinant)*

Je suis à vos ordres, mylord.

#### LORD ORMOND

Comte, ne pensons plus qu'au roi, dont le service
450 A besoin que ma main à la vôtre s'unisse.

#### LORD ROCHESTER

Marquis, c'est un bonheur pour moi, comme un devoir.

*Ils se serrent la main.*

Eh ! n'est-ce pas assez, juste Dieu, que d'avoir
Sur le corps, par l'effet de nos guerres fatales,
Exil, proscription, sentences capitales,
455 Sa tête mise à prix, vendue, *et cœtera,*

*Il désigne du geste son déguisement.*

Et ce chapeau de feutre, et ce manteau de drap ?

CARR

*Il fait lentement quelques pas, joint les mains*
*sur sa poitrine, lève les yeux au ciel, puis les*
*promène tour à tour sur les trois cavaliers.*

Frères ! continuez ! — Quand au prêche j'arrive,
Je suis du saint banquet le moins digne convive.
Que nul pour le vieux Carr ne se lève ! Je vois
460 Que ce bruit, qu'au dehors m'ont apporté vos voix,
Etait un doux combat d'armes spirituelles.

LORD ROCHESTER *(à part)*

Peste !

CARR *(poursuivant)*

Ces luttes-là me sont habituelles ;
Reprenez ces combats qui nourrissent l'esprit.

LORD ROCHESTER *(bas à Davenant)*

Ou le font rendre.

DAVENANT *(de même)*

Paix, mylord !

CARR *(continuant)*

Il est écrit :
465 *Allez tous par le monde, et prêchez ma parole !*

LORD ROCHESTER *(bas à Davenant)*

Je vais de chapelain étudier mon rôle.

CARR *(après une pause)*

J'ai du long parlement mérité le courroux.
Depuis sept ans la Tour me tient sous les verrous,
Pleurant nos libertés, sous Cromwell disparues.
470 Ce matin, mon geôlier m'ouvre et dit : — *Aux Trois Grues*
On t'attend. Israël convoque ses tribus ;
On va détruire enfin Cromwell et les abus.
Va ! — Je vais, et j'arrive à votre porte amie,
Comme autrefois Jacob en Mésopotamie.
475 Salut ! mon âme attend vos paroles de miel,
Comme la terre sèche attend les eaux du ciel.
La malédiction me souille et m'enveloppe.
Donc, purifiez-moi, frères, avec l'hysope ;
Car si vos yeux vers moi ne tournent leur flambeau,
480 Je serai comme un mort qui descend au tombeau !

LORD ROCHESTER *(bas à Davenant)*

Quel terrible jargon !

DAVENANT *(bas à lord Rochester)*

C'est de l'Apocalypse.

CARR

Mon âme veut le jour.

LORD ROCHESTER *(à part)*

Fais donc cesser l'éclipse !

LORD ORMOND *(bas à Davenant)*

Je démêle, au milieu de ses *donc*, de ses *car*,
Qu'il nous vient de la Tour et qu'il s'appelle Carr.
485 C'est un des conjurés que Barksthead nous envoie.
Ce Carr est un sectaire, un vieil oiseau de proie.
Dans la rébellion, assisté de Strachan,
Du camp parlementaire il sépara son camp.
Le parlement le fit mettre à la Tour de Londre.
490 Mais, monsieur Davenant, ce qui va vous confondre,
C'est qu'il maudit Cromwell d'avoir par trahison
Dissous le parlement, qui le mit en prison.

DAVENANT *(bas)*

Est-il indépendant de l'espèce ordinaire ?
Ranter ? socinien ?

LORD ORMOND *(bas)*

Non, il est millenaire.
495 Il croit que pour mille ans les saints vont être admis
A gouverner tout seuls. — Les saints sont les amis !

CARR *(qui a paru absorbé dans une sombre extase)*

Frères, j'ai bien souffert ! — On m'oubliait dans l'ombre,
Comme des morts d'un siècle en leur sépulcre sombre.
Le parlement, qu'hélas ! j'ai moi-même offensé,
500 Par Olivier Cromwell avait été chassé ;
Et, captif, je pleurais sur la vieille Angleterre,
Semblable au Pélican, près du lac solitaire ;
Et je pleurais sur moi ! Par le feu du péché
Mon front était flétri, mon bras était séché ;
505 Je ressemblais, maudit du Dieu que je proclame,
A du bois à demi consumé par la flamme.

Hélas ! j'ai tant pleuré, membres du saint troupeau,
Que mes os sont brûlés et tiennent à ma peau.
Mais enfin le Seigneur me plaint et me relève.
510 Sur la pierre du temple il aiguise mon glaive.
Il va frapper Cromwell, et chasser de Sion
La désolation de la perdition !

LORD ROCHESTER *(bas à Davenant)*

Sur mon nom ! la harangue est fort originale !

CARR

Je reprends parmi vous ma robe virginale.

LORD ROCHESTER *(à part)*

515 Tudieu !

CARR

Guidez mes pas dans le chemin étroit;
Et glorifiez-vous, vous dont le cœur est droit !
Les mille ans sont venus. Les saints que Dieu seconde
De Gog jusqu'à Magog vont gouverner le monde.
Vous êtes saints !

LORD ROCHESTER *(poliment)*

Monsieur, vous nous faites honneur...

CARR *(avec enthousiasme)*

520 Les pierres de Sion sont chères au Seigneur.

LORD ROCHESTER

Voilà parler !

CARR

A moins que mon Dieu ne me touche,
Je suis comme un muet qui n'ouvre point la bouche.
C'est vous que mon oreille écoutera toujours,
Car la manne céleste abonde en vos discours !

*Montrant lord Ormond.*

525 Dites-moi, vous étiez d'opinions diverses ?
Sur quel texte roulaient vos saintes controverses ?

LORD ROCHESTER

Tout à l'heure, monsieur ? — C'était sur un verset...

*A part.*

Pardieu ! si mon quatrain par hasard lui plaisait ?

Il m'écoute déjà d'une ardeur sans pareille !
530 Quel poète d'ailleurs pourrait voir une oreille
S'ouvrir si largement, sans y jeter des vers ?
Risquons le madrigal, à tort comme à travers !
D'abord faisons-le boire. On sait qu'au bruit des verres
Se dérident parfois nos puritains sévères. — *(Haut.)*
535 Monsieur doit avoir soif ?

CARR

Jamais ! ni soif, ni faim !
Car je mange la cendre, ami, comme du pain.

LORD ROCHESTER *(à part)*

Il peut bien manger seul, si c'est ainsi qu'il dîne.
N'importe ! *(Haut.)*
Hôte ! garçon ! *(Un garçon de taverne paraît.)*
Un broc de muscadine,
Du vin, de l'hypocras !

> *Le garçon garnit une table de brocs et y pose deux gobelets d'étain. Carr et Rochester y prennent place. Carr se verse à boire le premier et en offre au cavalier, qui continue :*

Vous demandiez, — merci ! —
540 Quel texte tout à l'heure on discutait ici.
Monsieur, c'est un quatrain...

CARR

Un quatrain ?

LORD ROCHESTER

Oui, sans doute.

CARR

Quatrain ! qu'est cela ?

LORD ROCHESTER

C'est... comme un psaume.

CARR

Ah ! j'écoute.

LORD ROCHESTER

Vous me direz, monsieur, ce que vous en pensez.
« — Belle Egérie !... » Ah ! — celle à qui sont adressés
545 Ces vers a nom Francis ; mais ce nom trop vulgaire
Au bout d'un vers galant ne résonnerait guère.

Il fallait le changer ; j'ai longtemps balancé
Entre Griselidis et Parthénolicé.
Puis enfin j'ai choisi le doux nom d'Egérie,
550 Qui du sage Numa fut la nymphe chérie.
Il fut législateur, je suis du parlement ;
Cela convenait mieux. Ai-je fait sagement ?
Jugez-en. Mais voici l'amoureuse épigramme :

*Il prend un air galant et langoureux.*

« — Belle Egérie ! hélas ! vous embrasez mon âme !
555 Vos yeux, où Cupidon allume un feu vainqueur,
Sont deux miroirs ardents qui concentrent la flamme
          Dont les rayons brûlent mon cœur ! »
— Qu'en dites-vous ?

*Carr, qui a écouté d'abord avec attention, puis
avec un sombre mécontentement, se lève furieux
et renverse la table.*

CARR

          Démons ! damnation ! injure !
Me pardonnent le ciel et les saints, si je jure !
560 Mais comment de sang-froid entendre à mes côtés
Déborder le torrent des impudicités ?
Fuis ! arrière, édomite ! arrière, amalécite !
Madianite !

LORD ROCHESTER *(riant)*

          Ah Dieu ! que de rimes en *ite !* —
Un autre original, plus amusant qu'Ormond !

CARR *(indigné)*

565 Tu m'as, comme Satan, conduit au haut du mont,
Et ta langue m'a dit : — Tu sors d'un jeûne austère ;
As-tu soif ? à tes pieds je mets toute la terre.

LORD ROCHESTER

Je vous ai seulement offert un coup de vin.

CARR

Et moi qui l'écoutais comme un esprit divin !
570 Moi, dont l'âme s'ouvrait à sa bouche rusée
Comme un lys de Saron aux gouttes de rosée !
Au lieu des purs trésors d'un cœur chaste et serein,
Il me montre une plaie !

LORD ROCHESTER

          Une plaie ! un quatrain ?

CARR (*s'animant de plus en plus*)

Une plaie effroyable où l'on voit le papisme,
575 L'amour, l'épiscopat, la volupté, le schisme !
Un incurable ulcère où Moloch-Cupidon
Verse avec Astarté ses souillures !...

LORD ROCHESTER

                Pardon !
Ce n'est pas Astarté, monsieur, c'est Egérie.

CARR

Ta bouche est un venin dont mon âme est flétrie.
580 Retirez-vous de moi, vous tous qui commettez
Les fornications et les iniquités !
Vous desséchez mes os jusque dans leur moelle !
Mais les saints prévaudront ! Votre engeance cruelle
Ne les courbera point ainsi que des roseaux;
585 Et quand déborderont enfin les grandes eaux,
Elles n'atteindront pas à leurs pieds !

LORD ROCHESTER

                  Tu radotes !
A quoi vous serviraient alors vos grandes bottes ?
S'il ne pleut point sur vous, pourquoi ces grands cha-
                        [peaux ?

CARR (*avec amertume*)

D'un fils de Zerviah c'est bien là le propos !

> *En ce moment le manteau de Rochester s'en-*
> *trouvre et laisse apercevoir son riche costume*
> *chargé de nœuds, de lacs d'amour et de pierreries.*
> *Carr y jette un coup d'œil scandalisé et poursuit :*

590 Eh ! mais oui ! c'est un mage ! un sphinx à face d'homme,
Vêtu, paré, selon la mode de Sodome !
Satan ne porte pas autrement son pourpoint.
Il se pavane aussi, des manchettes au poing,
Couvre son pied fourchu, de peur qu'on ne le voie,
595 De souliers à rosette et de chausses de soie,
Et met sa jarretière au-dessus du genou !
Ces bijoux, ces anneaux, consacrés à Wishnou,
De l'idole Nebo sont autant d'amulettes;
Et, pour que l'enfer rie à toutes ces toilettes,
600 Derrière son oreille il étale au grand jour
L'abomination de la *tresse d'amour* !

LORD ORMOND

Fous !

CARR *(au comble de l'indignation)*

Non, ce ne sont pas des saints !

LORD ROCHESTER *(riant)*

Tu t'en désistes ?

CARR

C'est un club de démons, un sabbat de papistes !
Ce sont des cavaliers ! Sortons !

LORD ROCHESTER

Adieu, mon cher.

CARR *(se dirigeant vers la porte)*

605 Mes pieds marchent ici sur des charbons d'enfer !

## SCÈNE VI

LES MÊMES, LE COLONEL JOYCE, LE MAJOR GÉNÉRAL HARRISON,
LE CORROYEUR BAREBONE, LE LIEUTENANT GÉNÉRAL LUDLOW,
LE COLONEL OVERTON, LE COLONEL PRIDE, LE SOLDAT SYNDER-
COMB, LE MAJOR WILDMAN, LES DÉPUTÉS GARLAND, PLIN-
LIMMON, ET AUTRES PURITAINS.

> *Ils entrent comme processionnellement, enve-*
> *loppés de manteaux. Chapeaux rabattus,*
> *grandes bottes, longues épées qui soulèvent le*
> *bord postérieur de leurs manteaux.*

JOYCE *(arrêtant Carr)*

Eh bien ! que fais-tu donc ? tu pars quand on arrive ?

CARR

Joyce, on t'a trompé ! n'entre pas dans Ninive !
Sors de ce lieu maudit ! — Barebone, Harrison !
Ce sont des cavaliers, non des saints ! — Trahison !

JOYCE *(bas à Carr)*

610 Mais ces cavaliers-là, mon vieux Carr, sont des nôtres.
Il faut bien employer leurs bras, à défaut d'autres.
Ce sont nos alliés !

CARR

Mort au parti royal !
Point d'alliance avec les fils de Bélial !

JOYCE *(à Overton)*

Il est encor bien simple !     *(A Carr.)*
                    Allons, reste ici ! reste !

CARR *(se résignant d'un air sombre)*

615 Oui, pour vous préserver de leur contact funeste.

> *Les trois cavaliers se sont assis à une table à droite du théâtre. Les puritains groupés à gauche paraissent s'entretenir à voix basse, et lancent de temps en temps des regards de haine sur les cavaliers. — On doit supposer, durant toutes les scènes qui suivent, qu'il y a assez d'espace entre les deux groupes de conjurés pour que ce qui se dit dans l'un ne soit pas nécessairement entendu par l'autre. Carr seul paraît observer constamment les cavaliers ; mais il se tient un peu à l'écart des autres têtes-rondes.*

LORD ORMOND *(bas à Davenant)*

Ce poltron de Lambert tarde à venir !... Il faut
Qu'en rêve cette nuit il ait vu l'échafaud.

LORD ROCHESTER *(bas aux deux autres)*

Nos bons amis les saints ont la mine bien sombre !
Nous ne sommes que trois, et, par Saint Paul ! leur
                                        [nombre
620 Devient inquiétant. —     *(Il regarde à la porte.)*
                    Mais voici du renfort,
Sedley, — Roseberry, — lord Drogheda, — Clifford. —

LORD ORMOND *(se levant)*

Et l'illustre Jenkins, que le tyran écoute,
Tout en persécutant sa vertu qu'il redoute !

## SCÈNE VII

LES MÊMES, SEDLEY, LORD DROGHEDA, LORD ROSEBERRY, SIR PETERS DOWNIE, LORD CLIFFORD, cavaliers couverts de manteaux et de chapeaux *à la puritaine*; LE DOCTEUR JENKINS, vieillard vêtu de noir, ET AUTRES ROYALISTES.

> *Les cavaliers entrent pêle-mêle et en tumulte; le docteur Jenkins a seul une démarche grave et sévère.*

LORD ROSEBERRY *(gaiement)*

Rochester ! lord Ormond ! Davenant ! qu'il fait chaud !

CARR *(dans un coin et à part)*

625 Rochester ! lord Ormond !

LORD ORMOND *(bas et avec un coup d'œil*
*mécontent à lord Roseberry)*

Dites nos noms moins haut.

LORD ROSEBERRY *(bas et regardant de côté les têtes-rondes)*

Ah ! je ne voyais pas ces corbeaux.

LORD ORMOND *(bas à Roseberry)*

D'aventure,
Prenez garde, mylord, d'être un jour leur pâture !

*Les cavaliers s'approchent de la table où étaient*
*assis Ormond, Rochester et Davenant. Ils*
*remarquent la table et les pots d'étain que Carr a*
*renversés.*

LORD CLIFFORD *(gaiement)*

Quoi ! les tables déjà par terre, que je crois ?
On a donc commencé ? — Mais deux verres pour trois !
630 Qui jeûne d'entre vous ? — Réparons ce désordre.

*Il relève la table, et appelle un garçon de*
*taverne qui la couvre de nouveaux brocs de*
*bière et de vin. Les jeunes cavaliers s'empressent*
*de s'y asseoir.*

J'ai faim et soif.

CARR *(à part et avec indignation)*

Ils n'ont de bouches que pour mordre,
Ces païens ! *Faim et soif !* c'est leur hymne éternel.
Ils sont ensevelis dans l'appétit charnel !

## SCÈNE VIII

LES MÊMES, SIR RICHARD WILLIS, costume des vieux cavaliers,
barbe blanche, air souffrant.

### LORD ORMOND

Sir Richard Willis !

*Tous les cavaliers se lèvent et vont à sa ren-*
*contre. Il paraît marcher avec peine. Rose-*
*berry et Rochester lui offrent le bras et l'aident.*

SIR RICHARD WILLIS *(aux cavaliers qui l'entourent)*

Libre un instant de sa chaîne,
635 Chers amis, jusqu'à vous le vieux Richard se traîne.
Hélas ! vous me voyez faible et souffrant toujours
Des persécutions qui pèsent sur mes jours ;
Mes yeux de la lumière ont perdu l'habitude,
Tant de me tourmenter Cromwell fait son étude !

LORD ORMOND

640 Mon pauvre et vieil ami !

SIR RICHARD WILLIS

Mais ne me plaignez pas,
Si, presque dans la tombe amené pas à pas,
Mon bras meurtri de fers, qu'un saint zèle ranime,
Concourt à relever le trône légitime ;
Ou si le ciel permet que, confessant ma foi,
645 Mon reste de vieux sang coule encor pour mon roi !

LORD ORMOND

Sublime loyauté !

LORD ROCHESTER

Dévouement vénérable !

SIR RICHARD WILLIS

Ah ! je suis d'entre vous le moins considérable.
Je n'ai d'autre bonheur, — oui, — que d'avoir été
Des serviteurs du roi le plus persécuté !

LE DOCTEUR JENKINS

650 Qu'en exemples d'honneur vos vertus sont fécondes !

SIR RICHARD WILLIS *(après un geste de modestie)*

Mais qu'attendons-nous donc ? — Voici nos têtes-rondes.

LORD ORMOND

Lambert nous manque encor. — Les lâches sont tardifs.

LORD ROCHESTER *(buvant, aux lords Roseberry et Clifford)*

Qu'avec leurs feutres noirs coupés en forme d'ifs
Nos saints sont précieux !

SIR RICHARD WILLIS *(à lord Ormond)*

Qui sont tous ces sectaires ?

LORD ORMOND

655 Là-bas, c'est Plinlimmon, Ludlow, parlementaires ;
Carr, qui nous suit d'un œil de haine et de frayeur ;
Le *damné* Barebone, inspiré corroyeur.

SIR RICHARD WILLIS

Quel est ce Barebone ?

DAVENANT *(bas à sir Richard)*

Ah ! c'est un homme unique.
Barebone, ennemi du pouvoir tyrannique,
660 Corroyeur de nos saints, tapissier de Cromwell,
Comme à deux râteliers mange à ce double autel.
Il prépare à la fois le massacre et la fête.
De Cromwell couronné sa voix proscrit la tête,
Et le couronnement se marchande avec lui.
665 Le brave homme, à deux fins se vouant aujourd'hui,
Travaille, en louant Dieu, pour les pompes du diable.
Marchand officieux et saint impitoyable,
Son fanatisme à Noll, qu'il sert de son crédit,
Vend le plus cher qu'il peut ce trône qu'il maudit.

SIR RICHARD WILLIS

670 Son frère fut-il pas orateur de la chambre ?

DAVENANT

Oui, du feu parlement dont lui-même fut membre.

SIR RICHARD WILLIS *(à lord Ormond)*

Les autres ?

LORD ORMOND

Harrison, régicide ; Overton,
Régicide ; Garland, régicide...

LORD CLIFFORD

Dit-on
Qui des trois est Satan ?

LORD ORMOND

Paix, mylord ! Là, déclame
675 Le ravisseur du roi, Joyce.

LORD ROSEBERRY

Race infâme !

LORD ROCHESTER

Que j'aurais de plaisir à chamailler un peu
Ces têtes-rondes-là qui vont outrageant Dieu !
Que je voudrais, pour prix de leurs pieuses veilles,
Les arrondir encore, en coupant leurs oreilles !
680 Et quel doux passe-temps je me serais promis
D'attaquer ces coquins, — s'ils n'étaient nos amis !


## SCÈNE IX

LES MÊMES, LE LIEUTENANT GÉNÉRAL LAMBERT, simple costume des
autres têtes-rondes, longue épée à la large garde de cuivre.

*A l'arrivée de Lambert, les têtes-rondes s'in-
clinent avec déférence.*

LORD ORMOND

Enfin, voici Lambert !

CARR *(à part)*
Quel bizarre mystère !

LAMBERT

Salut aux vieux amis de la vieille Angleterre !

LORD ORMOND *(à ses adhérents)*

Le moment va sonner de risquer le grand coup.
685 Concluons l'alliance et déterminons tout.
*Il s'avance vers Lambert qui vient à sa rencontre.*
Jésus crucifié...

LAMBERT
Pour le salut des hommes ! —
Nous sommes prêts.

LORD ORMOND
Sous moi j'ai trois cents gentilshommes,
Dont voici les chefs. — Quand frappons-nous le maudit ?

LAMBERT

Quand est-il roi ?

LORD ORMOND
Demain.

LAMBERT

Frappons demain.

LORD ORMOND

C'est dit.

LAMBERT

690 C'est dit.

LORD ORMOND

L'heure ?

LAMBERT

Midi.

LORD ORMOND

Le lieu ?

LAMBERT

Westminster même.

LORD ORMOND

Alliance !

LAMBERT

Amitié !

Ils se serrent un moment la main.
(A part.)

J'aurai le diadème !
Quand tu m'auras servi comme j'aurai voulu,
L'échafaud de Capell n'est pas si vermoulu
Qu'il ne supporte encore un billot pour ta tête !

LORD ORMOND (à part)

Il croit marcher au trône, et son gibet s'apprête !

Une pause.

LAMBERT (à part)

Allons ! c'en est donc fait, me voilà compromis !
Ils m'ont choisi pour chef ! — Pourquoi l'ai-je permis ?
Ah ! n'importe ! avançons. — Ma crainte est ridicule ;
Et sait-on où l'on va, d'ailleurs, quand on recule ?
700 Parlons !

Il croise les bras sur sa poitrine et lève les yeux<br>
au ciel. Les puritains prennent leur attitude<br>
d'extase et de prière. Les cavaliers sont assis à<br>
table ; les jeunes boivent joyeusement. Ormond,<br>
Willis, Davenant et Jenkins paraissent seuls<br>
écouter la harangue de Lambert.

Pieux amis ! il nous est parvenu
Que, nonobstant ce peuple et son droit méconnu,
Un homme, qui se dit protecteur d'Angleterre,
Veut s'arroger des rois le titre héréditaire.
C'est pourquoi nous venons à vous, vous demandant
705 S'il convient de punir cet orgueil impudent ;
Et si vous entendez, vengeant par votre épée
Notre antique franchise abolie, usurpée,
Porter l'arrêt de mort, sans merci ni pardon,
Contre Olivier Cromwell, du comté d'Huntingdon ?

TOUS *(excepté Carr et Harrison)*

710 Meure Olivier Cromwell !

LES TÊTES-RONDES

Exterminons le traître !

LES CAVALIERS

Frappons l'usurpateur !

OVERTON

Point de roi !

LAMBERT

Point de maître !

HARRISON

Permettez que j'expose un scrupule humblement.
Notre oppresseur du ciel me semble un instrument ;
Quoique tyran, il est indépendant dans l'âme,
715 Et peut-être est-ce lui que Daniel proclame,
Quand dans sa prophétie il dit : *Les saints prendront*
*Le royaume du monde et le posséderont.*

LUDLOW

Oui, le texte est formel. Mais le même prophète
Rassure, général, votre âme satisfaite,
720 Car Daniel, ailleurs, dit : *Au peuple des saints*
*Le royaume sera donné pour mes desseins.*
Donc, nul ne doit le prendre avant qu'on ne le donne.

JOYCE

Puis, *le peuple des saints*, c'est nous !

HARRISON

                                        Je m'abandonne
A vos sagesses. — Mais, en m'avouant vaincu,
725 Ludlow, je ne suis point pleinement convaincu
Que les textes cités aient le sens que vous dites;
Et, sur ces questions, au profane interdites,
Je voudrais avec vous quelque jour conférer.
Nous nous adjoindrions, pour en délibérer,
730 Plusieurs amis pieux, qui, touchant ces matières,
Pussent de leurs clartés seconder nos lumières.

LUDLOW

De grand cœur. Ce sera, s'il vous plaît, vendredi.
                              *Harrison s'incline en signe d'adhésion.*

LAMBERT (*à part, et comme absorbé dans ses réflexions*)
Ce que je leur disais, vraiment, est très hardi !

JOYCE (*montrant à Lambert un groupe de têtes-rondes qui
      est jusqu'alors resté isolé au fond du théâtre*)
Trois nouveaux conjurés sont là. — Leur bras s'indigne
735 De venir un peu tard travailler à la vigne;
Mais ces saints ouvriers se présentent à vous,
Sachant qu'il est écrit : *Même salaire à tous !*

LAMBERT (*soupirant*)
Dites-leur d'approcher. —
                              *Le groupe s'avance vers Lambert.*
                                 Quels sont vos noms, mes frères ?

UN DES NOUVEAUX CONJURÉS
*Quoi-que-puissent-tramer-ceux-qui-vous-sont-contraires-*
740 *Louez-Dieu-*PIMPLETON.

UN SECOND
                    *Mort-au-Péché-*PALMER

UN TROISIÈME
*Vis-pour-ressusciter-*JÉROBOAM-D'ÉMER.

LORD ROCHESTER (*bas à lord Roseberry*)
Que disent-ils ?

LORD ROSEBERRY (*bas à lord Rochester*)
                          Ils ont l'habitude risible
D'entortiller leur nom d'un verset de la Bible.

LAMBERT *(tenant une Bible ouverte)*

Vous jurez ?...

LOUEZ-DIEU-PIMPLETON

Nous, jurer !

MORT-AU-PÉCHÉ-PALMER

Loin de nous tout serment !

VIS-POUR-RESSUSCITER-JÉROBOAM-D'ÉMER

745 L'enfer seul les écoute, et le ciel les dément.

LOUEZ-DIEU-PIMPLETON

Des blasphèmes païens que la foi nous délivre !

LAMBERT

Eh bien ! vous promettez, — la main sur le saint livre, —

*Il hésite.*

D'immoler Cromwell ?

TOUS TROIS *(la main sur la Bible)*

Oui.

LAMBERT *(d'une voix plus forte)*

De nous prêter appui,

De vous taire, et d'agir ?

TOUS TROIS

Nous le promettons, oui.

LAMBERT

750 Soyez les bienvenus !

*Les trois conjurés prennent place parmi les puritains.*

OVERTON *(bas à Lambert)*

Tout est en bonne route;

Courage ! tout va bien.

LAMBERT *(à part)*

Demain, j'aurai sans doute

La couronne de plus, ou la tête de moins !

OVERTON *(lui montrant les conjurés)*

Regardez, — que d'amis; mylord !

LAMBERT *(à part)*

Que de témoins !

SYNDERCOMB *(dans le groupe des conjurés)*

Meure Olivier Cromwell !

CARR *(aux têtes-rondes)*

Frères, quand votre glaive
755 Aura frappé Cromwell, réveillé dans son rêve,
Ce Baal renversé, qu'on adore à genoux,
Que ferez-vous après ?

LUDLOW *(pensif)*

Au fait, que ferons-nous ?

LORD ORMOND *(à part)*

Je le sais.

LAMBERT *(embarrassé)*

Nous créerons un conseil, qui s'arrête
A dix membres au plus...    *(A part.)*
                              — Et qui n'ait qu'une tête.

HARRISON *(vivement)*

760 Dix membres ! général Lambert ! Mais c'est trop peu !
Soixante-dix, ainsi qu'au sanhédrin hébreu !
C'est le nombre sacré !

CARR

Le pouvoir légitime,
C'est le long parlement, dispersé par un crime.

JOYCE

Un conseil d'officiers !

HARRISON *(s'échauffant)*

Croyez ce que je dis :
765 Il faut pour gouverner être soixante-dix !

BAREBONE

Pour l'Angleterre, amis, point de salut possible,
Tant qu'on ne voudra pas, réglant tout sur la Bible,
Imposer aux marchands, pour leurs gains épurés,
Le poids du sanctuaire et les nombres sacrés,
770 Et, quittant pour Sion l'Egypte et la Chaldée,
Changer le pied en palme et la brasse en coudée.

GARLAND

C'est parler sensément.

JOYCE

Barebone est-il fou ?
Taupe, qui ne voit rien au dehors de son trou !
Prendrait-il par hasard son comptoir pour un trône,
775 Son bonnet pour tiare, et pour sceptre son aune ?

PLINLIMMON (*à Joyce en lui montrant Barebone*)

Ne raillez pas. — L'esprit souvent l'inspire.

*A Barebone.*

Ami,
Je t'approuve.

BAREBONE (*se rengorgeant*)

Il faut, pour ne rien faire à demi,
Prendre en chaque comté les premiers de leur ville...

JOYCE (*avec un rire dédaigneux*)

Des corroyeurs !

BAREBONE (*amèrement, à Joyce*)

Merci ! la remarque est civile.
780 Mais vous-même, avant d'être officier et railleur,
Joyce-le-cornette, étiez-vous pas tailleur ?

*Joyce fait un geste de colère. Barebone poursuit.*

Moi que la Cité compte au rang de ses notables...

*Joyce veut se jeter sur lui en le menaçant du poing.*

OVERTON (*se plaçant entre eux*)

Allons ! allons !

LORD ROSEBERRY (*aux puritains*)

*Il se lève, roule dévotement les yeux, prend un
air de componction et pousse un grand soupir.*

Messieurs ! la loi des douze tables...
Les tables de la loi... —

*Les puritains s'interrompent attentifs.*

CARR

Que veut-il dire enfin ?

LORD ROSEBERRY (*continuant*)

785 Ne veulent pas qu'on meure et de soif et de faim.
Je vote un bon repas ; nos estomacs sont vides.

*Les têtes-rondes se détournent avec indignation.*
*Les servants de taverne garnissent la table des*
*cavaliers.*

CARR *(en contemplation devant les cavaliers qui mangent)*

Que de chair et de vin ces satans sont avides !

BAREBONE

Païens !

CARR *(aux puritains)*

Avant d'aller plus loin, écoutez-moi;
Est-on sûr que Cromwell songe à se faire roi ?

OVERTON

790 Trop sûr ! et c'est demain qu'un parlement servile
De ce titre proscrit pare sa tête vile !

TOUS *(excepté Carr)*

Mort à l'ambitieux !

HARRISON

Mais je ne conçois pas
Ce qui pousse Cromwell à risquer ce grand pas.
Il faut qu'il soit bien fou de désirer le trône !
795 Il ne reste plus rien des biens de la couronne.
Hampton-Court est vendue au profit du trésor;
On a détruit Woodstock, et démeublé Windsor.

LAMBERT *(bas à Overton)*

Imbécile pillard, qui dans le rang suprême
Ne voit que les rubis scellés au diadème,
800 Et dans le trône, objet des travaux d'Olivier,
Des aunes de velours, à revendre au fripier !
Dévoré d'une soif de l'or que rien ne sèvre,
Harrison n'apprécie un sceptre qu'en orfèvre,
Et si quelque couronne à ses désirs s'offrait,
805 Ne l'usurperait pas, non, mais la volerait.

BAREBONE *(en extase)*

Ah ! pourquoi Dieu fait-il, dans ces jours de misère,
Du lion de Jacob un vil bouc émissaire ?
Olivier, revêtu d'une robe d'honneur,
Semblait toujours marcher à droite du Seigneur;
810 Il était dans nos champs comme une gerbe mûre;
Il portait de Juda l'invulnérable armure,
Et quand il paraissait à leur œil ébloui,
Les Philistins fuyaient, en s'écriant : " C'est lui ! "

Il était, Israël, l'oreiller de ta couche !
815 Mais ce miel en poison se change dans ta bouche ;
Il s'est fait Tyrien ; et les enfants d'Edom
Ont, avec des clameurs, ri de ton abandon !
Tous les Amorrhéens ont tressailli de joie,
En voyant qu'un démon le poussait dans leur voie ;
820 Il veut être, échauffé par l'impure Abisag,
Roi comme fut David ; — qu'il le soit comme Agag !

SYNDERCOMB

Qu'il meure !

LAMBERT

Il a comblé sa mesure de crimes.

LORD DROGHEDA

Drogheda fume encor du sang de ses victimes.

VIS-POUR-RESSUSCITER-JÉROBOAM-D'ÉMER

Sa cour s'ouvre aux enfants de Gomorrhe et de Tyr.

LORD ORMOND

825 Il a trempé ses mains au sang du roi martyr.

HARRISON

Sans respect pour nos droits, acquis par tant de guerres,
Il fait aux cavaliers restituer leurs terres.

MORT-AU-PÉCHÉ-PALMER

Hier, à l'impur banquet qu'au nom de la Cité
Lui donnait le lord-maire, on l'a complimenté.
830 Il a reçu l'épée, et puis il l'a rendue !

LAMBERT

Ce sont des airs de roi !

JOYCE

L'Angleterre est perdue !

LE DOCTEUR JENKINS

Il juge, taxe, absout, condamne, sans appel !

SIR RICHARD WILLIS

Il fit assassiner Hamilton, lord Capell,
Lord Holland ; — de ce tigre ils ont été la proie.

#### BAREBONE

835 Il porte effrontément des justaucorps de soie.

#### OVERTON

Il nous refuse à tous ce qui nous serait dû.
Bradshaw est exilé.

#### LORD ROCHESTER

Bradshaw n'est pas pendu !

#### LOUEZ-DIEU-PIMPLETON

Il tolère, au mépris de la Sainte Ecriture,
Les rites du papisme et de la prélature.

#### DAVENANT

840 Il a de Westminster profané les tombeaux.

#### LUDLOW

Il a fait enterrer Ireton aux flambeaux !

#### LES CAVALIERS

Sacrilège !

#### LES TÊTES-RONDES

Idolâtre !

#### JOYCE

Amis ! non ! point de grâce !

#### SYNDERCOMB *(tirant son poignard)*

Qu'il meure !

#### TOUS *(agitant leurs poignards)*

Exterminons le tyran et sa race !

> *En ce moment on frappe violemment à la porte
> de la taverne. Les conjurés s'arrêtent. Silence de
> terreur et de surprise. On frappe de nouveau.*

#### LORD ORMOND *(s'approchant de la porte)*

Qui va là ?

#### LAMBERT *(à part)*

Diable !

#### UNE VOIX *(au dehors)*

Ami !

LORD ORMOND

Que veux-tu ?

LA VOIX

Par le ciel !

845 Ami, vous dis-je ! ouvrez !

LORD ORMOND

Ton nom ?

LA VOIX

Richard Cromwell.

TOUS LES CONJURÉS

Richard Cromwell !

LORD ORMOND

Le fils du Protecteur !

LAMBERT

La trame

Est découverte !

LORD ROSEBERRY

Il faut ouvrir.

*Il ouvre. — Entre Richard Cromwell.*


## SCÈNE X

LES MÊMES, RICHARD CROMWELL, costume de cavalier.

*A l'entrée de Richard, tous les puritains s'en-
veloppent de leurs manteaux et rabattent leurs
chapeaux.*

RICHARD CROMWELL

Mais, sur mon âme !

Vit-on jamais repaire ainsi barricadé !
Non, jamais château fort ne fut si bien gardé !
850 Roseberry, Clifford, sans vos voix charitables,
Qui dominaient le bruit des flacons et des tables,
Votre pauvre Richard se serait rebuté.

*Il salue les conjurés autour de lui.*

Bonjour, messieurs ! — De qui portiez-vous la santé ?
Aux vœux que vous formiez souffrez que je m'unisse.

LORD CLIFFORD *(embarrassé)*

855 Cher Richard... nous disions...

LORD ROCHESTER *(riant)*

Que le ciel vous bénisse !

RICHARD CROMWELL

Quoi ! vous parliez de moi ? mais vous êtes trop bons !

BAREBONE *(à part)*

Que l'enfer dans ta gorge éteigne ses charbons !

RICHARD CROMWELL

Je ne vous gêne pas ?

LORD ROSEBERRY *(balbutiant)*

Comment ! vous ?... au contraire !
Trop heureux ! — Venez-vous nous voir pour quelque
[affaire ?

RICHARD CROMWELL

860 Hé ! le même motif que vous m'amène ici.

CARR *(à part)*

Serait-il du complot ?

SIR RICHARD WILLIS *(à part)*

Richard Cromwell aussi !

RICHARD CROMWELL *(élevant la voix)*

Ah çà ! messieurs Sedley, Roseberry, Downie,
Clifford, je vous accuse ici de félonie !

LORD ROSEBERRY *(effrayé)*

Que dit-il ?

LORD CLIFFORD *(troublé)*

Cher Richard...       *(A part.)*

Dieu me damne ! il sait tout.

SEDLEY *(avec angoisse)*

865 Je vous jure...

RICHARD CROMWELL

Veuillez m'entendre jusqu'au bout,
Vous vous justifierez après, s'il est possible.

LORD ROSEBERRY *(bas aux autres)*

Nous sommes découverts !

DOWNIE

Oui, la chose est visible !

RICHARD CROMWELL

Voilà bientôt dix ans que nous sommes amis ;
Bals, chasses, jeux, plaisirs permis et non permis,
870 Tout nous était commun jusqu'ici : nos détresses,
Nos bonheurs, notre bourse, et jusqu'à nos maîtresses !
Vos chiens étaient à moi ; vous aviez mes faucons ;
Et nous passions les nuits sous les mêmes balcons.
Quoique mon nom m'enrôle en un parti contraire,
875 Toujours avec vous tous j'ai vécu comme un frère.
Et pourtant vous avez, malgré ce bon accord,
Un secret pour Richard !... Et quel secret encor !

LORD ROSEBERRY

Tout est perdu. Que dire ?

RICHARD CROMWELL

Interrogez votre âme !
Devais-je enfin m'attendre à cela ?... C'est infâme !

SEDLEY

880 Croyez, mon cher Richard...

RICHARD CROMWELL

Oui, cherchez des raisons !
Vous ai-je pas toujours servis de cent façons ?
Qui fut votre recours, dans vos terreurs profondes,
Contre les usuriers, pis que les têtes-rondes ?
Pour qui, réponds, Clifford, ai-je hier remboursé
885 Quatre cents nobles d'or au rabbin Manassé ?

CLIFFORD *(confus)*

Je ne saurais nier... Le maudit juif...

RICHARD CROMWELL

Downie !
Quoiqu'un bill ait frappé ta famille bannie,
Qui, lorsqu'on t'arrêta, se fit ta caution ?

DOWNIE *(avec embarras)*

C'est toi...

RICHARD CROMWELL

Roseberry ! quelle protection
890 Fit garder en prison comme auteur d'un libelle,
Pendant certaine nuit, le mari de ta belle ?

LORD ROCHESTER *(bas à Davenant)*

Il a l'air d'un bon diable.

BAREBONE *(bas à Carr)*

Ah ! l'Hérode éhonté,
Qui prête l'arbitraire à la lubricité !

LORD ROCHESTER *(à Davenant)*

J'admire son moyen d'improviser des veuves !

LORD ROSEBERRY *(à Richard Cromwell)*

895 Oui, de votre amitié j'eus de touchantes preuves...
Mais...

RICHARD CROMWELL *(croisant les bras sur sa poitrine)*

Et cette amitié, chez moi hors de saison,
Vous y répondez tous, par une trahison !

LAMBERT *(à part)*

Trahison !

LORD CLIFFORD

Trahison !

SEDLEY

Dieu !

CARR *(étonné)*

Que veulent-ils dire !

RICHARD CROMWELL *(vivement)*

Oui, vous venez sans moi boire ici !

LORD ROSEBERRY

Je respire !
*Bas, aux autres cavaliers.*

900 Le but du rendez-vous échappe à ses regards.
Il a vu les flacons, et non pas les poignards.

*A Richard Cromwell.*

Mon cher Richard, croyez...

RICHARD CROMWELL

                              Haute trahison, dis-je !
Vraiment de votre part ce procédé m'afflige.
Quoi ! vous vous enivrez, et ne m'en dites rien !
905 Qu'ai-je fait ? suis-je pas, comme vous, un vaurien ?
Boire sans moi ! c'est mal. D'ailleurs, je sais me taire.
Qu'aux puritains sournois vous en fassiez mystère,
Que vous vous déguisiez sous ces larges chapeaux,
Sous ces manteaux grossiers, je le trouve à propos.
910 Mais vous cacher de moi, qui, dans ce sanctuaire,
Rirais tout le premier de la loi somptuaire,
Et des sobres Solons dont les bills absolus
Fixent l'écot par tête à trois schellings au plus !
Est-ce là, je vous prie, agir en camarades ?
915 Reculé-je jamais devant vos algarades ?
M'a-t-on moins vu, malgré les règlements nouveaux,
Dans les combats de coqs, les courses de chevaux ?
Enfin, suivant partout votre audace étourdie,
N'ai-je pas avec vous joué la comédie ?

BAREBONE *(indigné, à part)*

920 Saducéen !

RICHARD CROMWELL

            Duels, gais festins, mauvais coups,
Me trouvent toujours prêt : — que me reprochez-vous ?

LORD CLIFFORD

Vos bonnes qualités, dont le mérite éclate,
Nous sont chères.

RICHARD CROMWELL

                Mais non. Peut-être je me flatte.
Souvent de nos défauts notre œil est écarté,
925 Et nous ne nous voyons que du meilleur côté.
Ai-je des torts ?

SEDLEY

Non pas...

RICHARD CROMWELL

J'aime qu'on m'avertisse.

LORD ROSEBERRY

Richard !...

RICHARD CROMWELL

Vous me rendez sans doute la justice
De croire que je hais ces puritains maudits,
Comme vous ?

BAREBONE

Comme nous !

RICHARD CROMWELL

C'est ce que je vous dis.

930 Eh ! comment supporter ces stupides sectaires,
Souillant les livres saints de sanglants commentaires,
Qui, toujours dans le meurtre, et toujours louant Dieu,
Font des sermons sans fin, et puis, trichent au jeu !

CARR *(entre ses dents)*

Les saints jouer ! tu mens, enfant d'Hérodiade !

RICHARD CROMWELL

935 J'allais faire comme eux une jérémiade.
Laissons cela. — Tenez, pour vous prouver, amis,
Combien je crains peu d'être avec vous compromis,
A quel point tous mes vœux aux vôtres se confondent,
Combien j'aime la cause où vos souhaits se fondent, —

*Il remplit un verre et le porte à ses lèvres.*

940 Je bois à la santé du roi Charles !

TOUS LES CONJURÉS *(surpris)*

Du roi !

RICHARD CROMWELL *(étonné)*

Nous sommes seuls ici. Pourquoi cet air d'effroi ?

CARR *(à part)*

J'avais bien deviné qu'Israël était dupe.
Au fond, c'est des Stuarts qu'en cet antre on s'occupe.
Nous verrons !

SIR RICHARD WILLIS *(à part)*

C'est le fils de Cromwell, cependant !
945 Mais s'il est du complot, il est bien imprudent !

*En ce moment, on entend le bruit de la trompe*
*au dehors. Nouveau silence d'étonnement et*
*d'inquiétude.*

UNE VOIX FORTE *(du dehors)*

Au nom du parlement, qu'on ouvre la taverne !

*Mouvement de terreur parmi les conjurés.*

LORD ROCHESTER *(à Davenant)*

Pour le coup, nous voilà pris dans notre caverne,
Comme Cacus !

LAMBERT *(bas à Joyce)*

Cromwell nous envoie arrêter !

JOYCE *(bas)*

Il sait tout ! cette fois on ne peut en douter.

OVERTON *(bas)*

950 Eh bien, il faut s'ouvrir passage à coups d'épée !

LAMBERT *(bas)*

Que ferions-nous ? La place est sans doute occupée
Par ses gardes.     *(On entend le bruit de la trompe.)*

RICHARD CROMWELL *(le verre à la main)*

Au diable ! en un pareil moment
Venir nous déranger !

LA VOIX DU DEHORS

Au nom du parlement,
Qu'on ouvre la taverne !

BAREBONE

Obéissons.     *(Il va ouvrir.)*

LAMBERT *(à part)*

Ma tête
955 Sur mes épaules tourne, à tomber déjà prête !

*Barebone ouvre la porte de la taverne ; les*
*autres conjurés enlèvent les volets, et la toile*
*du fond paraît percée de larges fenêtres grillées,*
*à travers lesquelles on aperçoit le marché au*
*vin couvert de peuple. Au milieu du théâtre est*
*le crieur public à cheval, entouré de quatre*
*valets de ville en livrée, armés de piques, et*
*d'une escorte d'archers et de hallebardiers. Le*
*crieur tient une trompe d'une main et un parche-*
*min déployé de l'autre.*

## SCÈNE XI

LES MÊMES, LE CRIEUR PUBLIC, VALETS DE VILLE, HALLEBARDIERS,
ARCHERS, PEUPLE.

> *Les conjurés se rangent à droite et à gauche du
> théâtre.*

LE CRIEUR *(après avoir sonné de la trompe)*

Silence ! — Que ceci de tous soit écouté ! —
Hum ! — « De par son altesse...

HARRISON *(bas à Garland)*

Et bientôt majesté !

LE CRIEUR

« Olivier Cromwell, lord Protecteur d'Angleterre,
A tout bourgeois, sujet civil et militaire,
960 Savoir faisons...

OVERTON *(bas à Ludlow)*

Le mot *sujet* est revenu !

LE CRIEUR

« Qu'afin que du Seigneur le vœu soit bien connu,
Touchant la motion qu'un honorable membre,
L'aldermann chevalier Pack, a faite à la chambre ;
Savoir de nommer roi mondit lord protecteur...

LUDLOW *(bas à Overton)*

965 Bien ! à front découvert marche l'usurpateur !

LE CRIEUR

« Et surtout, pour sauver ce peuple instruit et sage
Des maux que la dernière éclipse lui présage ;
Afin que pour chacun Dieu se fasse clément ;
Les communes, séant à Londre en parlement,
970 Sur l'avis des docteurs que le peuple vénère,
Votent pour aujourd'hui jeûne extraordinaire ;
Enjoignant aux bourgeois de faire l'examen
De leurs crimes, erreurs, péchés. » — C'est dit !

UN DES VALETS DE VILLE

Amen !

LE CRIEUR

Dieu bénisse à jamais le peuple d'Angleterre !

LE CHEF DES ARCHERS

975 Sur ce, vu la teneur du bill parlementaire,
Mandons aux vivandiers, buvetiers, taverniers,
Sous peine d'une amende au moins de vingt deniers,
De clore à l'instant même et taverne et boutiques.
Lieux impurs, où du jeûne on romprait les pratiques.

LAMBERT *(à part)*

980 Bon ! j'en suis pour la peur quitte encor cette fois !

*Bas aux conjurés puritains.*

A demain ! — Il est temps de nous quitter, je crois.

GARLAND *(bas)*

Où nous reverrons-nous ?

BAREBONE *(bas)*

        Eh ! dans la grande salle
De Westminster. Demain, avant l'heure fatale,
Près de son trône impur par mes soins préparé,
985 Moi, tapissier de Noll, je vous introduirai.

*Les conjurés, groupés autour de Barebone, lui
serrent la main en signe d'adhésion.*

OVERTON

Fort bien. Séparons-nous sans bruit, mais sans mystère.

LE CRIEUR ET LES VALETS DE VILLE

Dieu bénisse à jamais le peuple d'Angleterre !

LES CONJURÉS PURITAINS *(bas)*

Meure Olivier Cromwell ! *(Ils sortent.)*

RICHARD CROMWELL *(aux cavaliers qui se disposent à partir)*
        Mais c'est fort ennuyeux
D'être ainsi pourchassé dans un festin joyeux !
990 On voit bien que mylord mon père n'est plus jeune.
Je ne voudrais pas, moi, d'un trône au prix d'un jeûne !

*Il sort avec les cavaliers.*

# ACTE DEUXIÈME

## LES ESPIONS

# LA SALLE DES BANQUETS, A WHITE-HALL

Au fond on voit la croisée par laquelle sortit Charles Iᵉʳ pour aller à
l'échafaud. — A droite un grand fauteuil gothique près d'une table
à tapis de velours où l'on distingue encore le chiffre C. R. (CAROLUS
REX). Le même chiffre, doré sur un fond bleu, couvre encore les
murs, quoique à demi effacé. — Au moment où la toile se lève, le
théâtre est occupé par des groupes nombreux de courtisans en
habits de palais, qui semblent s'entretenir à voix basse. Les ambassadeurs d'Espagne et de France, avec leur suite, sont sur le devant.
L'ambassadeur d'Espagne, à gauche, entouré de pages, d'écuyers,
d'alcades de cour, d'alguazils, au milieu desquels un héraut du
conseil de Castille porte sur un coussin de velours noir le collier de
l'ordre de la Toison d'or. L'ambassadeur de France, à droite,
environné de ses pages et gentilshommes; près de lui Mancini;
derrière lui deux gentilshommes portant sur des coussins de velours
bleu, l'un une magnifique épée à poignée d'or ciselée, l'autre une
lettre à laquelle pend un grand sceau de cire rouge; quatre pages
du cardinal Mazarin soutenant un grand rouleau revêtu de taffetas
gommé. L'ambassadeur d'Espagne porte le costume de chevalier de
la Toison d'or; toute sa suite est en noir, satin et velours. L'ambassadeur de France en costume de chevalier du Saint-Esprit. Sa suite
étale un grand bariolage de costumes, d'uniformes et de livrées.
Derrière ces deux groupes principaux, un groupe d'envoyés suédois,
un autre d'envoyés piémontais, un autre d'envoyés hollandais,
tous remarquables par leurs divers costumes. — Au fond, un dernier
groupe de seigneurs anglais, parmi lesquels on remarque, à son
habit de brocart d'or et aux deux pages qui le suivent, Hannibal
Sesthead, jeune seigneur danois. — Deux sentinelles puritaines, le
mousquet et la hallebarde sur l'épaule, se promènent de long en
large devant une grande porte gothique au fond de la salle.

## SCÈNE PREMIÈRE

LE DUC DE CRÉQUI, ambassadeur de France, MANCINI,
neveu du cardinal Mazarin, et LEUR SUITE; DON LUIS DE CAR-
DENAS, ambassadeur d'Espagne, et SA SUITE; FILIPPI, envoyé
de Christine, et SA SUITE; TROIS DÉPUTÉS VAUDOIS; SIX ENVOYÉS

DE LA RÉPUBLIQUE HOLLANDAISE; HANNIBAL SESTHEAD,
cousin du roi de Danemark, et DEUX PAGES; SEIGNEURS ET GENTILS-
HOMMES ANGLAIS; DEUX SENTINELLES.

DON LUIS DE CARDENAS *(à un de ses pages)*

Page, quelle heure est-il ?

LE PAGE *(regardant à une grosse montre qui pend à sa
ceinture)*

Midi.

DON LUIS DE CARDENAS

Voilà pourtant,
Par Saint Jacques Majeur ! deux heures que j'attend !
Pour grand que soit Cromwell, à sa gloire il importe
995 Qu'on voie un Castillan se morfondre à sa porte,
J'en conviens ! mais il tarde un peu trop cependant.

LE PAGE

Très excellent seigneur, tandis qu'en attendant
Le seigneur don Cromwell, votre Merci déroge,
On dit qu'il tient conseil pour...

DON LUIS DE CARDENAS *(sévèrement et avec un coup d'œil
oblique sur Créqui)*

Qui vous interroge ?

MANCINI *(bas au duc de Créqui)*

1000 C'est gai, qu'un Espagnol, tremblant dans ce palais,
Mendie en s'indignant un regard d'un Anglais !
La honte avec l'orgueil lutte sur son visage.

DON LUIS DE CARDENAS *(à part)*

Comment le Protecteur prendra-t-il mon message ?

LE DUC DE CRÉQUI *(à Mancini)*

Mancini, quel est donc ce lieu ?

MANCINI

C'est, monseigneur,
1005 La salle des banquets, qui sert de cour d'honneur.
De Charle assassiné le chiffre oublié reste
Sur ces murs; — et voici la fenêtre funeste
Par où sortit ce roi, pour marcher au trépas.
Hors du palais natal il n'eut qu'à faire un pas !
1010 Et c'est un régicide, un impie, un sectaire...

*La grande porte s'ouvre à deux battants.*

UN HUISSIER *(d'une voix éclatante)*

## Son altesse mylord Protecteur d'Angleterre !

*Tous les assistants se découvrent et s'inclinent avec respect. Entre Cromwell, le chapeau sur la tête.*

## SCÈNE II

LES MÊMES; CROMWELL, habit militaire fort simple, justaucorps de buffle, grand baudrier brodé à ses armes, auquel pend une longue épée. WHITELOCKE, lord commissaire du sceau, longue robe de satin noir bordée d'hermine, grande perruque. LE COMTE DE CARLISLE, capitaine des gardes du Protecteur, vêtu de son uniforme particulier. STOUPE, secrétaire d'Etat pour les Affaires étrangères. — Pendant toute la scène, le comte de Carlisle se tient debout derrière le fauteuil du Protecteur, l'épée hors du fourreau; Whitelocke debout à droite; Stoupe debout à gauche, avec un livre ouvert dans la main.

*Au moment où Cromwell entre, les assistants se rangent sur deux haies, et restent profondément inclinés jusqu'à ce que le Protecteur soit arrivé à son siège.*

CROMWELL *(debout devant son fauteuil)*

Paix et salut aux cœurs de bonne volonté !
Puisque chacun de vous est vers nous député,
Au nom du peuple anglais on vous donne audience.

*Il s'assied, ôte et remet son chapeau.*

1015 Duc de Créqui, parlez.

*Le duc de Créqui, suivi de Mancini et de son ambassade, s'approche avec les mêmes révérences que pour un roi. Tous les assistants se retirent au fond de la salle, hors de la portée de la voix.*

LE DUC DE CRÉQUI

Monseigneur ! l'alliance
Qui du roi très chrétien vous assure l'appui
Par des liens nouveaux se resserre aujourd'hui.
Monsieur de Mancini va vous lire la lettre
Que son oncle éminent par lui vous fait remettre.

*Mancini s'approche du Protecteur, fléchit un genou, et lui présente sur le coussin la lettre du cardinal. Cromwell en rompt le cachet et la rend à Mancini.*

CROMWELL *(à Mancini)*

1020 Elle est du cardinal Mazarini ? — Lisez.

MANCINI *(déploie la lettre et lit)*

*A son altesse monseigneur le Protecteur de la république d'Angleterre.*

« Monseigneur,

« La part glorieuse que les troupes de votre altesse ont prise à la guerre actuelle de la France contre l'Espagne, l'utile secours qu'elles prêtent aux armes du roi mon maître dans la campagne de Flandre, redoublent la reconnaissance de sa majesté pour un allié aussi considérable que vous l'êtes, et qui l'aide si efficacement à réprimer la superbe de la maison d'Autriche. C'est pourquoi le roi a trouvé bon d'envoyer comme son ambassadeur extraordinaire près votre cour M. le duc de Créqui, chargé par sa majesté de faire savoir à votre altesse que la ville forte de Mardick, récemment prise par nos gens, a été remise à la disposition des généraux de la république d'Angleterre, en attendant que Dunkerque, qui tient encore, puisse leur être livrée conformément aux traités. M. le duc de Créqui a en outre la commission de faire agréer à votre altesse une épée d'or, que le roi de France vous envoie en témoignage de son estime et de son amitié. M. de Mancini, mon neveu, vous fera part du contenu de cette lettre, et déposera aux pieds de votre altesse un petit présent que j'ose joindre en mon nom à celui du roi; c'est une tapisserie de la nouvelle manufacture royale, dite des Gobelins. Je désire que cette marque de mon dévouement soit agréable à votre altesse. Si je n'étais malade à Calais, je serais passé moi-même en Angleterre, afin de rendre mes respects à l'un des plus grands hommes qui aient jamais existé, à celui que j'eusse le plus ambitionné de servir après mon roi. Privé de cet honneur, j'envoie la personne qui me touche le plus près par les liens du sang, pour exprimer à votre altesse toute la vénération que j'ai pour sa personne, et combien je suis résolu d'entretenir, entre elle et le roi mon maître, une éternelle amitié.

« J'ai la témérité de me dire avec passion,

« De votre altesse,

« Le très obéissant et très respectueux serviteur,

« GIULIO MAZARINI,

« Cardinal de la sainte église romaine. »

*Mancini, après une profonde révérence, remet la lettre à Cromwell, qui la passe à Stoupe. — Sur un signe du duc de Créqui, les pages en*

*livrée royale déposent sur la table de Cromwell
le coussin qui porte l'épée d'or; et, sur l'ordre de
Mancini, les pages à livrée de Mazarin déroulent
sous les pieds du Protecteur un riche tapis des
Gobelins.*

CROMWELL *(au duc et à Mancini)*

De ces riches présents, qui nous sont adressés,
Veuillez remercier, messieurs, son éminence.
L'Angleterre toujours sera sœur de la France.

*Bas à Whitelocke.*

Ce prêtre, qui me flatte en pliant le genou,
1025 Me dit tout haut : *Grand homme !* et tout bas : *Heureux
[fou !*

*Il se tourne brusquement vers les envoyés vaudois.*

Et vous, que voulez-vous ?

*Les Vaudois s'avancent avec respect.*

L'UN DES ENVOYÉS

Le cœur plein de tristesse,
Nous venons demander secours à votre altesse.

CROMWELL

Et qui donc êtes-vous ?

L'ENVOYÉ

Nous sommes des Vaudois
Députés vers vous.

CROMWELL *(d'un ton de bienveillance)*

Ah !

L'ENVOYÉ

De tyranniques lois
1030 Font peser sur nos jours des entraves bien tristes.
Notre prince est romain, nous sommes calvinistes;
Et la flamme et le fer dans nos villes ont lui
Afin de nous contraindre à prier comme lui.
Notre pays en deuil à vos pieds nous envoie.

CROMWELL *(avec indignation)*

1035 Qui vous ose opprimer ? qui ?

L'ENVOYÉ

Le duc de Savoie.

CROMWELL *(au duc de Créqui)*

Monsieur l'ambassadeur de France ! entendez-vous ?
Dites au cardinal que, pour l'amour de nous,
Il intervienne aux maux dont ce peuple est victime.
La France a sous la main ce duc sérénissime;
1040 Qu'il cède ! — Il est contraire au précepte divin
D'opprimer pour la foi. — D'ailleurs j'aime Calvin .

*Le duc s'incline.*

MANCINI *(bas au duc)*

Pour mieux tracer ces mots : TOLÉRANCE PUBLIQUE,
Il a trempé ses mains dans le sang catholique.

CROMWELL *(à l'envoyé suédois)*

Votre nom ?

*Se tournant vers les Vaudois qui se retirent au
fond de la salle.*

En tout temps comptez sur nous, Vaudois !

L'ENVOYÉ DE SUÈDE *(s'inclinant)*

1045 Filippi. Mon pays, Terracine; et je dois
Mettre au pied d'un héros ce don que lui destine
L'auguste majesté de ma reine Christine.

*Il dépose devant Cromwell un petit coffret à
cercles d'acier poli, et lui remet une lettre que
le Protecteur passe à Stoupe.*

*Bas à Cromwell.*

Sa lettre vous dira par quel ordre et pour qui
Fut dans Fontainebleau tué Monaldeschi.

CROMWELL

1050 De cet ancien amant elle s'est donc vengée ?

L'ENVOYÉ *(toujours à voix basse)*

Mazarin a permis que ma reine outragée
Jusqu'au sein de la France enfin l'exterminât.

CROMWELL *(bas à Whitelocke)*

De l'hospitalité pour un assassinat !

L'ENVOYÉ *(poursuivant)*

Ma reine, qui du trône elle-même s'exile,
1055 Près du grand Protecteur sollicite un asile.

CROMWELL *(surpris et mécontent)*

Près de moi ? — Je ne puis répondre sans délais.
Pour une reine ici l'on n'a point de palais.

DON LUIS DE CARDENAS *(à part)*

On en aura bientôt pour un roi.

CROMWELL *(après un moment de silence, à Filippi)*

Qu'elle reste
En France. — Aux rois déchus l'air de Londre est funeste.

*Bas à Whitelocke.*

1060 Sa reine courtisane ! une femme sans mœurs !
Qui s'exposerait nue aux publiques rumeurs !

> *En se retournant, il voit l'envoyé toujours près
> de lui dans l'attitude d'un homme qui attend.
> Il l'apostrophe avec surprise.*

Hé bien ?

FILIPPI *(s'inclinant et lui montrant le coffret)*

Ma mission est encore incomplète.
Plaît-il à votre altesse ouvrir cette cassette ?

CROMWELL

Qu'enferme-t-elle ?

FILIPPI *(toujours incliné)*

Ouvrez, seigneur.

CROMWELL

Vous m'étonnez.
1065 Quel mystère ?...

FILIPPI *(lui présentant une clef d'or)*

Seigneur, voici la clef.

CROMWELL

Donnez.

> *Il prend la clef; Filippi pose la cassette sur la
> table, et Cromwell se prépare à l'ouvrir. Whi-
> telocke l'arrête.*

WHITELOCKE *(bas à Cromwell)*

Prenez garde, mylord ! on a vu plus d'un traître,
Pour abattre un grand homme envoyé par son maître,
Lui porter, comme à vous, dans un coffre de fer,
Des poisons d'alchimie ou des foudres d'enfer.

1070 Le piège en éclatant dévorait sa victime. —
On vous en veut. — Cet homme a le regard du crime;
Craignez-le. Ce coffret, que vous alliez ouvrir,
Contient peut-être un piège à vous faire mourir.

CROMWELL *(bas à Whitelocke)*

Vous croyez ? — Il se peut. Eh bien, ouvrez vous-même,
1075 Whitelocke.

WHITELOCKE *(effrayé et balbutiant)*

Pour vous mon dévouement extrême...

*A part.*

Ah Dieu !

CROMWELL *(avec un sourire)*

Je le connais, et m'en sers.
*(A part.)* Jugeons-en.

*Il lui remet la clef.*

WHITELOCKE *(à part)*

Que de courage il faut pour être courtisan !
Quelle perplexité ! la mort ou la disgrâce. —
Ah ! c'est une autre mort !

*Il s'approche de la cassette, et met la clef en
tremblant dans la serrure.*

Mourons de bonne grâce.

*Il ouvre la cassette avec la précaution d'un
homme qui s'attend à une explosion subite, puis
y jette un regard timide, et s'écrie :*

1080 Une couronne !

*L'envoyé de Suède prend un air radieux.*

CROMWELL *(étonné)*

Quoi !

WHITELOCKE *(tirant du coffre et posant sur la table une
couronne royale. A part.)*

C'est bien un piège encor !

CROMWELL *(fronçant le sourcil)*

Que veut dire ceci ?

FILIPPI *(s'inclinant avec satisfaction)*

Sire !

CROMWELL *(lui montrant la couronne)*
Est-ce de bon or ?

FILIPPI

Ah ! sire, en doutez-vous ?

CROMWELL *(à Whitelocke, haut)*
Bon ! — Qu'on le fasse fondre !
Je donne ce métal aux hôpitaux de Londre.

*A Filippi stupéfait.*

Je ne puis mieux, je pense, employer ces joyaux,
1085 Ces parures de femme et ces hochets royaux.
Je ne saurais qu'en faire.

DON LUIS DE CARDENAS *(à part)*
Est-ce donc qu'il s'obstine
A rester Protecteur ?

MANCINI *(bas au duc de Créqui)*
Il pourrait à Christine
Envoyer en échange une tête de roi.

LE DUC DE CRÉQUI *(bas à Mancini)*
Oui, ce digne présent unirait mieux, je crois
1090 Le vassal régicide à la reine assassine.

CROMWELL *(congédiant Filippi d'un geste mécontent)*
Adieu, seigneur suédois, natif de Terracine !

*Bas à Whitelocke.*

Filippi ! Mancini ! toujours d'étroits liens
Ont marié l'intrigue à des Italiens.
Ces bâtards des Romains, sans lois, sans caractère,
1095 Héritiers dégradés des maîtres de la terre
Qui levèrent si haut le sceptre des combats,
Gouvernent bien encor le monde, mais d'en bas !
La Rome dont l'Europe aujourd'hui suit la règle
Porte un regard de lynx où planait l'œil de l'aigle.
1100 A la chaîne, imposée à vingt peuples lointains,
Succède un fil caché qui meut de vils pantins.
O nains fils des géants ! renards nés de la louve !
Avec vos mots mielleux partout on vous retrouve,
Filippi, Mancini, Torti, Mazarini !
1105 Satan pour intriguer doit prendre un nom en *i* !

*Aux envoyés flamands, après une pause.*

Flamands, qu'attendez-vous ? les trêves sont finies.

LE CHEF DES ENVOYÉS HOLLANDAIS

Les états généraux des Provinces-Unies,
Libres ainsi que vous, comme vous protestants,
Vous demandent la paix.

CROMWELL *(rudement)*

Messieurs, il n'est plus temps.
1110 D'ailleurs le parlement de cette république
Vous trouve trop mondains dans votre politique,
Et ne veut pas sceller des traités fraternels
Avec des alliés si vains et si charnels !

*Il fait un geste, et les Flamands se retirent. Alors
il paraît apercevoir pour la première fois don
Luis de Cardenas, qui jusque-là s'est épuisé en
vains efforts pour être remarqué.*

Hé, bonjour donc, monsieur l'ambassadeur d'Espagne !
1115 Nous ne vous voyions pas !

DON LUIS DE CARDENAS *(cachant son dépit sous une profonde révérence)*

Que Dieu vous accompagne,
Altesse ! nous venons, pour un haut intérêt,
Réclamer la faveur d'un entretien secret.
Nous sommes divisés par la guerre de Flandre,
Mais le roi catholique avec vous peut s'entendre.
1120 Et pour montrer l'état qu'il fait de vous encor,
Mon maître à votre altesse offre la Toison d'or.

*Les pages porteurs de la Toison d'or s'approchent.*

CROMWELL *(se levant indigné)*

Pour qui me prenez-vous ? Qui ? moi ! le chef austère
Des vieux républicains de la vieille Angleterre,
J'irais, des vanités détestable soutien,
1125 Souiller ce cœur contrit d'un symbole païen !
On verrait, sur le sein du vainqueur de Sodome,
Pendre une idole grecque au rosaire de Rome !
Loin ces tentations, ces pompes, ce collier !
Cromwell à Balthazar ne veut pas s'allier !

DON LUIS DE CARDENAS *(à part)*

L'hérétique !
1130 *(Haut.)*   C'est vous que le roi catholique,
Le premier, reconnut chef de la république !

CROMWELL *(l'interrompant)*

Croit-il changer, traitant Cromwell en affranchi,
Une tour de Sion en sépulcre blanchi ?

A moi la Toison d'or ! Je laisse aux idolâtres
1135 Leurs prêtres histrions et leurs temples théâtres.
Ils cherchent dans l'enfer leurs dieux et leur trésor;
Et l'on a la Toison, comme on eut le veau d'or ! —

*Il s'arrête un moment, promène des regards
hautains sur toute l'ambassade espagnole, puis
continue avec vivacité.*

Mais moi ! — M'outrage-t-on en vain ? A ma colère
L'envoyé portugais a-t-il soustrait son frère ?
1140 Don Luis ! votre maître aurait-il l'impudeur
De m'insulter en face, et par ambassadeur ?
Ce serait une injure un peu trop solennelle !
Mais partez !

DON LUIS DE CARDENAS *(furieux)*

Adieu donc. Guerre, et guerre éternelle !

*Il sort avec toute sa suite.*

MANCINI *(bas au duc de Créqui)*

Le Castillan l'a pris par son mauvais côté.

LE DUC DE CRÉQUI *(à part et regardant la Toison d'or
que les pages emportent)*

1145 Cet affront-là, pourtant, je l'ai sollicité !

CROMWELL *(bas à Stoupe)*

Il importait de rompre, en cette conférence,
Avec l'Espagne, aux yeux des envoyés de France.
Mais suivez Cardenas, tâchez de l'apaiser,
Et sachez, s'il se peut, ce qu'il vient proposer.

*Stoupe sort. En ce moment la grande porte se
rouvre à deux battants, et un huissier annonce :*

1150 Mylady Protectrice !

CROMWELL *(à part)*

Ah ! mon Dieu ! c'est ma femme !

*Il fait un geste pour congédier les assistants.*

Adieu, monsieur le duc... messieurs...

*Tous sortent par une porte de côté en renouve-
lant leurs profondes révérences. Le comte de
Carlisle et Whitelocke reconduisent en cérémonie
l'ambassadeur de France. — Pendant leur sortie,
entrent Elisabeth Bourchier, femme de Cromwell; mistress Fletwood, lady Falconbridge,
lady Cleypole, lady Francis, ses filles. Elles font
une révérence à leur père.*

## SCÈNE III

CROMWELL; ÉLISABETH BOURCHIER, MISTRESS FLET-
   WOOD, toutes deux en noir, la dernière surtout affecte la simplicité
   puritaine; LADY FALCONBRIDGE, vêtue avec beaucoup de
   richesse et d'élégance; LADY CLEYPOLE, enveloppée comme
   une personne malade, l'air languissant : LADY FRANCIS, toute
   jeune fille, en blanc, avec un voile.

CROMWELL *(à la Protectrice)*

                                    Bonjour, madame.
Vous avez l'air souffrant. Auriez-vous mal dormi ?

ÉLISABETH BOURCHIER

Oui, je n'ai jusqu'au jour fermé l'œil qu'à demi.
Décidément, monsieur, je n'aime pas le faste !
1155 La chambre de la reine, où je couche, est trop vaste.
Ce lit armorié des Stuarts, des Tudor,
Ce dais de drap d'argent, ces quatre piliers d'or,
Ces panaches altiers, la haute balustrade
Qui m'enferme, captive en ma royale estrade,
1160 Ces meubles de velours, ces vases de vermeil,
C'est comme un rêve enfin qui m'ôte le sommeil !
Et puis, de ce palais il faut faire une étude.
De ses mille détours je n'ai pas l'habitude.
Oui, vraiment, je me perds dans ce grand White-Hall ;
1165 Et je suis mal assise en un fauteuil royal !

CROMWELL

Ainsi vous ne pouvez porter votre fortune !
Tous les jours votre plainte...

ÉLISABETH BOURCHIER

                              Elle vous importune,
Je le sens ; mais enfin je préférerais, moi,
Notre hôtel de Cock-Pit à ce palais de roi,

                                        *A mistress Fletwood.*

1170 Et mille fois surtout, n'est-il pas vrai, ma fille ?
Le manoir d'Huntingdon, la maison de famille !

                                        *A Cromwell.*

Heureux temps ! Quel plaisir, dès le lever du jour,
D'aller voir le verger, le parc, la basse-cour,
De laisser les enfants jouer dans la prairie,
1175 Et puis de visiter, tous deux, la brasserie !

CROMWELL

Mylady !...

ÉLISABETH BOURCHIER

Jours heureux, où Cromwell n'était rien,
Où j'étais si tranquille, où je dormais si bien !

CROMWELL

Quittez ces goûts bourgeois.

ÉLISABETH BOURCHIER

Hé pourquoi ? j'y suis née.
Aux grandeurs dès l'enfance étais-je condamnée ?
1180 Ma vie aux airs de cours ne s'accoutume pas ;
Et vos robes à queue embarrassent mes pas.
Au banquet du lord-maire, hier, j'étais hypocondre.
Beau plaisir, de dîner tête à tête avec Londre !
Ah ! — Vous-même aviez l'air de vous bien ennuyer.
1185 Nous soupions si gaîment, jadis, près du foyer !

CROMWELL

Mon rang nouveau...

ÉLISABETH BOURCHIER

Songez à votre pauvre mère.
Hélas ! votre grandeur, incertaine, éphémère,
A troublé ses vieux jours ; mille soucis cuisants
L'ont poussée au tombeau plus vite que les ans.
1190 Calculant les périls où vous êtes en butte,
Son œil, quand vous montiez, mesurait votre chute.
Chaque fois qu'abattant tour à tour vos rivaux,
Londres solennisait vos triomphes nouveaux,
Si jusqu'à son oreille engourdie et glacée
1195 Arrivait le bruit sourd de la ville empressée,
Les canons, les beffrois, le pas des légions,
Et le peuple éclatant en acclamations,
Réveillée en sursaut et relevant sa tête,
Cherchant dans ses terreurs un prétexte à la fête,
1200 Tremblante, elle criait : Grand Dieu ! mon fils est mort !

CROMWELL

Dans le caveau des rois maintenant elle dort.

ÉLISABETH BOURCHIER

Beau plaisir ! dort-on là plus à l'aise ? et sait-elle
Si vous y rejoindrez sa dépouille mortelle ?
Dieu veuille que ce soit bien tard !

LADY CLEYPOLE *(d'une voix languissante)*

C'est moi d'abord
1205 Qui vous précéderai dans ce séjour de mort,
Mon père.

CROMWELL

Eh quoi ! toujours ces lugubres pensées !
Toujours malade !

LADY CLEYPOLE

Ah oui ! mes forces affaissées
S'en vont ; il me fallait l'air des champs, le soleil.
Pour moi, ce palais sombre au sépulcre est pareil.
1210 Dans ces longs corridors et dans ces vastes salles
Règnent les noirs frissons et les nuits glaciales.
J'y serai bientôt morte !

CROMWELL *(la baisant au front)*

Allons, ma fille, allons !
Nous irons quelque jour revoir nos beaux vallons.
Encore un peu de temps, ici, m'est nécessaire.

MISTRESS FLETWOOD *(aigrement)*

1215 Pour vous y faire un trône enfin ? soyez sincère,
Mon père, n'est-ce pas ? vous voulez être roi ?
Mais Fletwood, mon mari, l'empêchera bien !

CROMWELL

Quoi !
Mon gendre !

MISTRESS FLETWOOD

Il ne veut point suivre une ligne oblique.
Il ne faut pas de roi dans une république.
1220 Avec lui contre vous je m'unis sur ce point.

CROMWELL

Et ma fille !

LADY FALCONBRIDGE *(à mistress Fletwood)*

Vraiment, je ne vous comprends point,
Ma sœur ! mon père est libre ; et son trône est le nôtre.
Pourquoi ne serait-il pas roi, tout comme un autre ?
Pourquoi nous refuser ce plaisir ravissant
1225 D'être altesse royale et princesse du sang ?

MISTRESS FLETWOOD

Ma sœur, des vanités je suis fort peu touchée.
A l'œuvre du salut mon âme est attachée.

LADY FALCONBRIDGE

Moi, j'aime fort la cour, et ne vois point pourquoi,
Quand mon époux est lord, mon père n'est pas roi.

MISTRESS FLETWOOD

1230 L'orgueil d'Eve, ma sœur, perdit le premier homme !

LADY FALCONBRIDGE · (se détournant avec dédain)

On voit qu'elle n'est pas femme d'un gentilhomme !

CROMWELL (impatienté)

Taisez-vous toutes deux ! — De votre jeune sœur
Imitez le maintien, le calme et la douceur.

> A Francis qui rêve l'œil fixé sur la croisée de
> Charles I<sup>er</sup>.

1235 — A quoi pensez-vous donc, Francis ?

LADY FRANCIS

                     Hélas ! mon père,
De ces lieux vénérés l'aspect me désespère.
Votre sœur, près de qui j'ai passé tous mes jours,
M'apprit à révérer ceux qu'on bannit toujours.
Et depuis peu de temps conduite en ces murs sombres,
Je crois sans cesse y voir errer de tristes ombres.

CROMWELL

Qui ?

LADY FRANCIS

    Nos Stuarts.

CROMWELL (à part)

             Ce nom vient toujours retentir
1240 Jusqu'à moi !

LADY FRANCIS

C'est ici que mourut le martyr !

CROMWELL

Ma fille !

LADY FRANCIS *(montrant la croisée du fond)*

Est-ce pas là, mon père, la fenêtre
Par où Charles premier, qu'on osait méconnaître,
Pour la dernière fois sortit de White-Hall ?

CROMWELL *(à part)*

1245 Innocente Francis, que tu me fais de mal !

*Entre Thurloë.*

Ah ! voici Thurloë !

## SCÈNE IV

Les Mêmes, THURLOË, portant un portefeuille aux armes du Protecteur ; costume puritain.

THURLOË *(s'inclinant)*

C'est un travail qui presse,
Mylord.

CROMWELL *(à sa femme)*

Excusez-moi, mylady... votre altesse...
Je voudrais être seul.

ÉLISABETH BOURCHIER

A qui parlez-vous donc ?

CROMWELL

A votre altesse.

ÉLISABETH BOURCHIER

A moi, monsieur Cromwell ! pardon !
1250 Dans toutes mes grandeurs moi-même je m'oublie,
Je m'y perds ! mon esprit jamais ne concilie
Mes titres empruntés avec mon nom réel,
Mylady Protectrice et madame Cromwell.

*Elle sort avec ses filles. Cromwell fait signe aux
deux mousquetaires en faction de se retirer de même.*

## SCÈNE V

CROMWELL, THURLOË

*Pendant que Thurloë étale ses papiers sur la
table, Cromwell paraît profondément absorbé
dans une triste rêverie. Enfin il rompt le silence
avec effort.*

CROMWELL

Je ne suis pas heureux, Thurloë !

THURLOË

Mais ces dames
1255 Adorent votre altesse...

CROMWELL

Ah ! cinq femmes ! cinq femmes !
J'aimerais mieux régir, par décrets absolus,
Cinq villes, cinq comtés, cinq royaumes de plus !

THURLOË

Quoi ! vous qui gouvernez l'Europe et l'Angleterre !...

CROMWELL

Marie une bourgeoise au maître de la terre !
1260 Je suis esclave, ami !

THURLOË

Mylord, vous auriez pu...

CROMWELL

Non. De tout mon destin l'équilibre est rompu.
L'Europe est d'un côté ; mais ma femme est de l'autre !

THURLOË

Si je pouvais changer ma place avec la vôtre,
Une femme...

CROMWELL *(avec sévérité)*

Monsieur, vous êtes bien hardi
1265 De supposer cela !

THURLOË *(intimidé)*

Mylord... ce que j'en di...

CROMWELL

C'est fort bien ! brisons là ! — Qu'avez-vous à m'ap-
[prendre ?
*Il s'assied dans le grand fauteuil.*

THURLOË *(prenant un de ses papiers)*

Ecosse. — Le marquis grand prévôt veut se rendre.
Tout le Nord se soumet au Protecteur.

CROMWELL

Après ?

THURLOË

Flandre. — A capituler les Espagnols sont prêts.
1270 Dunkerque au Protecteur sera bientôt remise.

CROMWELL

Après ?

THURLOË

Londres. — Il vient d'entrer dans la Tamise
Douze grands bateaux plats, chargés des millions
Que Blake aux portugais prit sur trois galions.

CROMWELL

Après ?

THURLOË

Le duc d'Holstein au Protecteur envoie
Huit chevaux gris frisons.

CROMWELL

Après ?

THURLOË

1275                                      Afin qu'on voie
Que s'il reçut Rupert, il en est désolé,
Le grand-duc de Toscane, à qui Blake a parlé,
Vous donne en sequins d'or la charge de vingt mules.

CROMWELL

Après ?

THURLOË *(passant à un autre parchemin*
*auquel pend un sceau attaché à une tresse de soie verte)*

Les clercs d'Oxford, qui furent vos émules,
1280 Vous nomment chancelier de l'université.

*Présentant le parchemin au Protecteur.*

C'est le diplôme.

CROMWELL

Après ?

THURLOË *(cherchant dans les papiers)*

Ah ! — Sa sérénité
Le tsar de Moscovie implore par supplique
De votre bienveillance une marque publique.

CROMWELL

Après ?

THURLOË *(tenant un billet, et avec un accent d'inquiétude)*

Mylord ! mylord ! on m'avertit sous main
1285 Qu'on doit assassiner votre altesse demain.

CROMWELL

Après ?

THURLOË

Tout est tramé par les chefs militaires
Unis aux cavaliers...

CROMWELL *(l'interrompant avec impatience)*

Après !

THURLOË

Sur ces mystères
Ne voulez-vous donc pas, mylord, plus de détail ?

CROMWELL

C'est quelque fable encor ! — Terminons ce travail.
1290 — Après ?

THURLOË *(continuant)*

Le maréchal des diètes de Pologne...

CROMWELL *(l'interrompant de nouveau)*

N'est-il donc pas venu des lettres de Cologne ?

THURLOË *(cherchant dans les dépêches)*

Si vraiment ! mais rien qu'une.

CROMWELL

Et de qui ?

THURLOË

De Manning,
Votre agent près de Charle.

CROMWELL

Hé, donne !

*Il prend la lettre et rompt précipitamment le cachet.*

Elle est du cinq.
Que tous ces messagers sont lents ! vingt jours de date !

*Il lit la lettre et s'écrie en lisant :*

1295 Ah ! monsieur Davenant ! — la ruse est délicate !... —
La nuit... — on éteignit tous les flambeaux... — Comment
Capitulerait-on mieux avec un serment ?
Il faut être papiste ! — Ah ! le royal message
Caché dans son chapeau... — Précaution fort sage !
1300 Mais je suis curieux. — Thurloë, fais savoir
A monsieur Davenant que je voudrais le voir.
Il loge à *la Sirène*, auprès du pont de Londre. —

*Thurloë sort pour exécuter cet ordre.*

Voyons qui de nous deux sa ruse va confondre.
Malveillants ! mais dans l'ombre où se cachent vos pas,
1305 J'ai toujours un flambeau, traîtres, qu'on n'éteint pas !

*Rentre Thurloë. — A Thurloë.*

Continuons. A-t-on vu l'envoyé d'Espagne ?

THURLOË

Il vous offre Calais si, dans cette campagne,
Vous voulez secourir Dunkerque sans délais.

CROMWELL *(réfléchissant)*

La France offre Dunkerque et l'Espagne Calais.
1310 Mais, ce qui gâte un peu leur commune assurance,
Dunkerque est à l'Espagne et Calais à la France.
Chacun de ces deux rois me présente à dessein
Des villes à choisir, dans celles du voisin ;
Et, pour qu'en ce débat ma faveur le préfère,
1315 Me donne en hypothèque une conquête à faire. —
Avec le roi de France il faut rester d'accord.
A quoi bon le trahir ? L'autre offre moins encor.

THURLOË *(continuant son rapport)*

Ainsi que les Vaudois, les protestants de Nîme,
Réclament, opprimés, votre appui magnanime.

CROMWELL

1320 Au cardinal-ministre on écrira pour eux.
Mais quand donc sera-t-il tolérant ?

THURLOË *(poursuivant)*

                                        Devereux
Vient d'emporter d'assaut Armagh-la-Catholique,
En Irlande, et voici la lettre évangélique

Du chapelain Peters sur cet événement :
1325 « Aux armes d'Israël Dieu s'est montré clément.
Armagh est prise enfin ! Par le fer, dans les flammes,
Nous avons extirpé vieillards, enfants et femmes ;
Deux mille au moins sont morts ; le sang coule en tout lieu ;
Et je viens de l'église y rendre grâce à Dieu ! »

CROMWELL  *(avec enthousiasme)*

1330 Peters est un grand saint !

THURLOË

Faut-il de cette race
Epargner ce qui reste ?

CROMWELL

Et pourquoi ? Point de grâce
Aux papistes ! Soyons dans ce peuple troublé
Comme une torche ardente au sein d'un champ de blé !

THURLOË  *(s'inclinant)*

C'est dit.

CROMWELL

Dans cette Armagh une chaire est vacante.
1335 Nous y nommons Peters ; sa lettre est éloquente.

*Thurloë s'incline de nouveau.*

THURLOË  *(reprenant son rapport)*

L'empereur veut savoir pourquoi vous tenez prêts
Des armements nouveaux, équipés à grands frais.

CROMWELL  *(vivement)*

Qu'il nous laisse la guerre et qu'il garde les fêtes !
Avec sa chambre aulique et son aigle à deux têtes,
1340 Que me veut l'empereur ? — M'effrayer ? — Bon ger-
[main !
Parce que, les grands jours, il porte dans sa main
Un globe de bois peint qu'il appelle le monde !
Bah ! — Foudre qui jamais ne frappe, et toujours gronde !

*Il fait signe à Thurloë de continuer.*

THURLOË

Le colonel Titus, pour libelle arrêté...

CROMWELL

Un drôle ! que veut-il ?

THURLOË

1345                          Mylord, sa liberté.
Voilà neuf mois qu'il gît dans un cachot horrible,
Sur la paille oublié.

CROMWELL

Neuf mois ! c'est impossible.

THURLOË

On l'y mit en octobre, et nous sommes en juin.
Comptez, mylord.

CROMWELL *(comptant sur ses doigts)*
C'est juste.

THURLOË

Et, mourant de besoin,
1350 Le pauvre homme est resté, durant ce long espace,
Seul, nu, glacé.

CROMWELL

Neuf mois ! Dieu ! comme le temps passe.

*Une pause.*

— Et maintenant que fait le secret comité
Du parlement, touchant le projet présenté ?

THURLOË

Contre vous ont parlé Purefoy, Goffe, Pride,
Nicholas, et surtout Garland.

CROMWELL *(avec colère)*
1355                                     Le régicide !

THURLOË

Mais ils auront en vain lutté contre le vent.
La majorité vote avec nous ; et suivant
Lord Pembroke, ancien pair qui dans tous temps surnage,
La couronne est à vous de droit.

CROMWELL *(avec mépris)*
Plat personnage !

THURLOË

1360 Seul, quoiqu'il penche aussi pour la majorité,
Par quelque vain scrupule à la Bible emprunté,
Le colonel John Birch tient la chambre indécise.

CROMWELL

On lui doit quelque chose au bureau de l'excise.
Pour lever son scrupule un prompt paiement suffit, —
1365 Pourvu que le caissier se trompe à son profit.
Quant à vous, Thurloë, veuillez, s'il est possible,
Avec plus de respect nommer la sainte Bible.

THURLOË *(après s'être humblement incliné)*

Par votre ambition Fagg se dit excité
Contre vous.

CROMWELL

Je le fais sergent de la Cité.

THURLOË

1370 Trenchard aussi paraît mécontent et morose.

CROMWELL

Une dîme à Trenchard sur les biens des Montrose !

THURLOË

Sir Gilbert Pickering, ce juge qui reçoit
De toutes mains, devient récalcitrant.

CROMWELL

Qu'il soit
Baron de l'échiquier !

THURLOË

Le reste est mon affaire.
1375 Que mylord seulement daigne se laisser faire.
Vous serez aujourd'hui prié très humblement
D'accepter la couronne, au nom du parlement !

CROMWELL

Ah ! je le tiens enfin, ce sceptre insaisissable !
Mes pieds ont donc atteint le haut du mont de sable !

THURLOË

Mais dès longtemps, mylord, vous régnez.

CROMWELL

1380                                     Non, non, non !
J'ai bien l'autorité, mais je n'ai pas le nom !

Tu souris, Thurloë. Tu ne sais pas quel vide
Creuse au fond de nos cœurs l'ambition avide !
Comme elle fait braver douleur, travail, péril,
1385 Tout enfin, pour un but qui semble puéril !
Qu'il est dur de porter sa fortune incomplète !
Puis, je ne sais quel lustre, où le ciel se reflète,
Environne les rois, depuis les temps anciens.
Ces noms, *roi*, *majesté*, sont des magiciens !
1390 D'ailleurs, sans être roi, du monde être l'arbitre !
La chose sans le mot ! le pouvoir sans le titre !
Pauvretés ! Va, l'empire et le rang ne font qu'un.
Tu ne sais pas, ami, comme il est importun,
Quand on sort de la foule et qu'on touche le faîte,
1395 De sentir quelque chose au-dessus de sa tête !
Ne serait-ce qu'un mot, ce mot alors est tout.

> *Ici Cromwell, qui s'est abandonné jusqu'à poser
> familièrement son coude sur l'épaule de Thurloë,
> se détourne comme réveillé en sursaut, et regarde
> s'ouvrir lentement une porte basse masquée sous
> une tapisserie. Manassé-Ben-Israël paraît et
> s'arrête sur le seuil, en jetant autour de lui
> un coup d'œil scrutateur suivi d'un profond salut.*

## SCÈNE VI

CROMWELL, THURLOË, MANASSÉ-BEN-ISRAËL, vieux
rabbin juif, robe grise, en haillons, dos voûté, œil perçant sous de
gros sourcils blancs, grand front chauve et ridé, barbe torte.

MANASSÉ *(incliné)*

Que Dieu, mon doux seigneur, vous guide jusqu'au bout !

CROMWELL

C'est le juif Manassé. —        *(A Thurloë.)*
                                Terminez vos dépêches,
Thurloë. —

> *Thurloë s'assied à la grande table. Cromwell
> s'approche du rabbin. — A voix basse.*

                        Que veux-tu ?

MANASSÉ *(bas)*

                        J'ai des nouvelles fraîches.
1400 Un bâtiment suédois, chargé de carolus
Qu'il apporte aux amis des anciens rois exclus,
Seigneur, est à présent mouillé dans la Tamise.

CROMWELL

Le pavillon est neutre ! — Ah ! par ton entremise,
Si je puis confisquer le tout adroitement,
1405 La moitié du butin t'appartiendra.

MANASSÉ

Vraiment ?
Le navire est à vous, seigneur ! — Faites en sorte
Seulement, qu'au besoin l'on me prête main-forte.

CROMWELL *(écrit quelques mots sur un papier qu'il lui remet)*

Voici, mon vieux sorcier, un talisman parfait.
Cours, et reviens bientôt m'en apprendre l'effet.

MANASSÉ

1410 Encore un mot, seigneur !

CROMWELL

Hé bien !

MANASSÉ

Je dois vous dire
Qu'avec les cavaliers votre Richard conspire.

CROMWELL

Comment ?

MANASSÉ

Il m'a payé les dettes de Clifford.
C'est tout dire.

CROMWELL *(riant)*

Tu vois tout dans ton coffre-fort !
Mon fils n'est que léger; ses liaisons sont folles;
1415 Mais rien de plus.

MANASSÉ

Payer sans compter les pistoles !
C'est quelque chose !

CROMWELL *(haussant les épaules)*

Allons, va !

MANASSÉ

De grâce, seigneur,
Puisque de vous servir parfois j'ai le bonheur,
Pour me récompenser rouvrez nos synagogues,
Et révoquez la loi contre les astrologues.

CROMWELL *(le congédiant du geste)*

1420 On verra.

MANASSÉ *(s'inclinant jusqu'à terre)*

Nous baisons vos pieds.     *(A part.)*

Ces vils chrétiens !

CROMWELL

Vis en paix. *(A part.)*

Juif immonde, à pendre entre deux chiens !

*Manassé sort par la petite porte qui se referme sur lui.*

## SCÈNE VII

### CROMWELL, THURLOË

THURLOË

Mylord ! — Et maintenant daignerez-vous m'entendre ?
Ce navire étranger, l'argent qu'il vient répandre
Parmi les malveillants, l'avis du juif maudit,
1425 Tout n'est-il pas d'accord avec ce que j'ai dit ?
Ouvrez les yeux.

CROMWELL

Sur quoi ?

THURLOË

Sur ces complots infâmes
Dont un fidèle avis me dénonce les trames.
Du peu que nous savons déjà je frémis.

CROMWELL

Bah !
Chaque fois qu'en mes mains un tel rapport tomba,
1430 Si j'avais à le croire occupé ma pensée,
Et mon temps à chercher la trame dénoncée,
Mes jours, mes nuits, ma vie aurait-elle suffi ?

THURLOË

Le cas présent, mylord, me semble alarmant.

CROMWELL

Fi !
Thurloë ! rougis donc de cette peur panique.
1435 Je sais que pour plusieurs mon joug est tyrannique,

Que certains généraux ne voudraient pas, mon cher,
Voir leur roi de demain dans leur égal d'hier.
Mais l'armée est pour moi. — Quant à l'argent dont parle
Ce juif, c'est un cadeau que me fait le bon Charle,
1440 Et qui vient à propos, surtout dans ce moment,
Pour acquitter les frais de mon couronnement.
Va ! sois tranquille, ami ! — Songe aux fausses nouvelles
Dont on a tant de fois tourmenté nos cervelles.
Ces complots sont un jeu des malveillants jaloux,
1445 Réduits, par impuissance, à s'amuser de nous.

> *On entend un bruit de pas; Cromwell regarde*
> *dans une galerie latérale.*

Voici des courtisans avec leurs airs de fête.
Je vais prendre un peu l'air, Thurloë. Tiens-leur tête.

> *Il sort par la petite porte.*


## SCÈNE VIII

THURLOË; WHITELOCKE; WALLER, poète du temps; LE
SERGENT MAYNARD, en robe; LE COLONEL JEPHSON, en uniforme; LE COLONEL GRACE, en uniforme; SIR WILLIAM MUR-
RAY, ancien habit de cour; M. WILLIAM LENTHALL, pré-
cédemment orateur du parlement; LORD BROGHILL, en habit
de cour; CARR.

> *Carr arrive le dernier et s'arrête au fond, jetant*
> *autour de lui un regard scandalisé, tandis que*
> *les autres parlent sans l'apercevoir.*

WHITELOCKE *(à Thurloë)*

Son altesse est absente ?

THURLOË

Oui, mylord.

M. WILLIAM LENTHALL *(à Thurloë)*

Je voulais
Lui rappeler mes droits.

LE SERGENT MAYNARD *(à Thurloë)*

Je venais au palais
1450 Pour une chose urgente.

LE COLONEL JEPHSON *(à Thurloë)*

Une importante affaire
M'amenait.

SIR WILLIAM MURRAY *(à Thurloë)*

Ce placet qu'à mylord je défère
Dans sa future cour sollicite un emploi.

WALLER *(à Thurloë)*

Ne point importuner son altesse est ma loi.
Cependant...

> *Ils parlent avec une volubilité extrême et
> presque tous ensemble. Thurloë paraît faire des
> efforts inutiles pour se faire entendre et se
> délivrer de leur importunité.*

CARR *(d'une voix éclatante et les yeux fixés à la voûte)*

Voilà donc la nouvelle Sodome !

> *Tous se retournent avec surprise, et attachent
> leurs regards sur Carr, qui demeure immobile,
> les bras croisés sur sa poitrine.*

SIR WILLIAM MURRAY

1455 Mais quel est cet étrange animal ?

CARR *(avec gravité)*

C'est un homme.
Je conçois qu'il apporte un visage inconnu
Dans cet antre, où Baal montre sa face à nu,
Où l'on ne voit que loups, histrions, faux prophètes,
Ivrognes, éperviers, dragons à mille têtes,
1460 Serpents ailés, vautours, jureurs du nom de Dieu,
Et basilics portant pour queue un dard de feu !

WALLER *(riant)*

Si ce sont nos portraits, grand merci, monsieur l'homme !

CARR *(s'animant)*

Convives de Satan ! la cendre est dans la pomme ;
Mangez ! — Le peuple est mort, vampires d'Israël ;
1465 Mangez sa chair, la chair des saints élus du ciel,
La chair des forts, la chair des officiers de guerre,
La chair des chevaux !

WALLER *(riant plus fort)*

Bon ! le mets n'est pas vulgaire.
Ainsi nous avons tous cet honneur sans rival
D'être des basilics qui mangent du cheval !

> *Rire général parmi les courtisans.*

CARR *(furieux)*

1470 Riez, bouches d'enfer !

WALLER *(ironiquement)*

J'aime la politesse.

TOUS

Mettons-le hors !

M. WILLIAM LENTHALL

*( Il s'approche de Carr, et cherche à le faire sortir.)*

Bonhomme, allons, si son altesse

Entrait...   *( Ils veulent l'entraîner ; Carr leur résiste.)*

CARR

Ce n'est pas moi qui sortirai, c'est vous.

WHITELOCKE

C'est un saint.

WALLER

C'est un fou.

CARR

Vous êtes ivres tous !

Ivres d'orgueil, d'erreur, de vin troublé de lie;

1475 Et c'est vous qui nommez ma sagesse folie!

LORD BROGHILL

Mais son altesse, ami, va venir...

CARR

Je l'attends.

LORD BROGHILL

Pourquoi, de grâce ?

CARR

Il faut que ma bouche à l'instant

Parle à cet Ichabod que vous nommez *altesse.*

LORD BROGHILL

Monsieur, confiez-moi ce qui vous intéresse,

1480 Je le dirai pour vous, et le crédit que j'ai...

— Je suis lord Broghill.

CARR *(amèrement)*

Ah ! qu'Olivier est changé !
Un vieux républicain fait tache en son cortège !
Broghill, — un cavalier, — chez Cromwell me protège !

THURLOË *(qui jusqu'alors a paru considérer Carr avec
attention. A part.)*

Cet homme m'est connu. Ce qu'il dit n'est pas clair ;
1485 Mais, quelque fou qu'il soit, le drôle m'a bien l'air
De manquer à Bedlam moins qu'à la Tour de Londre.
Allons chercher mylord.        *(Il sort.)*


## SCÈNE IX

### Les Mêmes, excepté THURLOË

LORD BROGHILL *(d'un air de protection, à Carr)*

Oui, l'on pourrait répondre
Pour vous, l'ami ! mais...

CARR *(avec un sourire triste)*

Bien ! c'est ainsi qu'à Sion
Le diable au Fils de l'homme offrit sa caution.

WHITELOCKE

1490 Intraitable !

WALLER

Incurable !

TOUS

Hé, qu'à cela ne tienne !
Chassons-le !

*Ils s'avancent de nouveau vers Carr qui les
regarde fixement.*

CARR

Arrière tous ! il faut que j'entretienne
Cet homme qui devint, aux yeux de nos soldats,
De Judas Macchabée, Ischariot Judas !

LORD BROGHILL

Fou !

WALLER

Pour dire Cromwell la bonne périphrase !

CARR

1495 Avant qu'au feu du ciel Sodome ne s'embrase,
Je suis l'ange envoyé pour avertir Loth.

WALLER *(riant)*

                              Quoi !
Les anges du Seigneur sont tondus comme toi !

LE COLONEL JEPHSON *(riant)*

Je vois avec plaisir que tu montes en grade.
Tu t'es transformé d'homme en ange.

SIR WILLIAM MURRAY *(à Carr en le poussant)*

                              Camarade !
1500 Allez-vous ennuyer mylord de visions ?

                              *(Aux autres.)*
C'est qu'il le distrairait de nos pétitions !

                              *Rudement à Carr.*
Dehors !

LE COLONEL JEPHSON

Dehors !

LE SERGENT MAYNARD

Dehors !

TOUS

Allons, vite ! qu'il sorte !

CARR *(gravement)*

Cessez, je vous le dis, de parler de la sorte.

LE SERGENT MAYNARD

Mylord, s'il te voyait, t'enverrait à la Tour.

                              *Carr le regarde en haussant les épaules.*

SIR WILLIAM MURRAY *(désignant la toilette puritaine de Carr)*

1505 D'ailleurs, est-ce un costume à paraître à la cour ?

M. WILLIAM LENTHALL

Il faudrait que mylord ne se respectât guère
Pour te parler.

TOUS

Dehors !

                              *Ils se jettent sur Carr et veulent l'entraîner.*

CARR *(se débattant, avec une voix lamentable)*

Dieu des hommes de guerre !

O Sabaoth ! sur moi jette un coup d'œil !

TOUS *(le poussant)*

Va-t'en.

CARR *(poursuivant son invocation, et levant les yeux au ciel)*

Je lutte pour ta cause avec Léviathan !

> *Entre Cromwell accompagné de Thurloë. Tous
> s'arrêtent, se découvrent et s'inclinent jusqu'à
> terre. Carr remet sur sa tête son chapeau qui
> était tombé dans la bagarre, et reprend son atti-
> tude austère et extatique.*

CROMWELL *(considérant Carr avec surprise)*

1510 C'est Carr l'indépendant !

> *Aux autres avec un geste dédaigneux.*

Sortez !   *(A part.)*
Mystère étrange !

> *Tous, frappés d'étonnement, sortent avec une
> révérence profonde. Carr demeure impassible.*

WALLER *(bas à M. William Lenthall, et en lui montrant
Carr)*

Il nous l'avait prédit. — Laissons Loth avec l'ange.

## SCÈNE X

CARR, CROMWELL

> *Cromwell, resté seul avec Carr, le regarde
> quelque temps en silence d'un air sévère et
> presque menaçant. Carr, calme et grave, les
> bras croisés sur sa poitrine, fixe ses yeux sur les
> yeux du Protecteur sans les baisser un seul
> moment. Enfin Cromwell prend la parole avec
> hauteur.*

CROMWELL

Carr, le long parlement vous fit mettre en prison.
Qui donc vous en a fait sortir ?

CARR *(tranquillement)*

La trahison.

CROMWELL *(étonné et alarmé)*

Que dites-vous ?   *(A part.)*
        A-t-il la cervelle troublée ?

CARR *(rêveur)*

1515 Oui, j'offensai des saints la suprême assemblée.
Nous sommes tous proscrits maintenant sous ta loi ;
Moi, coupable, par eux ; eux innocents, par toi !

CROMWELL

Puisque vous approuvez l'arrêt qui vous afflige,
Qui donc brise vos fers ?

CARR *(haussant les épaules)*

        La trahison, te dis-je !
1520 Car, vers un nouveau crime, aveugle, on m'entraînait ;
J'ai vu le piège à temps.

CROMWELL

        Quoi donc ?

CARR

        Baal renaît !

CROMWELL

Expliquez-vous.

CARR *(il s'assied dans le grand fauteuil)*

        Ecoute : un noir complot s'apprête... —

*A Cromwell, qui est resté debout et découvert,
en lui montrant la sellette de Thurloë.*

Assieds-toi, Cromwell. Mets ton chapeau sur ta tête.

*Cromwell hésite un moment avec dépit, puis se
couvre et s'assied sur l'escabelle.*

Surtout, n'interromps pas !

CROMWELL *(à part)*

        Tous ces airs-là, mon cher,
1525 Dans tout autre moment, tu me les pairais cher !

CARR *(avec une douceur grave)*

Quoiqu'Olivier Cromwell ne compte point ses crimes ;
Qu'il n'ait pas un remords, certes, par cent victimes ;
Que sans cesse il enchaîne, en ses jours pleins d'horreurs,
L'hypocrisie au schisme, et la ruse aux fureurs...

CROMWELL *(se levant indigné)*

1530 Monsieur !...

CARR

Tu m'interromps ! —

*Cromwell se rassied d'un air de résignation
forcée. Carr poursuit.*

Quoiqu'Olivier habite
Dans la terre d'Egypte avec le Moabite,
Le Babylonien, le païen, l'arien;
Qu'il fasse pour soi tout, et pour Israël rien;
Qu'il repousse les saints, se livrant sans limite
1535 Au peuple amalécite, ammonite, édomite;
Qu'il adore Dagon, Astaroth, Elimi;
Et que l'ancien serpent soit son meilleur ami;
Quoiqu'enfin, du Seigneur méritant la colère,
Il ait brisé du pied le vieux droit populaire,
1540 Chassé le parlement que Sion convoqua,
Et qu'aux frères du Christ sa bouche ait dit *Raca !*
Malgré tant de forfaits, pourtant je ne puis croire
Qu'il ait le cœur si dur, qu'il ait l'âme si noire,
Non ! qu'à ce point tu sois abandonné du ciel,
1545 De ne pas confesser, en face d'Israël,
Que pour ce peuple anglais, sanglant, plein de misères,
Sur le fumier de Job étalant ses ulcères,
Entre tous les bienfaits qu'il peut devoir au sort,
Le plus grand des bonheurs, Cromwell, serait ta mort.

CROMWELL *(reculant sur son tabouret)*

1550 Ma mort, dis-tu ?

CARR *(avec mansuétude)*

Cromwell ! tu m'interromps sans cesse !
Là, sois de bonne foi ! l'encens de la bassesse
T'enivre; cesse un peu d'être ton partisan;
Parlons sans nous fâcher. Oui, ta mort, conviens-en,
Serait un grand bonheur ! ah ! bien grand !

CROMWELL *(dont la colère augmente)*

Téméraire !

CARR *(toujours imperturbable)*

1555 Pour moi, j'en suis vraiment si convaincu, mon frère,
Oui, que, dans ce seul but, toujours, sous mon manteau,
En attendant ton jour, je garde ce couteau.

> *Il tire de son sein un long poignard et le présente*
> *au Protecteur.*

CROMWELL *( Il fait un saut d'épouvante en arrière.)*

Un poignard ! L'assassin ! — Holà, quelqu'un ! —
                                        *(A Carr.)*   De grâce,
Mon cher Carr !...
          *(A part.)*   Par bonheur je porte une cuirasse !

CARR *(remettant son poignard dans sa poitrine)*

1560 Ne tremble pas, Cromwell, n'appelle pas !

CROMWELL *(effrayé)*
                                        Enfer !

CARR

Quand on tue un tyran, lui fait-on voir le fer ?
Sois tranquille, ton heure encor n'est pas sonnée. —
Je viens même ravir ta tête condamnée
Aux coups d'un fer vengeur moins pur que celui-ci.

> *Il désigne le poignard caché dans sa poitrine.*

CROMWELL *(à part)*

1565 Où veut-il en venir ?

CARR
                    Viens te rasseoir ici.
Ta vie en ce moment est pour moi plus sacrée
Que la chair du pourceau pour la biche altérée,
Ou les os de Jonas pour le poisson géant
Qui le sauva des flots dans son gosier béant.

> *Cromwell revient s'asseoir, et jette sur Carr un*
> *regard curieux et défiant.*

CROMWELL *(à part)*

1570 Il faut patiemment le laisser dire.

CARR
                              Ecoute.
Un complot te menace, et tu comprends sans doute
Que, s'il ne menaçait que toi, je n'irais pas
Perdre à t'en informer mes discours et mes pas.
Tu me rends bien plutôt la justice de croire
1575 Que de s'y joindre aux saints Carr se serait fait gloire !
Mais il s'agit ici de sauver Israël.
Je te sauve en passant; tant pis !

CROMWELL

Est-il réel,
Ce complot ? Savez-vous où la bande s'assemble ?

CARR

J'en sors.

CROMWELL

Vraiment ! qui donc vous ouvrit la Tour ?

CARR

Tremble !

1580 — Barksthead !

CROMWELL

Il me trahit ! Il a pourtant signé
L'arrêt du roi.

CARR

L'espoir du pardon l'a gagné.

CROMWELL

C'est donc pour rétablir Stuart ?

CARR

Ecoute encore.
Lorsqu'à ce rendez-vous j'arrivai dès l'aurore,
J'espérais bonnement qu'il s'agissait d'abord
1585 De délivrer le peuple en te donnant la mort...

CROMWELL

Merci !

CARR

Puis qu'on rendrait au parlement unique
Son pouvoir, que brisa ton despotisme inique.
Mais à peine introduit, je vis un Philistin
En pourpoint de velours tailladé de satin.
1590 Ils étaient trois. Le chef des conciliabules
Vint me chanter des brefs, des quatrains et des bulles...

CROMWELL

Des quatrains ?

CARR

C'est le nom de leurs psaumes païens.
Bientôt vinrent des saints, de pieux citoyens ;
Mais leurs yeux, fascinés par des charmes étranges,
1595 Souriaient aux démons qui se mêlaient aux anges.

Les démons criaient : Mort à Cromwell ! Et tout bas,
Ils disaient : — Profitons de leurs sanglants débats ;
Nous ferons succéder Babylone à Gomorrhe,
Les toits de bois de cèdre aux toits de sycomore,
1600 La pierre aux briques, Dor à Tyr, le joug au frein,
Et le sceptre de fer à la verge d'airain ! —

CROMWELL

Charles Deux à Cromwell, n'est-ce pas ?

CARR

                  C'est leur rêve.
Mais Jacob ne veut pas qu'avec son propre glaive
On immole son bœuf sans lui donner sa part ;
1605 Qu'on abatte Cromwell au profit de Stuart.
Car, entre deux malheurs, il faut craindre le pire.
Si méchant que tu sois, j'aime mieux ton empire
Qu'un Stuart, un Hérode, un royal débauché,
Gui parasite, enfin du vieux chêne arraché ! —
1610 Confonds donc ces complots que ma voix te révèle !

CROMWELL *(lui frappant sur l'épaule)*

Je suis reconnaissant, ami, de la nouvelle.

                           *A part.*

Coup du ciel ! Thurloë n'avait pas tort, vraiment !

                  *A Carr, d'un air caressant.*

Donc les partis rivaux du roi, du parlement,
Sont ligués contre moi ? — Du côté royaliste
1615 Quels sont les chefs ?

CARR

              Crois-tu qu'on m'en ait fait la liste ?
Je me soucie, ami, de ces maudits satans
Autant que de la paille où j'ai dormi sept ans !
Pourtant, s'il m'en souvient, ils nommaient à voix haute
Rochester... lord Ormond...

CROMWELL *(saisissant un papier et une plume*
*avec précipitation)*

               En es-tu sûr, mon hôte ?
1620 Eux à Londres !

              *Il écrit leurs noms sur le papier qu'il tient.*

     *(A Carr.)* Voyons ; fais encore un effort.

        *Il se place en face de Carr, et l'interroge du*
        *geste et du regard.*

CARR *(lentement et recueillant ses souvenirs)*

Sedley... —

CROMWELL *(écrivant)*

Bon !

CARR

Drogheda, — Roseberry, — Clifford... —

CROMWELL *(continuant d'écrire)*

Libertins !

> *Il s'approche de Carr avec un redoublement de
> douceur et de séduction.*

— Et les chefs populaires ?

CARR *(reculant indigné)*

Arrête !

Moi, te livrer nos saints, les yeux de notre tête !
Non, quand tu m'offrirais dix mille sicles d'or,
1625 Comme le roi Saül à la femme d'Endor;
Non, quand tu donnerais cet ordre à quelque eunuque
D'essayer le tranchant d'un sabre sur ma nuque;
Non, quand tu m'enverrais, pour mes rébellions,
Ainsi que Daniel, dans la fosse aux lions;
1630 Non, quand tu ferais luire un brasier de bitume,
Horrible, et sept fois plus ardent que de coutume;
Qu'après Ananias je verrais à mon tour
La flamme autour de moi grandir comme une tour,
Et, dorant les maisons d'un vil peuple inondées,
1635 Dépasser le bûcher de trente-neuf coudées !

CROMWELL

Calme-toi.

CARR

Non, jamais ! quand tu me donnerais
Les champs qui sont dans Thèbe et ceux qui sont auprès,
Le Tigre et le Liban, Tyr aux portes dorées,
Ecbatane, bâtie en pierres bien carrées,
1640 Mille bœufs, le limon du Nil égyptien,
Quelque trône, et tout l'art de ce magicien
Qui faisait en chantant sortir le feu de l'onde,
Et d'un coup de sifflet venir des bouts du monde,
A travers les grands cieux et leurs plaines d'azur,
1645 La mouche de l'Egypte et l'abeille d'Assur !
Non ! quand tu me ferais colonel dans l'armée !

CROMWELL *(à part)*

On ouvre mal de force une bouche fermée,
Ne l'essayons pas !

*A Carr en lui tendant la main.*

Carr ! nous sommes vieux amis,
Comme deux bornes, Dieu dans son champ nous a mis...

CARR

1650 Cromwell pour une borne a fait du chemin !

CROMWELL

Frère,
A d'imminents dangers tu viens de me soustraire.
Je ne l'oublierai point. Le sauveur de Cromwell...

CARR *(brusquement)*

Ah ! pas d'injures ! — Carr n'a sauvé qu'Israël.

CROMWELL *(à part)*

Ah ! sectaire arrogant, qu'il faut que je ménage !
1655 Caresser qui me blesse ! à mon rang, à mon âge !

*A Carr humblement.*

Que suis-je ? un ver de terre.

CARR

Oui, d'accord sur cela !
Tu n'es pour l'Eternel qu'un ver, comme Attila ;
Mais pour nous, un serpent ! — Veux-tu pas la couronne ?

CROMWELL *(les larmes aux yeux)*

Que tu me connais mal ! La pourpre m'environne,
1660 Mais j'ai l'ulcère au cœur. Plains-moi !

CARR *(avec un rire amer)*

Dieu de Jacob !
Entends-tu ce Nemrod qui prend des airs de Job ?

CROMWELL *(d'un accent lamentable)*

Je le sens, j'ai des saints mérité les reproches.

CARR

Va, va, le Seigneur Dieu te punit par tes proches !

CROMWELL *(surpris)*

Comment ! que veux-tu dire ?

CARR *(avec triomphe)*

Il est encore un nom
1665 Que tu peux ajouter à ta liste... — Mais non,
Pourquoi parler ? le crime est puni par le vice.

*Cromwell, dont cette réticence éveille les soup-*
*çons, s'approche vivement de Carr.*

CROMWELL

Quel nom ? Dis-moi ce nom ! pour un pareil service
Tu peux tout demander, tout exiger...

CARR *(comme frappé d'une idée subite)*

Vraiment ?
Tiendras-tu ta promesse ?

CROMWELL

Elle vaut un serment.

CARR

1670 Je puis à certain prix te dévoiler ta plaie.

CROMWELL *(avec une satisfaction dédaigneuse, à part)*

Qu'ils soient à qui les flatte ou bien à qui les paie,
Tous ces républicains sont les mêmes au fond ;
Et leur vertu de cire à mon soleil se fond.   *(Haut)*
Qu'exiges-tu, mon frère ? Est-ce un titre héraldique ?
1675 Un grade ? un domaine ?

CARR

Hein ?

CROMWELL

Que veux-tu ? parle.

CARR

Abdique.

CROMWELL *(à part)*

Il est incorrigible !   *(Haut, après un moment de réflexion.)*
Ami, pour abdiquer,
Suis-je roi ?

CARR

Subterfuge ! eh quoi, déjà manquer
A ta promesse ?

CROMWELL *(interdit)*

Hé non !

CARR

Je le vois, tu balances.

CROMWELL *(soupirant)*

Hélas ! je me suis fait cent fois des violences
1680 Pour garder le pouvoir. Le pouvoir est ma croix.

CARR *(hochant la tête)*

Tu ne t'amendes point, Cromwell. Il est, je crois,
Plus aisé qu'un chameau passe au trou d'une aiguille,
Ou le Léviathan au gosier de l'anguille,
Qu'un riche et qu'un puissant par la porte des cieux !

CROMWELL *(à part)*

1685 Fanatique !

CARR *(à part)*

Hypocrite ! —
*(A Cromwell.)* En discours captieux
Tu t'épuises en vain.

CROMWELL *(d'un air contrit)*

Daigne m'entendre, frère.
J'en conviens, ma puissance est injuste, arbitraire ;
Mais il n'est dans Juda, dans Gad, dans Issachar,
Personne qu'elle accable autant que moi, cher Carr.
1690 Je hais ces vanités, à fuir aux catacombes,
Mots rendant un son creux comme le mur des tombes,
Trône, sceptre, honneurs vains que Charles nous légua,
Faux dieux, qui ne sont point l'alpha ni l'oméga !
Pourtant je ne dois pas sur ce peuple que j'aime
1695 Rejeter brusquement l'autorité suprême,
Avant l'heure où viendront régner dans nos hameaux
Les vingt-quatre vieillards et les quatre animaux.
Va donc trouver Saint John, Selden, jurisconsultes,
Juges en fait de lois, docteurs en fait de cultes.
1700 Dis-leur de faire un plan pour le gouvernement,
Qui me permette enfin d'en sortir promptement. —
Es-tu content ?

CARR *(hochant la tête)*

Pas trop. Ces docteurs qu'on invoque
Ne rendent bien souvent qu'un oracle équivoque.

Mais je ne veux pas, moi, te laisser à demi
1705 Satisfait.

CROMWELL *(avec avidité)*

Dis-moi donc quel est l'autre ennemi.
Quel est son nom ?

CARR

Richard Cromwell.

CROMWELL *(douloureusement)*

Mon fils !

CARR *(imperturbable)*

Lui-même.
Es-tu content, Cromwell ?

CROMWELL *(absorbé dans une stupeur profonde)*

Le vice et le blasphème
L'ont jusqu'au parricide amené lentement. —
Le juif avait raison ! — Céleste châtiment !
1710 J'assassinai mon roi ; mon fils tuera son père !

CARR

Que veux-tu ? la vipère engendre la vipère.
Il est dur, j'en conviens, de voir son fils félon,
Et sans être un David, d'avoir un Absalon.
Quant à la mort de Charle, où tu crois voir ton crime,
1715 C'est le seul acte saint, vertueux, légitime,
Par qui de tes forfaits le poids soit racheté,
Et de ta vie encor c'est le meilleur côté.

CROMWELL *(sans l'entendre)*

Richard ! que je croyais insouciant, frivole,
Léger, comme l'oiseau qui chante et qui s'envole,
1720 Vouloir ma mort ! —

*Avec instance à Carr en lui prenant la main.*

Mais, dis, frère, es-tu bien certain ?
Mon fils ?...

CARR

Au rendez-vous il était ce matin.

CROMWELL

Où donc ce rendez-vous ?

CARR

Taverne des Trois-Grues.

CROMWELL

Que disait-il ?

CARR

Beaucoup de choses disparues
De mon esprit. Il a chanté, puis ri très fort,
1725 Jurant avoir payé les dettes de Clifford...

CROMWELL *(à part)*

Le juif me l'a bien dit !

CARR

Mais, voudras-tu me croire ?
A la santé d'Hérode enfin je l'ai vu boire !

CROMWELL

D'Hérode ! quel Hérode ?

CARR

Hé oui, de Balthazar !

CROMWELL

Comment ?

CARR

De Pharaon !

CROMWELL

Voudrais-tu par hasard
1730 Parler ?...

CARR

De l'antéchrist ! qu'on nommait *roi d'Ecosse*,
Ou Charles Deux !

CROMWELL *(pensif)*

Mon fils ! libertinage atroce !
Boire à cette santé, c'était boire à ma mort !
Des rires, un festin, des chants, — pas un remord !
Parricide folâtre ! un jour, sur ton front pâle,
1735 Ecrira-t-on *Caïn*, ou bien *Sardanapale ?*

CARR

L'un et l'autre.

> *Entre Thurloë. Il s'approche avec un air de mystère de Cromwell.*

THURLOË *(bas à Cromwell)*

Mylord, Richard Willis est là.

> *Au moment où il aperçoit Thurloë, Cromwell*
> *reprend une apparente sérénité.*

CROMWELL

Richard Willis ! —

    *(A part.)* Il va m'éclaircir tout cela. *(A Thurloë.)*
J'y vais.

THURLOË *(lui désignant la grande porte*
*par laquelle sont sortis les courtisans)*

Ces gentlemen, groupés à votre porte,
Peuvent-ils entrer ?

CROMWELL

Oui ; puisqu'il faut que je sorte.

*A part.*

1740 Remettons-nous ; il sied d'être toujours serein.
Si mon cœur est de chair, que mon front soit d'airain.

> *Rentrent les courtisans conduits par Thurloë. Ils*
> *saluent Cromwell, qui leur fait signe de la main*
> *et s'adresse à Carr.*

CROMWELL *(prenant la main de Carr)*

Merci, mais sans adieu, frère ! soyez des nôtres.
Cromwell mettra toujours Carr avant tous les autres.
Mon pouvoir pour vos vœux ne sera pas borné.

> *Il sort avec Thurloë. Tous s'inclinent, excepté*
> *Carr.*

CARR *(restant seul sur le devant)*

1745 C'est ainsi qu'il abdique ! usurpateur damné !

## SCÈNE XI

CARR, WHITELOCKE, WALLER, le sergent MAYNARD, le
colonel JEPHSON, le colonel GRACE, SIR WILLIAM
MURRAY, M. WILLIAM LENTHALL, LORD BROGHILL

> *Tous les courtisans regardent sortir Cromwell*
> *d'un œil désappointé et considèrent Carr avec*
> *surprise et envie.*

SIR WILLIAM MURRAY *(aux autres courtisans dans le fond)*

Voyez comme à cet homme a parlé son altesse !
Pour lui que de bonté !

CARR *(toujours seul sur le devant du théâtre)*
Que de scélératesse !

M. WILLIAM LENTHALL

Il daignait lui sourire !

CARR

Il ose m'outrager !

LE COLONEL JEPHSON

Quel honneur !

CARR

Quel affront ! et comment me venger ?

WALLER

1750 C'est quelque favori.

CARR

Je suis donc sa victime !
Il n'est pas jusqu'à moi que le tyran n'opprime.

SIR WILLIAM MURRAY

Tout est pour lui !

CARR

Cromwell me prendrait mon trésor,
Ma vertu ! moi servir Nabuchodonosor !
Moi, dans sa cour ! j'irais, quand Sion me contemple,
1755 Comme un lin jadis blanc que les vendeurs du temple
Ont souillé de safran, de pourpre ou d'indigo,
Changer mon nom de Carr au nom d'Abdenago !

SIR WILLIAM MURRAY *(examinant Carr)*

Certain air de noblesse en son maintien me frappe.
Nous l'avions mal jugé d'abord.

CARR

Suis-je un satrape ?
1760 Pour qui me prend Cromwell ?

M. WILLIAM LENTHALL *(à sir William Murray)*

C'est un homme en crédit.

SIR WILLIAM MURRAY *(à M. William Lenthall)*

Quelqu'un de qualité, monsieur, sans contredit.
Son costume n'est pas rigoureusement...

CARR *(toujours dans son coin)*

Traître !

M. WILLIAM LENTHALL *(à part)*

L'amitié que pour lui mylord a fait paraître
Doit être utile à ceux dont, par occasion,
1765 Il daigne apostiller quelque pétition.
S'il voulait me servir ?... Du maître il a l'oreille.

*Il s'approche de Carr avec force révérences.*

Mylord, — daigneriez-vous, par grâce sans pareille,
Dire à qui vous savez, pour moi, bon citoyen,
Mylord, un de ces mots que vous dites si bien ?
1770 J'ai droit d'être fait lord : je suis maître des rôles,
Et...

CARR *(ouvrant des yeux étonnés)*

J'ai pendu ma harpe à la branche des saules,
Et je ne chante pas les chants de mon pays
Aux Babyloniens qui nous ont envahis.

*En voyant la démarche de Lenthall, tous s'ap-*
*prochent précipitamment et environnent Carr.*

LE SERGENT MAYNARD *(à Carr)*

A nos pétitions...

M. WILLIAM LENTHALL *(découragé, à Maynard)*

Il nous garde rancune !

SIR WILLIAM MURRAY *(perçant le groupe)*

1775 Hé ! sa grâce ne veut en apostiller qu'une.
Protégez-moi, mylord ! — Puisqu'on va faire un roi,
Je puis à son altesse être utile, je croi.
Je suis noble écossais. De faveurs sans égales
J'ai joui, tout enfant, près du prince de Galles.
1780 Chaque fois que cédant à quelque esprit mauvais
Son altesse royale avait failli, j'avais
Le privilège unique, et qui n'était pas mince,
De recevoir le fouet que méritait le prince.

CARR *(avec une indignation concentrée)*

Plat sycophante ! ainsi, doublement criminel,
1785 Il fut vil chez Stuart, il est vil chez Cromwell.
Comme Miphiboseth, il boite des deux jambes.

WALLER *(à Carr en lui présentant un papier)*

Mylord, je suis Waller. J'ai fait des dithyrambes
Sur les galions pris au marquis espagnol.

CARR *(entre ses dents)*

L'or t'inspire et te paye, adorateur de Noll !

LE COLONEL JEPHSON *(à Carr)*

1790 Monsieur, dites mon nom, de grâce, à son altesse.
Le colonel Jephson. — Ma mère était comtesse.
Je voudrais être admis à la chambre des pairs.

LE SERGENT MAYNARD *(à Carr)*

Dites au Protecteur ce que pour lui je perds.
George Cony, frappé d'une taxe illégale,
1795 M'a pris pour avocat. Ma table est bien frugale,
J'ai pourtant refusé !

CARR *(à part)*

                    Je vois dans leur jargon
Le venin de l'aspic et le fiel du dragon.

SIR WILLIAM MURRAY *(à Carr)*

De grâce, une apostille au bas de mon mémoire ?

CARR *(rudement)*

Va dire à Belzébuth de signer ton grimoire !

SIR WILLIAM MURRAY

1800 Mylord se fâche !
     *(Aux autres.)*    Aussi vous l'étourdissez tous !

WALLER *(à Carr)*

Je demande une place...

CARR

A l'hôpital des fous ?

LE COLONEL GRACE *(riant)*

C'est bon pour un poète !    *(A Carr.)*
                         — Appuyez ma démarche.

CARR

Non, Noé n'avait pas plus d'animaux dans l'arche !

LE COLONEL JEPHSON

Monsieur, j'ai le premier offert au parlement
1805 De faire Olivier roi...

SIR WILLIAM MURRAY

                    Quatre mots seulement,
Mylord !...

CARR *(furieux)*

            Mylord ! monsieur ! confusion des langues !
Le bruit des fers est doux auprès de ces harangues.
Je préfère un geôlier à ces prêtres de Bel,
Certe, et la Tour de Londre à la tour de Babel.
1810 Rentrons en prison. — Puisse Israël les confondre !

*Il se fait jour à travers les courtisans et sort.*


## SCÈNE XII

LES MÊMES, EXCEPTÉ CARR; ENSUITE THURLOË

SIR WILLIAM MURRAY

Que parle-t-il de tours de Babel et de Londre ?

LE SERGENT MAYNARD

Cet ami de mylord dit qu'il rentre en prison !

WALLER

Ce n'est décidément qu'un fou !

M. WILLIAM LENTHALL

                    Quelle raison
Rend son altesse affable à cet énergumène ?

*Entre Thurloë.*

THURLOË *(saluant)*

1815 De mylord Protecteur l'ordre exprès me ramène.
Son altesse ne peut recevoir aujourd'hui.

LE COLONEL JEPHSON *(avec humeur)*

Cromwell reçoit ce drôle et ne reçoit que lui !

*Ils sortent d'un air mécontent. — Au moment
où tous quittent la salle, on voit s'ouvrir la
porte masquée. — Elle donne passage à Cromwell qui regarde avec précaution autour de lui.*

## SCÈNE XIII

### CROMWELL, SIR RICHARD WILLIS

CROMWELL *(se retournant vers la porte entrouverte)*

Ils sont partis. — Venez, et, comme il vous importe
De ne pas être vu, sortez par cette porte.

> *Sir Richard Willis paraît. Il est enveloppé d'un manteau et couvert d'un chapeau qui cache ses traits ; il n'y a plus rien de souffrant ni de cassé dans sa démarche et dans sa voix. Cromwell et lui font quelques pas pour traverser le théâtre. Cromwell s'arrête brusquement.*
>
> *Joignant les mains.*

1820 Je n'en puis donc douter ! mon fils aîné ! Richard...

### SIR RICHARD WILLIS

A porté la santé du roi Charles Stuart ;
Et tous les conjurés, dont il se disait frère,
Vos ennemis mortels, l'ont trouvé téméraire.

### CROMWELL

Fils ingrat ! quand j'élève au trône ses destins !
1825 — Répétez-moi, Willis, les noms des puritains.

### SIR RICHARD WILLIS

Lambert d'abord.

CROMWELL *(avec un rire dédaigneux)*

Lambert ! c'est là ce qui me fâche,
Qu'un si hardi complot se donne un chef si lâche !
L'empire est au génie encor moins qu'au hasard.
Que de Vitellius, grand Dieu, pour un César !
1830 La foule met toujours, de ses mains dégradées,
Quelque chose de vil sur les grandes idées.
Rome eut pour étendard une botte de foin.

> *A Willis.*

— Suivons.

### SIR RICHARD WILLIS

Ludlow.

### CROMWELL

Bonhomme ! et qui n'ira pas loin.
Brute, et non pas Brutus.

SIR RICHARD WILLIS

Syndercomb, — Barebone.

*A mesure que Willis parle, Cromwell le suit sur
une liste qu'il tient déployée.*

CROMWELL

1835 Mon propre tapissier, si ma mémoire est bonne.
— Niais !

SIR RICHARD WILLIS

— Joyce.

CROMWELL

Rustre !

SIR RICHARD WILLIS

— Overton.

CROMWELL

Bel esprit !

SIR RICHARD WILLIS

— Harrison.

CROMWELL

Voleur !

SIR RICHARD WILLIS

— Puis Wildman.

CROMWELL

Fou ! — qu'on surprit
Dictant à son valet des phrases arrondies
Contre moi... — Mais ce sont vraiment des comédies !

SIR RICHARD WILLIS

1840 — Un certain Carr.

CROMWELL

Je sais.

SIR RICHARD WILLIS

— Garland, — Plinlimmon.

CROMWELL

Quoi !
Plinlimmon ?

SIR RICHARD WILLIS

Et Barksthead, un des bourreaux du roi !

CROMWELL *(comme réveillé en sursaut)*

A qui parlez-vous ?

SIR RICHARD WILLIS *(s'inclinant avec confusion)*

Ah ! sire, pardon ! de grâce !
Vieille habitude, acquise en servant l'autre race.
Ce mot ne peut atteindre à votre majesté.

CROMWELL *(à part)*

1845 Sa flatterie ajoute au coup qu'il m'a porté.
Maladroit ! *(Haut.)*
— Il suffit.
*(Montrant la liste.)*          Sont-ce toutes les têtes
Des puritains ?

SIR RICHARD WILLIS

Oui, sire.

CROMWELL *(à part)*

Ordonnons les enquêtes.

*A Willis.*

— Les chefs des cavaliers ?

SIR RICHARD WILLIS

Vos bontés m'ont permis
De vous taire leurs noms. Ce sont d'anciens amis,
1850 Que j'aurais peine à perdre; et puis je les surveille;
Ils n'échapperont point en tout cas.

CROMWELL

A merveille !

*A part.*

Tout lâche a son scrupule. *(Haut.)*
— Oui, de vos compagnons
Respectez le secret. *(A part.)*
— D'ailleurs, je sais leurs noms.
Quels hommes différents m'ont dicté ces deux listes,
1855 Willis les puritains, et Carr les royalistes !

SIR RICHARD WILLIS

Sire, vous leur ferez grâce aussi de la mort !
Sans cela, sur l'honneur, j'aurais trop de remord.

CROMWELL *(à part)*

Sur l'honneur !

SIR RICHARD WILLIS

         Je leur rends, certe, un service immense;
D'avance ainsi pour eux j'éveille la clémence;
1860 J'évente leur complot : c'est qu'il me fait pitié;
Et si je les trahis, c'est bien — pure amitié !

CROMWELL

Vos appointements sont portés à deux cents livres.

*Entre ses dents.*

C'est là le prix du sang des tiens que tu me livres !
— Chat-tigre ! qui déchire après avoir flatté,
1865 Et sait vendre une tête avec humanité !

SIR RICHARD WILLIS *(qui n'entend que le dernier mot)*

Ah ! oui, l'humanité !...

CROMWELL *(ouvrant son portefeuille*
*et lui remettant un papier qu'il en tire)*

         Tenez, voici la traite.

SIR RICHARD WILLIS *(s'inclinant pour la recevoir)*

Toujours payable, siré, à la caisse secrète ?

CROMWELL *(après un signe affirmatif)*

A propos ! n'avez-vous pas vu ce Davenant,
Lauréat sous Stuart ? — Il vient du continent.

SIR RICHARD WILLIS

1870 Davenant ? — Non, mon prince.

CROMWELL

         Il apporte une lettre —
De quelqu'un, — pour Ormond.

SIR RICHARD WILLIS

         Je n'ai rien vu remettre
Au marquis; et pourtant j'étais bien à l'affût.
Parmi les conjurés je ne crois pas qu'il fût.

CROMWELL *(à part)*

Inutile instrument ! — Mais je verrai moi-même
Davenant.

*Rochester, en costume de ministre puritain, paraît*
*au fond.*

## SCÈNE XIV

CROMWELL, SIR RICHARD WILLIS, LORD ROCHESTER

LORD ROCHESTER *(au fond de la salle)*

1875      M'y voici ! — Répétons bien mon thème.
Il faut d'un puritain prendre deux fois le ton,
Quand on parle à Cromwell de la part de Milton.
Davenant m'a servi. — Grâce à Milton qu'il leurre,
Je serai chapelain de Noll avant une heure.
1880 Si le diable aujourd'hui m'emporte, — par le ciel !
Il ne m'emportera qu'aumônier de Cromwell. —
Çà, commence, Wilmot, la tragi-comédie ! —
Dans la gueule du loup mets ta tête hardie,
Et porte pour ton roi, sans plainte, ce chapeau,
1885 Et ces chausses de drap qui t'écorchent la peau.
Tu vas revoir Francis !

> *Il aperçoit Cromwell et Willis qui, pendant qu'il parle, paraissent absorbés dans un entretien secret.*

     Mais qui sont ces deux hommes ?

SIR RICHARD WILLIS *(à Cromwell)*

C'est par un brick suédois qu'on fait passer les sommes ;
Et le chancelier Hyde en sa lettre me dit
Qu'un juif pour l'entreprise offre aussi son crédit.

LORD ROCHESTER *(au fond)*

1890 Quoi donc ? avec lord Hyde ils disent correspondre !
Serait-ce ?...

CROMWELL *(à Richard Willis)*

     Retournez vite à la Tour de Londre,
De peur des soupçons.

LORD ROCHESTER *(toujours au fond de la salle)*

     Mais tout cela me confond !

SIR RICHARD WILLIS *(à Cromwell)*

Sa majesté connaît mon dévouement profond.

LORD ROCHESTER *(toujours sans être vu)*

Majesté, — dévouement ! — Mais ce sont des fidèles,
1895 Des cavaliers !

CROMWELL *(à Richard Willis en se dirigeant vers la porte)*

      Prenons bien garde aux sentinelles !
Si quelqu'un nous voyait, tout serait compromis.

*Ils sortent.*

LORD ROCHESTER *(seul)*

*Il s'avance sur le devant.*

Je le crois ! — Le roi Charles a d'imprudents amis !
Venir se dire ici nos affaires ! Que diable !
Conspirer chez Cromwell ! l'audace est incroyable. —
Si quelque autre que moi les avait vus pourtant ! —

*Regardant dans la galerie.*

1900 Quoi ! l'un des deux revient. Mais il est important
De l'effrayer ; qu'il sente à quel point il s'expose.
Cachons-nous.

*Il va se cacher derrière un des piliers de la salle.*
*— Entre Cromwell.*

# SCÈNE XV

### LORD ROCHESTER, CROMWELL

CROMWELL *(sans voir Rochester)*

      L'homme, hélas ! propose, et Dieu dispose.
Je me croyais au port, calme, à l'abri des flots,
1905 Et me voilà sondant une mer de complots !
Me voilà de nouveau jouant aux dés ma tête !
Mais, courage ! affrontons la dernière tempête.
Frappons un dernier coup qui les glace d'effroi.
Brisons ce qui résiste ! Il faut au peuple un roi.

LORD ROCHESTER *(derrière son pilier)*

1910 Voilà, sur ma parole, un ardent royaliste !

CROMWELL

Couvrons-les d'un filet ; suivons-les à la piste ;
D'une chaîne invisible environnons leurs pas.
Aveuglons-les : veillons ; — ils n'échapperont pas !

LORD ROCHESTER

Il proscrit à la fois Cromwell et sa famille.

CROMWELL

1915 Qu'ils meurent tous !

LORD ROCHESTER

Quoi tous ? Ah ! grâce pour sa fille !

CROMWELL *(dans une sombre rêverie)*

Que veux-tu donc, Cromwell ? Dis ? un trône ! A quoi
Te nommes-tu Stuart ? Plantagenet ? Bourbon ?     [bon ?
Es-tu de ces mortels qui, grâce à leurs ancêtres,
Tout enfants, pour la terre ont eu des yeux de maîtres ?
Quel sceptre, heureux soldat, sous ton poids ne se rompt ?
1920 Quelle couronne est faite à l'ampleur de ton front ?
Toi, roi, fils du hasard ! chez les races futures
Ton règne compterait parmi tes aventures ! —
Ta maison, — dynastie !

LORD ROCHESTER

Il est décidément
1925 Pour le droit des Stuarts !

CROMWELL *(poursuivant)*

Un roi de parlement !
Pour degrés sous tes pas les corps de tes victimes !
Est-ce ainsi que l'on monte aux trônes légitimes ? —
Quoi ! n'es-tu donc point las pour avoir tant marché,
Cromwell ? le sceptre a-t-il quelque charme caché ?
1930 Vois. — L'univers entier sous ton pouvoir repose ;
Tu le tiens dans ta main, et c'est bien peu de chose.
Le char de ta fortune, où tu fondes tes droits,
Roule, et d'un sang royal éclabousse les rois !
Quoi ! puissant dans la paix, triomphant dans la guerre,
1935 Tout n'est rien sans le trône ! — Ambition vulgaire !

LORD ROCHESTER

Comme il traite Cromwell !

CROMWELL

Eh bien, quand tu l'aurais,
Ce trône d'Angleterre, et dix autres ! — Après ? —
Qu'en feras-tu ? — Sur quoi tombera ton envie ?
Ne faut-il pas un but à l'homme dans la vie ?
1940 Coupable fou !

LORD ROCHESTER

Cromwell ! ah ! si tu l'entendais !

CROMWELL

Qu'est-ce, un trône, d'ailleurs ? un tréteau sous un dais,
Quelques planches, où l'œil de la foule s'attache,
Changeant de nom, selon l'étoffe qui les cache.
Du velours, c'est le trône ; un drap noir, — l'échafaud !

LORD ROCHESTER

1945 Un savant !

CROMWELL

Est-ce là, Cromwell, ce qu'il te faut ?
L'échafaud ! — Oui, d'horreur ce seul mot me pénètre.
J'ai la tête brûlante. — Ouvrons cette fenêtre.

*Il s'approche de la croisée de Charles I<sup>er</sup>.*

L'air libre, le soleil chasseront mon ennui.

LORD ROCHESTER

Il ne se gêne pas ! on le dirait chez lui.

*Cromwell cherche à ouvrir la croisée ; elle résiste.*

CROMWELL *(redoublant d'efforts)*

1950 On l'ouvre rarement. — La serrure est rouillée...

*Reculant tout à coup d'un air d'horreur.*

C'est du sang de Stuart la fenêtre souillée !
Oui, c'est de là qu'il prit son essor vers les cieux ! —

*Il revient pensif sur le devant.*

Si j'étais roi, peut-être elle s'ouvrirait mieux !

LORD ROCHESTER

Pas dégoûté !

CROMWELL

S'il faut que tout crime s'expie,
1955 Tremble, Cromwell ! — Ce fut un attentat impie.
Jamais plus noble front n'orna le dais royal ;
Charles Premier fut juste et bon.

LORD ROCHESTER

Sujet loyal !

CROMWELL

Pouvais-je empêcher, moi, ces fureurs meurtrières ?
Mortifications, veilles, jeûnes, prières,
1960 Pour sauver la victime ai-je rien épargné ?
Mais son arrêt de mort au ciel était signé.

LORD ROCHESTER

Et par Cromwell aussi, qui, faussant la balance,
Pendant que tu priais, agissait en silence,
Homme candide et pur !

CROMWELL *(dans un profond accablement)*

Que de fois ce palais
1965 M'a vu pleurer le sort du meilleur des Anglais !

LORD ROCHESTER *(essuyant une larme)*

Brave homme ! il m'attendrit !

CROMWELL

Que cette tête auguste
M'a causé de remords !

LORD ROCHESTER

Ah ! ne sois pas injuste
Pour toi ! des regrets, oui ; mais pourquoi des remords ?

CROMWELL *(les yeux fixés à terre)*

Que pensent-ils de nous, les hommes qui sont morts ?

LORD ROCHESTER

1970 Pauvre ami ! sa douleur lui trouble la cervelle !

CROMWELL

Que de maux inconnus un crime nous révèle !
Pour te rendre la vie, ô Charles, que de fois
J'aurais donné mon sang !

LORD ROCHESTER

Il lève trop la voix.
Il se ferait surprendre, et ce serait dommage !
1975 A ses bons sentiments je rends tout bas hommage,
Mais pour les exprimer l'endroit est mal choisi.
Faisons-lui peur. —

*Il sort de sa cachette et s'avance brusquement
vers Cromwell.*

L'ami ! que faites-vous ici ?

CROMWELL *(étonné, le toisant de bas en haut)*

A qui parle ce drôle ?

LORD ROCHESTER

A vous.
             (A part.)     Que dit-il ? drôle ?
J'ai donc bien l'air d'un saint ! — Tant mieux ! — Jouons
                                                    [mon rôle.

*Haut et d'un air capable.*

1980 Savez-vous bien, bonhomme, où vous êtes ?

CROMWELL

                                              Et toi,
Sais-tu, maraud, à qui tu parles ?

LORD ROCHESTER

                                    Sur ma foi !...
                                                    *A part.*
Mordieu ! ne jurons point !
             (Haut.)     Je sais à qui je parle.

CROMWELL *(à part)*

Serait-ce un assassin aux gages du roi Charle ?

*Il tire de sa poitrine un pistolet qu'il dirige sur Rochester. — Haut.*

Coquin, n'approche pas !

LORD ROCHESTER *(à part)*

                    Diable ! soyons prudents.
1985 Tous ces conspirateurs sont armés jusqu'aux dents !
N'allons pas pour Cromwell me battre avec un frère.

*Haut.*

Monsieur, je ne veux point vous perdre.

CROMWELL *(surpris, dédaigneusement)*

                                          Hein ?

LORD ROCHESTER

                                    Au contraire.
Je venais vous donner un conseil. — Dans ces lieux,
Vous teniez des discours par trop séditieux !

CROMWELL

1990 Moi ?

LORD ROCHESTER

Vous. — Sortez, monsieur, ou j'appelle main-forte.

CROMWELL *(à part)*

C'est un fou.
  *(Haut.)* Qu'es-tu donc pour parler de la sorte ?

LORD ROCHESTER

Vous êtes, songez-y, chez mylord Protecteur.

CROMWELL

Qui donc es-tu ?

LORD ROCHESTER

    Je suis son moindre serviteur,
Son chapelain.

CROMWELL *(vivement)*

    Tu mens d'une impudence étrange !
1995 Toi, mon chapelain ?

LORD ROCHESTER *(effrayé)*

*(A part.)*  Dieu ! Dieu ! c'est Cromwell ! qu'entends-je ?
C'est Cromwell ! — Nous avons un traître parmi nous !

CROMWELL

Tu devrais devant moi te traîner à genoux !
Imposteur éhonté !

LORD ROCHESTER

    Mylord, faites-moi grâce...
Altesse !...
*(A part.)*  Lui dit-on altesse ou votre grâce ?

*Haut.*

2000 Excusez-moi. L'erreur où je me suis commis
Vient d'un zèle trop chaud contre vos ennemis.
Des mots mal entendus...

CROMWELL

    Mais pourquoi ce mensonge ?

LORD ROCHESTER

Mon dévouement pour vous réalisait un songe.
J'ose en votre maison solliciter l'emploi
2005 De chapelain.

CROMWELL

    Es-tu docteur de bon aloi ?
Quel est ton nom ?

LORD ROCHESTER *(à part)*

Mortdieu ! ma maudite mémoire !
Quel est mon nom de saint, déjà ?
*(Haut.)*    Je suis sans gloire...

CROMWELL

Ton nom ? — La source peut jaillir du fond du puits.

*Rochester, embarrassé, semble se rappeler tout
à coup quelque chose d'important. Il fouille précipitamment dans sa poche, en tire une lettre, et
la présente à Cromwell avec un profond salut.*

LORD ROCHESTER

Cette lettre, mylord, vous dira qui je suis.

CROMWELL *(prenant la lettre)*

2010 De qui ?

LORD ROCHESTER

De monsieur John Milton.

CROMWELL *(ouvrant la lettre)*

Un très digne homme !
Aveugle, et c'est dommage.    *(Il lit quelques lignes.)*
Ainsi donc on te nomme
Obededom ?

LORD ROCHESTER *(s'inclinant)*

*(A part.)*    Tudieu, quel nom !
*(Haut.)*    Mylord l'a dit.
                                                          *A part.*

Obed... Obededom ! — Ah ! Davenant maudit
De me donner un nom à faire fuir le diable !
2015 Qu'on ne peut prononcer sans grimace effroyable !

CROMWELL *(repliant la lettre)*

Vous portez un beau nom ! Obededom de Geth
Reçut dans sa maison l'arche qui voyageait.
Rendez-vous digne, ami, de ce nom mémorable.

LORD ROCHESTER *(à part)*

Va pour Obededom !

CROMWELL

Un saint considérable.
2020 Milton, clerc du conseil, se fait votre garant.

                                                          *A part.*

Au fait, son dévoûment pour moi me paraît grand;
Son emportement même en était une preuve.

*Haut.*

Mais je dois et je veux vous soumettre à l'épreuve,
Vous faire sur la foi subir un examen,
2025 Avant de vous nommer mon chapelain.

LORD ROCHESTER *(s'inclinant)*

*Amen !*

*(A part.)*   C'est le moment critique !

CROMWELL

Ecoutez. Par exemple,
Dans quel mois Salomon commença-t-il son temple ?

LORD ROCHESTER

Dans le mois de zio, second de l'an sacré.

CROMWELL

Et quand l'acheva-t-il ?

LORD ROCHESTER

Au mois de bul.

CROMWELL

Tharé
2030 N'eut-il pas trois enfants ? Où ?

LORD ROCHESTER

Dans Ur, en Chaldée.

CROMWELL

Qui viendra rajeunir la terre dégradée ?

LORD ROCHESTER

Les saints, qui régneront les mille ans accomplis.

CROMWELL

Par qui les saints devoirs sont-ils le mieux remplis ?

LORD ROCHESTER

Tout croyant porte en lui la grâce suffisante.
2035 Il suffit pour prêcher qu'en chaire il se présente,
Et qu'il sache, abreuvé des sources du Carmel,
Au lieu d'A, B, C, dire : *Aleph*, *Beth* et *Ghimel*.

CROMWELL

Bien dit. Continuez. Voguez à pleine voile !

LORD ROCHESTER *(avec enthousiasme)*

Le Seigneur à chacun en esprit se dévoile.
2040 On peut, sans être prêtre, ou ministre, ou docteur,
Avoir reçu d'en haut le rayon créateur...                *A part.*
Quelque coup de soleil. —
            *(Haut.)*    Sans la foi l'homme rampe.
Mais veillez, éclairez votre âme avec la lampe.
2045 L'âme est un sanctuaire, et tout homme est un clerc.
Dans le foyer commun apportez votre éclair ;
Les prophètes prêchaient sur les places publiques,
Et le saint temple avait des fenêtres obliques !

                                                        *A part.*

Je consens qu'on te pende, Obededom Wilmot,
Si dans ce que je dis je comprends un seul mot !

CROMWELL *(à part)*

2050 C'est un anabaptiste. — Il est fort en logique.
Mais sa doctrine au fond est très démagogique.

LORD ROCHESTER *(continuant avec chaleur)*

Le don des langues vient à qui parle souvent,
Et beaucoup...
    *(A part.)*    J'en suis bien une preuve !
                            *(Haut.)*    En rêvant,
En priant, en veillant, on devient un lévite.
2055 On peut atteindre alors, bien qu'il marche très vite,
Satan, qui, dans un jour, nonobstant son pied bot,
Va de Beth-Lebaoth jusqu'à Beth-Marchaboth.

                                                        *A part.*

Corps-Dieu ! cela va bien. Poussons jusqu'à l'extase !

CROMWELL *(l'arrêtant)*

Il suffit. — Vous fondez sur une fausse base
2060 Votre édifice. Mais nous en reparlerons. —
Quels sont les animaux impurs ?

LORD ROCHESTER

                                    Tous les hérons,
L'autruche, le larus, l'ibis exclu de l'arche,
Le butor,
    *(A part.)*    le Cromwell... —
                    *(Haut.)*    tout ce qui vole et marche.

CROMWELL

Quels sont ceux dont on peut manger ?

LORD ROCHESTER

C'est l'attacus,
2065 Mylord, et le bruchus, et l'ophiomachus.

CROMWELL

Vous oubliez, ami, la sauterelle.

LORD ROCHESTER *(à part)*

Ah ! diantre !
Mais qui s'irait loger ces bêtes dans le ventre ?

CROMWELL

Et vous ne dites pas ce qu'il sied de savoir :
« Qui touche à des corps morts reste impur jusqu'au soir ! »

*A part.*

2070 N'importe ! il est très docte ! on peut sur ces matières
N'avoir point comme moi des notions entières.

*Haut.*

Un dernier mot. — Est-il conforme aux saints discours
De porter les cheveux courts ou longs ?

LORD ROCHESTER *(avec assurance)*

Courts, très courts !

*A part.*

Tête-ronde, jouis !

CROMWELL

Qui vous porte à conclure ?

LORD ROCHESTER *(vivement)*

C'est une vanité que notre chevelure !
2075 Par ses beaux cheveux longs Absalon fut perdu !

CROMWELL

Oui, mais Samson fut mort, quand Samson fut tondu.

LORD ROCHESTER *(à part et se mordant les lèvres)*
Diable !

CROMWELL

Pour éclaircir autant qu'il est possible
Un si grave sujet, je vais chercher ma Bible. *(Il sort.)*

## SCÈNE XVI

### LORD ROCHESTER, seul

#### LORD ROCHESTER

2080 Allons ! je n'ai point mal soutenu cet assaut.
Tout puritain qu'il est, le drôle n'est pas sot !
Je crains même... — Saint Paul ! quel est donc ce perfide,
Confident de Cromwell et du chancelier Hyde ? —
Traître ! — Mais j'ai pourtant dupé le vieux démon !
2085 Comme il vous interroge en phrases de sermon !
Avec son œil cafard comme il vous examine !

*Se regardant de la tête aux pieds.*

Heureusement pour moi, j'ai bien mauvaise mine !
J'ai l'air d'un franc coquin, d'un vrai tueur de rois !
Il m'avait pris d'abord pour un larron, je crois ?

*Il rit.*

2090 — Ce prédicant soldat, ce brigand patriarche,
Pour n'être jamais pris en défaut, toujours marche
Armé jusques aux dents, et en son propre palais,
De dilemmes pieux et de bons pistolets.
Toujours de deux façons il peut vous faire face.

*Entre Richard Cromwell.*

## SCÈNE XVII

### LORD ROCHESTER, RICHARD CROMWELL

#### LORD ROCHESTER *(apercevant Richard qui vient à lui)*

2095 Mais quoi ! Richard Cromwell ! — Il faut que je m'efface !
S'il me reconnaît, gare ou la corde ou le feu !
Le docte Obededom y perdrait son hébreu !

#### RICHARD CROMWELL *(examinant Rochester)*

Il me semble avoir vu quelque part ce visage.

#### LORD ROCHESTER *(à part, et contrefaisant la gravité puritaine)*

L'ours flaire le faux mort.

#### RICHARD CROMWELL

C'est sûr.

#### LORD ROCHESTER *(à part)*

Mauvais présage !

RICHARD CROMWELL *(examinant toujours Rochester)*

2100 Cet homme n'est rien moins qu'un docteur puritain.
Parmi nos cavaliers il buvait ce matin.
Je devine qui c'est. Ah ! le félon !

LORD ROCHESTER *(à part)*

Malpeste !

Non ! je n'ai jamais eu rencontre plus funeste,
Depuis le tête-à-tête où je parlai d'amour
2105 Aux cinquante printemps de mylady Seymour !

RICHARD CROMWELL *(à part)*

Comment, quand on s'assied pour boire au même verre,
Se défier d'un homme ?

LORD ROCHESTER *(à part)*

Ah ! quel regard sévère !

RICHARD CROMWELL *(à part)*

De mon père à coup sûr c'est quelque surveillant,
Qui va contre moi faire un rapport malveillant.
2110 Il dira que j'ai bu dans la même taverne
Avec des ennemis du pouvoir qui gouverne.
C'est pour mon père un crime à punir de prison.
C'est lèse-majesté ! c'est haute trahison !
Tâchons de le gagner. Prévenons la tempête.

*Il fouille dans la poche de sa veste.*

2115 J'ai quelques nobles d'or dans ma bourse...

LORD ROCHESTER *(remarquant son geste, à part)*

Il s'apprête

A m'attaquer. — A-t-il aussi des pistolets ?

*Il recule avec inquiétude.*

RICHARD CROMWELL *(à part)*

Pourvu qu'ils soient payés, qu'importe à ces valets ?

*Il s'approche de Rochester d'un air riant et dégagé.*

Bonjour, monsieur.

LORD ROCHESTER *(troublé)*

Mylord, le ciel vous tienne en joie !

*A part.*

Quel sourire infernal il attache à sa proie !

*Haut.*

2120 Je suis un membre obscur du clergé militant,
Je prierai Dieu pour vous.

#### RICHARD CROMWELL

Je vous ai vu pourtant
Ailleurs, non prier, mais jurer à pleine gorge.

#### LORD ROCHESTER *(vivement)*

Vous vous trompez, mylord ! moi jurer !

#### RICHARD CROMWELL

Par saint George !
Par saint Paul !

#### LORD ROCHESTER

Moi !

#### RICHARD CROMWELL *(riant)*

Jurez que vous ne juriez point.

#### LORD ROCHESTER

2125 Moi !

#### RICHARD CROMWELL

Tenez, révérend, soyons franc sur ce point.

#### LORD ROCHESTER *(à part)*

Diable !

#### RICHARD CROMWELL

Vous n'êtes pas ce que vous semblez être.
Sous le masque d'un saint vous cachez l'œil d'un traître.

#### LORD ROCHESTER *(consterné, à part)*

Je suis perdu.
*(Haut.)*   Mylord !...

#### RICHARD CROMWELL

Est-ce vrai ?

#### LORD ROCHESTER *(à part)*

Mauvais pas !

#### RICHARD CROMWELL

Je sais tout ! — Mais tenez, ne me dénoncez pas.

LORD ROCHESTER *(surpris, à part)*

2130 Comment ! — J'allais lui faire une même prière,
Que dit-il ?

RICHARD CROMWELL

Je suis né d'humeur aventurière.
J'ai des amis partout, et j'ai bu ce matin
Avec des cavaliers, comme vous, puritain !
A quoi vous servira d'aller dire à mon père
2135 Que son fils avec eux trinquait dans ce repaire,
Et pour un peu de vin, que même j'ai mal bu,
Me faire comme un bouc chasser de la tribu ?

LORD ROCHESTER *(à part)*

Je suis sauvé !

RICHARD CROMWELL

Je sais, l'ami, qu'en toute affaire
Mon père aime à savoir ce qu'on peut dire et faire.
2140 Mais est-ce de complots que nous nous occupions ? —
Car vous êtes, mon cher, un de ses espions !
Ah ! je devine tout !

LORD ROCHESTER *(à part)*

Oui vraiment ! il devine !
Qu'en ce rôle de saint mon adresse est divine !
On me prend, tant j'en ai bien saisi la couleur,
2145 L'un, pour un espion, l'autre, pour un voleur !

*Haut à Richard en s'inclinant.*

Mylord, c'est trop d'honneur que me fait votre grâce !

RICHARD CROMWELL

De mon père quinteux sauvez-moi la disgrâce.
Promettez-moi, — je suis de nobles d'or pourvu, —
De taire au Protecteur ce que vous avez vu
2150 Ce matin.

LORD ROCHESTER

De grand cœur.

RICHARD CROMWELL *(lui présentant
une grande bourse brodée à ses armes)*

Tenez, voici ma bourse.
Je ne suis point ingrat.

LORD ROCHESTER *(la prenant après un moment d'hésitation)*
                    *(A part.)*        Bah! c'est une ressource!
Quand on conspire, il faut être riche, vraiment.
L'avarice est d'ailleurs dans mon déguisement.

                                                                    *Haut.*

Mylord est généreux...

RICHARD CROMWELL
                    Bon, bon, prends et va boire!

LORD· ROCHESTER  *(à part)*
2155 Ceci, d'honneur! finit mieux que je n'osais croire.

RICHARD CROMWELL
L'ami! combien peux-tu gagner dans ton métier, —
Sans compter la potence?

LORD ROCHESTER
                    Un docteur de quartier...

RICHARD CROMWELL
Comme espion?

LORD ROCHESTER
                    D'un nom mylord me gratifie!...

RICHARD CROMWELL
Il faut dans ton état de la philosophie.
2160 Pourquoi rougir?

LORD ROCHESTER
                    Mylord!


## SCÈNE XVIII

Les Mêmes, CROMWELL

CROMWELL *(une Bible armoriée à la main)*
                    Çà, maître Obededom,
Ecoutez ce verset sur Dabir, roi d'Edom!...

                                                    *Apercevant son fils.*

Ah! — *(A Rochester.)*
          Sortez.

LORD ROCHESTER *(à part)*

Qu'a-t-il donc ? comme il prend son air rogue !
Et comme le tyran succède au pédagogue !   *(Il sort.)*

## SCÈNE XIX

#### RICHARD CROMWELL, CROMWELL

*Cromwell s'approche de son fils, croise les bras et le regarde fixement.*

RICHARD CROMWELL *(s'inclinant profondément)*

Mon père... — Mais d'où vient ce trouble inattendu ?
2165 Quel est sur votre front ce nuage épandu,
Mylord ? où doit tomber la foudre qu'il recèle,
Et dont l'éclair sinistre en vos yeux étincelle ?...
Qu'avez-vous ? Qu'a-t-on fait ? Parlez : que craignez-vous ?
Qui peut vous attrister dans le bonheur de tous ?
2170 Demain, des anciens rois rejoignant les fantômes,
La république meurt, vous léguant trois royaumes ;
Demain votre grandeur sur le trône s'accroît ;
Demain, dans Westminster proclamant votre droit,
Jetant à vos rivaux son gant héréditaire,
2175 Le champion armé de la vieille Angleterre,
Aux salves des canons, au branle du beffroi,
Doit défier le monde au nom d'Olivier roi.
Qui vous manque ? l'Europe, et l'Angleterre, et Londre,
Votre famille, tout semble à vos vœux répondre.
2180 Si j'osais me nommer, mon père et mon seigneur,
Je n'ai, moi, de souci que pour votre bonheur,
Vos jours, votre santé...

CROMWELL *(qui n'a pas cessé de le regarder fixement)*

Mon fils, comment se porte
Le roi Charles Stuart ?

RICHARD CROMWELL *(atterré)*

Mylord !...

CROMWELL

Faites en sorte
Une autre fois, de mieux choisir vos commensaux,
2185 Monsieur !

RICHARD CROMWELL

Mylord, dût-on me couper en morceaux,
Je veux être plus vil que le pavé des rues,
Si...

CROMWELL *(l'interrompant)*

Boit-on de bon vin, taverne des Trois-Grues ?

RICHARD CROMWELL *(à part)*

Ah ! l'espion damné d'avance avait tout dit ! *(Haut.)*
Je vous jure, mylord...

CROMWELL

Vous semblez interdit.
2190 Est-ce un mal qu'assembler, étant d'humeur badine,
Quelques amis autour d'un broc de muscadine ?
Vous le buviez, mon fils, sans doute à ma santé ?

RICHARD CROMWELL *(à part)*

C'est cela ! toast maudit qu'à Charles j'ai porté !

*Haut.*

Mylord, ce rendez-vous, sur mon nom, sur mon âme,
Etait fort innocent...

CROMWELL *(d'une voix de tonnerre)*

2195                     Vous êtes un infâme !
Avec des cavaliers mon fils a, ce matin,
Bu sa part de mon sang dans un hideux festin !

RICHARD CROMWELL

Mon père !

CROMWELL

Boire avec des païens que j'abhorre !
A la santé de Charle ! — Un jour de jeûne, encore !

RICHARD CROMWELL

2200 Je vous jure, mylord, que je n'en savais rien.

CROMWELL

Garde tes juremens pour ton roi tyrien !
Ne viens pas étaler, traître, sous mes yeux mêmes,
Ton parricide, encore aggravé de blasphèmes !
Va, c'est un vin fatal qui troubla ta raison !
2205 A la santé du roi tu buvais du poison.

Ma vengeance veillait, muette, sur ton crime.
Quoique tu sois mon fils, tu seras ma victime :
L'arbre s'embrasera pour dévorer son fruit.     *(Il sort.)*

## SCÈNE XX

#### RICHARD CROMWELL, seul

#### RICHARD CROMWELL

Pour un verre de vin voilà beaucoup de bruit.
2210 Mais boire un jour de jeûne ! — on devient sacrilège,
Traître, blasphémateur, parricide, que sais-je ?
Il vaut mieux, sur ma foi, bien qu'un banquet soit doux,
Jeûner avec des saints que boire avec des fous !
C'est une vérité qu'avant cette journée
2215 Ma pénétration n'aurait pas soupçonnée.
Mon père est hors de lui.

*Entre lord Rochester.*

## SCÈNE XXI

#### RICHARD CROMWELL, LORD ROCHESTER

#### LORD ROCHESTER *(à part)*

Richard paraît troublé.

#### RICHARD CROMWELL *(apercevant Rochester qui passe au fond du théâtre)*

Ah ! c'est mon espion ! — L'infâme avait parlé.
Comme un renard d'Ecosse, il faut que je les traque.

*Il s'avance vers Rochester d'un air menaçant.*

Je te retrouve, traître !

#### LORD ROCHESTER *(à part)*

Allons ! nouvelle attaque !
2220 Nous avions fait pourtant la paix.
*(Haut.)* Qu'ai-je donc fait
A mylord ?

#### RICHARD CROMWELL

Mais je crois qu'il me raille en effet !
Penses-tu me cacher encor ta perfidie ?
J'ai vu mon père, drôle ! il sait tout !

*Voyant que Rochester reste interdit et immobile.*

**Etudie**

Ce que tu vas répondre.

LORD ROCHESTER *(à part)*

Ah ! peste ! il est réel,

2225 Oui, — qu'un des nôtres sert d'espion à Cromwell.
Saurait-on qui je suis ?

RICHARD CROMWELL

Je crois qu'il rit sous cape !

LORD ROCHESTER

Ah ! mylord !...

RICHARD CROMWELL

Crois-tu donc que deux fois on m'échappe ?
Toute ta trahison est enfin mise à nu.
Mon père est furieux.

LORD ROCHESTER *(à part)*

Oui, je suis reconnu,

2230 Décidément. Allons, faisons tête à l'orage.

RICHARD CROMWELL

Lâche !

LORD ROCHESTER *(à part)*

Quittons la ruse et prenons le courage.

*Haut.*

Puisqu'enfin vous savez, monsieur Richard Cromwell,
Qui je suis, — vous pouvez m'honorer d'un duel.
Nous avons tous les deux des raisons à nous faire.

2235 Fixez l'heure, le lieu, l'arme ; à vous j'en défère.
Je suis pour vous, je pense, un digne champion.

RICHARD CROMWELL

Richard Cromwell se battre avec un espion !

LORD ROCHESTER *(à part)*

Il en est encor là ! l'affront me tranquillise.

RICHARD CROMWELL

Sous ta peau de serpent, sous ta robe d'église,

2240 Tu parles de duel ! Te crois-tu donc moins vil
Qu'un juif ? Rends-toi justice, infâme !

LORD ROCHESTER *(à part)*

Il est civil !

RICHARD CROMWELL

Moi qui t'avais payé, me trahir en cachette !
Recevoir des deux mains, et vendre qui t'achète !

LORD ROCHESTER *(à part)*

Que veut-il dire ?

RICHARD CROMWELL

Au moins rends l'argent !

LORD ROCHESTER *(à part)*

Ah ! démon !

2245 J'ai déjà dépêché la bourse à lord Ormond !

RICHARD CROMWELL

Eh bien ! me rendras-tu mon argent, misérable ?

LORD ROCHESTER *(à part)*

Comment faire ?
        *(Haut.)*   La somme est peu considérable...

RICHARD CROMWELL

Vraiment ? C'était trop peu ! — Sur tes os, sur ta chair,
Va, cette somme-là, tu me la paieras cher !

*Il tire son épée.*

2250 Si je n'ai mon argent, grâce à ma bonne lame,
J'aurai ce que Satan t'a donné pour une âme !

*Il fond sur Rochester l'épée haute.*

Allons ! ma bourse !

LORD ROCHESTER *(reculant)*

Il va me tuer, par le ciel !
Ah ! bourse de malheur !

## SCÈNE XXII

Les Mêmes, le comte de Carlisle, accompagné de quatre
hallebardiers.

*Richard Cromwell s'arrête. Le comte de Carlisle
lui fait un profond salut.*

LE COMTE DE CARLISLE

Mylord Richard Cromwell,
Au nom du Protecteur, rendez-moi votre épée.

RICHARD CROMWELL *(remettant son épée au comte)*

2255 A châtier un traître elle était occupée.
Vous venez un instant trop tôt.

LORD ROCHESTER *(d'une voix éclatante et d'un air inspiré)*

Heureux hasard !
Des mains d'Antiochus Dieu sauve Eléazar !

LE COMTE DE CARLISLE *(à Richard Cromwell)*

Qu'en son appartement votre honneur se transporte.
J'ai l'ordre de placer deux archers à la porte.

RICHARD CROMWELL *(à lord Rochester)*

2260 C'est toi qui me conduis là par ta trahison !

LORD ROCHESTER *(à part)*

Je m'y perds. Quoi, c'est moi qui fais mettre en prison
Le fils du Protecteur ! et, menacé du glaive,
Au courroux de son fils c'est Cromwell qui m'enlève !
Pourtant, je nuis au père et n'ai rien fait au fils !

RICHARD CROMWELL

2265 Viendras-tu m'insulter encor de tes défis,
Lâche ?                                                          *A lord Carlisle.*
Méfiez-vous, cet homme a deux visages.
Je ne m'en plaindrais pas si de ses vils messages
J'avais pu le payer comme je le voulais.
Pour une double face il faut quatre soufflets.
*Richard Cromwell sort entouré des hallebardiers.*

LORD ROCHESTER *(à part)*

2270 Ce que c'est que porter masque de tête-ronde !


## SCÈNE XXIII

LE COMTE DE CARLISLE, LORD ROCHESTER, THURLOË

THURLOË *(à lord Rochester)*

Mylord, appréciant votre docte faconde,
Vous nomme chapelain, monsieur, dans sa maison
Du matin et du soir vous direz l'oraison;
Vous prêcherez un texte aux gardes de sa porte;
2275 Vous bénirez les mets qu'à sa table on apporte,
Et l'hypocras que boit son altesse le soir.

LORD ROCHESTER *(s'inclinant, à part)*

Bon ! c'est là notre but.

THURLOË

Voilà votre devoir.

LORD ROCHESTER *(à part)*

Rochester pour Cromwell priant ! c'est impayable !
Un jeune diablotin bénissant un vieux diable !

THURLOË *(à lord Carlisle en lui remettant un parchemin)*

2280 Comte, un complot demain éclate à Westminster.

LORD ROCHESTER *(à part)*

Ils ne savent pas tout ! —

THURLOË *(toujours à Carlisle)*

Arrêtez Rochester.

LORD ROCHESTER *(à part)*

Cherchez !

THURLOË *(continuant)*

Ormond.

LORD ROCHESTER *(à part)*

Par moi prévenu tout à l'heure,
Ormond a dû changer de nom et de demeure.

THURLOË

Quant aux autres, il faut les surveiller de près.
2285 D'eux-mêmes ils viendront se jeter dans nos rets.

*Ils sortent.*

## SCÈNE XXIV

LORD ROCHESTER *(seul)*

Leur plan sera trompé par notre stratagème.
Cromwell sera par nous surpris cette nuit même.
Tout va bien. Poursuivons, quoique à moitié trahis.
Bravons pour nos Stuarts et pour notre pays
2290 Dans ce rôle, à la fois périlleux et risible,
Pistolets, coups d'épée, et débats sur la bible.
De la peau du renard chez les loups revêtu,
Soyons saint de hasard, chapelain impromptu,
Prêt à tout examen comme à toute escarmouche,
2295 Tantôt Ezéchiel et tantôt Scaramouche !   *(Il sort.)*

# ACTE TROISIÈME

## LES FOUS

## LA CHAMBRE PEINTE, A WHITE-HALL

A droite un grand fauteuil doré, exhaussé sur quelques marches couvertes de la tapisserie des Gobelins envoyée par Mazarin. Un demi-cercle de tabourets en regard du fauteuil. Auprès, une grande table à tapis de velours et un pliant.

## *SCÈNE PREMIÈRE*

### LES QUATRE FOUS DE CROMWELL

TRICK, PREMIER FOU, vêtu d'un bariolage jaune et noir, bonnet pareil, pointu, à sonnettes d'or, les armes du Protecteur brodées en or sur la poitrine. — GIRAFF, SECOND FOU, bariolage jaune et rouge, calotte pareille, bordée de grelots d'argent, les armes du Protecteur en argent sur la poitrine. — GRAMADOCH, TROISIÈME FOU ET PORTE-QUEUE DE Son Altesse, bariolage rouge et noir, bonnet carré pareil, à grelots d'or, les armes du Protecteur en or sur la poitrine. — ELESPURU (on prononce ELESPOUROU), QUATRIÈME FOU, costume absolument noir, chapeau à trois cornes noir, avec une sonnette d'argent à chaque corne, les armes du Protecteur en argent. Tous quatre portent de côté une petite épée à grande poignée et à lame de bois; Trick a en outre une marotte à la main.

*Ils arrivent en gambadant sur la scène.*

### ELESPURU

*Il chante.*　　　　Oyez ceci, bonnes âmes!
　　　　　　　　J'ai voyagé dans l'enfer.
　　　　　　　　Moloch, Sadoch, Lucifer
　　　　　　　　Allaient me jeter aux flammes
　　　　　　　　Avec leurs fourches de fer.

　　　　　　　　Déjà prenait feu mon linge;
　　　　　　　　Mon pourpoint était roussi;
　　　　　　　　Mais par bonheur, Dieu merci,
　　　　　　　　Satan me prit pour un singe,
　　　　　　　　Et me lâcha : — Me voici !

*Il fredonne.*　　Satan me prit pour un singe...

GIRAFF *(gravement)*

Tu crois qu'il t'a lâché ? Pour qui prends-tu Cromwell,
Notre roi temporel et chef spirituel ?

GRAMADOCH *(à Giraff)*

Est-ce, pour être diable, assez d'avoir des cornes ?
A ce compte, Giraff, l'enfer serait sans bornes.

ELESPURU

2300 Sur dame Elisabeth Cromwell, un tel soupçon !

GRAMADOCH

Ecoutez. Les Français ont fait cette chanson :

*Il chante.*        Par deux portes, on peut m'en croire,
                 Les songes viennent à Paris,
                 Aux amants par celle d'ivoire,
                 Par celle de corne aux maris.

Cromwell me fait porter sa queue; eh bien ! sa femme
Lui fait porter, à lui, ses cornes.

TRICK

                              C'est infâme,
Messires ! vos propos méritent le gibet.
2305 Je suis le chevalier de dame Elisabeth.
Pour l'honneur de Cromwell et pour le sien je plaide.
Je m'en fais le garant sans crainte; elle est si laide !

GRAMADOCH

C'est juste. Je mentais, je ne puis le céler.
Quand on n'a rien à dire, on parle pour parler.
2310 Pour moi, je crains l'ennui qui me rendrait malade,
Et je vais à l'écho chanter une ballade.

*Il chante.*        Pourquoi fais-tu tant de vacarme,
                              Carme ?
                 Rose t'aurait-elle trahi ?
                              — Hi !

                 Pourquoi fais-tu tant de tapage,
                              Page ?
                 Es-tu l'amant de Rose aussi ?
                              — Si !

                 Qui te donne cet air morose,
                              Rose ?
                 — L'époux dont nul ne se souvient,
                              Vient.

Du lit où l'amour t'a tenue
            Nue,
Tu le vois qui revient, hélas!
            Las.


Ton oreille qui le redoute,
            Doute,
Et de sa mule entend le trot,
            Trop.


Il va punir ta vie infâme,
            Femme!
Ah! tremble! c'est lui; le voilà,
            Là!


En vain le page et le lévite,
            Vite,
Cherchent à s'enfuir du manoir,
            Noir.


Il les saisit sous la muraille,
            Raille,
Et les remet à ses varlets,
            Laids.


Sa voix, comme un éclair d'automne,
            Tonne :
— Exposez-les tous aux vautours,
            Tours!


Que des tours leur corps dans la tombe
            Tombe!
Qu'ils ne soient que pour les corbeaux
            Beaux! —


Entrouvre-toi sous l'adultère,
            Terre!
Démon ennemi des maris,
            Ris!


Quand il s'éloigna, bien fidèle,
            D'elle,
Invoquant, en son triste adieu,
            Dieu;


Nul amant, nul de ces Clitandres,
            Tendres,
Qui font avec leur air trompeur
            Peur,

N'osait parler à la rebelle
Belle.
Elle en avait, quand il revint,
Vingt.

TRICK *(à Gramadoch)*

Ecoute ma légende à ton tour. —

*Il chante.*                    Siècle bizarre !
Job et Lazare
D'or sont cousus.
Lacédémone
Y fait l'aumône
Au roi Crésus.
Epoque étrange !
Rare mélange !
Le diable et l'ange ;
Le noir, le blanc ;
Des damoiselles
Qui sont pucelles,
Ou font semblant.
Beautés faciles,
Maris dociles,
Sots mannequins,
Dont leurs Lucrèces,
Fort peu tigresses,
Font des Vulcains.
Des Démocrites
Bien hypocrites ;
Des rois plaisants ;
Des Héraclites
Hétéroclites ;
Des fous pensants ;
Des pertuisanes
Pour arguments ;
Tendres amants
Prenant tisanes ;
Des loups, des ânes,
Des vers luisants ;
Des courtisanes,
Des courtisans.
Femmes aimées ;
Bourreaux bénins ;
Douces nonnains
Mal enfermées ;
Chefs sans armées ;
Clercs mécréants ;
Titans pygmées,
Et nains géants !
Voilà mon âge.

Rien ne surnage
Dans ce chaos
Que les fléaux.
De mal en pire
Va notre empire.
Nos grands Césars
Sont des lézards;
Nos bons cyclopes
Sont tous myopes;
Nos fiers Brutus
Sont des Plutus;
Tous nos Orphées
Sont des Morphées;
Notre Jupin
Est un Scapin.
Temps ridicules,
Risibles jours,
Dont les Hercules
Filent toujours!
Ici l'un grimpe,
L'autre s'abat,
Et notre olympe
N'est qu'un sabbat!

#### GRAMADOCH

                                   Ta chanson
Est mauvaise, et la rime y gêne la raison.

#### ELESPURU

A moi !

*Il chante.*        Vous à qui l'enfer en masse
Fait chaque nuit la grimace,
Sorciers d'Angus et d'Errol;
Vous qui savez le grimoire,
Et n'avez dans l'ombre noire
Qu'un hibou pour rossignol;
Ondins qui, sous vos cascades,
Vous passez de parasol;
Sylphes dont les cavalcades,
Bravant monts et barricades,
En deux sauts vont des Orcades
A la flèche de Saint-Paul;
Chasseurs damnés du Tyrol,
Dont la meute aventurière
Bat sans cesse la clairière;
Clercs d'Argant; archers de Roll;
Pendus séchés au licol
Qui ranimez vos poussières
Sous les baisers des sorcières;

Caliban, Macduff, Pistol;
Zingaris, troupe effroyable
Que suit le meurtre et le vol;
Dites, — quel est le plus diable,
Du vieux Nick ou du vieux Noll ? —
Sait-on qui Satan préfère
Des serpents dont il est père ?
C'est l'aspic à la vipère,
Le basilic à l'aspic,
Le vieux Nick au basilic,
Et le vieux Noll au vieux Nick.
Le vieux Nick est son œil gauche,
Le vieux Noll est son œil droit;
Le vieux Nick est bien adroit,
Mais le vieux Noll n'est pas gauche;
Et Belzébuth dans son vol
Va du vieux Nick au vieux Noll.
Quand le noir couple chevauche,
A leur suite la Mort fauche.
L'enfer fournit le relai;
Et chacun d'eux sans délai
A sa monture s'attache,
Nick sur un manche à balai,
Noll sur le bois d'une hache.
Pour finir ce virelai,
Avant qu'il se fasse ermite,
Puissé-je, pour son mérite,
Voir emporter en public
Le vieux Noll par le vieux Nick!
Ou voir entrer au plus vite,
Pour lui tordre enfin le col,
Le vieux Nick chez le vieux Noll!

> *Les bouffons applaudissent avec des éclats de*
> *rire, et répètent en chœur.*

Puissions-nous voir entrer vite,
Pour lui bien tordre le col
Le vieux Nick chez le vieux Noll.

### TRICK

Çà, pour fournir des textes à nos gloses,
2315 Savez-vous qu'il se passe ici d'étranges choses ?

### GIRAFF

Oui. Cromwell se fait roi. Satan veut être Dieu.

### GRAMADOCH

On dit que deux complots ont embrouillé son jeu.

ELESPURU

L'armée est mécontente et le peuple murmure.

TRICK

Pour la robe de roi s'il quitte son armure,
2320 Malheur à l'apostat ! son cœur décuirassé
Ouvre aux poignards vengeurs un chemin plus aisé.

GIRAFF

Quant à moi, je jouis au milieu du désordre.
J'exciterai les chiens et les loups à se mordre.
Je voudrais voir Satan, sur un gril élargi,
2325 Mettre aux mains de Cromwell un sceptre au feu rougi,
Faire des cavaliers ses montures immondes,
Et jouer à la boule avec les têtes-rondes !

TRICK

Frères, que dites-vous du nouveau chapelain
Qui vient de nous bénir d'un regard si malin ?

ELESPURU

2330 Hum !

GIRAFF

Peste !

GRAMADOCH

Diable !

TRICK

Oui ! — Je vois que sur son compte
Nous pensons tous de même.

GRAMADOCH

Amis, que je vous conte.

*Tous font groupe autour de Gramadoch.*

Ce cher Obededom ! tout en tirant de l'arc,
Je l'ai vu qui rôdait près la porte du parc,
Qui parlait aux soldats de garde, sous prétexte
2335 De les édifier en leur prêchant un texte.
Puis il les a fait boire, et puis leur a donné
De l'argent, puis enfin, de tous environné,
Il a dit : — À ce soir ! Pour entrer dans la place,
— *Cologne et White-Hall* — sera le mot de passe.

GIRAFF *(battant des mains avec joie)*

2340 C'est quelque agent de Charle !

ELESPURU

Ou plutôt de Cromwell !
Si j'en juge aux propos qu'en son dépit cruel
Vomissait contre lui le fils de notre maître,
Richard, emprisonné sur des rapports du traître.

GIRAFF *(riant)*

C'est vrai ! Richard, qu'on va condamner à présent,
2345 Voulait tuer son père ! — Ah ! c'est très amusant !

TRICK

Et moi, j'ai quelque chose encor de plus risible
Que tout cela.

GRAMADOCH

Vraiment ?

GIRAFF

Sire Trick, pas possible !

TRICK *(montrant un rouleau de parchemin
noué d'un ruban rose)*

Voyez ceci.

ELESPURU

Cela ! qu'est-ce ?

TRICK

Ce parchemin,
Des poches du docteur est tombé dans ma main.

GRAMADOCH

2350 Bon ! c'est quelque sermon, bien noir, bien effroyable,
Commençant par *enfer* et finissant par *diable*.
Donne ! — Instruisons-nous vite. Il faut que tout bouffon
Du jargon puritain fasse une étude à fond.

*Dénouant le rouleau que lui a remis Trick.*

Est-il moins fou que nous, ce chapelain morose ?
2355 Il attache son foudre avec un ruban rose !

*Il jette un coup d'œil sur le parchemin déployé
et part d'un grand éclat de rire ; Giraff prend le
parchemin et rit plus fort ; Elespuru, auquel il
le passe, se met à rire également ; et Trick les
regarde tous trois rire, en riant plus qu'eux.*

ELESPURU *(riant)*

Par un diable joli ce sermon fut dicté !

TRICK *(riant)*

Qu'en dites-vous ?

ELESPURU *(lisant)*

« *Quatrain à ma divinité.*
Belle Egérie, hélas ! vous embrasez mon âme...

GIRAFF *(lui arrachant le parchemin et lisant)*

Vos yeux où Cupidon allume un feu vainqueur...

GRAMADOCH *(enlevant à son tour le parchemin)*

2360  Sont deux miroirs ardents...

TRICK *(le reprenant à Gramadoch)*

Qui concentrent la flamme
Dont les rayons brûlent mon cœur ! »

*Tous redoublent leurs éclats de rire.*

ELESPURU

Quoi ! ces vers sont tombés de poche puritaine !

GIRAFF

Le luron !

GRAMADOCH *(comme frappé d'une idée)*

C'est cela ! — Oui, — la chose est certaine ! —

*Appelant les autres bouffons.*

Frères, vous connaissez tous dame Guggligoy,
2365  La duègne de lady Francis ?

TRICK

Certe ! Eh bien ? quoi ?

GRAMADOCH

J'ai vu le chapelain lui parler à l'oreille,
Lui remettre une bourse.

TRICK

Et que disait la vieille ?

GRAMADOCH

Elle disait : — Ce soir, vous serez, beau garçon,
Seul avec elle... — Et moi, j'ai chanté la chanson :

*Il chante.*          La sorcière dit au pirate :
                      — Beau capitaine, en vérité,
                      Non, je ne serai pas ingrate,
                      Et vous aurez votre beauté !
                      Mais d'abord, dans votre équipage,
                      Choisissez-moi quelque beau page,
                      Qui me tienne, malgré mon âge,
                      Parfois des propos obligeants.
                      Je veux en outre, pour ma peine,
                      Quatre moutons avec leur laine,
                      Une mâchoire de baleine,
                      Deux caméléons bien changeants,
                      Quelque idole ou quelque amulette,
                      Six aspics, trois peaux de belette,
                      Et le plus maigre de vos gens
                      Pour que je m'en fasse un squelette ! —

2370 Certe, à meilleur marché la Guggligoy se vend.
     Elle a dans elle-même un squelette vivant,
     D'ailleurs ; mais je conclus, moi, qu'à telles enseignes,
     Ce suborneur tondu de soldats et de duègnes
     Est ici, non pour Charle ou Noll, mais pour Francis.

ELESPURU

2375 Ma foi, plus que jamais j'ai l'esprit indécis.
     Qu'est-ce que tout cela ?

GIRAFF

                              Je ne sais ; mais c'est drôle !

GRAMADOCH

Le Cromwell, qui croit tout soumettre à son contrôle,
Ferait bien d'emprunter l'œil de ses quatre fous.
Si nous l'avertissions ?

GIRAFF

                    Quoi donc ! l'avertir ? nous ?
2380 Es-tu fou, Gramadoch ? Est-ce là notre affaire ?
     Que sommes-nous pour Noll ? Restons dans notre sphère.
     Il nous prend, et pourrait même nous mieux payer,
     Non pour garder ses jours, mais pour les égayer.
     Qu'on enlève sa fille et qu'on force sa porte,
2385 Qu'on le tonde ou l'étrangle, au fait, que nous importe ?

GRAMADOCH

Il a raison.

ELESPURU

Sans doute.

TRICK

Hé ! chacun nos métiers.
Il règne : nous rions. — Qu'on le coupe en quartiers,
Qu'on le brûle ou l'écorche, il n'a rien à nous dire
Pourvu que nous ayons toujours le mot pour rire.

ELESPURU

2400 Comme nos ris vengeurs puniront ses dédains !
Comme du roi manqué riront les baladins !

GRAMADOCH

Puis, ce faux chapelain dans le fond nous ressemble.
Les fous, les amoureux vont toujours bien ensemble.
Son nom d'Obededom semble être fait *ad hoc.*
2405 Pour Trick, Elespuru, Giraff et Gramadoch !

TRICK

Mais s'il conspire, ami ! c'est nous qu'il faut défendre.
Si le Stuart rentrait, il nous ferait tous pendre.

ELESPURU

Pendre de pauvres fous pour quelque quolibet !

TRICK

Ne fût-ce que pour voir leur grimace au gibet !
2410 Tu sais, nous aurions beau crier : Miséricorde !
On veut voir des pantins pendre au bout d'une corde.

GIRAFF

Nous pendus ! innocents ! — Soyez tranquilles tous.
Que Charles Deux revienne, il lui faudra des fous.
Nous sommes là. — Peut-il trouver fous dans le monde
2415 Ayant fait de leur art étude plus profonde ?
Tels sont fous par instinct, nous par principes ! — Va,
Toujours de tout désastre un bouffon se sauva.
Pour vieillir sur la terre, où tout est de passage,
Il faut se faire fou : c'est encore le plus sage.

TRICK

2420 Au fait, Cromwell m'ennuie ! On dit Charles plus gai.

ELESPURU

L'œil d'aigle du tyran est-il donc fatigué ?
Quoi ! c'est nous qui savons ce que lui-même ignore,
Et nous tenons le fil qu'il ne voit pas encore !
Nous, les fous de Cromwell !

GRAMADOCH

                                    Mal dit, Elespuru.
2425 Nous sommes ses bouffons ; mais il est notre fou.
Il nous croit ses jouets ; pauvre homme ! il est le nôtre.
Nous dupe-t-il jamais par quelque patenôtre ?
Nous épouvante-t-il par ses éclats de voix,
Ou ses clins d'yeux dévots, qui font trembler des rois ?
2430 Quand il vient de prier, de prêcher, de proscrire,
L'hypocrite peut-il nous regarder sans rire ?
Sa sourde politique et ses desseins profonds
Trompent le monde entier, hormis quatre bouffons.
Son règne, si funeste aux peuples qu'il secoue,
2435 Est, vu de notre place, un sot drame qu'il joue.
Regardons. Nous allons voir passer sous nos yeux
Vingt acteurs, tour à tour calmes, tristes, joyeux ;
Nous, dans l'ombre, muets, spectateurs philosophes,
Applaudissons les coups, rions aux catastrophes,
2440 Laissons Charle et Cromwell combattre aveuglément,
Et s'entre-déchirer pour notre amusement !
Seuls, nous avons la clef de cette énigme étrange.
N'en disons rien au maître.

ELESPURU

                                    Oui, ma foi, qu'il s'arrange !

GIRAFF

Taisons-nous, et rions !

TRICK

                                    Partout nous triomphons.
2445 Satan fait les tyrans au plaisir des bouffons.
Pendant que l'univers tremble sous le despote,
Du sceptre de Cromwell faisons notre marotte

## SCÈNE II

Les Mêmes, CROMWELL, JOHN MILTON, habit noir, cheveux blancs assez longs, calotte noire, la chaîne de secrétaire du conseil au cou; soutenu par un jeune page à la livrée du Protecteur, WHITELOCKE, PIERPOINT, THURLOË, LORD ROCHESTER, HANNIBAL SESTHEAD

*A l'arrivée de Cromwell les bouffons se prosternent en silence.*

CROMWELL

Voici mes quatre fous. — Ma foi, c'est le moment
De nous distraire un peu.    *(Entre Thurloë.)*

THURLOË *(à Cromwell)*

Mylord, le parlement
2450 Dans la salle du trône attend...

CROMWELL *(avec impatience)*

Hé ! qu'il attende !

THURLOË *(bas au Protecteur)*

Il porte l'Humble Adresse où le peuple demande
Que le Protecteur daigne être roi.

CROMWELL *(rayonnant)*

C'est donc fait !

*A part.*

Qu'ils sont plats !
*(A Thurloë.)*    Je pourrai les entendre en effet.
Mais après mon conseil; puis il faut que je voie
2455 Les chevaux gris frisons que le Holstein m'envoie.
Amuse-les, mon cher, nourris leur zèle ardent.
Dis-leur de discuter un texte en m'attendant.

GRAMADOCH *(bas à Trick)*

Dans le livre des Rois, par exemple !    *(Thurloë sort.)*

LORD ROCHESTER *(à part)*

Qu'entends-je ?
O Charle ! ô roi-martyr ! comme Olivier te venge !
2460 Quel fouet honteux succède à ton sceptre éclatant !

CROMWELL *(montrant ses bouffons à lord Rochester)*

Puisque nous voilà seuls, je veux rire un instant.
Docteur, ce sont mes fous, et je vous les présente.

*Lord Rochester et les bouffons s'inclinent.*

Quand nous sommes en joie, ils sont d'humeur plaisante.
Nous faisons tous des vers. — Il n'est pas même ici

*Il montre Milton.*

2465 Jusqu'à mon vieux Milton qui ne s'en mêle aussi.

MILTON *(avec dépit)*

Vieux Milton, dites-vous ! Mylord, ne vous déplaise,
J'ai bien neuf ans de moins que vous-même.

CROMWELL

                                            A votre aise !

MILTON

Oui. Vous êtes, mylord, de quatre-vingt-dix-neuf.
Moi, de seize cent huit.

CROMWELL

                        Le souvenir est neuf.

MILTON *(avec vivacité)*

2470 Vous pourriez me traiter de façon plus civile !
Je suis fils d'un notaire, alderman de sa ville.

CROMWELL

Là, ne vous fâchez pas. Je sais aussi fort bien
Que vous êtes, Milton, grand théologien,
Et même, mais le ciel compte ce qu'il nous donne,
2475 Bon poète, — au-dessous de Wither et de Donne !

MILTON *(comme se parlant à lui-même)*

Au-dessous ! que ce mot est dur ! — Mais attendons.
On verra si le ciel m'a refusé ses dons !
L'avenir est mon juge. — Il comprendra mon Eve,
Dans la nuit de l'enfer tombant comme un doux rêve,
2480 Adam coupable et bon, et l'archange indompté
Fier de régner aussi sur une éternité,
Grand dans son désespoir, profond dans sa démence,
Sortant du lac de feu que bat son aile immense ! —
Car un génie ardent travaille dans mon sein.
2485 Je médite en silence un étrange dessein.

J'habite en ma pensée, et Milton s'y console. —
Oui, je veux à mon tour créer par ma parole,
Du créateur suprême émule audacieux,
Un monde, entre l'enfer, et la terre, et les cieux.

LORD ROCHESTER (à part)

2490 Que diable dit-il là ?

HANNIBAL SESTHEAD (aux bouffons)

Risible enthousiaste !

CROMWELL

Il regarde Milton en haussant les épaules.

C'est un fort bon écrit que votre <i>Iconoclaste.</i>
Quant à votre grand diable, autre Léviathan.
(Il rit.)   C'est mauvais.

MILTON (indigné, entre ses dents)

C'est Cromwell qui rit de mon Satan !

LORD ROCHESTER (s'approchant de Milton)

Monsieur Milton !

MILTON (sans l'entendre, et tourné vers Cromwell)

Il parle ainsi par jalousie !

LORD ROCHESTER (à Milton, qui l'écoute d'un air distrait)

2495 Vous ne comprenez pas, d'honneur, la poésie.
Vous avez de l'esprit, il vous manque du goût.
Ecoutez : — les Français sont nos maîtres en tout.
Etudiez Racan. Lisez ses <i>Bergeries.</i>
Qu'Aminte avec Tircis erre dans vos prairies,
2500 Qu'elle y mène un mouton au bout d'un ruban bleu.
Mais Eve ! mais Adam ! l'enfer ! un lac de feu !
C'est hideux ! Satan nu sous ses ailes roussies !... —
Passe au moins s'il cachait ses formes adoucies
Sous quelque habit galant, et s'il portait encor
2505 Sur une ample perruque un casque à pointes d'or,
Une jaquette aurore, un manteau de Florence;
Ainsi qu'il me souvient, dans l'Opéra de France,
Dont naguère à Paris la cour nous régala,
Avoir vu le soleil en habit de gala !

MILTON *(étonné)*

2510 Qu'est-ce que ce jargon de faconde mondaine
Dans la bouche d'un saint ?

LORD ROCHESTER *(à part et se mordant les lèvres)*

Encore une fredaine !
Il a mal écouté par bonheur ; mais toujours
Au grave Obededom Rochester fait des tours.    *(Haut à*
Monsieur, je plaisantais.                               *Milton.)*

MILTON

Sotte est la raillerie !

*A part et toujours tourné vers Cromwell.*

2515 Comme Olivier me traite ! — Hé ! qu'est-ce, je vous prie,
Que gouverner l'Europe, au fait ? — Jeux enfantins !
Je voudrais bien le voir faire des vers latins
Comme moi !

*Pendant ce colloque, Cromwell s'entretient avec
Whitelocke et Pierpoint ; Hannibal Sesthead avec
les bouffons.*

CROMWELL *(brusquement)*

Çà, messieurs. Voyons ! il faut qu'on rie.
Bouffons ! trouvez-moi donc quelque plaisanterie.
— Sir Hannibal Sesthead !...

HANNIBAL SESTHEAD *(d'un air piqué)*

2520                                    Seigneur, excusez-moi.
Je ne suis point bouffon, je suis cousin d'un roi,
D'un roi de race antique, et qui, sans vous déplaire,
Régit le Danemark par un droit séculaire !

CROMWELL *(se mordant les lèvres, à part)*

Je comprends ! Il m'outrage ! Ah ! pourquoi mon courroux
2525 Ne saurait-il l'atteindre ?
*(Rudement aux bouffons.)* Allons ! riez donc, vous !

LES BOUFFONS *(riant)*

Ha ! ha ! ha !

CROMWELL *(à part)*

Mais leur rire est, je crois, sardonique.

*Haut avec colère aux bouffons.*

Taisez-vous !

*Les bouffons se taisent. Cromwell poursuit avec
humeur.*

C'est Milton, ce chantre satanique,
Qui nous trouble la tête avec ses visions.

> *Milton se retourne fièrement vers Cromwell, qui
> reprend. — A part.*

Contenons-nous.
        *(Haut.)*   Hé bien, qu'est-ce que nous disions ?
2530 Trick, fais-nous apporter de la bière, une pipe.

### TRICK

Ah ! mylord veut fumer.

> *Il sort et rentre un moment après, suivi de deux
> valets portant une table chargée de pipes et de
> brocs.*

### CROMWELL

                J'entends qu'on me dissipe,
Je veux être un peu gai ! —      *(A part.)*
                    Quoi ! trahi par mon fils !

> *Une pause. — Cromwell paraît livré à de dou-
> loureuses pensées. Les assistants se tiennent en
> silence, les yeux baissés. Rochester et les fous
> semblent seuls observer le visage sinistre du Pro-
> tecteur. Tout à coup Cromwell, comme s'il
> s'apercevait du maintien embarrassé de ses
> familiers, sort de sa rêverie et s'adresse aux
> bouffons.*

A-t-on fait quelques vers depuis ceux que je fis
En réponse au sonnet du colonel Lilburne ?

### TRICK

2535 L'Hippocrène est pour nous avare de son urne.
Voici pourtant...

> *Il présente au Protecteur le parchemin roulé.*

### CROMWELL

    Lis.

### TRICK   *(déployant le parchemin)*

        Hum ! — « *Quatrain...* » — Les vers sont plats !
« *A ma divinité. — Belle Egérie, hélas !...* »

### LORD ROCHESTER   *(à part)*

Dieu, mon quatrain !

> *Il se précipite sur Trick, et lui arrache le parche-
> min.*

                Démons ! damnation ! injure !
Me pardonnent le ciel...    *(Il s'incline vers Cromwell.)*

Et mylord, si je jure !
2540 Mais comment de sang-froid entendre à mes côtés
Déborder le torrent des impudicités ?

*A Trick qui rit de toutes ses forces.*

Fuis, va-t'en, édomite, impur madianite !...

*A part.*

Je ne me souviens plus de l'autre rime en *ite* !
Mon quatrain ! ces démons dans ma poche l'ont pris !

CROMWELL *(à lord Rochester)*

2545 Je conçois que ces vers soulèvent vos mépris...

LORD ROCHESTER *(à part)*

Non pas !

CROMWELL

Mais on n'est point ici dans une église ;
Et je veux lire, ami, ce qui vous scandalise.
Donnez.

LORD ROCHESTER

Quoi ! des chansons d'enfer !

CROMWELL *(avec impatience)*

Donne, ou je vais...

LORD ROCHESTER

Mais, mylord...

CROMWELL *(impérieusement)*

Obéis.

*Lord Rochester s'incline, et remet le parchemin à Cromwell qui y jette les yeux, et dit en le lui rendant :*

Ces vers sont bien mauvais !

LORD ROCHESTER *(à part)*

2550 Mes vers mauvais ! tu mens. Voyez ce régicide ! —
Cromwell, juger des vers !

CROMWELL

Ce quatrain est stupide.

LORD ROCHESTER *(jetant un coup d'œil sur le parchemin)*

Mylord, de tels écrits les auteurs sont damnés ;
Mais les vers en eux-même ont l'air fort bien tournés.

TRICK *(bas aux autres fous)*

Il est l'auteur, c'est sûr !    *(Haut.)*
                  Moi, qui croisai ces rimes,
2555 Je conviens qu'Apollon m'en ferait quatre crimes,
Tant ces vers sont méchants !

LORD ROCHESTER *(regardant de travers les bouffons, à part)*
                     Raillez à votre tour,
Singes du léopard ! perroquets du vautour !

CROMWELL

Çà, docte Obededom, ce n'est point votre affaire
De juger ce quatrain, galamment somnifère.

LORD ROCHESTER *(mettant le quatrain dans sa poche.*
                *— A part.)*
2560 Francis le trouvera meilleur assurément !

TRICK *(saluant ironiquement Rochester)*

Oui, messire est trop bon pour moi !...

LORD ROCHESTER
                   Pour toi ! comment ?
Je voudrais, te fouettant pendant que Dieu te damne,
Te promener dans Londre à rebours sur un âne !

TRICK

Vous puniriez ainsi l'auteur du quatrain ?

LORD ROCHESTER *(troublé)*
                   Non...
2565 Je ne dis pas...

TRICK
          Suis-je homme à vous cacher son nom ?

LORD ROCHESTER *(dont l'anxiété redouble)*

C'est bon !

TRICK
        Je n'entends point solliciter sa grâce.
Il mérite le fouet !

LORD ROCHESTER *(à part)*
           Drôle !

TRICK *(riant, bas aux autres fous)*

Je l'embarrasse.

*Entre le comte de Carlisle.*

Au diable lord Carlisle ! il vient nous déranger.

LORD ROCHESTER *(respirant)*

Ah !

*Cromwell entraîne précipitamment lord Carlisle dans un coin du théâtre. Tous s'éloignent, mais sans quitter Cromwell et Carlisle des yeux.*

CROMWELL *(bas à lord Carlisle qui s'incline)*

Lord Ormond ?

LORD CARLISLE

Mylord, il vient de déloger.

CROMWELL

2570 Rochester ?

LORD CARLISLE

On n'a pu le trouver. Il se cache.

CROMWELL

Richard ?

LORD CARLISLE

A tout nier sans pudeur il s'attache.
La question pourrait obtenir quelque aveu...

CROMWELL *(sévèrement)*

Votre tête répond de son dernier cheveu !
Carlisle, vous savez mon horreur des supplices.
2575 La torture à mon fils ! c'est bon pour ses complices.
— Lambert ?

LORD CARLISLE

Il se retranche à sa maison des champs,
Bien gardé, s'occupant de ses fleurs.

CROMWELL *(avec amertume)*

Soins touchants !
Tout m'échappe. — Du moins je tiens bien la couronne !

LORD CARLISLE

Autour de Westminster que la foule environne,
2580 Le peuple et les soldats maudissent hautement
Le nom de roi voté pour vous en parlement.

CROMWELL

Pesez vos mots, mylord !

LORD CARLISLE

Votre altesse m'excuse !

CROMWELL (*à part*)

Tout va mal.

*Haut avec humeur.*

Ai-je pas, messieurs, dit qu'on s'amuse ?
A quoi songez-vous donc ?
    (*A part.*)   Ils m'écoutent ! valets !

*Bas à Carlisle.*

2585 Mylord, doublez la garde autour de ce palais.

*Carlisle sort. — Haut.*

Hé bien ! et ce quatrain ?
    (*A part.*)   J'étouffe de colère !

*Rentre Thurloë.*

THURLOË (*à Cromwell*)

La secte des ranters, que l'Esprit saint éclaire,
Veut consulter mylord touchant un point de foi.
Ils sont là.

CROMWELL

    Fais entrer.   (*Thurloë sort.— A part.*)
            Ah ! si j'étais né roi,
2590 Je chasserais cela ! — Mais un chef populaire
Doit pour mener la foule, hélas ! savoir lui plaire.

> *Thurloë rentre conduisant les ranters, vêtus de*
> *noir, avec des bas bleus, de larges souliers gris, et*
> *de grands chapeaux gris sur lesquels on distingue*
> *une petite croix blanche, et qu'ils gardent sur*
> *leur tête.*

LE CHEF DE LA DÉPUTATION (*avec solennité*)

Olivier, capitaine et juge dans Sion !
Les saints, siégeant à Londre en congrégation,
Sachant que ta science est un vase à répandre,
2595 Te demandent par nous s'il faut brûler ou pendre
Ceux qui ne parlent pas comme saint Jean parlait,
Et disent *Siboleth* au lieu de *Schiboleth ?*

CROMWELL (*méditant*)

La question est grave et veut être mûrie.
Prononcer *Siboleth*, c'est une idolâtrie.

2600 Crime digne de mort, dont sourit Belzébuth.
Mais tout supplice doit avoir un double but,
Que pour le patient l'humanité réclame;
En châtiant son corps, il faut sauver son âme.
Or quel est le meilleur de la corde ou du feu
2605 Pour réconcilier un pécheur avec Dieu ?
Le feu le purifie...

LORD ROCHESTER *(à part)*

Et la corde l'étrangle.

CROMWELL

Daniel s'épura dans le brûlant triangle.
Mais la potence a bien son avantage aussi;
La croix fut un gibet.

LORD ROCHESTER *(à part)*

J'admire en tout ceci
2610 De quelle allure aimable, ainsi qu'en son domaine,
De supplice en supplice Olivier se promène,
Quitte l'un, reprend l'autre, et va sans trébucher
Du fagot au licol, du gibet au bûcher !
Comme il en fait jaillir mille grâces cachées !

CROMWELL *(toujours réfléchissant)*

2615 Que les vérités sont à grand-peine cherchées !
La matière est ardue, et je range ce cas
Entre les plus subtils et les plus délicats.

*Après un moment de silence, il s'adresse brusque-
ment à Rochester.*

Clerc ! prononcez pour nous.

LORD ROCHESTER *(à part)*

Il fait comme Pilate.

CROMWELL *(montrant Rochester aux ranters)*

C'est un autre Cromwell !

LORD ROCHESTER *(s'inclinant)*

Votre altesse me flatte !

LE CHEF DES RANTERS *(à Rochester)*

2620 Dans ces énormités, donc, si quelqu'un tombait,
Encourrait-il la corde ou le feu ?

LORD ROCHESTER *(avec autorité)*

Le gibet,
Et meurent avec lui, sous une même haine,
Son père amorrhéen, sa mère céthéenne !

LE CHEF DES RANTERS *(gravement)*

Pourquoi le gibet ?

LORD ROCHESTER *(embarrassé)*

Ah !... le gibet ?... C'est cela... —
2625 On y monte au moyen d'une échelle... Voilà !
Et... Dieu fit voir en rêve à son berger fidèle
Qu'on monte au ciel de même au moyen d'une échelle.

*A part.*

J'ai peine à ne pas rire au nez de ces lurons.

CROMWELL *(regardant Rochester avec satisfaction)*

Il est docte vraiment !

LE CHEF DES RANTERS *(remerciant Rochester de la main)*

Fort bien, nous les pendrons.

*Ils sortent.*

LORD ROCHESTER *(à part)*

2630 Voilà de pauvres gens bien jugés, sur ma tête !

CROMWELL *(à Rochester)*

Je suis content de vous.

LORD ROCHESTER *(avec une révérence)*

Mylord est trop honnête !

GIRAFF *(aux autres bouffons)*

Frères, aucun de nous n'aurait mieux prononcé.

*Rentre Thurloë.*

THURLOË *(à Cromwell)*

Le conseil privé.

CROMWELL

Bon.

THURLOË

C'est pour l'objet...

CROMWELL *(vivement)*

Je sai.

Qu'il entre.

TRICK *(bas aux bouffons)*

Baladins ! cédons la place aux mages.

> *A un geste de Cromwell, sortent les bouffons, lord Rochester, Hannibal Sesthead ; et deux valets emportent la table chargée de brocs de bière et de pipes. Thurloë introduit le conseil privé, qui s'avance sur deux files, et dont chaque membre se place debout devant un tabouret en fer à cheval, tandis que Cromwell monte à son grand fauteuil, et que Milton, toujours conduit par son page, s'approche du pliant et de la table. Whitelocke, Stoupe et lord Carlisle prennent leurs places respectives autour du Protecteur, sur les marches de son estrade.*

## SCÈNE III

CROMWELL, LE COMTE DE WARWICK, LE LIEUTENANT GÉNÉRAL FLETWOOD, gendre de Cromwell, LE COMTE DE CARLISLE, LORD BROGHILL, LE MAJOR GÉNÉRAL DESBOROUGH, beau-frère de Cromwell, WHITELOCKE, SIR CHARLES WOLSELEY, M. WILLIAM LENTHALL, PIERPOINT, THURLOË, STOUPE, MILTON. Chacun de ces personnages revêtu du costume particulier de sa charge ou de sa commission.

> *Cromwell s'assied, se couvre. Tous s'asseyent, mais restent découverts.*

CROMWELL *(à part)*

2635 Ah ! de tous ces oiseaux subissons les ramages.    *(Haut.)*
Messieurs les conseillers de mon gouvernement,
Prenez séance tous, et prions un moment.

> *Il s'agenouille, tous les conseillers en font autant. Après quelques instants de méditation, le Protecteur se relève et s'assied ; tous suivent son exemple. Il continue avec un profond soupir.*

Messieurs, — pour gouverner j'ai bien peu de mérite !
Mais le Seigneur, qu'enfin ma résistance irrite,
2640 Inspire au parlement d'agrandir mon devoir,
En m'accablant encor d'un surcroît de pouvoir.
C'est pourquoi j'ai donné l'ordre qu'on vous assemble
Afin de conférer et de parler ensemble.
Sied-il d'élire un roi, d'abord ? — Dois-je être élu ? —
2645 Donnez sur ces deux points votre avis absolu.

Que chacun à son rang expose son système.
Je parle franchement, expliquez-vous de même.
Le comte de Warwick est le plus éminent
D'entre vous. Qu'il commence. — Ecoutez maintenant,
Monsieur Milton.

LE COMTE DE WARWICK (se levant)

2650                    Mylord, rien n'égale sur terre
Votre foi, votre esprit, votre haut caractère,
Et, pour accroître encor votre éclat personnel,
Vous tenez des Warwick du côté maternel.
Votre noble écusson porte le même heaume.
2655 Or, comme il faut toujours un roi dans un royaume,
Votre altesse vaut mieux qu'un maître de hasard.
Certe, un Rich peut régner aussi bien qu'un Stuart.

( Il se rassied.)

CROMWELL (à part)

Il n'est que d'être heureux pour grossir sa famille !
Cromwell obscur n'est rien : — que sur le trône il brille,
2660 Les Rich sont ses aïeux, ses cousins, ses parents.
Oui, ce sont mes aïeux, — depuis bientôt quatre ans.

Haut.

A votre tour, Fletwood.

LE LIEUTENANT GÉNÉRAL FLETWOOD (se levant)

                    Mylord, la république ! —
Mon beau-père, avec vous, nettement je m'explique.
Pour elle de Stuart on dressa l'échafaud,
2665 Nous avons combattu pour elle. — Il nous la faut.
Laissons Dieu seul porter le seul vrai diadème.
Pas d'Olivier Premier, ni de Charles Deuxième !
Jamais de roi !   <i>( Il se rassied.)</i>

CROMWELL

                Fletwood, vous êtes un enfant !
— Vous, Carlisle !

LE COMTE DE CARLISLE (se levant)

                    Mylord, votre front triomphant
2670 Est fait pour la couronne.   <i>( Il se rassied.)</i>

CROMWELL

A Broghill !

LORD BROGHILL *(se levant)*

Mylord, j'ose

Réclamer le secret pour ce que je propose.   *(A part.)*
De ce complot d'Ormond je suis tout étourdi.
Que mon rôle est timide en ce drame hardi !
Conseiller de Cromwell et confident de Charle !
2675 Traître si je me tais, et traître si je parle !

CROMWELL

Pour quel motif ?

LORD BROGHILL *(s'inclinant)*

Mylord, une raison d'Etat...

*Cromwell lui fait signe d'approcher. Stoupe,
Thurloë, Whitelocke et Carlisle s'éloignent du
Protecteur.*

LORD BROGHILL *(bas à Cromwell)*

Ne se pourrait-il point qu'avec Charle on traitât ?
Si vous lui proposiez la main de votre fille ?

CROMWELL *(étonné)*

Au... jeune homme ?

LORD BROGHILL

Oui, lady Francis.

CROMWELL

Et sa famille ?

LORD BROGHILL

2680 Vous vous faites sacrer sous le nom d'Olivier.
Vous êtes rois tous deux.

CROMWELL

Et le trente janvier ?

LORD BROGHILL

Vous lui donnez un père.

CROMWELL

On peut donner. Mais rendre ?

LORD BROGHILL

Il oublierait...

CROMWELL *(avec un rire de dédain)*

Mon crime ! il ne le peut comprendre.
Son œil ne saurait voir le but que j'ai cherché,
2685 Et pour me pardonner, il est trop débauché !
C'est fou, Broghill !

*Lord Broghill retourne à sa place. Les grands*
*officiers reprennent les leurs.*

— Parlez, Desborough.

LE MAJOR GÉNÉRAL DESBOROUGH *(se levant)*

Mon beau-frère,
Vous méditez dans l'ombre un dessein téméraire.
Nous, de la royauté subir encor l'affront !
Point de roi, quel qu'il soit ! Les soldats salueront
2690 Cromwell de cris d'amour, Olivier d'anathèmes.
Meurent les courtisans, les docteurs, les systèmes !

CROMWELL

Desborough, vous luttez contre un mot, contre un nom.
Si ce peuple innocent veut un roi, pourquoi non ? —
Ce nom de roi, proscrit par votre orgueil fantasque,
2695 Qu'est-ce pour un soldat ? — Un panache à son casque.

*Il fait signe à Whitelocke de parler. White-*
*locke se lève, et Desborough se rassied.*

WHITELOCKE *(à part, regardant Desborough)*

Ce valet de charrue avant moi se lever !   *(Haut.)*
Mylord, — je serai vrai, quoi qu'il puisse arriver.
Point de peuple sans loi, point de loi sans monarque. —
Ecoutez ; l'argument vaut bien qu'on le remarque...

*A part.*

2700 Avant moi ! Desborough ! *homuncio !* butor !

*Haut.*

Le roi fut de tout temps nommé *legislator*,
*Lator*, porteur, *legis*, de loi ; d'où je relève
Qu'un prince est à la loi ce qu'Adam est pour Eve.
Donc, si le roi des lois est le père et le chef,
2705 Point de peuple sans roi, je le dis derechef ;
Voyez, pour confirmer ma doctrine certaine,
Moïse, Aaron, Saint-John, Glynn, Cicéron, Fountaine,
Et Selden, livre trois, chapitre des Abus :
*Quid de his censetur modo codicibus.* —
2710 Mylord, il faut régner ! — *Dixi.*   *(Il se rassied.)*

CROMWELL *(félicitant Whitelocke du geste et du regard)*

Comme il raisonne !
Qu'un discours à propos de latin s'assaisonne ! —
Ecoutons Wolseley.

SIR CHARLES WOLSELEY *(se levant)*

Mylord, — sans nul détour
J'oserai détromper votre altesse à mon tour.
Le chef d'un peuple libre est, suivant le prophète,
2715 *Tanquam in medio positus*, non au faîte.
Ce chef, sur quelque siège enfin qu'il soit assis,
Est *major singulis*, — *minor universis*,
Donc le titre de roi rompt notre privilège,
*Rex violat legem.*     *(Il se rassied.)*

CROMWELL

Arguments de collège !
2720 Avec vos mots latins je suis peu familier.
Mauvaises raisons !
     *(A Pierpoint.)*     Vous !

PIERPOINT *(se levant)*

Mylord, puissant pilier
D'Israël, qui par vous domine sur la terre,
Voici ce que je dis : — Ce peuple d'Angleterre,
Dont le haut parlement se nomme impérial,
2725 A le droit glorieux, saint, immémorial,
D'avoir pour chef un roi; sa dignité l'exige.
Que votre altesse accepte un titre qui l'afflige.
Vous le devez au peuple ! oui, mylord, c'est, je crois,
Lui manquer, que régner sur lui sans être roi.
                                        *(Il se rassied.)*

CROMWELL
2730 Monsieur Lenthall ?

M. WILLIAM LENTHALL *(se levant)*

Mylord, — le parlement préside
La nation, en qui la royauté réside.
Il commande aux petits comme aux plus élevés.
Si donc le parlement vous fait roi, vous devez,
Selon le droit romain, suivant le décalogue,
2735 Obéir et régner.

CROMWELL *(à part)*

Courtisan démagogue !

M. WILLIAM LENTHALL *(à part)*

Il se laissera faire, et j'espère qu'alors
Il ne m'oubliera point pour la chambre des lords.

THURLOË *(bas à Cromwell)*

Mylord, le parlement attend toujours...

CROMWELL *(bas, avec impatience)*

Silence !

THURLOË *(toujours de même)*

Mais...

CROMWELL *(bas à Thurloë)*

Avant d'accepter il sied que je balance.

FLETWOOD *(se levant)*

2740 Ah ! mylord, refusez ! — Pour vous, pour votre honneur,
J'ose...

CROMWELL *(les congédiant tous de la main)*

Allez tous prier, et chercher le Seigneur !

*Tous sortent lentement en procession. Milton,
qui marche le dernier, s'arrête sur le seuil de la
porte, les laisse partir, et ramène son guide vers
Cromwell, qui, descendu de son fauteuil, s'est
placé sur le devant du théâtre.*

## SCÈNE IV

CROMWELL, MILTON

MILTON *(à part)*

Non ! je n'y puis tenir. — Il faut ouvrir mon âme.

*Il marche droit à Cromwell.*

Regarde-moi, Cromwell !

*Il croise les bras. Cromwell se retourne, et fixe
sur lui un regard surpris et hautain.*

Déjà ton œil s'enflamme
Sans doute, et tu diras de quel front j'ose ici
2745 Te parler, sans avoir obtenu ta merci ? —
Car ma place est étrange en ton conseil de sages.
Si quelqu'un me cherchait parmi tous ces visages :
— Voyez ces orateurs choisis, lui dira-t-on,
C'est Warwick, c'est Pierpoint. Ce muet, — c'est Milton. —

2750 On a Milton, qu'en faire ? Un muet; c'est son rôle. —
Ainsi moi, dont le monde entendra la parole,
Au conseil de Cromwell, seul, je n'ai pas de voix ! —
Mais, aveugle et muet, c'est trop pour cette fois.
On te perd à l'appât d'un fatal diadème,
2755 Frère, et je viens plaider pour toi, contre toi-même.
Tu veux donc être roi, Cromwell ? et dans ton cœur,
Tu t'es dit : — C'est pour moi que le peuple est vainqueur.
Le but de ses combats, le but de ses prières,
De ses pieux travaux, de ses veilles guerrières,
2760 De son sang répandu, de tant de pleurs versés,
De tous ses maux, c'est moi ! — Je règne, c'est assez.
Il doit se croire heureux, puisqu'après tant de peines,
Il a changé de roi, — renouvelé ses chaînes. —
Rien qu'à ce seul penser mon front chauve rougit.
2765 — Ecoute-moi, Cromwell ! c'est de toi qu'il s'agit. —
Donc, tous les grands moteurs de nos guerres civiles,
Vane, Pym, qui d'un mot faisait marcher des villes,
Ton gendre Ireton, oui, ce martyr de nos droits,
Que ton orgueil exile au sépulcre des rois,
2770 Sidney, Hollis, Martyn, Bradshaw, ce juge austère
Qui lut l'arrêt de mort à Charles d'Angleterre,
Et ce Hampden, si jeune au tombeau descendu,
Travaillaient pour Cromwell, dans leur foule perdu !
C'est toi qui des deux camps règles les funérailles,
2775 Et dépouilles les morts sur le champ de batailles !
Ainsi, depuis quinze ans, pour toi seul révolté,
Le peuple à ton profit joue à la liberté !
Dans ses grands intérêts tu n'as vu qu'une affaire,
Et dans la mort du roi qu'un héritage à faire ! —
2780 Ce n'est pas que je veuille ici te rabaisser,
Non. — Nul autre que toi n'aurait pu t'éclipser.
Puissant par la pensée et puissant par le glaive,
Tu fus si grand, qu'en toi j'ai cru trouver mon rêve,
Mon héros ! Je t'aimais entre tout Israël,
2785 Et nul ne te plaçait plus avant dans le ciel ! —
Et pour un titre, un mot vide autant que sonore,
L'apôtre, le héros, le saint se déshonore !
Dans ses desseins profonds voilà ce qu'il cherchait,
La pourpre, haillon vil ! le sceptre, vain hochet !
2790 Au sommet de l'Etat jeté par la tempête,
Ivre de ton destin, tu veux parer ta tête
De cet éclat des rois, pour nous évanoui ?
Tremble : on est aveuglé, quand on est ébloui.
Olivier, de Cromwell je te demande compte,

2795 Et de ta gloire, enfin, qui devient notre honte ! —
O vieillard, qu'as-tu fait de ta jeune vertu ?
Tu te dis : Il est doux, quand on a combattu,
De s'endormir au trône, environné d'hommages ;
D'être roi ; de peupler cent lieux de ses images.
2800 On a son grand lever ; on va dans un beau char
Trôner à Westminster, prier à Temple-Bar ;
On traverse en cortège une foule servile ;
On se fait haranguer par des greffiers de ville ;
On porte des fleurons autour de son cimier... —
2805 Est-ce là tout, Cromwell ? Songe à Charles Premier.
Oses-tu, dans son sang ramassant la couronne,
Avec son échafaud te rebâtir un trône ?
Quoi ! tu veux être roi, Cromwell ! — Y penses-tu ?
Ne crains-tu pas qu'un jour, d'un crêpe revêtu,
2810 Ce même White-Hall, où ta grandeur s'étale,
N'ouvre encore une fois sa fenêtre fatale ? —
Tu ris ! mais dans ton astre as-tu donc tant de foi ?
Songe à Charles Stuart ! Souviens-toi ! souviens-toi !
Quand ce roi dut mourir, quand la hache fut prête,
2815 C'est un bourreau voilé qui fit tomber sa tête.
Roi, devant tout son peuple il périt sans secours,
Sans savoir seulement qui dénouait ses jours.
Par le même chemin tu marches à ta perte,
Cromwell, d'un voile aussi ta fortune est couverte.
2820 Crains qu'elle ne ressemble à ce spectre masqué,
Qui sur un échafaud paraît au jour marqué !
Des rêves de l'orgueil dénoûment formidable ! —
Cromwell ! d'un seul côté le trône est abordable,
On y monte ; et de l'autre on descend au tombeau.
2825 Crains de voir, si tu prends cette pourpre en lambeau,
S'assembler quelque jour, dans cette même chambre,
Une cour, dont alors tu ne serais plus membre.
Car il se peut, crois-moi, qu'à la fin alarmé,
Contre un sceptre nouveau de ton vieux glaive armé,
2830 Ce peuple, que toujours ton exemple décide,
Pense à ta royauté moins qu'à ton régicide. —
Ne recules-tu pas ?... Ah ! jette loin de toi
Ce sceptre d'histrion et ce masque de roi !
Reste Cromwell. Maintiens le monde en équilibre ;
2835 Fais sur les nations régner un peuple libre :
Ne règne pas sur lui. Sauve sa liberté.
Oh ! combien a rougi ce peuple en sa fierté,
Quand dans ce parlement il a vu ton génie
Mendier à prix d'or un peu de tyrannie !

2840 Démens tes vils flatteurs, montre-toi noble et grand.
Juge, législateur, apôtre, conquérant,
Sois plus que roi. Remonte à ta hauteur première.
Il n'a fallu qu'un mot pour créer la lumière :
Toi, redeviens Cromwell à la voix de Milton !

*Il se jette aux pieds de Cromwell.*

CROMWELL *(le relevant avec un geste dédaigneux)*

2845 Le bonhomme le prend sur un singulier ton !
— Çà, maître John Milton, secrétaire interprète
Près le conseil d'Etat, vous êtes trop poète.
Vous avez, dans l'ardeur d'un lyrique transport,
Oublié qu'on me dit *votre altesse* et *mylord.*
2850 Mon humilité souffre à ce titre frivole;
Mais le peuple qui règne, et pour qui je m'immole,
A mon bien grand regret veut qu'il en soit ainsi.
Je me suis résigné : — résignez-vous aussi !

*Milton se lève fièrement et sort.*
*Cromwell, seul.*

Au fond, il a raison. — Oui, mais il m'importune.
2855 Charles Premier ?... — Mais non, tu vois mal ma fortune,
Les rois comme Olivier n'ont point de tels trépas,
Milton ; on les poignarde, on ne les juge pas. —
J'y songerai pourtant. — Sinistre alternative !

## SCÈNE V

### CROMWELL, LADY FRANCIS

CROMWELL *(apercevant lady Francis qui entre)*

Ah ! Francis ! — On dirait qu'à mes maux attentive,
2860 Rayonnante, elle vient charmer mes noirs ennuis,
Comme un jeune astre, éclos dans les profondes nuits.
Viens, ma fille ! — Toujours, ange à figure humaine,
Près de moi quand je souffre un instinct te ramène.
Je suis toujours heureux lorsque je te revois.
2865 Ton œil vif et brillant, ta pure et douce voix,
Ont un charme pour moi, qui me rend ma jeunesse.
Viens, enfant ! que ton père à tes côtés renaisse !
Toi seule ici, du monde ignores les noirceurs.
Embrasse-moi. — Je t'aime avant toutes tes sœurs.

LADY FRANCIS *(l'embrassant d'un air de joie)*

2870 De grâce, dites-moi, serait-il vrai, mon père ?
Vous relevez le trône ?

CROMWELL

On le dit.

LADY FRANCIS

Jour prospère !
L'Angleterre, mylord, vous devra son bonheur.

CROMWELL

Ce fut toujours mon but.

LADY FRANCIS

Ah ! mon père et seigneur !
Que votre bonne sœur, mylord, sera contente !
2875 Nous allons donc revoir, après huit ans d'attente,
Notre Charles Stuart !

CROMWELL *(étonné)*

Quoi !

LADY FRANCIS

Que vous êtes bon !

CROMWELL

Ce n'est pas un Stuart.

LADY FRANCIS *(surprise)*

Quoi donc ? Est-ce un Bourbon ?
Mais ils n'ont pas de droits au trône d'Angleterre.

CROMWELL

Je le pense de même.

LADY FRANCIS

Au sceptre héréditaire
2880 Qui donc ose toucher ?

CROMWELL *(à part)*

Que répondre en effet ?
Mon nom me pèse à dire, et me semble un forfait.

*Haut.*

Ma Francis, d'autres temps veulent une autre race.
N'auriez-vous pu penser, pour remplir cette place ?...

LADY FRANCIS

A qui donc ?

CROMWELL *(avec douceur)*

Par exemple, — à ton père ? à Cromwell ?

LADY FRANCIS *(vivement)*

2885 Si je l'avais pensé, me punisse le ciel !

CROMWELL *(à part)*

Hélas !

LADY FRANCIS

Mon père ! moi, vous faire cette injure !
Vous croire usurpateur, sacrilège, parjure !

CROMWELL

Ma fille !... vous jugez trop bien de ma vertu.

LADY FRANCIS

D'un pouvoir passager vous êtes revêtu;
2890 C'est un malheur des temps, dont vous souffrez vous-même.
Mais vous, du roi-martyr prendre le diadème !
Vous joindre à ses bourreaux ! régner par son trépas !
Ah !... —

CROMWELL

Sais-tu qui causa sa mort ?

LADY FRANCIS

Je ne sais pas.
Toute jeune, élevée en une solitude,
2895 J'ai souffert de nos maux, sans en faire une étude.

CROMWELL

On ne te lut jamais, dans le procès du roi,
La liste de la cour,... des juges,... de ceux ?...

LADY FRANCIS

Quoi !
Des régicides ?

CROMWELL

Oui, Francis... des régicides ?

LADY FRANCIS

Personne ne m'a dit quels étaient ces perfides.
2900 Je maudissais leur crime et j'ignorais leurs noms.
On ne parlait point d'eux aux lieux d'où nous venons.

CROMWELL

Ma sœur ne vous parlait jamais de moi ?

LADY FRANCIS

Mon père !

Qui dit cela ? J'appris à vous aimer...

CROMWELL

J'espère...

Oui. — Mais tu hais donc bien ces sujets si hardis
2905 Qui condamnèrent Charle ?

LADY FRANCIS

Ah ! qu'ils soient tous maudits !

CROMWELL

Tous ?

LADY FRANCIS

Oui, tous !

CROMWELL *(à part)*

Quoi ! frappé dans ma propre famille !
Quoi ! trahi par mon fils et maudit par ma fille !

LADY FRANCIS

Que chacun d'eux ressemble à Caïn, le banni !

CROMWELL *(à part)*

Implacable innocence ! — On me croit impuni !
2910 Ma fille la plus chère et la dernière née
Semble une conscience à mes pas acharnée.
La candeur d'une enfant, son œil naïf, sa voix,
Font trembler ce Cromwell, l'épouvante des rois !
Devant sa pureté toute ma force expire.
2915 Dois-je persévérer ? Dois-je saisir l'empire ?
Prosterné sous le trône où je serais assis,
Le monde se tairait : — mais que dirait Francis ?
Que dirait son regard, doux comme sa parole,
Et qui m'enchante encore alors qu'il me désole ?
2920 Chère enfant ! que son cœur saurait avec effroi
Que je suis régicide, et que j'ose être roi !
Dans sa province obscure il faut qu'on la renvoie.
Au but de mon destin sacrifions ma joie,
Privons mes derniers ans de ses soins que j'aimais.
2925 N'attristons pas surtout, ne détrompons jamais

Le seul être qui m'aime encor, sans ma puissance,
Et dans le monde entier croie à mon innocence !
Ange heureux ! que mon sort ne touche pas au sien !
Il le faut : soyons roi, sans qu'elle en sache rien.

                                            *Haut à Francis.*

2930 Conserve ce cœur pur, je t'aime ainsi, ma fille !

                                                    *Il sort.*

### LADY FRANCIS *(le suivant du regard)*

Qu'a-t-il ? C'est dans ses yeux une larme qui brille !
Bon père ! il m'aime tant !

                        *Entrent dame Guggligoy et Rochester.*


## SCÈNE VI

LADY FRANCIS, LORD ROCHESTER, DAME GUGGLIGOY

DAME GUGGLIGOY *(à Rochester, au fond du théâtre)*
                        Elle est seule, venez !

### LORD ROCHESTER *(à part)*

Que d'attributs le diable aux doublons a donnés !
J'ai, grâce à leur pouvoir, su rendre moins austères
2935 Une duègne damnée et de saints mousquetaires.
La duègne a cédé vite; et je croyais d'abord
Moins tendres ces soldats, piliers du Mont-Thabor.
Bah ! dès qu'un peu d'or touche à ces dragons-apôtres,
Ces têtes-rondes-là tournent mieux que les autres !
2940 — Ils sont las de Cromwell qui les tient asservis. —
J'ai déjà vers Ormond dépêché cet avis
Que la porte du parc ce soir sera livrée.
Maintenant, — à Francis ! J'en ai l'âme enivrée.
Mais j'ai pour réussir des secrets souverains,
2945 Je puis semer à flots doublons d'or et quatrains !
Tentons l'occasion !

                *Il s'avance vers lady Francis, qui ne le voit pas,*
                *et semble concentrée dans une profonde rêverie.*

        DAME GUGGLIGOY *(regardant une bourse*
                *qu'elle cache dans sa main)*
                        Assez ronde est la somme !

                                *A part, regardant Rochester.*

Il est vraiment joli, ce jeune gentilhomme !

Se déguiser ainsi, tout braver, par amour !
A cet âge ils sont fous. Hélas ! chacun son tour !
2950 Oui, c'est ainsi qu'eût fait sire Amadis de Gaule.
— Pourtant, dois-je permettre ?... Est-ce bien là mon rôle ?
Et puis, ce chevalier n'a pas un mot pour moi ;
De l'argent, voilà tout. —

> *Elle arrête Rochester, qui semble sur le point*
> *d'aborder Francis. — Bas.*

Monsieur, un instant !

LORD ROCHESTER *(se détournant)*

Quoi ?

DAME GUGGLIGOY *(l'entraînant à l'autre coin du théâtre)*
Un instant !

LORD ROCHESTER

Quoi ?

DAME GUGGLIGOY *(lui souriant)*

N'a-t-on rien de plus à me dire ?

LORD ROCHESTER *(à part)*

2955 Eh ! la bourse était lourde et doit pourtant suffire.

DAME GUGGLIGOY *(à part)*

Pourvu qu'il n'aille pas m'humilier encor
Avec ses doublons...

LORD ROCHESTER *(mettant la main sur ses poches vides, à part)*

Diable ! — allons, je n'ai plus d'or,
Plus le sou ! — Prenons-la par le faible des vieilles,
Et de quelques douceurs chatouillons ses oreilles.

*Haut.*

2960 Hé ! qui pourrait tarir à parler avec vous ?
Ah ! sans le soin pressant qui m'amène...

DAME GUGGLIGOY *(reculant)*

Tout doux !
Vous me flattez...

LORD ROCHESTER

Non pas. Mais, hélas ! le temps presse.

> *Il fait un pas vers Francis ; elle le retient.*

DAME GUGGLIGOY

Je le vois, vous n'avez d'yeux que pour ma maîtresse.

LORD ROCHESTER

Ah ! vous êtes charmante, et s'il fallait choisir...

*A part.*

2965 Va-t-elle à ses côtés me faire ici moisir ?

DAME GUGGLIGOY *(à part)*

Il a bon goût. Je vaux d'être encor regardée
Quand je me suis un peu d'avance accommodée.
Au fait, je ne suis pas si digne de dédain,
Quand j'ai ma jupe rose et mon vertugadin,
2970 Mes lacs d'amour, mes bras garnis de belles manches,
Et mes deux tonnelets ajustés sur les hanches !

*Haut.*

Vous trouvez ?...

LORD ROCHESTER *(se tournant vers Francis)*
Mais souffrez...

DAME GUGGLIGOY *(le retenant)*
Monsieur, j'ai du remord.
Ma charge est de garder la fille de mylord.

LORD ROCHESTER

Vos yeux auraient rendu, madame, en leur bel âge,
2975 Galaor infidèle, Esplandian volage.

DAME GUGGLIGOY *(le retenant toujours)*

Je suis coupable. On peut vous surprendre d'ailleurs.

LORD ROCHESTER

Sir Pandarus de Troie eût porté vos couleurs.

DAME GUGGLIGOY *(à part)*

Il parle dans le grand !

LORD ROCHESTER *(à part)*
Sommes-nous ridicules
Tous les deux !

DAME GUGGLIGOY

Je vous jure, il me vient des scrupules,
2980 Et j'ai mille frissons dont je me sens glacer.

*Elle prend les mains de Rochester.*

LORD ROCHESTER

Vos mains sont un velours.
                    (A part.)    Ah ! faut-il dépenser
Pour cette vieille folle, aux griffes desséchées,
Tout ce qu'ont les amours de choses recherchées !
Que me restera-t-il pour Francis ?

DAME GUGGLIGOY

                              Laissez-moi.

LORD ROCHESTER

2985 Mars eût quitté Vénus, s'il eût vu Guggligoy.

DAME GUGGLIGOY (à part)

C'est suffocant. Vraiment, dirait-on pas qu'il m'aime ?
                                                    Haut.
Je ne veux qu'un mari qui me parle de même.

LORD ROCHESTER (à part)

Elle veut un mari ! je plaindrai celui-là !
Mais pour être flattée elle va rester là !
2990 O la vieille têtue, et qui n'aurait d'émules
Qu'en Espagne, pays des duègnes et des mules !

DAME GUGGLIGOY

Monsieur, vous qui semblez être un homme de goût,
Dites-moi franchement...

LORD ROCHESTER (à part)

                    Encor ! le sang me bout.

DAME GUGGLIGOY (lui montrant Francis)

Qu'ont donc pour vous charmer ces jeunes éventées ?

LORD ROCHESTER

2995 Mais...

DAME GUGGLIGOY

          En quoi vos ardeurs en sont-elles tentées ?
Quel attrait voyez-vous à l'air de ces minois ?

LORD ROCHESTER (à part)

Vraiment ! avec son teint de mandarin chinois !

DAME GUGGLIGOY

Elles ont la jeunesse, oui, c'est n'avoir au reste
Que la beauté du diable.

LORD ROCHESTER (*à part*)

Et toi sa laideur. — Peste !
3000 Quel moyen prendre, ô ciel, pour m'en débarrasser ?

*Haut.*

Laissez-moi deux instants avec Francis causer.
Après cet entretien, mon cher bouton-de-rose,
Ma foi de chevalier vous promet quelque chose,
Oui, quelque chose... dont vous ne vous doutez pas.

*A part.*

3005 Une entrée à Bedlam.

DAME GUGGLIGOY

Soit. Je reste à deux pas.

LORD ROCHESTER (*respirant*)

Enfin !

DAME GUGGLIGOY

Soyez discret. — Surtout, quoi qu'il arrive,
Ne me nommez jamais : on me brûlerait vive.

LORD ROCHESTER

Soyez tranquille. — Allez vous promener un peu...

*A part, et la regardant sortir.*

Certe, elle a les os secs à faire un très bon feu !


## SCÈNE VII

LADY FRANCIS, LORD ROCHESTER

LORD ROCHESTER (*à part*)

3010 M'en voilà délivré. — Hasardons l'aventure !

*L'œil fixé sur Francis, toujours immobile et pensive.*

Que de grâce et d'attraits ! divine créature !
D'abord tournons la place, avant de l'attaquer.
Une fille est un fort, j'ai pu le remarquer.
Les clins d'yeux qu'on lui fait, la mise recherchée,
3015 Les petits soins, les mots galants, sont la tranchée

Qui s'avance en zigzag ; la déclaration,
C'est l'assaut ; le quatrain, — capitulation !
Je ne puis suivre ici les règles ordinaires.
Ainsi brusquons un peu tous les préliminaires.

*Il s'avance vers Francis. — Haut en s'inclinant.*

3020 Miss... mylady !...

LADY FRANCIS *(se retournant d'un air étonné)*

Monsieur ?

LORD ROCHESTER *(à part)*

Son regard m'interdit.

LADY FRANCIS *(avec un sourire)*

Ah ! c'est le chapelain !

LORD ROCHESTER *(à part)*

Accoutrement maudit !
J'ai beau prendre les airs les plus coquets du monde,
Elle ne voit en moi qu'un pédant tête-ronde !

LADY FRANCIS

Saint homme, donnez-moi la bénédiction.
3025 Quel texte m'allez-vous prêcher ?

LORD ROCHESTER

La passion.

LADY FRANCIS

J'ai le cœur bien touché du zèle qui vous presse.
Vous voyez devant vous une humble pécheresse,
Mon père.

LORD ROCHESTER *(à part)*

Son père ! ah ! n'ai-je rien de suspect ?

*Haut.*

Ma fille !... écoutez-moi.

LADY FRANCIS

J'écoute avec respect.

LORD ROCHESTER *(à part)*

3030 Suis-je assez malheureux d'avoir l'air respectable ?

*Haut.*

Ma fille !... écoutez-moi. — Ce n'est pas charitable
D'épandre autour de vous des ravages affreux !

LADY FRANCIS (*étonnée*)

Moi ?

LORD ROCHESTER (*poursuivant*)
L'un de vos regards, seul, fait cent malheureux.

LADY FRANCIS
Vous vous trompez !

LORD ROCHESTER
Oh non !

LADY FRANCIS
Mais quels sont donc mes crimes ?

LORD ROCHESTER
3035 Vous avez sous les yeux une de vos victimes.

LADY FRANCIS
Vous ? que vous ai-je fait ? Si j'ai vers vous des torts,
Je cours prier mon père...

LORD ROCHESTER (*l'arrêtant*)
Ah ! soyez sans remords.
Des maux que vous causez vous êtes innocente.

LADY FRANCIS
Je ne vous comprends pas.

LORD ROCHESTER
Candeur intéressante !

LADY FRANCIS
3040 Mais, si je vous ai fait du mal sans le savoir,
Je veux le réparer.

LORD ROCHESTER (*mettant la main sur son cœur*)
Ah !

LADY FRANCIS
C'est même un devoir.

LORD ROCHESTER
Qu'entends-je ? A mes désirs seriez-vous exorable ?
Vous me comblez de joie, ô princesse adorable !
*Il cherche à presser la main de Francis qui recule.*

LADY FRANCIS

Je ne suis point princesse... On n'adore que Dieu... —
3045 Vous m'effrayez !    *(Elle veut se retirer.)*

LORD ROCHESTER *(la retenant par la robe)*

Francis, ne me dis pas adieu !

LADY FRANCIS

Il me tutoie !

*S'approchant de Rochester d'un air de compassion.*

A-t-il la tête un peu malade ?

LORD ROCHESTER

Non, mais le cœur.

LADY FRANCIS

Pauvre homme !

LORD ROCHESTER *(à part)*

Essayons l'escalade.
Elle a l'air de me plaindre, et l'amour n'est pas loin.

*Haut.*

Ha ! rendez-moi la vie !

LADY FRANCIS

Oui, vous auriez besoin
3050 D'un médecin. Vraiment, il a la fièvre chaude !

LORD ROCHESTER

Voilà quatre ans bientôt qu'autour de vous je rôde...

*A part.*

Mentons, cela fait bien !

LADY FRANCIS

Que voulez-vous ?

LORD ROCHESTER

Mourir !
Vos yeux qui m'ont blessé me pourraient seuls guérir.

LADY FRANCIS *(reculant toujours)*

Il me fait vraiment peur !

LORD ROCHESTER *(à part)*

C'est flatteur !

*Haut et joignant les mains d'un air suppliant.*

O ma reine !

3055 Mon tout ! ma déité ! ma nymphe ! ma sirène !

LADY FRANCIS *(effrayée)*

Qu'est-ce que tous ces noms ? je m'appelle Francis.

LORD ROCHESTER

Ah ! princesse ! pour vous je brûle et je transis !
Sous ce déguisement l'amour vers vous me guide ;
Je suis un chevalier, et non pas un druide.
3060 Que n'ai-je à vous offrir le sceptre des Indous !
Serez-vous aussi dure, avec des yeux si doux,
Pour un amour si tendre et qui de douze ans date,
Que la prêtresse Ophis le fut pour Tiridate ?
J'eusse franchi l'Asie au bruit de vos appas.
3065 Cruelle ! vous fuyez, vous ne répondez pas.
Je vais aller mourir de l'amour qui m'oppresse.
Mais non, dites un mot, ma charmante tigresse,
Un mot, et vous serez, pour votre heureux sujet,
Du plus constant amour le plus céleste objet !

LADY FRANCIS *(ouvrant de grands yeux étonnés)*

3070 Que dit-il donc ?

LORD ROCHESTER *(à part)*

Fort bien. Elle reste en extase.
Je le crois ! Ma harangue est presque phrase à phrase
Prise dans *Ibrahim ou l'Illustre Bassa*,
Comme le turc Lysandre à Zulmis l'adressa.
C'est du Scudéry pur ! — Continuons.

*(Haut.)* Ingrate !

*Retenant Francis qui paraît encore vouloir se retirer.*

3075 Ah ! restez, ou je vais me noyer dans l'Euphrate !

LADY FRANCIS *(riant)*

Dans l'Euphrate !

LORD ROCHESTER

Ou plutôt, suivez votre dessein.
Oui, prenez cette épée, et percez-m'en le sein !

*Il porte la main à son côté comme pour y chercher
son épée. — A part.*

Point d'épée ! — Ah ! comment faire avec ce costume
Semblant de se tuer, comme c'est la coutume ?
3080 Le moyen de poursuivre un entretien galant ? —
Mais à défaut du fer, le quatrain ? Excellent !
Si je ne la fléchis, je veux que Dieu me damne !

*Haut.*

Ecoutez votre esclave, ô divine Mandane !

*Lui présentant un parchemin roulé, noué d'un
ruban rose.*

Ce papier de mon cœur vous fera le tableau,
3085 Il eût été détruit par la flamme ou par l'eau,
Si mon feu n'eût séché mes pleurs, et si, madame,
Mes larmes à leur tour n'eussent éteint ma flamme !
Prenez, lisez, jugez de mon amour ardent !

*Il se précipite aux genoux de lady Francis.*

LADY FRANCIS *(jetant à terre le parchemin
et reculant avec dignité)*

Je vous comprends, monsieur. Vous êtes impudent !
3090 Vous osez chez mon père ainsi vous introduire !

LORD ROCHESTER *(à part)*

La petite n'est pas très facile à séduire.

LADY FRANCIS

Levez-vous, ou j'appelle !

LORD ROCHESTER *(toujours à genoux)*

Ah ! je reste à vos pieds !

LADY FRANCIS

Vos insolents propos seraient trop expiés,
Si...

## SCÈNE VIII

LES MÊMES, CROMWELL

CROMWELL *(apercevant Rochester aux genoux de Francis)*

Par quel hasard, maître, aux genoux de ma fille ?

LORD ROCHESTER *(atterré et sans changer de posture)*

*A part.*

3095 Dieu ! Cromwell ! Je suis mort ! Pour une peccadille
C'est dur d'être pendu ! Pris en délit flagrant !
Il n'aura pas pour moi de châtiment trop grand !

CROMWELL

Fort bien, mon chapelain !

LADY FRANCIS *(à part)*

Il faut de l'indulgence.

C'est un fou !

CROMWELL *(à Rochester consterné)*

Vous avez compté sans ma vengeance !

LADY FRANCIS *(à part)*

3100 Mon père le tuerait, le pauvre malheureux !

CROMWELL

Ce drôle ! de ma fille il ose être amoureux !
Et mon Eve écoutait sa langue de vipère !
Quoi ! Francis ! vous souffrez ?...

LADY FRANCIS *(avec embarras)*

Pardonnez-moi, mon père.
Mylord, ce n'est pas moi dont monsieur me parlait.

CROMWELL

3105 De qui vous parlait-il à genoux, s'il vous plaît ?

LADY FRANCIS

Monsieur, qui m'implorait de couronner ses flammes,
Me demandait la main de l'une de mes femmes.

LORD ROCHESTER *(à part, se relevant étonné)*

Que dit-elle ?

CROMWELL

Et de qui ?

LADY FRANCIS *(souriant)*

De dame Guggligoy.

LORD ROCHESTER *(à part)*

Ah ! la traîtresse !

CROMWELL *(radouci)*

Alors, c'est autre chose.

LORD ROCHESTER *(à part)*

Quoi !
3110 La duègne ou la potence ! en cette crise extrême,
Que ne me laissait-elle au moins choisir moi-même !

CROMWELL *(à Rochester)*

Pourquoi ne point parler tout de suite, mon cher ?
Puisqu'il vous reste encor des penchants pour la chair...

LORD ROCHESTER *(à part)*

Chair ! une peau collée à des os faits en duègne !

CROMWELL

3115 On vous satisfera. Je hais que l'on me craigne.
Je suis content de vous, je pourrai vous donner
Votre belle.

LORD ROCHESTER *(à part)*

Ma belle ! un vieux spectre à damner !
Un corps à rebuter les bêtes carnassières !
Une figure à faire avorter des sorcières !

CROMWELL *(à part)*

3120 Je lui croyais d'abord meilleur goût.
                                        *(Haut.)*   Oui, je veux
Vous marier.

LORD ROCHESTER *(s'inclinant)*

Mylord est trop bon !

CROMWELL

Tous vos vœux
Seront comblés.    *(Entre dame Guggligoy.)*


## SCÈNE IX

LES MÊMES, DAME GUGGLIGOY

DAME GUGGLIGOY *(effrayée, à part)*

Le père et nos amants ensemble !
Tout est perdu.

CROMWELL *(apercevant dame Guggligoy)*

C'est vous, bonne dame !

DAME GUGGLIGOY *(à part)*

Je tremble.

CROMWELL

On vous réclame ici.

DAME GUGGLIGOY *(interdite)*

Moi, mylord ?...

CROMWELL

Vous saviez

3125 L'amour du chapelain ?

DAME GUGGLIGOY *(à part)*

Grand Dieu !

CROMWELL

Vous l'approuviez

DAME GUGGLIGOY

Je savais ?... J'approuvais ?... moi, mylord ? Je vous jure...

*A part.*

Mais il m'a donc trahie ! Ah ! le petit parjure !
Il est aisé de voir, à son air consterné,
Qu'un malheur...

CROMWELL

Je sais tout.

DAME GUGGLIGOY *(à part)*

Je l'avais deviné.

*Une pause. — Dame Guggligoy paraît pétrifiée.
Francis considère en souriant Rochester qui promène des yeux désappointés de la jeune fille à la
duègne.*

LORD ROCHESTER *(à part)*

3130 Ah ! la transition est imprévue et rude !

DAME GUGGLIGOY *(se jetant aux pieds de Cromwell)*

Grâce pour moi, mylord ! grâce !

CROMWELL *(se détournant)*

Elle fait la prude !

*Il lui fait signe de se relever.*

— Çà, maître Obededom est de nos bons amis,
Et n'a rien dans le cœur qui ne soit très permis.

DAME GUGGLIGOY

Peut-il donc aspirer à la beauté qu'il aime ?

CROMWELL

3135 Qu'aime-t-il de si haut déjà ? Vous !

DAME GUGGLIGOY

Moi !

CROMWELL

Vous-même.
Demandez-lui plutôt.
    *(A Rochester.)*   N'est-il pas vrai ? Parlez.

LORD ROCHESTER *(embarrassé)*

Je conviens...

DAME GUGGLIGOY

C'est pour moi, vraiment, que vous brûlez ?

LORD ROCHESTER *(à part)*

Oui, si j'étais l'enfer ! —
    *(Haut.)*  Madame...

CROMWELL

Allons, mon maître !
Laissez dans tout son feu votre amour apparaître.
3140 Je le permets. Contez à dame Guggligoy
Qu'à ma fille à genoux vous la demandiez...

DAME GUGGLIGOY

Moi !
    *A Rochester ébahi.*
C'est donc pour cela ?... Mais c'est chose abominable !
Sans mon aveu !

LORD ROCHESTER *(jetant un coup d'œil de reproche*
*sur Francis qui rit)*

Je suis sans doute impardonnable !
    *A dame Guggligoy.*
Madame !

DAME GUGGLIGOY

Audacieux ! redoutez mon courroux !

LORD ROCHESTER *(à part)*

3145 Avec ses cheveux gris qui jadis étaient roux !

DAME GUGGLIGOY *(à part)*

Mais c'est qu'il est charmant !
           *(Haut.)*   Donc, petit téméraire,
Vous m'aimez ?

LORD ROCHESTER

Je ne puis vous dire le contraire.

*A part.*

O Wilmot, que ta mine amusera le roi
Entre lady Seymour et dame Guggligoy !

DAME GUGGLIGOY

3150 Vous m'aimez ?

LORD ROCHESTER *(à part)*

Si Cromwell ne pouvait nous entendre !
Mais sous peine de mort, il faut que je sois tendre.

*Haut.*

Je vous aime.

DAME GUGGLIGOY *(minaudant)*

C'est fort !

LORD ROCHESTER

J'en conviens.

DAME GUGGLIGOY

Vous cherchez

A m'épouser ?

LORD ROCHESTER *(se mordant les lèvres, à part)*

Voilà !   *(Haut avec embarras.)*
Je ne dis pas...

DAME GUGGLIGOY *(indignée de son hésitation)*

Sachez

Que l'honneur... Quel affront ! Concupiscence infâme !

*Elle pleure.*

CROMWELL *(à Rochester)*

3155 Mais apaisez-la donc. Vous la vouliez pour femme !

LORD ROCHESTER *(à part)*

Ah !     *(Haut à dame Guggligoy.)*

   Consentez...      *(A part.)*

      Vieux cuir, dans les sabbats roussi !

DAME GUGGLIGOY *(soupirant et baissant les yeux)*

Je m'exécute.

    *Elle lui tend une main noire qu'il prend avec dégoût.*

LORD ROCHESTER *(à part)*

Et moi, je m'exécute aussi !

DAME GUGGLIGOY

Je suis bonne, et consens que l'insolent m'embrasse.

LORD ROCHESTER *(à part)*

Une faveur ! Je veux la potence et ma grâce !

    *Dame Guggligoy lui présente une joue sur laquelle il se résigne à déposer une grimace et un baiser.*

DAME GUGGLIGOY

3160 Je vous permets encor l'autre joue.

LORD ROCHESTER

      Ah ! merci !

DAME GUGGLIGOY

Vous me boudez ?

LORD ROCHESTER

    Eh non !

CROMWELL

    Point de scandale ici.

Il faut vous marier. — Çà, terminons l'affaire.
Votre bonheur n'est pas de ceux que l'on diffère;
Je vais vous contenter tous les deux sur-le champ.

LORD ROCHESTER

3165 Mais...

CROMWELL

L'amour est pressé, je le sais. C'est touchant !
Hé ! quelqu'un !     *(Entrent trois mousquetaires.)*

LORD ROCHESTER *(à part)*
Qui croirait que je suis à la noce ?

CROMWELL *(au chef des mousquetaires)*
Dis à Cham Biblechan, l'un des voyants d'Ecosse,
Qu'il marie à l'instant, sur le livre de foi,
Messire Obededom et dame Guggligoy.

*A Rochester et à dame Guggligoy.*

3170 Suivez-les.

*A Rochester.*

Comme vous Cham est anabaptiste.

LORD ROCHESTER *(s'inclinant avec dépit, à part)*
Charmante attention !

CROMWELL
Je vous sais dogmatiste.

LADY FRANCIS *(souriant et regardant de côté Rochester
qui la salue)*
Comme il est attrapé !

LORD ROCHESTER *(à part)*
Quel tour m'a joué là
Cette Francis ! — Je l'aime encor comme cela ;
De ruse et de candeur j'adore ce mélange,
3175 Sa malice d'enfant, jointe à sa bonté d'ange.
M'arracher à son père ! à sa duègne m'unir !
Trouver, en me sauvant, moyen de me punir !

DAME GUGGLIGOY *(à Rochester)*
Venez donc, mon amour. Vous restez immobile.

LORD ROCHESTER *(soupirant, à part)*
Dans l'enfer de l'hymen suivons cette sybille !

*Il sort avec dame Guggligoy et les mousquetaires.*

CROMWELL *(à lady Francis)*
3180 Je vous laisse. Je vais écouter un sermon
De Lockyer, sur Rome et les prêtres d'Ammon.

*Il sort.*

## SCÈNE X

LADY FRANCIS, seule.

LADY FRANCIS

Mon pauvre chevalier faisait triste figure.
Oui. — La punition est peut-être un peu dure.
Se marier ainsi, sans trop savoir pourquoi,
3185 Et tourner ses yeux doux sur dame Guggligoy !
C'est mal, je me repens. — Mais pouvais-je mieux faire ?
Certes, mon père encore eût été plus sévère.

> *Apercevant le parchemin roulé qui est resté à terre.*

Mais voilà son billet... — Que m'écrivait-il donc ? —
Je ne le lirai point. —

> *Elle regarde le parchemin d'un œil d'envie et de curiosité.*

                    Mais quoi, pas de pardon ?
3190 Pas de pitié ? — Voyons, je le lirais ? qu'importe !
Sauf à le replacer ensuite de la sorte... —
Je lui dois de le lire : il est assez puni !

> *Elle se précipite sur le parchemin, le dénoue et le déroule. — S'arrêtant.*

Lirai-je ? Est-ce mal faire ? — Eh non ! tout est fini
D'ailleurs. — Lisons.
         *(Elle lit.)*  « Mylord... » Mylord ! quel homme
                                              [étrange !
3195 Il m'appelait princesse, objet, nymphe, reine, ange ;
Il m'appelle à présent mylord ! — Fou !
              *(Continuant de lire.)*  — « Tout va bien !... »
— Il écrit comme il parle, à n'y comprendre rien.
Tout va bien. — Quoi ? — Suivons :
                 *(Lisant.)*  « Ce soir, à minuit même,
« A la porte du parc présentez-vous. » Il m'aime ;
3200 Voulait-il m'enlever ? —
              *(Lisant.)*  « Tout le poste est séduit... » —
C'est cela. — L'insolent doutait d'être éconduit ! —

> *Lisant.*

« Le mot d'ordre est donné. Succès sûr. » — Trop
                                              [modeste !

> *Continuant.*

« ... Vous leur direz COLOGNE ; ils répondront le reste... »
— Moins clair. —

*(Lisant.)*   « Vous pourrez, grâce à leur concours ami,

                                    *Ici sa voix prend un accent de terreur.*

3205 « Saisir enfin Cromwell, par mes soins endormi !
« LE CHAPELAIN DU DIABLE. » Ah ! que viens-je de lire ?
Sur mes yeux effrayés quel bandeau se déchire !
C'est à mon père seul qu'en veut ce scélérat !

                                    *Examinant le papier avec attention.*

Voici l'adresse : « A Bloum, au Strand, hôtel du *Rat*. »
3210 Le traître m'a remis ce billet par méprise.
Avertissons mon père. Infernale entreprise ! —
On vient. Hâtons-nous. C'est peut-être l'assassin.

                         *Entre Davenant. — Elle s'enfuit précipitam-*
                         *ment, emportant le parchemin.*


## SCÈNE XI

DAVENANT, puis LORD ROCHESTER


### DAVENANT *(seul)*

Le Protecteur me fait venir; — pour quel dessein ?
Bah ! rien d'inquiétant ! curiosité pure !

                                              *Entre Rochester.*


### DAVENANT *(apercevant Rochester)*

3215 Mais quel est ce cafard ? — Dieu ! la bonne figure !
Un saint ? quelque hurleur puritain.


### LORD ROCHESTER *(à part et sans voir Davenant)*

                                         Maintenant,
C'est donc fait ! me voilà marié !

                         *Il s'avance sur le devant du théâtre et reconnaît*
                         *Davenant.*

                                         Davenant !


### DAVENANT *(à part)*

 Il sait mon nom ! *(Haut.)*
                  Monsieur... — Mais... je crois reconnaître...
Mylord Rochester !


### LORD ROCHESTER

                  Chut !   *(Ils se serrent la main.)*

DAVENANT

Vous vous masquez en maître.

3220 Fussiez-vous marié, votre femme, vraiment,
Ne vous connaîtrait pas sous ce déguisement !

LORD ROCHESTER *(soupirant, à part)*

Plût au ciel ! —
(*Haut.*)    Davenant, pas de plaisanterie.

DAVENANT

C'est la première fois que votre seigneurie
Pour rire des maris se veut faire prier.

LORD ROCHESTER *(à part)*

3225 Eh ! peut-on à la fois rire et se marier ?
Je l'y voudrais voir, lui !
(*Haut.*)    Brisons là. — Cher poète,
Par quel hasard chez nous ? Votre aspect m'inquiète.

DAVENANT *(riant)*

*Chez nous !* Mais c'est parler en toute liberté !
Mylord dans cet enfer s'est vite acclimaté.
3230 Rassurez-vous d'ailleurs. Cromwell a cet usage
De me mander toujours au retour d'un voyage.
Comment vous trouvez-vous avec lui ?

LORD ROCHESTER

Moi ? très bien.
Protégé par Milton, Cromwell me veut du bien,
Et de mille faveurs me comble à sa manière.

*A part.*

3235 Je l'aurais dispensé même de la dernière.

*Haut.*

Au reste, vous savez, je suis à temps venu.
Un traître, dans nos rangs espion inconnu,
Lui disait tout ; mais, grâce à mon adresse extrême,
Ormond se cache au Strand, et moi, chez Cromwell même.

DAVENANT

3240 Lâche espion ! Willis eût voulu l'écorcher !
C'est lui que nous avons chargé de le chercher.

LORD ROCHESTER

Par bonheur, nous tenions prête la contre-mine.

*Montrant sa veste.*

J'ai votre fiole ici. — Ce soir tout se termine.

DAVENANT

Cromwell ne sait donc rien de ce complot hardi ?

LORD ROCHESTER

3245 Non. Nous n'étions que trois quand nous l'avons ourdi.

DAVENANT

La garde est subornée ?

LORD ROCHESTER

Oui.

DAVENANT

C'était difficile.

LORD ROCHESTER

L'esprit puritain meurt : l'or rend un saint docile.

DAVENANT

Noll n'a pas de soupçons sur moi ? vous croyez ?

LORD ROCHESTER

Non.

Vous seriez arrêté, s'il avait votre nom.

## SCÈNE XII

DAVENANT, LORD ROCHESTER, DAME GUGGLIGOY

DAME GUGGLIGOY *(à Rochester)*

3250 Eh bien, monsieur ? Déjà fuyez-vous votre amante ?

DAVENANT *(reculant)*

A qui donc en veut-elle ?

DAME GUGGLIGOY *(à Rochester)*

Hélas ! je me lamente,

J'appelle, je languis, je pleure, je me meurs ;
Je pousse à fendre un roc de dolentes clameurs,
Et vous ne venez pas ! Ah ! pauvre délaissée !
3255 Quoi, déjà votre ardeur est-elle donc passée ?
Voyez mes pleurs ! voyez ! mon cœur en eau se fond.

LORD ROCHESTER *(détournant les yeux, à part)*

Ah ! l'horrible grimace ! — Est-ce triste ou bouffon ?
                    *Bas à Davenant en lui montrant la Guggligoy.*
Qu'en dites-vous ?

DAVENANT *(de même)*

Quel est ce spectre ?

LORD ROCHESTER *(toujours bas)*

C'est ma femme.

DAVENANT *(riant)*

Votre femme ?

LORD ROCHESTER

Oui, d'honneur ! Vite un épithalame,
3260 Mon poète !

DAVENANT

Mylord veut rire ?

LORD ROCHESTER

Non, pardieu !
Rien n'est moins drôle.

DAME GUGGLIGOY

Traître ! et vos serments de feu ?

DAVENANT *(bas à lord Rochester)*

La maîtresse en son genre est vraiment peu commune.
Je vous fais compliment de la bonne fortune.

LORD ROCHESTER *(bas à Davenant)*

Bonne fortune ! c'est ma femme, et rien de plus !
3265 Vous me faites affront !

DAME GUGGLIGOY

Mes pleurs sont superflus.
Il ne m'écoute pas !

DAVENANT *(bas à lord Rochester)*

Tandis qu'elle radote,
Expliquez-moi...

LORD ROCHESTER *(bas à Davenant)*

Cromwell me la donne, et la dote;
Le tout par bonté.

DAME GUGGLIGOY *(le tirant par la manche)*

Quoi ! mon cher mari !

DAVENANT *(bas à lord Rochester*
*qui cherche à repousser dame Guggligoy)*

Comment ?

LORD ROCHESTER *(bas à Davenant)*

Je vous dirai cela. Sachez pour le moment
3270 Qu'à bon droit de ce nom la sibylle m'appelle.
C'est fait. Un corps de garde a servi de chapelle ;
Un tambour d'un sermon nous a gratifiés ;
Et c'est un caporal qui nous a mariés.
Je tremblais à la fin que la loi martiale
3275 Ne fit du lit de camp la couche nuptiale.
Heureusement !...

DAVENANT *(riant)*

J'aurais voulu voir pour ma part
La duègne et l'aumônier conjoints par un soudard !

LORD ROCHESTER *(bas)*

C'est ainsi que chez nous la chose se pratique.

DAVENANT

Hé mais ! pour dénouer une œuvre dramatique,
3280 Ces mariages-là sont commodes, vraiment.
Un caporal unit la belle avec l'amant ;
Tout est dit.

DAME GUGGLIGOY *(aigrement)*

De qui donc parlez-vous à voix basse ?
— Il me fuit ! Fallait-il qu'à ce point je tombasse,
Moi qui ne suis point mal, et garde en très bon or
3285 Deux cents vieux jacobus, qui sont tout neufs encor !

DAVENANT *(à Rochester)*

Peste ! mais ce parti vaut bien des héritières !
Deux cents vieux jacobus, et trois dents presque entières !

DAME GUGGLIGOY (à Rochester)

Vous qui me prodiguiez tant de charmants propos...

LORD ROCHESTER (à Davenant)

Elle a rêvé cela. —
(A dame Guggligoy.)    Laissez-nous en repos.
3290 Dieu vous damne !    (Il la repousse.)

DAME GUGGLIGOY

Ils sont tous les mêmes, ces infâmes !
Tendres pour leur amante, et durs avec leurs femmes.
Des chats avant la noce, et des tigres après !
A Rochester.
Quoi ! barbare ! changer nos myrtes en cyprès !
Laisser ta jeune épouse !

LORD ROCHESTER

Ah ! vieille aventurière !
3295 Si le diable était mort, tu serais sa douairière.

DAME GUGGLIGOY

Pour un saint, quel langage !

LORD ROCHESTER (à part)

A propos, j'oubliais !...
Haut.
O femme, j'ai fait vœu...
(A part.)   Prenons notre air niais.
Haut.
De chasteté.

DAME GUGGLIGOY

Comment ?

LORD ROCHESTER (baissant les yeux)

Vainement vous me dites :
— Dormez avec moi !... — Point de voluptés maudites !

DAME GUGGLIGOY

3300 Me chasser sans pitié hors du lit conjugal !

LORD ROCHESTER

Madame, restez-y, cela m'est fort égal.
C'est moi seul que j'en veux chasser.

DAME GUGGLIGOY *(furieuse)*

Ah ! quel outrage !
Serpent ! monstre ! perfide ! aspic ! tiens, crains ma rage !

LORD ROCHESTER *(reculant)*

Gare à mes yeux ! la fée a les ongles crochus !

DAME GUGGLIGOY *(pleurant)*

3305 Puisque les droits d'époux enfin te sont échus...

LORD ROCHESTER

Ah ! mon Dieu !

DAME GUGGLIGOY

Quelle glace à tes flammes succède ?
Pourquoi me fuir ? Quel est le démon qui t'obsède ?

LORD ROCHESTER

Vous me le demandez !

DAME GUGGLIGOY

Près de moi viens t'asseoir.
Je m'attache à toi !

LORD ROCHESTER *(s'enfuyant)*

Ciel ! que ferai-je ce soir ?     *(Il sort.)*

DAME GUGGLIGOY *(le poursuivant)*

3310 Ingrat !     *(Elle sort.)*

DAVENANT *(seul)*

*Il hausse les épaules.*

Wilmot est fou. Quelle est cette algarade ?
Avec la tragédie unir la mascarade !

*Il s'avance au fond du théâtre en les suivant
des yeux. Entre Cromwell.*

## SCÈNE XIII

### DAVENANT, CROMWELL

CROMWELL *(le parchemin de Rochester à la main,
sans voir Davenant et sans en être vu)*

Encore un nouveau piège... — où j'ai failli tomber !
Dans mon propre palais ils m'allaient dérober.

A force de folie, ils triomphaient peut-être.
3315 Sans ma fille, — une enfant ! — les rois perdaient leur
Insolents ! sans combattre à la face du ciel,    [maître.
Venir, dans Londres même, escamoter Cromwell !
Comment prévoir ce coup d'audace et de délire,
A moins d'être insensé comme eux ? — J'ai beau relire
3320 Ce billet, je n'y vois qu'un avis imparfait. —
Heureusement pour moi qu'ils sont fous tout à fait.
Là, courtiser la fille en détrônant le père !
Tendre un piège au lion jusque dans son repaire,
Et jouer sous sa griffe avec ses lionceaux !
3325 S'ils n'étaient pas si fous, on les croirait plus sots.
« — Le Chapelain du Diable !... » — Ah ! tête à double
                                               [face !
Donc cet Obededom n'est un saint qu'en grimace !
Quel est-il ? c'est un chef des maudits cavaliers.
Qui ? — Wilmot Rochester ou Buckingham Williers ?
3330 Galant avec Francis, près de moi bon apôtre ;
Ce doit être Wilmot ou Williers, l'un ou l'autre. —
Mes soldats sont séduits ! je ne suis plus aimé. —
Nous verrons. — J'ai déjà mon projet tout formé.
Seulement, à l'appât pour mieux les faire mordre,
3335 J'ai regret de n'avoir que moitié du mot d'ordre.
Enfin ! — J'attends Ormond et les épiscopaux !

*Davenant revient sur le devant de la scène, et
aperçoit Cromwell.*

DAVENANT *(à part)*

C'est Cromwell !

                              *Haut en s'inclinant.*

    Mylord !

CROMWELL *(avec un air de surprise agréable)*

                    Bon ! vous venez à propos,
Monsieur Davenant !

DAVENANT *(s'inclinant de nouveau)*

          Prêt à servir son altesse.

CROMWELL *(avec un sourire)*

Logez-vous pas toujours chez votre même hôtesse ?
3340 A la Sirène ?

DAVENANT

    Oui, mylord.

CROMWELL

C'est un bon lieu.
Comment vous portez-vous, avec l'aide de Dieu ?

DAVENANT *(s'inclinant)*

Fort bien.

CROMWELL

Vous avez fait sans doute un bon voyage ?
En êtes-vous content ?

DAVENANT

Oui, mylord !
*(A part.)*   Verbiage !

CROMWELL

Vous aviez quelque but, pour vous être absenté ?
3345 D'affaires ? — de plaisir ?

DAVENANT

De santé.

CROMWELL

De santé ?
*A part.*

Je doute qu'elle soit par ces courses meilleure.
*Haut.*

C'est très bien fait parfois de quitter sa demeure,
Et de prendre un peu l'air. — Qu'avez-vous visité ?

DAVENANT *(avec embarras)*

Mais... le nord de la France...

CROMWELL

Ah ! c'est bien limité !
3350 On dit les bords du Rhin fort beaux. Toute ma vie,
J'ai de les parcourir conservé quelque envie.
Les avez-vous vus ?

DAVENANT *(dont le trouble augmente)*

Oui.

CROMWELL

Je vous approuve fort.
Et sans doute aussi Trève ? et Mayence ? et Francfort ?
— Cologne ?...

> DAVENANT *(à part)*
>
> Avec son air affable, il m'épouvante.
>
> > *Haut.*

3355 Oui, mylord.

> CROMWELL
>
> Ah ! Cologne ! une ville savante !

Pays de saint Bruno, de Corneille Agrippa.

> DAVENANT *(inquiet, à part)*

Passons vite.
> (*Haut.*) J'ai vu Brême, visité Spa...

> CROMWELL

Ah ! restons à Cologne ! —
> (*A part.*) Il voudrait être à Brême.
>
> > *Haut.*

L'université ? c'est du siècle ?...

> DAVENANT
>
> Quatorzième.

> CROMWELL

3360 Pour un esprit lettré séjour intéressant,
N'est-ce pas ? Vous aurez été voir en passant ?...

> DAVENANT *(à part)*

Dieu ! saurait-il ?...
> (*Haut.*) Moi, rien ! quoi voir ?

> CROMWELL *(tranquillement)*
>
> La cathédrale.

On admire surtout la porte latérale.
L'avez-vous vue ?

> DAVENANT *(à part)*
>
> Il n'est instruit de rien du tout.
>
> > *Haut.*

3365 Oui, mylord ; — mais l'ensemble est d'assez mauvais goût.

> CROMWELL

Mauvais goût ! mauvais goût ! c'est bien facile à dire.
C'est un bel édifice, et qui vaut qu'on l'admire.

Rien ne déparerait ce temple, quoique ancien,
S'il n'était pas souillé du culte égyptien. —
*Après une pause.*
3370 Et vous n'avez rien vu de plus dans cette ville ?

                        DAVENANT

Non, mylord.

            CROMWELL *(souriant)*
                Pas rendu de visite civile,
Par exemple, à certain Stuart ?

            DAVENANT *(atterré, à part)*
                    Coup imprévu !
                                            *(Haut.)*
Je vous jure, mylord, que je ne l'ai point vu.

                        CROMWELL

Je sais à leurs serments les papistes fidèles ! —
3375 Mais, dites-moi, — qui donc éteignit les chandelles ? —
N'est-ce pas lord Mulgrave ?

                DAVENANT *(à part)*
                    Il sait tout !

                        CROMWELL
                                    Je vous croi,
Je sais que vous n'avez, d'honneur, pas vu le roi. —
Vous avez un chapeau de forme singulière.
Excusez ma façon peut-être familière;
3380 Vous plairait-il, monsieur, le changer pour le mien ?

                DAVENANT *(à part)*

Je suis trahi ! —
        *(Haut.)* Mylord...

        CROMWELL *(lui arrachant son chapeau)*
                    Donnez ! merci. —

> *Il fouille précipitamment dans le chapeau, et en
> tire la dépêche royale qu'il déploie et lit avec
> avidité. — Il entrecoupe sa lecture d'exclamations
> de triomphe.*

                                            Fort bien !
Le Chapelain du Diable est Rochester ! — La chose
Est fort bien arrangée. A merveille ! — On suppose
Qu'il n'est point malaisé de me fermer les yeux.
3385 On me trompe, on m'endort, on me prend : — c'est au
                                            [mieux.

*A Davenant.*

Rien ne doit égaler vos tragi-comédies,
Si vos pièces, monsieur, valent vos perfidies.

*A Thurloë qui entre.*

Thurloë, que monsieur soit conduit à la Tour.

> *Thurloë sort et revient accompagné de six mous-*
> *quetaires puritains, au milieu desquels Davenant*
> *consterné se place sans résistance. Cromwell le*
> *congédie avec un rire amer et ironique.*

Charles vous a coiffé, je vous loge à mon tour.
3390 Le ciel vous tienne en joie !

#### DAVENANT *(à part)*

O dénouement sinistre !

> *Il sort avec les gardes.*

#### THURLOË *(à Cromwell)*

Mylord, le parlement, auquel un saint ministre
A fait, selon notre ordre, une exhortation,
Apporte divers bills à votre sanction,
Notamment l'humble adresse ou loi, qui vous confère
3395 La couronne.

#### CROMWELL

Qu'il entre.     *(Thurloë sort. — Seul.)*
                      Ah ! ténébreuse affaire ! —
Par leur propre artifice il faut qu'ils soient perdus.
Je veux les prendre eux-même aux rêts qu'ils m'ont tendus.

> *Il regarde tour à tour le parchemin de Rochester*
> *et le message de Davenant.*

Maintenant je tiens tout dans ma main. —

> *Faisant le geste de fermer violemment ses deux*
> *mains.*

                                    Il ne reste
Qu'à tout écraser ! — Dieu pour moi se manifeste. —
3400 Ah ! c'est le parlement.

> *Le parlement, conduit par Thurloë, entre en*
> *habit de cérémonie. A la tête des membres*
> *marche l'orateur, en robe, suivi des clercs du*
> *parlement, précédé des sergents de la chambre,*
> *des massiers portant leurs masses, et de l'huissier*
> *à la verge noire. — Cromwell monte à son*
> *fauteuil protectoral, et le parlement s'arrête*
> *gravement à quelques pas de lui en dehors de la*
> *limite des tabourets.*

## SCÈNE XIV

CROMWELL, LE PARLEMENT, LE COMTE DE CARLISLE,
WHITELOCKE, STOUPE, THURLOË.

*Sur un signe de Cromwell, Carlisle et Thurloë
s'approchent du Protecteur.*

CROMWELL *(bas au comte de Carlisle)*

Lord Carlisle ! arrêtez
A l'instant les soldats pour cette nuit postés
A la porte du parc.

*Lord Carlisle s'incline et sort. — Bas à Thurloë
en lui remettant le parchemin de Rochester.*

Porte ceci sur l'heure
A Bloum, au Strand.

*Désignant la suscription de la lettre.*

Ici tu verras sa demeure.
Ou, pour que mes desseins soient encor mieux remplis,
3405 Pour messager plutôt prends sir Richard Willis.
Va ! —

THURLOË *(prend le parchemin en s'inclinant)*

Mylord, il suffit !    *(Il sort.)*

CROMWELL *(à part)*

Ce nom de Bloum me voile
Le vieil Ormond, que va me livrer mon étoile.

*Il s'assied et se couvre.*

Ah !

*Whitelocke et Stoupe se placent à ses côtés. —
Haut.*

Nous vous écoutons, messieurs, présentement.

L'ORATEUR DU PARLEMENT *(découvert et debout,
ainsi que tous les assistants)*

Mylord ! nous vous portons les bills du parlement.
3410 Votre altesse verra, dans ce qu'il lui propose,
A quel point nous aimons la bonne vieille cause.
Daignez sanctionner nos lois.

CROMWELL

Nous allons voir.

L'ORATEUR *(se tournant vers le clerc)*

Çà, clerc du parlement, faites votre devoir.

LE CLERC DU PARLEMENT *(d'une voix haute et tenant ouvert
le registre des délibérations)*

Le vingt-cinquième jour de juin, neuvième année
3415 De cette liberté, que Dieu nous a donnée.
Voici les derniers bills, votés en parlement.
— *Primo.* Considérant qu'on peut imprudemment
Pécher, comme Noé, par le fruit de la vigne,
Et jurer de saints noms sans volonté maligne,
3420 Le parlement susdit veut, dans l'intention
D'adoucir sur ce point la législation,
Qu'on se borne à punir, avec miséricorde,
Les ivrognes du fouet, les jureurs de la corde.

CROMWELL

C'est bien peu. — Qui blasphème un Dieu que nous prions
3425 Vaut bien les assassins, même les histrions !
Pourquoi le moins punir ? — Ces lois sont transitoires...
Ainsi, nous consentons.

*L'orateur et les membres du parlement s'inclinent.*

LE CLERC *(continuant de lire)*

*Secundo.* Les victoires
Que vient de remporter Robert Blake, amiral,
Recevront les honneurs d'un jeûne général.
3430 La chambre, ayant longtemps consulté les saints livres,
Lui donne un diamant du prix de cinq cents livres;
En outre, elle prescrit que des exploits si beaux
Soient immortalisés dans ses procès-verbaux.

CROMWELL

Nous consentons.

*Les assistants s'inclinent. — Rentre Thurloë qui
vient reprendre sa place près du Protecteur.*

THURLOË *(bas à Cromwell)*

C'est fait.

LE CLERC *(poursuivant)*

*Tertio.* Les tumultes
3435 Qu'excitent dans York des malveillants occultes,
Ayant d'un saint effroi glacé les cœurs anglais,
Le parlement susdit, pour mettre sans délais

Les rebelles d'York hors de la loi civile,
Lance un *quo warranto* sur leurs chartes de ville.

CROMWELL (bas à Thurloë)

3440 Vingt soldats vaudraient mieux que cent *quo warranto.*
J'arrangerai cela.
     *(Haut.)* Nous consentons.

Tous s'inclinent encore.

LE CLERC (reprenant)

Quarto.

La chambre, afin d'emplir les caisses épuisées,
Entend que chaque Anglais, dans ses fautes passées,
Cherchant à racheter quelque énorme attentat,
3445 Jeûne un jour par semaine au profit de l'Etat.
Moyen rare, et conforme aux saintes ordonnances,
De faire son salut en aidant les finances.

CROMWELL

Nous consentons.    *(Tous s'inclinent de nouveau.)*

LE CLERC (continuant d'une voix plus éclatante)

Quinto. L'HUMBLE PÉTITION
OU SUPPLIANTE ADRESSE AU HÉROS DE SION ! —

Tous les membres du parlement font un profond
salut à Cromwell qui leur répond d'un signe de
tête.

3450 Ayant considéré qu'il est d'usage antique
De clore par un roi tout débat domestique,
Que Dieu même, à son peuple ayant donné ses lois,
Changea la chaire en trône et les Juges en Rois ; —
Ouï les orateurs présentés pour et contre ; —
3455 A mylord Protecteur le parlement remontre
Qu'il faut pour chef au peuple un seul individu,
A qui des anciens rois le titre soit rendu,
Et supplie Olivier, Protecteur d'Angleterre,
D'accepter la couronne, à titre héréditaire. —

L'ORATEUR DU PARLEMENT (à Cromwell)

3460 Je demande, mylord, la parole.

CROMWELL

Parlez.

L'ORATEUR

Mylord ! — dans tous les temps, récents ou reculés,
Des rois ont gouverné les nations du monde.
Le livre primitif, où la sagesse abonde,
Partout en mots exprès dit : *Reges gentium.*
3465 On voit, en méditant Gabaon, Actium,
Que, lorsqu'au sein d'un peuple une lutte s'élève,
C'est un nœud gordien que toujours tranche un glaive.
Ce glaive devient sceptre, et démontre à la foi
Que toute question se résout par un roi.
3470 Je sais que de grands clercs adoptent pour système
Qu'assisté de ses saints, Christ peut régner lui-même ;
Mais le régulateur des destins éternels
N'est pas un roi visible à des peuples charnels ;
Il faut des rois de chair aux terrestres royaumes ;
3475 *Rex substantialis,* disent les axiomes.
Voilà des arguments qu'on ne saurait nier. —
L'état de république est de tous le dernier.
Il faut que sur un roi le peuple se repose ;
Car le peuple est pareil, mylord, quoi qu'on suppose,
3480 Au héron qui ne peut dormir que sur un pied.
Or le héron qui dort, est-il estropié ?
Le peuple est ce héron. Venge-t-il ses querelles,
Il a pour bec l'armée, et les chambres pour ailes.
Mais quand la barque enfin se rattache à l'anneau,
3485 Qu'il dorme sur un pied ! *Stans pede in uno.*
L'argument est trop clair pour qu'on le développe.
Que votre altesse donc, étendant sur l'Europe
Le glaive de Judas, et la verge d'Aaron,
Soit le roi d'Angleterre et le pied du héron !
3490 Nous invoquons des lois au monde entier communes.
*Dixi quid dicendum,* parlant pour les communes.

> *L'orateur se tait, s'incline, et Cromwell, absorbé
> dans ses pensées, garde quelque temps un silence de
> recueillement ; enfin il lève les yeux au ciel, croise
> les bras sur sa poitrine et soupire profondément.*

CROMWELL

Nous examinerons.     *(Etonnement général.)*

L'ORATEUR DU PARLEMENT *(à part)*
Qu'entends-je ?

WHITELOCKE *(bas à Thurloë)*
Que dit-il ?

Il refuse ?

THURLOË

Il hésite. Il craint quelque péril.

CROMWELL *(bas à Thurloë)*

Il le faut ! — Différons. — Aux cavaliers en butte,
3495 Rendons les puritains neutres dans cette lutte;
Et ne nous mettons point, dans ce double embarras,
Deux épines au pied, deux fardeaux sur les bras.
Trompons d'abord les rets dont Ormond m'environne.
J'aurai toujours le temps de saisir la couronne.
3500 Calmons les puritains en fuyant cet honneur.

*Haut aux assistants.*

Allez en paix ! — Cherchons la grâce du Seigneur !

*Tous, excepté Thurloë, sortent avec de profondes
révérences et des signes d'étonnement.*


# SCÈNE XV

CROMWELL, THURLOË

THURLOË *(à part)*

Quelque chose est ici changé depuis une heure.

CROMWELL *(à part)*

C'est bon ! jusqu'à demain que ce refus les leurre.

*Tous deux restent un moment immobiles et
silencieux. Cromwell, appuyé sur les bras de son
fauteuil, semble méditer profondément. Enfin,
Thurloë s'avance vers lui et s'incline.*

THURLOË

Mylord, il est tard.

CROMWELL *(brusquement)*

Fais sonner le couvre-feu.

THURLOË

3505 N'avez-vous pas besoin de reposer un peu ?

CROMWELL

Oui. — De dormir pourtant je n'ai pas grande envie.

THURLOË

Où mylord couche-t-il cette nuit ?

CROMWELL *(à part)*

Quelle vie !
Me cacher tous les soirs comme un voleur qui fuit !
Régnez donc, pour changer de couche chaque nuit !
3510 Partout, autour de nous, en nous, toujours la crainte !

*Haut à Thurloë.*

Qu'on mette ici mon lit.

THURLOË

Quoi, dans la chambre peinte ?
Les juges de Charle...

CROMWELL *(à part)*

Ah ! toujours ce souvenir !

THURLOË

Mais c'est ici, mylord, qu'on vit se réunir...

CROMWELL *(à part)*

Ce Charles !... —
*(Haut.)* Vous avez, monsieur, trop de mémoire !
3515 Obéissez.

> *Thurloë baisse la tête, sort, et revient suivi de valets, qui dressent un lit et apportent deux flambeaux. Cromwell, qui est resté silencieux, se rapproche de Thurloë immobile, quand les valets sont sortis.*

D'ailleurs, quand la nuit sera noire,
Si ces lieux ont un spectre, il ne m'y verra pas.

> *Serrant la main de Thurloë, et lui montrant le lit préparé.*

Ce lit n'est pas pour moi.

THURLOË *(surpris)*

Qui donc ?

CROMWELL *(à demi-voix)*

Parle plus bas.
Il ne craint point, celui pour qui ce lit s'apprête,
Les fantômes de rois et les spectres sans tête.

THURLOË

3520 Mais quel secret ?

CROMWELL

Tais-toi. — Faites ce qu'on vous dit,
Vous saurez tout plus tard.

THURLOË  *(à part)*

Je demeure interdit.
C'est ainsi qu'il se sert de nous. Toujours nous taire !
Exécuter ses plans, sans savoir le mystère ;
Tantôt être muet, sourd, aveugle ; et tantôt
3525 Avoir cent yeux, cent voix, et cent bras, s'il le faut !

*Haut à Cromwell.*

Mylord, pardon, si j'ose... Un péril vous menace,
Quel est-il ?    *(Montrant le lit.)*
            Et qui doit prendre ici votre place ?

CROMWELL

Tais-toi ! — Mon chapelain tarde bien à venir.

*A part et se promenant à grands pas sur le devant
du théâtre.*

Comme ils sont tous contents ! ils pensent me tenir.
3530 Ormond rit d'un côté, Rochester rit de l'autre.
Bon ! — leur génie en vient aux mains avec le nôtre.
A leur mesure étroite ils creusent mon tombeau !

*Il s'arrête devant la table sur laquelle brûlent
les deux bougies, et, comme offusqué de leur
éclat, s'adresse rudement à Thurloë.*

Pourquoi tant de lumière ? — Il suffit d'un flambeau ;
Qu'on mette en ma dépense un peu d'économie.

*Il souffle lui-même une des deux bougies.*

3535 C'est ainsi qu'on éteint une vie ennemie.
Un souffle ! et tout est dit. — Hé bien ! mon chapelain ?

*Entre Rochester, accompagné d'un page portant
sur un plat d'or un gobelet d'or où l'on voit
tremper un rameau de romarin.*

THURLOË

Le voici justement.

CROMWELL

Enfin !

*Il se frotte les mains avec joie.*

## SCÈNE XVI

Les Mêmes, LORD ROCHESTER.

LORD ROCHESTER (à part)

Le vase est plein.
Il faut que Noll le boive. Il va faire un fier somme !
J'ai mis toute la fiole. — Eh ! je sers le pauvre homme,
3540 Je l'arrache aux remords ; grâce à mes soins d'ami,
Il n'aura de longtemps, d'honneur, si bien dormi.

*Il prend le plat des mains du page, qui se retire,*
*et il le présente à Cromwell en s'inclinant. —*
*Haut.*

Mylord...    (A part.)
Il faut encor de la cérémonie.

*Haut.*

Buvez cette liqueur que mes mains ont bénie.

CROMWELL (ricanant)

Ah ! vous l'avez bénie ?

LORD ROCHESTER

Oui.
(A part.) Quel regard !

CROMWELL

Fort bien.
3545 Ce breuvage, est-ce pas, me doit faire du bien ?

LORD ROCHESTER

Oui, l'hypocras contient une vertu suprême
Pour bien dormir, mylord.

CROMWELL

Alors, buvez vous-même !
*Il prend le gobelet sur le plat et le lui présente*
*brusquement.*

LORD ROCHESTER (épouvanté et reculant)

Mylord !...    (A part.)
Quel coup de foudre !

CROMWELL (avec un sourire équivoque)

Eh bien, vous hésitez ?
Accoutumez-vous donc, jeune homme, à nos bontés.

3550 Vous n'êtes pas au bout encor. — Prenez, mon maître !
Surmontez le respect, qui vous trouble peut-être,
Buvez. —

*Il force Rochester confondu à prendre le gobelet.*

Saviez-vous pas que nous vous chérissions ?
Que retombent sur vous vos bénédictions !

LORD ROCHESTER *(à part)*

Je suis écrasé !
*(Haut.)* Mais, mylord...

CROMWELL

Buvez, vous dis-je !

LORD ROCHESTER *(à part)*

3555 Il s'est depuis tantôt passé quelque prodige.

*Haut.*

Je vous jure...

CROMWELL

Buvez : vous jurerez après.

LORD ROCHESTER *(à part)*

Et notre grand complot ? et nos savants apprêts ?

CROMWELL

Buvez donc !

LORD ROCHESTER *(à part)*

Noll encor nous surpasse en malice.

CROMWELL

Vous vous faites prier ?

LORD ROCHESTER *(à part)*

Buvons donc ce calice !

*Il boit.*

CROMWELL *(avec un rire sardonique)*

3560 Comment le trouvez- vous ?

LORD ROCHESTER *(remettant le gobelet sur la table)*

Que Dieu sauve le roi !

*A part.*

Pour moi, je suis sauvé de dame Guggligoy.

Noll peut faire de moi ce qu'il voudra. Qu'importe ?
Ma nouvelle moitié m'attendait à la porte.
Je tombe, et mon naufrage en est bien moins cruel,
3565 De Charybde en Scylla, de ma femme à Cromwell !
L'un vous force à dormir, l'autre, à livrer bataille.
J'ai changé de démon, voilà tout. —Mais je bâille...
Déjà ?    ( *Il s'assied sur un des pliants à dossier.* )

THURLOË  (à Cromwell)

C'est du poison qu'il a bu ?

LORD ROCHESTER  (bâillant)

Sur ma foi,
Ce qu'il dit est flatteur pour Cromwell et pour moi !

CROMWELL  (bas à Thurloë)

3570 Nous verrons.

THURLOË  (à part, regardant Rochester)

Pauvre homme !

LORD ROCHESTER  (bâillant)

Ah !... j'ai la tête étourdie.
Bâillant encore.

Quand tout le jour on a joué la comédie,
Jeûné, — prié, — beaucoup prêché, juré fort peu, —
Porté masque de saint, pris même un nom hébreu, —
Du vieux Noll, — sur la Bible, — essuyé l'apostrophe... —
3575 C'est dur...    ( *Il bâille.* )

De s'endormir, juste, à la catastrophe ! ——
Il bâille encore.

Puissé-je encor ne pas me réveiller pendu !
Avec moi seulement Ormond sera perdu ; —
C'est là tout mon regret. — Chassons ce triste rêve. —
Il bâille.

Fiole d'enfer ! — ma tête à peine se soulève.
3580 Bonsoir, monsieur Cromwell. — Que Dieu sauve le roi !
Sa tête retombe sur son épaule et il s'endort.

CROMWELL  (l'œil fixé sur Rochester endormi)

Quel dévoûment ! — Qui donc ferait cela pour moi ?
A Thurloë.

Portons-le sur ce lit.
Tous deux portent Rochester sur le lit placé dans
un coin du théâtre, et l'y déposent sans qu'il se

*réveille. — En ce moment, on entend frapper à*
*une porte basse donnant sur un des couloirs*
*latéraux de la chambre peinte.*

THURLOË *(avec inquiétude à Cromwell)*

On frappe à cette porte.

CROMWELL

Ouvre; je sais qui c'est.

THURLOË *(ouvrant la porte)*

Le rabbin !


## SCÈNE XVII

CROMWELL, THURLOË, MANASSÉ-BEN-ISRAËL, LORD
ROCHESTER, endormi.

CROMWELL *(à Manassé qui se prosterne*
*en entrant sur le seuil)*

Que m'apporte

Le juif ?

*Manassé se relève et s'approche de Cromwell*
*d'un air mystérieux.*

MANASSÉ *(bas à Cromwell)*

De l'argent.

*Il entrouvre sa robe, et montre au Protecteur un*
*gros sac qu'il porte avec peine.*

CROMWELL *(à Thurloë)*

Sors.

*(Bas.)* Sans t'éloigner pourtant.

*Thurloë s'incline et sort.*

MANASSÉ *(à Cromwell)*

3585 Le brick suédois est pris, — et j'accours à l'instant
Porter à monseigneur sa part.

CROMWELL *(examinant le sac)*

Comment ! quel conte !

Cela ma part !

MANASSÉ *(se mordant les lèvres)*

Seigneur, — c'est-à-dire, un acompte.

CROMWELL

Bien !     *( Il prend le sac et le dépose sur la table près de lui.)*

MANASSÉ *(à part)*

A cet œil de lynx rien ne peut échapper
Les cavaliers au moins sont aisés à tromper :
3590 Je leur prends leur navire et leur ouvre ma banque.
Ainsi, grâce à mes soins, leur ressource leur manque ;
Et puis au denier douze, ainsi qu'il est réglé,
Je leur revends l'argent que je leur ai volé ;
Car voler des chrétiens, c'est chose méritoire.

CROMWELL

3595 Que sais-tu de nouveau, face de purgatoire ?

MANASSÉ

Rien : — sinon que le bruit s'est dans Londre épandu
Qu'un astrologue à Douvre avait été pendu.

CROMWELL

C'est bien fait. — Mais toi-même, es-tu pas astrologue ?

MANASSÉ *(après un moment d'hésitation)*

*Point de faux témoignage,* a dit le décalogue.
3600 Oui, je comprends ce livre, obscur pour le démon,
Qu'épelait Zoroastre, où lisait Salomon.
Oui, je sais lire au ciel vos bonheurs, vos désastres.

CROMWELL *(à part, l'œil fixé sur le juif)*

Sort bizarre ! épier les hommes et les astres !
Astrologue là-haut, ici-bas espion !

MANASSÉ *(s'approchant avec vivacité d'une fenêtre ouverte
au fond de la salle, et à travers laquelle
on entrevoit un ciel étoilé)*

3605 Tenez ! précisément, là, près du Scorpion, —
En ce moment, seigneur, je vois... —

CROMWELL

Quoi ?

MANASSÉ *(sans quitter le ciel des yeux)*

Votre étoile.

*Se retournant vers Cromwell avec solennité.*

Votre avenir pour moi peut déchirer son voile.

CROMWELL *(tressaillant)*

Vraiment ? il se pourrait ?... — Mais non, tu mens, vieillard !
Crains-tu pas d'essayer la pointe d'un poignard ?

MANASSÉ *(gravement)*

3610 Si je mens, que la mort, dont les coups nous confondent,
Ferme ces yeux à qui les étoiles répondent !

CROMWELL *(pensif, à part)*

Se pourrait-il ? — Lever le rideau du destin ;
Lire au loin dans le ciel un avenir lointain ;
Déchiffrer chaque vie et chaque caractère ;
3615 Voir la clef de l'énigme et le mot du mystère,
Ce mot qu'un doigt suprême, invisible à nos yeux,
Trace avec des soleils sur le livre des cieux !
Quel pouvoir ! c'est de Dieu partager la couronne. —
Moi, qui me contentais de je ne sais quel trône !
3620 Fier de briller au faîte où quelques rois ont lui,
Je méprisais ce juif. — Que suis-je près de lui ?
Qu'est-ce que ma puissance auprès de son empire ?
Près du but qu'il atteint qu'est le but où j'aspire ?
Son royaume est le monde, et n'a pas d'horizon. —
3625 Mais non, il ne se peut. La raison... — La raison !
Gouffre où l'on jette tout et qui ne peut rien rendre !
Doute aveugle qui nie à défaut de comprendre !
L'imbécile l'invoque, et rit. C'est plus tôt fait. —
Pourtant, — d'où viendrait-il, ce pouvoir, en effet ?
3630 Dieu marque un but unique à chaque créature.
Les êtres, dont la chaîne embrasse la nature,
Restent tous dans leur sphère, à leur centre, en leur lieu.
La bête ignore l'homme, et l'homme ignore Dieu.
Les cieux ont leur secret, et nous avons le nôtre.
3635 L'âme peut-elle voir d'un monde dans un autre,
Des morts chez les vivants apporter le flambeau ?
Reste-t-elle toujours d'un côté du tombeau ?
Peut-elle après la mort sortir des catacombes,
Ou pénétrer, d'ici, l'intérieur des tombes ?
3640 Qui sait ? — Faut-il nier tout ce qu'on ne voit pas ?
Tout lien est-il donc rompu par le trépas ?
N'a-t-on pas vu d'ailleurs des choses effrayantes ? —
Mais l'homme, ouvrir du ciel les pages flamboyantes !
Qui sait ce que Dieu met dans l'âme en la créant ? —
3645 Mais quoi ! cet homme impur, ce juif, ce mécréant,
Dans son sens symbolique interpréter le monde !
Fouiller le saint des saints de son regard immonde ! —

Pourquoi pas ? Que sait-on ? Tout est mystérieux.
Raison de plus, peut-être ! — A mon œil curieux
3650 S'il pouvait de mon astre expliquer le langage ?
Me dire où finira la lutte que j'engage ?
Allons ! nous sommes seuls, sans témoins. — Essayons.

*Haut à Manassé.*

Juif !

MANASSÉ *(qui n'a cessé d'attacher les yeux au ciel,*<br>*se retourne et s'incline)*

Seigneur ?

CROMWELL

S'il est vrai que ces divins rayons
Illuminent ton âme à leur clarté mystique,
3655 Et prêtent à tes yeux un éclair prophétique...

*Il s'arrête et paraît hésiter un moment.*

MANASSÉ *(se prosternant)*

Que demandez-vous, maître, à votre serviteur ?

CROMWELL *(baissant la voix)*

L'avenir.

MANASSÉ *(se relevant et se redressant)*

Quoi ? comment ? jusqu'à cette hauteur
Tu lèves tes regards, incirconcis ! Ton âme
Verrait à nu, malgré les barrières de flamme,
3660 Ces astres, sable d'or, poudre de diamants,
Qu'en leur gouffre sans fond roulent les firmaments !
Tu voudrais pénétrer ce ciel, palais de gloire,
Ténébreux sanctuaire, ardent laboratoire,
Où veille Jéhovah, qui ne dessaisit pas
3665 L'immuable pivot et l'éternel compas !
Percer les trois milieux, la flamme, l'éther, l'onde,
Triple voile des cieux, triple paroi du monde !
Et savoir quels soleils sont les lettres de feu
Dont brille au fond des nuits la tiare de Dieu !
3670 Toi, lire l'avenir ! Et pourrais-tu, profane,
Supporter sans mourir l'aspect du grand arcane !
Toi, qu'un terrestre soin préoccupe toujours,
Qu'as-tu fait pour cela de tes nuits, de tes jours ?
Quel mystère entrevu ? quelle épreuve subie ?
3675 Vois mon front blême et nu; j'ai l'âge de Tobie.
J'ai passé dans ce monde étroit, fallacieux,
Sans quitter un instant l'autre monde des yeux.

Songe ! en un siècle entier, pas un jour, pas une heure. —
Que de fois j'ai, la nuit, déserté ma demeure
3680 Pour aller écouter aux portes des tombeaux,
Pour déranger un ver rongeant d'impurs lambeaux !
Combien j'étais heureux, roi du sombre royaume,
Quand j'avais pu changer un cadavre en fantôme,
Et forcer quelque mort, détaché du gibet,
3685 A bégayer un mot du céleste alphabet !
Les morts m'ont révélé le problème des mondes ;
Et j'ai presque entrevu l'être aux splendeurs profondes
Qui, sur l'orbe du ciel comme aux plis du linceul,
Inscrit son nom fatal et connu de lui seul.
3690 Mais toi ! — pour ton regard, mort dans sa nuit première,
Les constellations sont un feu sans lumière !
As-tu, dans le grand œuvre ardent à t'absorber,
Vu ta barbe blanchir, vu tes cheveux tomber ?
As-tu, bien qu'égalant les mages vénérables,
3695 Traîné des jours proscrits, méprisés, misérables ?...

CROMWELL *(l'interrompant avec impatience)*

Il suffit. Je te paye ici pour me servir.

MANASSÉ

Tu confonds. L'homme peut à l'homme s'asservir.
Oui, tandis que je vis d'une vie incomplète,
Puisqu'enfin cette chair couvre encor mon squelette,
3700 Mon œil sert ici-bas tes plans ambitieux ;
Mais quand t'ai-je promis d'espionner les cieux ?

CROMWELL *(à part)*

Non, ce n'est point ainsi que parle un hypocrite.
Il croit à sa science, il la vante proscrite !

*Haut à Manassé avec violence.*

Dis-moi si ma planète est propice à mes vœux,
3705 Obéis.

MANASSÉ

Je ne puis.

CROMWELL

Je le veux.

MANASSÉ

Tu le veux !

CROMWELL *(mettant la main sur son poignard)*

S'il ne te fait parler, ce fer te fera taire.

MANASSÉ *(après une hésitation)*

Ne pâliras-tu point si, durant le mystère,
Je mêle au ciel l'enfer, le Talmud au Coran ?

CROMWELL

Non.

MANASSÉ

      L'esprit cède au glaive, et le mage au tyran.
3710 — Parle, mon fils.

CROMWELL

                    Révèle à mon âme étonnée
Le secret de ma vie et de ma destinée.
Ecoute. — Etant enfant, j'eus une vision.
J'avais été chassé, pour basse extraction,
De ces nobles gazons que tout Oxford renomme,
3715 Et qu'on ne peut fouler sans être gentilhomme.
Rentré dans ma cellule, en mon cœur indigné,
Je pleurais, maudissant le rang où j'étais né.
La nuit vint; je veillais assis près de ma couche.
Soudain ma chair se glace au souffle d'une bouche,
3720 Et j'entends près de moi, dans un trouble mortel,
Une voix qui disait : *Honneur au roi Cromwell !*
Elle avait à la fois, cette voix presqu'éteinte,
L'accent de la menace et l'accent de la plainte.
Dans les ténèbres, pâle, et de terreur saisi,
3725 Je me lève, cherchant qui me parlait ainsi.
Je regarde : — c'était une tête coupée ! —
De blafardes lueurs dans l'ombre enveloppée,
Livide, elle portait sur son front pâlissant
Une auréole... — oui, de la couleur du sang.
3730 Il s'y mêlait encore un reste de couronne.
Immobile, — vieillard, regarde, j'en frissonne ! —
Elle me contemplait avec un ris cruel,
Et murmurait tout bas : *Honneur au roi Cromwell !*
Je fais un pas. Tout fuit ! — sans laisser de vestige
3735 Que mon cœur, à jamais glacé par ce prodige !
*Honneur au roi Cromwell !* — Manassé, tu comprends ?
Qu'en dis-tu ? — Cette nuit, ces feux dans l'ombre errants,
Une tête hideuse, un lambeau de fantôme,
Dans un rire sanglant promettant un royaume...

3740 Ah ! c'est vraiment horrible ! est-ce pas, Manassé ?
Cette tête !... — Depuis, un jour terne et glacé,
Un jour d'hiver, au sein d'une foule inquiète,
Je l'ai revue encor, — mais elle était muette.
Ecoute, — elle pendait à la main du bourreau !

MANASSÉ *(rêveur)*

3745 Vraiment ? — Ezéchiel, le gendre de Jéthro,
Eurent des visions, mon fils, moins redoutables,
Celle de Balthazar, dans l'ivresse des tables,
Ne l'égale pas même ; et le Toldos Jeschut
N'en dit pas qui ressemble à celle qui t'échut.
3750 D'un roi vivant encor voir la tête apparaître ;
C'est étrange !

CROMWELL

Il n'est rien de plus affreux !

MANASSÉ *(réfléchissant)*

Peut-être...
— Non. Les spectres dont j'ai gardé le souvenir
Se vengeaient du passé ; le tien de l'avenir. —
Tu ne dormais point ?

CROMWELL

Non.

MANASSÉ

Vision sans pareille !
3755 Car, si tu ne l'avais eue en état de veille,
Ce ne serait qu'un songe, et j'en sais de plus beaux.

*Il retombe dans ses méditations.*

Seul spectre qui ne soit pas sorti des tombeaux !
Je n'ai rien vu de tel durant ma longue vie.

*Il se retourne vers Cromwell.*

De quelle odeur sa fuite a-t-elle été suivie ?

CROMWELL *(brusquement)*

3760 Que m'importe ! — Que veut dire ma vision ?
Parle. Est-ce vérité ? n'est-ce qu'illusion ?
*Honneur au roi Cromwell !* — Dois-je être roi ? — Dévoile
Mon destin à mes yeux.

MANASSÉ *(l'œil fixé sur le ciel)*

Oui, voilà bien l'étoile !
Je la reconnaîtrais du zénith au nadir ;
3765 Fixe, en la contemplant on croit la voir grandir,
Brillante, mais portant à son centre une tache.

CROMWELL *(impatienté)*

Depuis assez de temps ton œil là-haut s'attache.
Serai-je roi ?

MANASSÉ

Mon fils, je voudrais vainement
Te flatter ; on ne peut mentir au firmament !
3770 Je ne puis te cacher qu'en sa marche elliptique
Ton astre ne fait pas le triangle mystique
Avec l'étoile Jod et l'étoile Zaïn.

CROMWELL

Que me fait ton triangle ? Allons, fils de Caïn,
De la tête coupée explique-moi l'oracle !
Dois-je être un jour roi ? dis !

MANASSÉ

3775                              Non, à moins d'un miracle.

CROMWELL *(mécontent et brusque)*

Qu'entends-tu par miracle ?

MANASSÉ

Un miracle...

CROMWELL

Hé bien, quoi ?

MANASSÉ

Un miracle.

CROMWELL

Voyons : suis-je un miracle, moi ?

MANASSÉ *(pensif)*

Peut-être.

CROMWELL

C'est le trône alors que tu m'annonces.

MANASSÉ

Non. Je ne puis du ciel te changer les réponses.

CROMWELL

3780 Non ! — Qu'est-ce donc alors que cette vision ?
Etait-ce de la mort une dérision ?
Mais vous autres plutôt, je crois bien que vous n'êtes
Qu'imposteurs, sur la terre exploitant les planètes.

MANASSÉ *(gravement)*

Mon fils, donne ta main, et ne blasphème pas.

> *Cromwell, comme subjugué par l'autorité de*
> *l'astrologue, lui présente sa main. Manassé la*
> *saisit, l'examine et chante à demi-voix sans la*
> *quitter des yeux.*

Loin d'ici les mauvais génies,
Et les sorcières rajeunies
Par un philtre aux sucs vénéneux,
Les dragons, les esprits lunaires,
Et les fileuses centenaires
Qui soufflent en faisant des nœuds !

Loin tout fantôme en blanche robe,
L'aspic, la goule qui dérobe
Leur fétide proie aux corbeaux,
Les démons qui chassent aux âmes,
Les nains monstrueux, et les flammes
Qui voltigent sur les tombeaux !

Mets la robe patriarcale,
La ceinture zodiacale,
Des anneaux d'or à tous tes doigts,
L'aumusse, la mitre conique,
L'éphod de pourpre, et la tunique
D'écarlate teinte deux fois ! —

> *Haut à Cromwell après un instant de silence.*

3785 Un danger te menace.

CROMWELL

Et lequel ?

MANASSÉ

Le trépas.
Si tu veux être roi, mon fils, ta mort est sûre.

CROMWELL

Sûre ! ma mort ?

MANASSÉ *(désignant du doigt le cœur de Cromwell)*

C'est là que sera la blessure.

CROMWELL *(mettant la main sur son cœur)*

Ici ?

MANASSÉ *(avec un signe affirmatif)*

Là.

CROMWELL

Quand ?

MANASSÉ

Demain.

CROMWELL

Mens-tu pas ?

MANASSÉ

Fils d'Ammon !

Mentir ! Veux-tu qu'ici j'évoque ton démon ?
3790 Mais il faut avec moi dire, pour le soumettre,
Huit versets commençant tous par la même lettre.

> *Cromwell paraît hésiter à cette proposition. —*
> *En ce moment, Rochester se détourne en dor-*
> *mant et pousse un soupir.*

MANASSÉ *(troublé)*

Mais... quelqu'un nous écoute... —

> *Il s'approche du lit et aperçoit Rochester endormi.*

Oui ! le charme est rompu.

Il a tout entendu !

CROMWELL

Tu le crois ! il a pu

Nous entendre ?

MANASSÉ

Sans doute.

CROMWELL

Eh bien ! il faut qu'il meure.

> *Cromwell tire son poignard et s'approche de*
> *Rochester toujours endormi.*

MANASSÉ

3795 Frappe ! — tu ne peux faire une action meilleure.

*A part.*

Par une main chrétienne immolons un chrétien.

CROMWELL

De Cromwell et du juif il saurait l'entretien !
Qu'il meure !

*Il lève son poignard sur Rochester et s'arrête.*

Il dort pourtant.

MANASSÉ *(poussant son bras)*

Hé bien !

CROMWELL *(toujours en suspens)*

Il est si jeune !

MANASSÉ

C'est le jour du sabbat ! Frappe !

CROMWELL *(tressaillant)*

C'est jour de jeûne !

3800 Que fais-je ? un jour de veille et de repos divin,
J'allais commettre un meurtre, et j'écoute un devin !

*Il jette le poignard. — A Manassé.*

Va-t'en, juif. —   *(Appelant)*
Thurloë !

THURLOË *(accourant)*

Mylord...

MANASSÉ *(étonné)*

Seigneur !

CROMWELL *(à Manassé)*

Sors, dis-je.

MANASSÉ *(à part)*

A-t-il l'esprit troublé par un soudain vertige ?

CROMWELL *(Il s'approche du juif. A voix basse)*

Va ! — Ton arrêt de mort est déjà prononcé
3805 Si tu dis un seul mot de ce qui s'est passé.

*Le juif se prosterne et sort. — A Thurloë.*

Sauve-moi de ce juif ! sauve-moi de moi-même,
Thurloë !

THURLOË *(avec inquiétude)*

Qu'avez-vous, mylord ?

CROMWELL *(composant son visage)*

      Moi ? rien. Je t'aime,
Thurloë.

THURLOË

Vous disiez... vous aviez l'air troublé ?

CROMWELL

Ai-je dit quelque chose ?

THURLOË

    Oui, vous avez parlé...

CROMWELL *(brusquement)*

3810 De rien ! tais-toi : suis-moi.

THURLOË

    Dieu ! que vous êtes pâle !
Dieu !

CROMWELL *(souriant amèrement)*

C'est de ce flambeau la lueur sépulcrale.
Viens, j'ai besoin de toi.

> *Thurloë suit Cromwell, et s'arrête en passant*
> *près du lit de Rochester.*

THURLOË

    Voyez donc comme il dort !

CROMWELL

Oui, d'un sommeil profond, — et voisin de la mort.

> *Ils sortent.*

# ACTE QUATRIÈME

## LA SENTINELLE

## LA POTERNE DU PARC DE WHITE-HALL

A droite, des massifs d'arbres ; au fond, des massifs d'arbres, au-dessus desquels se découpent en noir, sur le ciel sombre, les faîtes gothiques du palais. A gauche, la poterne du parc, petite porte en ogive très ornée de sculptures. — Il est nuit close.

## SCÈNE PREMIÈRE

CROMWELL déguisé en soldat, un lourd mousquet sur l'épaule, une cuirasse de buffle, un chapeau à larges bords et à haute forme conique, grandes bottes.

*Il se promène de long en large devant la poterne, dans l'attitude d'un soldat de garde. Quelques moments après que la toile est levée, on entend le cri d'une sentinelle éloignée.*

— *Tout va bien ! veillez-vous ?*

CROMWELL *( Il pose son mousquet à terre et répète)*

*Tout va bien ! veillez-vous ?*

*Une troisième sentinelle répond dans l'éloigne-ment.*

3815 *Tout va bien ! veillez-vous ?*

CROMWELL *(après un moment de silence)*

Oui, je veille, — et pour tous !
Cromwell, qu'à cette place un soin prudent transporte,
Veut à ses assassins lui-même ouvrir sa porte.

*On entend un bruit de pas et de voix dans l'éloignement.*

Déjà ? — Mais non, minuit n'a point encor sonné.
C'est un passant.

*On distingue comme un chant inarticulé.*

Des chants ! le drôle a mal jeûné !

*La voix s'approche, et on l'entend chanter sur un*
*air monotone les paroles suivantes :*

Au soleil couchant,
Toi qui vas cherchant
        Fortune,
Prends garde de choir;
La terre, le soir,
        Est brune.

L'océan trompeur
Couvre de vapeur
        La dune.
Vois; à l'horizon
Aucune maison,
        Aucune!

Maint voleur te suit;
La chose est, la nuit,
        Commune.
Les dames des bois
Nous gardent parfois
        Rancune.

Elles vont errer.
Crains d'en rencontrer
        Quelqu'une.
Les lutins de l'air
Vont danser au clair
        De lune.

*La voix s'approche de plus en plus et se tait.*

### CROMWELL

3820 Bon ! c'est un de mes fous qui chante; — Elespuru,
Je crois.

## SCÈNE II

### CROMWELL, TRICK, GIRAFF, ELESPURU, GRAMADOCH

*Les bouffons conduits par Gramadoch entrent*
*avec précaution et à tâtons.*

### ELESPURU *(fredonnant)*

Les lutins de l'air
Vont danser au clair
        De lune.

### GIRAFF *(bas à Elespuru)*

Elespuru, tais-toi donc. — Es-tu fou ?

GRAMADOCH *(aux autres, en leur désignant un banc de gazon*
*derrière une charmille)*

Cachons-nous là tous.

CROMWELL *(sans les voir)*

Oui, c'est mon bouffon qui rentre.

*Les quatre bouffons se blottissent sur le banc de*
*gazon.*

GRAMADOCH *(bas à ses camarades)*

Du drame sur ce point l'action se concentre.
D'ici nous verrons tout.

TRICK *(bas)*

Il faudrait l'œil d'un clerc.

3825 Voir ? — Dans le four du diable il fait vraiment plus clair !

ELESPURU *(bas)*

Les acteurs, quels qu'ils soient, s'ils trouvaient là nos faces,
Nous ferions un peu cher payer le prix des places.

GRAMADOCH *(bas)*

Nous arrivons à temps. On n'a pas commencé.

GIRAFF *(bas)*

Or çà, vous tairez-vous ?

*Tous se taisent et demeurent immobiles.*

CROMWELL

Le bouffon est passé,
3830 Sans savoir que ces lieux, où chantait son délire,
Vont voir se décider le destin d'un empire.
Qu'il est heureux, ce fou ! — Jusque dans White-Hall,
Il crée autour de lui tout un monde idéal.
Il n'a point de sujets, point de trône; il est libre.
3835 Il n'a pas dans le cœur de douloureuse fibre.
Il ne porte jamais sur ce cœur innocent
De cuirasse d'acier : — qui voudrait de son sang ?
Qu'a-t-il besoin de cour ? de cortège ? de garde ?
Il chante, il rit, il passe, et nul ne le regarde.
3840 Que lui fait l'avenir ? il aura bien toujours,
L'hiver, pour se vêtir, un lambeau de velours,
Un gîte, un peu de pain mendié par des rires.
Sans disputer sa vie aux embûches des sbires,

Il dort toutes ses nuits, n'a point de songe affreux,
3845 Se réveille et ne pense à rien. — Qu'il est heureux !
Sa parole est du bruit ; son existence un rêve.
Et quand il atteindra le terme où tout s'achève,
Cette faux de la mort, dont nul ne se défend,
Ne sera qu'un hochet pour ce vieillard enfant !
3850 En attendant, sa voix, s'il faut pleurer ou rire,
Donne le son qu'on veut, fait le cri qu'on désire,
Discourt à tout hasard, et chante à tout propos.
Son agitation couvre un profond repos.
Vivant jouet d'autrui, tête creuse et sonore,
3855 Parlant, ainsi que l'eau murmure et s'évapore,
Il vibre au moindre choc, à s'émouvoir plus prompt
Que ces grelots d'argent qui tremblent sur son front.
Jamais ce fou ne prit cette peine insensée
D'enfermer, comme moi, le monde en sa pensée,
3860 Jamais des mots profonds, des soupirs éloquents
Ne sortent de son cœur, comme un feu des volcans.
Son âme, — a-t-il une âme ? — incessamment sommeille.
Il ne sait point le jour ce qu'il a fait la veille.
Il n'a point de mémoire ; hélas, qu'il est heureux !
3865 Jamais, troublé la nuit de pensers ténébreux,
Il n'a, pressant le pas sous quelque voûte sombre,
Craint de tourner la tête et d'entrevoir une ombre.
Il ne souhaite pas qu'on puisse l'oublier,
Et que l'an n'eût jamais eu de trente janvier !
3870 Ah ! malheureux Cromwell ! ton fou te fait envie.
Te voilà tout-puissant ; — qu'as-tu fait de ta vie ?

*Une pause.*

Tu règnes, tu prévaux sur le monde effrayé.
Que tout ce grand éclat est chèrement payé !
Les partis t'ont laissé ; le peuple te renie ;
3875 Ta famille toujours lutte avec ton génie,
Et, de ses volontés te faisant une loi,
Te tiraille en tout sens par ton manteau de roi !
Ton fils lui-même... Ah ! Dieu ! tout me hait, tout m'ac-
J'ai des ennemis, pleins d'une haine implacable,   [cable.
3880 Partout sur cette terre, — et même encore ailleurs.
— Jusqu'au fond du sépulcre ! — Allons ! des jours meil-
                                                    [leurs
Peut-être reviendront. — Des jours meilleurs ! que dis-je ?
Mon sort depuis quinze ans marche comme un prodige.
Quel souhait ai-je fait qui ne soit accompli ?
3885 Les peuples sous mon joug enfin ont pris leur pli.
Pour être roi demain je n'ai qu'un mot à dire. —

Qu'avais-je donc rêvé de plus dans mon délire ?
Juge, réformateur, conquérant, potentat,
N'ai-je pas mon bonheur ? — Oui, le beau résultat,
3890 De faire ici l'archer qui veille et que l'on paie ! —
Quelle pompe au dehors ! au dedans quelle plaie !

> *Nouvelle pause.*

Cette nuit est glacée ! — Il est bientôt minuit;
L'heure où de son cercueil chaque spectre s'enfuit,
Montrant au meurtrier sa main de sang rougie,
3895 Sa blessure incurable, et toujours élargie,
Et quelque tache horrible empreinte à son linceul.
— Mais que vais-je rêver ? Ce que c'est qu'être seul !
Suis-je donc un enfant ? — Oh ! que je voudrais l'être !
— Avec ces visions qu'il a fait reparaître,
3900 Ce juif damné me laisse un souvenir d'effroi.
Il m'a bouleversé, je tremble... — Il fait si froid ! —
Si, pour neutraliser ses discours sacrilèges,
Je disais le verset contre les sortilèges ?

> *Le beffroi commence à sonner lentement minuit.*
> *— Tressaillant.*

Mais quel bruit ?... Le beffroi ! c'est l'instant attendu !

> *Il écoute.*

3905 — Jamais je ne l'avais à cette heure entendu.
C'est comme un glas de mort ! comme une voix qui pleure,

> *Il s'arrête et écoute encore.*

C'est lui qui d'un martyr sonna la dernière heure !

> *Après les derniers coups de l'horloge.*

Minuit ! — et je suis seul ! — Si j'invoquais les saints ?...

> *Un bruit de pas derrière les arbres.*

Ah ! je suis rassuré ! voici mes assassins.

## SCÈNE III

Les Mêmes, LORD ORMOND, LORD DROGHEDA, LORD ROSE-
BERRY, LORD CLIFFORD, le docteur JENKINS, SEDLEY,
SIR PETERS DOWNIE, SIR WILLIAM MURRAY

> *Les cavaliers entrent à pas de loup, lord Ormond*
> *et lord Roseberry en tête. — Grands chapeaux*
> *rabattus, amples manteaux noirs soulevés par*
> *de longues épées. — Ils se parlent à voix basse.*
> *— Cromwell remet son mousquet sur son épaule*
> *et se place sous l'ogive de la poterne.*

LORD ROSEBERRY *(aux autres)*

3910 C'est ici.

LORD ORMOND

C'est bien là. Je reconnais la place.

*Montrant la poterne dont l'ombre leur cache
Cromwell.*

C'est par là que du roi jadis rentrait la chasse.

CROMWELL *(le mousquet sur l'épaule, à part)*

Ce sont bien eux. — Je sais à qui parler enfin !

SIR PETERS DOWNIE *(à lord Ormond)*

Wilmot devrait ici nous attendre.

CROMWELL *(à part, haussant les épaules)*

Il est fin.

LORD DROGHEDA *(à Downie)*

Le peut-il ? N'a-t-il pas les devoirs de sa charge ?
3915 Crois-tu qu'il ait le cou dans un collier bien large ?

CROMWELL *(à part)*

Assassins ! vous aurez tous le même bientôt ;
Et le gibet d'Aman pour vous n'est pas trop haut.

LORD ORMOND *(aux cavaliers)*

Puis il eût du complot gâté la réussite ;
Et puisqu'on le retient, moi, je m'en félicite.

CROMWELL *(à part)*

3920 Moi de même.

LORD ORMOND

Toujours je tremble avec Wilmot.
Mais nous allons finir.

CROMWELL *(à part)*

Finir ! c'est bien le mot.

LORD ORMOND *(aux cavaliers)*

Voyez de Rochester jusqu'où va la folie.
Le vieux Noll a, dit-on, une fille jolie ;
Wilmot s'en est épris, ce qui m'est fort égal.

CROMWELL *(à part)*

3925 Insolent !

LORD ORMOND *(continuant)*

Il a fait pour elle un madrigal. —
Un Wilmot, de rimeur prendre le personnage ! —
Mais, bien plus : oubliant ce qu'on doit à mon âge,
A mon rang, m'a-t-il pas voulu lire cela ?
J'ai reçu cet affront comme il faut ! mais voilà
3930 Que tantôt, de sa part, quand j'étais dans l'attente,
Une lettre m'advient, qu'on me dit importante.
Impatient, je l'ouvre, et trouve sous le scel
Le quatrain, célébrant la petite Cromwell !

CROMWELL *(à part)*

Ma Francis ! — en parler devant moi de la sorte !

LORD ROSEBERRY *(riant, à lord Ormond)*

3935 La persécution, mylord, me paraît forte !

SIR PETERS DOWNIE *(riant)*

Faire lire ses vers, presque de par le roi !
C'est être bien poète !

LORD ORMOND

                    Hé bien, écoutez-moi,
Après ces vers, scellés avec un soin si sage,
Je reçois de Wilmot un deuxième message.
3940 C'est l'avis qui nous mène ici dans ce moment.
Or, messieurs, cette fois ce n'était simplement
Qu'un parchemin roulé, noué d'un ruban rose.

TOUS LES CAVALIERS

Vraiment !

LORD ORMOND

Voyez combien ce fou-là nous expose.

LORD CLIFFORD

Mais c'est affreux ! s'il croit de pareils tours jolis !

LORD ORMOND

3945 Le message, il est vrai, fut commis à Willis.
Mais il pouvait tomber en des mains infidèles,
Enfin !

LORD ROSEBERRY

Nous n'aurions eu qu'à fuir à tire-d'ailes.

LE DOCTEUR JENKINS

Sur quels frêles appuis quelquefois on s'endort !
Je frémis en songeant que de choses le sort
3950 Sur la tête d'un fou peut mettre en équilibre !
Au moindre vent qui change, au moindre bruit qui vibre,
L'édifice effrayant s'écroule, et, dans la nuit,
Un trône, un peuple, un monde ainsi s'évanouit !

SEDLEY

Mais il me semble aussi que Davenant nous manque ?

LORD ORMOND

3955 Davenant ! un poète, un cuistre, un saltimbanque !
Il se cache. — Comptez sur de tels malotrus !

SIR PETERS DOWNIE

A propos, notre ami Richard, fils de l'intrus,
Est en prison. Messieurs, vous savez ? un perfide...

LORD DROGHEDA

Oui, ce pauvre Richard !

CROMWELL *(à part)*

Ce pauvre parricide !

LORD ROSEBERRY

3960 C'est un si bon vivant !

CROMWELL *(à part)*

Oui ?

SEDLEY *(à Roseberry)*

Son père a, je crois,
Su qu'il a ce matin bu la santé du roi ?

*Roseberry lui répond par un signe affirmatif.*

CROMWELL *(à part)*

Le traître !

LORD ORMOND *(aux cavaliers)*

Çà, le temps en paroles s'écoule. —
Commençons.

CROMWELL  *(à part)*

Sous mes yeux leur complot se déroule.
A tous ces rats d'Egypte, à ce parti royal,
3965 Comme une souricière ouvrons ce White-Hall.
Rochester est l'appât, et Cromwell est la trappe
Qui brusquement se ferme, afin que rien n'échappe !

LORD ORMOND  *(bas aux cavaliers)*

Accostons le soldat.

*Haut, en s'approchant de Cromwell.*

Hum !

CROMWELL  *(lui présentant son mousquet)*

Qui va là ?

LORD ORMOND  *(bas à Cromwell)*

Mon frère.

— COLOGNE !

CROMWELL  *(à part)*

Ah ! je n'ai pas le mot d'ordre ! que faire ?

LORD ORMOND

3970 COLOGNE !

CROMWELL  *(à part)*

Que répondre ?

*Lord Ormond, étonné du silence de la sentinelle,
recule d'un air de défiance.*

LORD ROSEBERRY  *(à lord Ormond)*

Eh bien, qu'est-ce ?

LORD ORMOND  *(lui montrant Cromwell)*

Il se tait.

LORD ROSEBERRY

Si Cromwell par hasard du complot se doutait ?
S'il avait du palais renouvelé la garde ?

LORD ORMOND

*Les cavaliers inquiets se groupent autour de lui.*

En de pareils projets sitôt qu'on se hasarde,
Reculer, c'est tout perdre ! — Il le faut, avançons.

*Il marche de nouveau vers Cromwell.*

CROMWELL *(à part)*

3975 Trop de facilité donnerait des soupçons.

*A Ormond qui s'avance.*

Qui va là ?

LORD ORMOND

COLOGNE !

CROMWELL *(à part)*

Ah ! comment les tromperai-je ?
Sans ce mot d'ordre enfin comment les prendre au piège ?

LORD ORMOND *(bas aux cavaliers qui se sont retirés à droite dans le coin du théâtre)*

Toujours même silence !

LORD CLIFFORD *(bas et vivement)*

Eh bien ! tuons un peu
La sentinelle !

JENKINS *(bas à Clifford)*

Eh quoi ! jeter une âme à Dieu,
3980 Sans qu'elle ait seulement pu dire une prière !

LORD CLIFFORD *(bas à Jenkins)*

Qu'importe ?

LORD ORMOND *(bas à Clifford)*

Mais frapper un homme par derrière !

LORD CLIFFORD *(bas à Ormond)*

Il faut passer, mylord. Pour lui j'en suis fâché.

TOUS *(bas à Ormond)*

Oui, tuons le soldat !

JENKINS *(bas aux cavaliers)*

Tout souillé de péché,
L'envoyer à son juge !

TOUS *(bas à Jenkins)*

Il le faut ! oui, qu'il meure !

CROMWELL *(à part)*

3985 Que disent-ils là ?

*Les cavaliers tirent leurs poignards et s'avancent*
*vers Cromwell. Sir William Murray les arrête.*

SIR WILLIAM MURRAY

Sauf opinion meilleure,
Vous avez tort. Cet homme est à nous, j'en suis sûr.
Autrement, nous voyant groupés devant ce mur,
Il eût depuis longtemps déjà donné l'alarme.
Nul doute qu'un peu d'or, messieurs, ne le désarme.
3990 Il n'est à craindre ici que pour nos carolus;
Il se tait, — c'est qu'il veut quelques doublons de plus.
S'il fait la sourde oreille à votre mot de passe,
C'est que des puritains il a l'humeur rapace.
Or il vaut mieux payer un nouveau sauf-conduit
3995 Que de le poignarder, — ce qui ferait du bruit.

LORD ROSEBERRY

Sir William a raison. Le malappris, en somme,
Ne se gênerait pas pour crier qu'on l'assomme.

LORD CLIFFORD *(soupirant)*

Eh bien ! laissons-nous donc rançonner !

SIR PETERS DOWNIE

Par malheur,
Nous sommes mal en fonds.

SEDLEY

Ce Cromwell est voleur !
4000 Confisquer notre brick, comme une contrebande !
Et sur le trône anglais siège ce chef de bande !

LORD ORMOND

Le vieux rogneur d'écus, le rabbin Manassé
M'a prêté quelque argent; mais il est dépensé. —
Attendez ! j'ai reçu de Wilmot une bourse...

*Il fouille dans son justaucorps.*

4005 La voici justement.

*Il tire de sa poche une bourse qu'il montre aux*
*cavaliers.*

LORD ROSEBERRY

Excellente ressource !

LORD CLIFFORD *(montrant Cromwell)*

Payer en bons écus un compte à ce cafard,
Qu'on solderait si bien d'un bon coup de poignard !
C'est dur !

LORD ORMOND *(remettant la bourse à sir William Murray)*

William Murray, chargez-vous de conclure.
De ces saints, mieux que nous, vous connaissez l'allure.

SIR WILLIAM MURRAY *(prenant la bourse)*

4010 Soyez tranquille.

CROMWELL *(voyant sir William s'avancer lentement vers lui ;*
*à part)*

Allons, ils ont tenu conseil.
Pour un rien, pour un mot, embarras sans pareil !
Ils veulent entrer ; moi, je veux les introduire.
On devrait cependant s'entendre.

SIR WILLIAM MURRAY *(à part)*

Il faut conduire
La chose adroitement.

CROMWELL *(à sir William qui s'approche de lui)*

Qui va là ?

SIR WILLIAM MURRAY

Frère, un saint.

CROMWELL *(à part)*

4015 L'hypocrite !

SIR WILLIAM MURRAY

Béni soit le fer qui vous ceint !

CROMWELL *(à part)*

C'est plaisir d'être ainsi béni des royalistes !

SIR WILLIAM MURRAY *(à part)*

Il faut parler leur langue à ces évangélistes.

*Haut à Cromwell.*

Frère ! Sion avait des archers sur sa tour
Qui veillaient, s'appelant et la nuit et le jour.
4020 Vous leur êtes pareil.

CROMWELL

Merci.

SIR WILLIAM MURRAY

La nuit est fraîche.

CROMWELL

Oui.

SIR WILLIAM MURRAY

L'oiseau dort au nid et le bœuf dans la crèche,
Tout dort : seul vous veillez.

CROMWELL

Mon destin s'accomplit.

SIR WILLIAM MURRAY

Il vaudrait mieux pour vous dormir dans un bon lit.

CROMWELL *(à part)*

Pour toi, plutôt.

SIR WILLIAM MURRAY

Debout sur la dalle glacée,
4025 Seul, et l'épaule encor d'un lourd mousquet froissée,
Vous veillez ; et celui dont vous portez la croix,
Votre chef, Cromwell dort profondément !

CROMWELL

Tu crois ? —
Il ne se peut ; Cromwell ne dort pas quand je veille.

SIR WILLIAM MURRAY

De quels discours menteurs il flatte votre oreille !

CROMWELL

4030 Tu penses donc qu'il dort ?

SIR WILLIAM MURRAY

J'en suis sûr. — C'est à vous
Qu'il doit ce calme heureux et ce sommeil si doux.
Il prend tout le plaisir, et vous laisse la peine.

CROMWELL

Au fait, c'est mal agir.

SIR WILLIAM MURRAY *(à part)*

                    Notre affaire est certaine !
Il est mécontent, bon ! —        *(Haut.)*

                    Pour tant de dévouement,
4035 Ce grand Cromwell sait-il votre nom seulement ?

CROMWELL

Je le pense.

SIR WILLIAM MURRAY *(haussant les épaules)*

                    Allons donc ! que vous êtes candide !
Simple !

CROMWELL *(à part)*

    Il est rusé, lui !

SIR WILLIAM MURRAY

                    De son trône splendide,
Qu'Olivier jusqu'à vous abaisse un regard ? — Non,
Mon cher, il ne connaît pas même votre nom.
4040 Sûr !

CROMWELL *(à part)*

    Sûr de tout, hormis d'avoir demain sa tête !
On dirait qu'il m'a fait.

SIR WILLIAM MURRAY

                    Vous m'avez l'air honnête;
Mais vous voulez savoir ces choses mieux que moi.

CROMWELL

J'ai tort.

SIR WILLIAM MURRAY

    On a vieilli dans la cour du feu roi.

CROMWELL *(à part)*

L'imbécile ! il s'oublie. A son rôle infidèle,
4045 Au puritain déjà le cavalier se mêle !

SIR WILLIAM MURRAY

Mon cher, toutes les cours sont les mêmes au fond.
Vous ignorez cela, je gage ?

CROMWELL *(à part)*

                    Il est profond !

SIR WILLIAM MURRAY

Vous consacrez vos jours à ce Cromwell ?

CROMWELL

Sans doute.

SIR WILLIAM MURRAY

Hé bien ! versez pour lui votre sang goutte à goutte,
4050 Il s'en souciera moins, et je vous en réponds,
Que de l'eau, claire ou pas, qui coule sous les ponts !

CROMWELL

Ah ! je crois qu'il prendrait plus à cœur mon affaire.

SIR WILLIAM MURRAY *(riant)*

Oh ! que vous êtes bon ! que lui fait dans sa sphère
Que vous soyez vivant ou que vous soyez mort ?

CROMWELL

4055 Qu'en sais-tu ?

SIR WILLIAM MURRAY

Bah ! vos jours touchent-ils à son sort ?
En quoi ?

CROMWELL *(à part)*

Pour ton malheur, oui, plus que tu ne penses !

SIR WILLIAM MURRAY

N'en attendez-vous point aussi des récompenses ?
Ne serait-il pas temps qu'il vous en accordât ?
Car n'est-ce pas criant ? vous n'êtes que soldat ;
4060 Et pourtant, j'en suis sûr, vous ne le quittez guères ?

CROMWELL

Jamais.

SIR WILLIAM MURRAY

Vous avez pris part à toutes ses guerres ?

CROMWELL

Oui.

SIR WILLIAM MURRAY

Combien sont sergents qui ne vous valent pas !

CROMWELL *(à part)*

Pour captiver mon cœur voilà, certe, un grand pas.

*Haut.*

Flatteur !

SIR WILLIAM MURRAY

Non ! — Vous traiter de façon si hautaine !
4065 Est-il déjà lui-même un si grand capitaine ?

CROMWELL *(à part)*

Impertinent !

SIR WILLIAM MURRAY

Voyons, — pour avoir des palais,
Des voitures de cour, des gardes, des valets,
Qu'est-ce que ce Cromwell dont on fait quelque chose ?
Un soldat, comme vous.

CROMWELL

Rien de plus.

SIR WILLIAM MURRAY *(à part)*

Notre cause
4070 Est gagnée !
    *(Haut.)*    Il n'est rien, vraiment, de plus que vous.

CROMWELL

C'est juste !

SIR WILLIAM MURRAY

Alors pourquoi le servir à genoux ?

CROMWELL

Je ne le sers pas.

SIR WILLIAM MURRAY *(à part)*

Bien, dans mes nœuds il s'enlace.

*Haut.*

Pourquoi n'auriez-vous pas comme lui cette place ?

CROMWELL

On n'apercevrait point, au fait, de changement.

SIR WILLIAM MURRAY

4075 Pas le moindre ! un soldat pour un soldat ! Comment
Pouvez-vous donc remplir ce devoir qui m'effraye ?
Pour un métier si dur quelle est donc votre paye ?

CROMWELL

Je ne suis pas payé.

SIR WILLIAM MURRAY

Pas payé ! — Voyez donc !
Laisser de vieux soldats dans un tel abandon !
4080 Je vous plains.

CROMWELL *(à part)*

Il me plaint !

SIR WILLIAM MURRAY

Le garder, sans salaire !
Cromwell est un tyran !

CROMWELL *(à part)*

L'y voilà.

SIR WILLIAM MURRAY

La colère
M'étouffe !

CROMWELL *(à part)*

Il est touchant !

SIR WILLIAM MURRAY *(lui prenant la main)*

Je veux vous soulager,
Et même, écoutez-moi, vous venger.

CROMWELL

Me venger !

SIR WILLIAM MURRAY

Sur Cromwell.

CROMWELL

Sur Cromwell !

SIR WILLIAM MURRAY *(se penchant à son oreille)*

Ouvrez-nous la poterne.
4085 Laissez enfin frapper Judith par Holopherne !

CROMWELL

C'est-à-dire Holopherne, est-ce pas ? par Judith.
Vous citez de travers la Bible.

SIR WILLIAM MURRAY

C'est bien dit.

CROMWELL

Mais pour une Judith, votre barbe est bien noire ?

SIR WILLIAM MURRAY *(à part)*

Pourquoi diable ai-je été rappeler cette histoire ?
4090 Judith est une femme, au fait. — Qu'importe ?

*Haut.*

Ami,

Laisse-nous arriver à Cromwell endormi,
Tu t'en trouveras bien.

CROMWELL

Le crois-tu ?

SIR WILLIAM MURRAY

Que t'importe
Que cinq ou six vivants passent par cette porte ?
La fortune, mon cher, dans cet heureux moment,
4095 Te vient pour ainsi dire en dormant.

CROMWELL

En dormant !

SIR WILLIAM MURRAY *(lui présentant une bourse)*

Prends cet acompte ! — Ici tu n'as d'autre besogne
Que dire WHITE-HALL quand on dira COLOGNE.

CROMWELL *(à part)*

Le mot est WHITE-HALL.

SIR WILLIAM MURRAY

Prends donc cet argent-ci.
Nous autres, nous payons.

CROMWELL *(à part)*

Et moi, je paye aussi !

*Haut à Murray en prenant la bourse.*

4100 Merci, c'est une dette, ami, que je contracte.

SIR WILLIAM MURRAY

Tu veilleras ici pour nous pendant l'entr'acte.

CROMWELL

Je veillerai.

SIR WILLIAM MURRAY

Fort bien.     *(Lui présentant la main.)*
Touche là. — Par le ciel !
C'est un brave.

CROMWELL

A propos, quand vous aurez Cromwell,
Dis-moi, qu'en ferez-vous ?

SIR WILLIAM MURRAY

Mais d'abord, — je suppose, —
4105 Oui, — que nous le tuerons. Voilà tout.

CROMWELL

Peu de chose.

SIR WILLIAM MURRAY

Nous nous contenterons d'un prompt et doux trépas.
Nul de nous n'est cruel.

CROMWELL     *(à part)*
Je ne le serai pas
Plus que vous.

SIR WILLIAM MURRAY

C'est conclu ?

CROMWELL

Tu le dis.

SIR WILLIAM MURRAY     *(aux cavaliers qui l'attendent
dans un coin du théâtre)*
Venez vite.
On entre au sanctuaire en payant le lévite;
4110 J'en étais sûr.

LORD ORMOND     *(à sir William Murray)*
C'est fait ?

SIR WILLIAM MURRAY

Oui.

LORD ORMOND     *(aux cavaliers)*
Marchons.

*Les cavaliers se placent deux à deux, et s'avan-*
*cent vers Cromwell qui présente son mousquet.*

CROMWELL

Qui va là ?

LORD ORMOND

COLOGNE.

CROMWELL

WHITE-HALL. Passez.

LORD ORMOND *(à part)*

Bon !

CROMWELL *(regardant les cavaliers*
*qui entrent sous la poterne)*

C'est cela.

LORD ORMOND *(bas à sir William Murray)*

Murray, restez ici pour surveiller cet homme.

*A Cromwell.*

Frère, où trouver Cromwell ?

CROMWELL

Dans la salle qu'on nomme
CHAMBRE PEINTE.

LORD ORMOND *(à Cromwell)*

Nos pas sont par la nuit voilés;
4115 Mais veillez bien pourtant.

CROMWELL

Soyez tranquille ! — Allez.

LORD ORMOND *(avec joie)*

Enfin ! — Je touche au but; et mes vieilles années
D'un triomphe complet sont du moins couronnées.
Je tiens Cromwell ! Je vais le saisir sous le dais.
Voici l'occasion qu'au ciel je demandais.
4120 Cromwell dort dans ma main ! le ciel me l'abandonne.

CROMWELL *(à part et le suivant des yeux)*

Ce qu'on demande au ciel, l'enfer parfois le donne !

*Ormond se précipite sous la poterne où tous les*
*cavaliers sont déjà entrés, excepté sir William*
*Murray.*

## *SCÈNE IV*

CROMWELL, SIR WILLIAM MURRAY, LES QUATRE FOUS, toujours dans leur cachette.

CROMWELL *(l'œil fixé sur la poterne
par où les cavaliers sont entrés)*

Ils y sont !

SIR WILLIAM MURRAY *(se frottant les mains)*

Par ma barbe, enfin nous y voilà ! —
Ce grand Cromwell que rien au monde n'égala,
Ce fameux général, ce profond politique,
4125 A qui l'Europe chante un éternel cantique,
Ce maître, ce héros, pour qui le monde croit
Le sceptre trop léger, le trône trop étroit,
Se laisse prendre enfin, comme un oiseau sans ailes,
Par huit fous, qui n'ont pas entre eux tous deux cervelles !
4130 Car je suis seul ici dont le cerveau soit bon.
Sans moi, rien n'était fait. — Cromwell ! un vagabond,
Un mince aventurier, à peine gentilhomme,
Là ! régner sur des rois comme un César de Rome !
Quelle leçon pourtant nous faisons à ces rois !
4135 Celui dont la puissance humiliait leurs droits,
Surpris dans son palais ! par nous ! — ignominie ! —
Voilà quinze ans qu'on donne à cela du génie !

*Se tournant vers Cromwell qui l'écoute avec
sang-froid.*

Concevez-vous, mon cher ? — Parce qu'il a gagné
Je ne sais quels combats...

CROMWELL *(à part)*

Où tu n'as pas donné !

SIR WILLIAM MURRAY *(continuant)*

4140 Parce qu'avec des mots, des sermons, des grimaces,
Il sait plaire à la foule et remuer les masses,
Le monde se prosterne, au lieu de le huer ! —
Un rustre, qui ne sait pas même saluer !

CROMWELL *(à part)*

Il ne le sait pas, soit; mais il l'apprend aux autres.

SIR WILLIAM MURRAY

4145 C'est exact. Ses façons — ressemblent presque aux vôtres !

CROMWELL

Presque ?

SIR WILLIAM MURRAY

Pour un soldat vous avez l'air qu'il faut;
Mais vous ne portez pas enfin vos yeux plus haut !
Vous avez de la grâce autant qu'un reître suisse,
Pour bien pousser la charge et faire l'exercice.

CROMWELL

4150 C'est trop de bonté.

SIR WILLIAM MURRAY

Non; chaque homme à son métier.
Vous ne voudriez pas, aux yeux d'un peuple entier,
Prendre des airs de cour et vous guinder au trône;
L'étoffe de Cromwell se mesure à votre aune.
Jugez si Noll était ridicule d'oser
4155 Sur l'estrade royale au grand jour s'exposer.
Sa fortune est du sort une étrange débauche.
Hier, à son audience, il avait l'air si gauche !

CROMWELL

Tu t'y présentais donc ?

SIR WILLIAM MURRAY

Ne me tutoyez pas,
L'ami ! nous ne pouvons marcher du même pas.
4160 Je suis, voyez-vous bien, un grand seigneur d'Ecosse.
Un homme comme vous court devant mon carrosse.
Savez-vous que je porte un loup sur mon cimier ?
J'avais de plus, mon cher, sous feu Jacques Premier,
L'honneur d'être fouetté pour le prince de Galles.

CROMWELL

4165 Oui, nos conditions, monsieur, sont inégales.

SIR WILLIAM MURRAY

C'est heureux !

CROMWELL

Revenons à ce que nous disions.
Chez ce Cromwell, l'objet de vos dérisions,
Vous alliez donc parfois ?

SIR WILLIAM MURRAY

Pour faire quelque chose.
On ne peut pas toujours lutter comme Montrose.

CROMWELL

4170 Oui, monsieur au tyran demandait un emploi,
En attendant qu'il pût le trahir pour le roi.

SIR WILLIAM MURRAY

Comme tu dis cela crûment !

CROMWELL

Le beau langage
M'est inconnu.

SIR WILLIAM MURRAY *(à part)*

Croquant !

CROMWELL

Cromwell vous a, je gage,
Mal reçu ? refusé ?

SIR WILLIAM MURRAY

Lui ! non pas.

CROMWELL *(à part)*

Comme il ment !

SIR WILLIAM MURRAY

4175 Au contraire, pour moi l'ours a fait le charmant.
Il a senti l'honneur que je daignais lui faire,
Et m'a laissé le choix des grâces qu'il confère.

CROMWELL *(à part)*

Le choix de la fenêtre ou de la porte, oui.

*Haut.*

Mais pourquoi donc alors vous tourner contre lui ?

SIR WILLIAM MURRAY

4180 J'ai réfléchi. Comment servir un rustre insigne,
Régnant en caporal qui donne une consigne,
Lourdaud qui veut sourire et vous montre les dents,
Et vous rend un salut, les genoux en dedans !

CROMWELL

Je conçois.

SIR  WILLIAM  MURRAY
Puis j'appris que sa chute était prête.

CROMWELL
4185 Et le droit des Stuarts vous revint dans la tête ?

SIR  WILLIAM  MURRAY
Oui, le droit des Stuarts, et la rusticité
De Cromwell, mes amis me poussant d'un côté,
Le succès étant sûr contre un si triste hère,
J'entrai dans ce complot.

CROMWELL
A vos raisons j'adhère.

SIR  WILLIAM  MURRAY
4190 Vous comprenez, mon cher ? Les principes sont là.
Guillaume le Normand jadis les viola;
Mais il répara tout par un hymen précoce
D'Henri Premier, son fils, avec Maude d'Ecosse.
Les Stuarts sont issus des Atheling et d'eux;
4195 D'où, voyez la lignée, il suit que Charles Deux,
Né de la double race, unit dans sa personne
Les droits de la normande et ceux de la saxonne.

CROMWELL
C'est clair.      (A part.)
Je comprends mal ce beau raisonnement.

SIR  WILLIAM  MURRAY
C'est vous que j'en fais juge.

CROMWELL  (à part)
Il choisit bien, vraiment.

SIR  WILLIAM  MURRAY
4200 De notre jeune roi le droit est manifeste.

CROMWELL
Sans doute.

SIR  WILLIAM  MURRAY
Et c'est pourtant ce qu'un Cromwell conteste !
N'est-il pas inouï que ce dindon-vautour
Pour l'aire de l'aiglon quitte sa basse-cour ?

S'il avait des talents, bon ! — Mais, je le répète,
4205 C'est une Jéricho qui croule sans trompette !

CROMWELL *(à part)*

Bien trouvé !

SIR WILLIAM MURRAY

Son destin en roi semble marcher ;
C'est un fantôme vain qui tombe à le toucher.

CROMWELL *(ironiquement)*

Idole à tête d'or dont les pieds sont de cire !

SIR WILLIAM MURRAY

Je l'ai toujours pensé, ce n'est qu'un pauvre sire.
4210 Les réputations ne me trompent pas, moi.
J'avais jugé Cromwell. Cela veut être roi !
Dans quel temps vivons-nous ? Cela ne sait pas même
Déjouer un complot, prévoir un stratagème !
Vous avez, vous, l'esprit cent fois plus pénétrant
4215 Que le sot qu'à cette heure en son lit on surprend !

CROMWELL *(à part)*

S'il savait à quel point il dit vrai, l'imbécile !

SIR WILLIAM MURRAY

S'imagine-t-il donc que régner est facile ?
Lui roi ! je n'en ferais pas même un courtisan.

CROMWELL

Vous auriez bien raison !

SIR WILLIAM MURRAY

Il a, convenons-en,
4220 Peut-être du talent pour bien brasser la bière.
A-t-il droit de porter bassinet et gambière,
Seulement ? Tout au plus. Noblesse de canton.
Son nom même vaut-il le nom de son Milton ?

CROMWELL *(à part)*

Insolent !

SIR WILLIAM MURRAY

Au lieu d'être un brasseur qu'on renomme,
4225 Cela va s'aviser de faire le grand homme,
De trancher du tyran, de singer les héros !
Sont-ils pas amusants, ces petits hobereaux ?

Il apprit à brider le peuple, à dompter l'hydre,
A gouverner le monde, — en distillant du cidre !

CROMWELL *(à part)*

4230 Drôle !

SIR WILLIAM MURRAY

Et, parce qu'il fut servi par le hasard,
Il se croit un Capet, un Moïse, un César !
Ce qui me confond, moi, c'est qu'un Warwick descende
A traiter de cousin ce roi de contrebande !

CROMWELL *(à part)*

Caméléon ! rampant hier encor devant moi !

SIR WILLIAM MURRAY *(comme frappé d'une idée subite)*

4235 Ah çà, je suis moi-même un peu bien simple !

CROMWELL

Quoi ?

SIR WILLIAM MURRAY

Tandis que nos faucons prennent là-haut leur proie,
Ils me laissent ici, pour que, si l'on octroie
Des récompenses, — comme il est probable enfin, —
On n'en ait que pour eux !

CROMWELL *(à part)*

Misérable aigrefin !

SIR WILLIAM MURRAY

4240 Me réserveraient-ils la portion congrue ?
Ouais ! moi, vieil épervier, faire le pied de grue !
Non ! je veux mériter aussi les dons du roi.

CROMWELL

Mais vous ne serez pas oublié, croyez-moi.

SIR WILLIAM MURRAY

Je veux mettre, comme eux, la main sur le vieux diable.

CROMWELL *(à part)*

4245 Vas-y donc !

SIR WILLIAM MURRAY *(lui serrant la main)*

Tu nous rends un service impayable.
Mais quand s'acquittera le compte général,
Je ne t'oublierai point ; tu seras caporal ! *(Il sort.)*

CROMWELL *(seul, haussant les épaules)*

Va, cherche ! — Un nain de cour me toiser à sa règle !
L'oison qui fait la roue, huer le vol de l'aigle !

*Entre Manassé, marchant avec précaution, une
lanterne sourde à la main.*

## SCÈNE V

### CROMWELL, MANASSÉ

MANASSÉ *(sans voir Cromwell)*

4250  Puritains, cavaliers, le Cromwell, Charles Deux,
Chrétiens que tout cela !

CROMWELL *(apercevant Manassé,
sur lequel tombe un rayon de sa lanterne)*

Dieu ! c'est le juif hideux !
Que vient-il faire ici ? sort-il de quelque tombe ?

MANASSÉ *(sans voir Cromwell qui l'écoute)*

Des deux partis rivaux qu'importe qui succombe ?
Il coulera toujours du sang chrétien à flots ;
4255  Je l'espère du moins ! c'est le bon des complots.
Qu'Ormond tue Olivier, qu'Olivier le déjoue,
C'est ici qu'à tous deux leur destin se dénoue.
Je veux voir cela, moi ! Tout menace Cromwell...

CROMWELL *(à part)*

Traître !

MANASSÉ *(continuant et levant les yeux au ciel)*

Tout, excepté les étoiles du ciel.
4260  Il touche à son trépas, ce semble, et sa planète
Cependant au zénith brille encor pure et nette ;
Et j'ai beau combiner les lignes de sa main,
Je n'y vois de danger réel, — que pour demain.

CROMWELL *(à part)*

Pour demain ! Que dit-il ? Ces damnés astrologues
4265  Sont-ils donc charlatans jusqu'en leurs monologues ?

MANASSÉ *(continuant)*

Qu'importe ? Il faut qu'Ormond ou Cromwell soit détruit.
Ils vont s'entr'égorger.     *(Regardant le ciel étoilé.)*
— Qu'il fait beau, cette nuit !

CROMWELL *(à part)*

Après ce courtisan bavard, ce juif impie !
C'est l'immonde corbeau qui remplace la pie.
4270 Il accourt sans pitié, sans dégoût, sans remords
Demander au combat sa pâture de morts.

MANASSÉ *(braquant sa lunette vers le ciel)*

En attendant qu'ici nos conjurés arrivent,
Etudions un peu les courbes que décrivent
Les satellites d'HÉ dans l'orbite de THAU.
4275 Frappons au seuil du temple avec le saint marteau. —

*Il met l'œil à la lunette, puis s'interrompt.*

Prêter au denier douze ! En cet instant de trouble,
J'aurais pu, sur Ormond, certes, gagner le double.

CROMWELL *(à part)*

Espion de Cromwell ! banquier des cavaliers !

MANASSÉ *(l'œil à la lunette)*

La ligne se recourbe en corne de béliers... —
4280 Mais j'ai ces carolus, envoyés de Cologne ;
Et de bons carolus, même quand on les rogne,
Gagnent... — Vraiment, l'éclipse aurait lieu dans ce cas...
— Onze sur les dollars, et neuf sur les ducats.
— Oui, Cromwell, Ormond, tous à la fois je les trompe.

*En ce moment on entend le cri périodique de la
sentinelle éloignée :*

4285 Tout va bien ! veillez-vous ?

CROMWELL *(avec impatience, à part)*

Faut-il qu'on m'interrompe
En ce moment ! leur cri ne fait peur qu'aux hiboux.
Répétons-le pourtant.
*(Haut.)*   Tout va bien ! veillez-vous ?

*A cet éclat de voix, le juif se retourne comme en
sursaut.*

MANASSÉ *(à part)*

Jacob ! je n'avais point vu là de sentinelle !
De quel voile épais l'âge a couvert ma prunelle !

*La voix d'une autre sentinelle éloignée répète
encore :*

4290 Tout va bien ! veillez-vous ?

MANASSÉ *(s'approchant de Cromwell avec respect)*

Bonsoir, seigneur soldat.

CROMWELL *(à part)*

Fallait-il que soudain ce cri l'intimidât ?
Comme il se dévoilait !
*(Haut.)*   Bonne nuit, juif !

MANASSÉ *(avec un nouveau salut)*

Vous êtes

Aposté là par lord Ormond ?

CROMWELL

Fils des prophètes,
Comment as-tu besoin qu'on te réponde : oui ?

MANASSÉ

4295 De vous voir triompher je suis tout réjoui.
Le Cromwell tombe enfin; je vous en félicite.

CROMWELL

Merci.

MANASSÉ *(saluant)*

Des anciens rois le pouvoir ressuscite,
Quel bonheur pour vous !

CROMWELL

Ah !...

MANASSÉ

Je vous fais compliment.
Vous espérez sans doute un bon avancement ?

CROMWELL

Oui. L'on veut me nommer caporal.

MANASSÉ

4300                     Un beau grade !
Vous serez caporal, c'est très beau, camarade !
Un caporal commande à quatre hommes, vraiment!
C'est superbe ! et porter des galons !

CROMWELL

C'est charmant !

MANASSÉ

Je suis ravi qu'avec l'allégresse commune
4305 La chute de Cromwell fasse votre fortune,
Seigneur soldat !

CROMWELL  *(à part)*

Perfide !

MANASSÉ

                              Enfin, Cromwell maudit,
Tu vas contre les juifs expier ton édit !
Fanatique ! hypocrite ! avare !
*(S'adressant à Cromwell.)*      Quelle honte !
Ce Protecteur, ce roi vérifiait un compte !
4310 Ah ! ne me parlez point des bourgeois couronnés !
Dans un cercle si bas leurs esprits sont bornés !
Pas de festins brillants, pas de jeux, pas de fêtes,
Jamais d'emprunts ! — Aussi quel commerce vous faites !
Que si vous saisissez pour eux un brick suédois,
4315 Ils scrutent votre poche, ils regardent vos doigts,
Et, pour tous les périls qu'entraînait l'entreprise,
Vous laissent tout au plus les trois quarts de la prise.

CROMWELL

Mais c'est vous écorcher !

MANASSÉ

                              C'est le mot. Rois mesquins !
Ils savent distinguer les besants des sequins !

CROMWELL

4320 C'est affreux !

MANASSÉ

                              Ce Cromwell ! là, je vous le demande,
M'a-t-il pas une fois osé mettre à l'amende
Pour avoir, en prêtant à je ne sais quel taux,
Honnêtement doublé mes pauvres capitaux !

CROMWELL

C'est grand-pitié.

MANASSÉ

                              Seigneur, c'est tuer l'industrie !
4325 De quoi se mêlait-il, ce tyran, je vous prie ?
De quel droit fermait-il, pour plaire à ses dévots,
Théâtres, jeux, concerts, bals, courses de chevaux,

Où, livrés au plaisir qui dans ces lieux fourmille,
Se ruinaient gaiement les aînés de famille ?
4330 Les priver de ce droit, n'est-ce pas illégal ?
Sournois, haineux, féroce, économe, frugal,
C'est un monstre ! Par vous l'Angleterre respire.
Votre bras généreux la délivre du pire
Des tyrans que l'enfer jamais puisse enfanter ! —
4335 Ce que je vous en dis n'est pas pour vous flatter !

CROMWELL

J'en suis bien convaincu.

MANASSÉ *(haussant les épaules et regardant Cromwell
en dessous, à part)*

                          Ces machines de guerre !
L'encens le plus grossier ravit ce cœur vulgaire !

CROMWELL *(à part)*

Que de masques cachaient ce visage odieux !
Faisons-les tous tomber tour à tour sous mes yeux.

*Haut.*

4340 A propos, dis-moi donc, juif, ma bonne aventure.

MANASSÉ *(s'inclinant)*

Que je vous montre ici votre grandeur future !
Mais, seigneur caporal, c'est pour moi trop d'honneur.

*A part.*

Un maraud de soldat.
             *(Haut.)* Vous marchez au bonheur.

*A part.*

C'est voir une chandelle avec un télescope !

*Haut.*

4345 Allons, soit, doux seigneur ; tirons votre horoscope.
C'est ce que nous nommons, dans un latin poli,
Faire une expérience *in anima vili.*

*A part.*

On peut rire en latin au nez de cet ignare.

*Haut.*

Livrez-moi votre main. — Il faut que je vous narre...
4350 Cet infâme Cromwell... —

*Examinant avec sa lanterne la main que Crom-
well lui présente.*

                          Quelle main ! — Je suis mort.

*Il tombe prosterné aux pieds de Cromwell.*

CROMWELL *(souriant)*

Hé ! juif, que fais-tu donc ? Çà, quel diable te mord ?

MANASSÉ *(frappant la terre de son front)*

Je suis mort.

CROMWELL

Tu sais donc qui je suis, juif immonde ?

MANASSÉ *(d'une voix éteinte)*

Ah ! c'est bien cette main, large à porter le monde !
Je les reconnais trop, ces lignes où le ciel
4355 N'inscrivit d'autre nom que le nom de Cromwell.
Votre astre n'avait point menti.

CROMWELL

              Vieillard, écoute.
Tu n'es qu'un misérable, et je pourrais sans doute
A mon tour, essayant sur toi ce fer poli,

*Il lui présente son poignard.*

Faire une expérience *in anima vili*. —
4360 Mais je n'écrase pas moi-même un ver de terre.
Lève-toi !

*Manassé se lève. Cromwell lui montre un banc de
pierre près de la porte.*

    Sieds-toi là.

*Le juif s'assied comme atterré dans le coin obscur
du banc.*

           Surtout songe à te taire.
Un seul mot, et ton âme ira loin de ton corps
Compléter à loisir ton alphabet des morts !

*Le juif laisse tomber sa tête sur sa poitrine.
Cromwell revient sur le devant du théâtre et
continue en le regardant de travers.*

Ce juif, servir Ormond ! Le sort qui me l'envoie
4365 Mêle un oiseau de nuit à ces oiseaux de proie !

*Il se promène, laissant échapper de temps en
temps quelques paroles.*

Mes seuls crimes sont donc, à les en écouter,
De saluer trop mal et de trop bien compter.
Mais de Charles Premier ou de la charte anglaise,
Pas un mot ! —

*Mettant la main sur la poche de son justaucorps.*

**Qu'ai-je là qui me gêne et me pèse ?**

*Il tire de sa poche la bourse que lui a remise Murray.*

4370 Ah ! c'est le prix du sang ! — Oui. J'avais oublié
Que pour m'assassiner ces messieurs m'ont payé.
Voyons s'ils ont des droits à ma reconnaissance ;
Comptons ; jugeons un peu de leur munificence.
La tête de Cromwell, combien cela vaut-il ?
4375 S'ils m'avaient mal payé, ce serait incivil.

*Il prend la lanterne des mains de Manassé et en dirige la lumière sur la bourse. Il recule avec horreur, après y avoir jeté un regard.*

Dieu ! le nom de mon fils brodé sur cette bourse !
De cet or parricide il était donc la source !

*L'examinant de nouveau avec attention.*

Je ne me trompe pas, voilà son écusson !
Quelle preuve à présent manque à sa trahison ?
4380 Ah ! misérable enfant ! ah ! misérable père !
Quoi ! non content d'avoir, en leur impur repaire,
Sa part dans leurs complots, sa part dans leurs repas,
D'encourager leurs coups, de boire à mon trépas,
Mon fils faisait les frais de la funèbre fête !
4385 Il leur donnait son or pour acheter ma tête !
Et, de tous leurs plaisirs complice sans remord,
Enfin, comme un banquet, il leur payait ma mort !

*Il jette la bourse à terre avec dégoût.*

Ses prodigalités vont jusqu'au parricide !

*Entre Richard Cromwell qui paraît chercher son chemin dans la nuit.*

J'entends venir quelqu'un.

## SCÈNE VI

### Les Mêmes, RICHARD CROMWELL

RICHARD CROMWELL

*Il s'avance lentement vers l'avant-scène.*

**La nuit n'est pas lucide.**

CROMWELL *(sans être vu)*

4390 Se pourrait-il ? mon fils !

RICHARD CROMWELL

Me voilà délivré !

CROMWELL *(à part)*

Par les brigands sans doute auxquels tu m'as livré.
A leurs sanglantes mains joins ta main fraternelle !

RICHARD CROMWELL *(toujours sans voir son père)*

Ce que c'est qu'avoir bien payé la sentinelle !

CROMWELL *(à part)*

Il le dit.

RICHARD CROMWELL

Je suis libre !

CROMWELL *(à part)*

A quel prix, scélérat ?

RICHARD CROMWELL

4395 Cela me coûte cher ! mais je hais d'être ingrat.

CROMWELL *(à part)*

Ah ! tu hais d'être ingrat envers le vil sicaire
Qui te laisse à ton aise assassiner ton père !

RICHARD CROMWELL

Encore une fredaine !

CROMWELL *(à part)*

Avec quel ton léger
Ce Joas dissolu parle de m'égorger !

RICHARD CROMWELL

Mon père dort pourtant !

CROMWELL *(à part)*

Il dort !

RICHARD CROMWELL

Il ne se doute

4400 De rien !

CROMWELL *(à part)*

C'est lui qui veille, et c'est lui qui t'écoute !

RICHARD CROMWELL *(riant)*

Je vais bien l'attraper.

CROMWELL *(à part)*

Quel rire et quel forfait !
L'infâme vient ici demander : Est-ce fait ?
Si je le châtiais moi-même ?

RICHARD CROMWELL *(riant)*

Allons, courage !
4405 Quand ils ne verront plus leur oiseau dans sa cage,
Demain, comme les saints vont être déconfits !

CROMWELL *(à part)*

Si je le poignardais de ma main ? —

*Il tire son poignard, et fait un pas vers Richard*
*Cromwell qui se promène sur le devant du*
*théâtre et derrière lequel il se trouve. Il lève le*
*poignard, puis s'arrête.*

C'est mon fils !

RICHARD CROMWELL

Comme nos cavaliers riront de l'algarade !

CROMWELL *(à part)*

Mais de mon propre sang il fait ici parade !

*Il fait un pas.*

Frappons !

RICHARD CROMWELL

4410          Ce dénouement est heureux sur ma foi.

CROMWELL *(à part)*

Oui ?

RICHARD CROMWELL

Mon père ne m'eût point pardonné, je crois.
Mais de cette façon à son courroux j'échappe.

CROMWELL *(à part)*

Tu n'échapperas point, traître ! — Il faut que je frappe.
Point de pitié ! c'est dit.

*Il s'avance encore vers Richard, puis hésite.*

Mais quoi ! mon premier-né !
4415 Dans un jour de bonheur Dieu me l'avait donné.

C'est mon sang que ce fer va trouver dans ses veines !
Enfant, qu'il m'a donné de maux, de soins, de peines,
Hélas ! et de bonheur ! — Chaque fois qu'à ses yeux
Je paraissais, — soudain, rayonnant et joyeux,
4420 Tendant ses petits bras à mes mains paternelles,
Tout son corps tressaillait, comme s'il eût des ailes.
Il me semblait qu'un astre à mes yeux avait lui,
Quand il me souriait !

RICHARD CROMWELL

Ma foi, tant pis pour lui.

Mon père est un tyran !

CROMWELL  (à part)

Ah ! ce mot me décide.

4425 On cesse d'être fils quand on est parricide.

Il s'avance par derrière son fils le poignard levé.

Meurs, traître ! —

Un bruit de pas sous la poterne. — Cromwell<br>s'arrête et se retourne.

Mais quel bruit dans ces noirs escaliers ?

C'est Ormond qui revient avec ses cavaliers.
De mon fils, dans leurs rangs suivons la perfidie;
Nous dénouerons après toute la tragédie !

Il remet son poignard dans le fourreau. —<br>Entrent les cavaliers, leurs épées à la main,<br>portant au milieu d'eux lord Rochester endormi<br>et bâillonné avec un mouchoir qui lui cache le<br>visage.

## SCÈNE VII

Les Mêmes, LORD ORMOND, LORD CLIFFORD, LORD DRO-
GHEDA, LORD ROSEBERRY, SIR PETERS DOWNIE, SIR
WILLIAM MURRAY, SEDLEY, le docteur JENKINS, LORD
ROCHESTER

A l'entrée des cavaliers, Cromwell reprend sa<br>place, et Richard se retourne avec étonnement.

RICHARD  CROMWELL  (sans être vu des cavaliers)

4430 Ces gens m'ont l'air suspect. Mettons-nous à l'écart.

Il se retire à gauche du théâtre parmi les massifs<br>de verdure.

SIR WILLIAM MURRAY (à Cromwell, d'un air triomphant)

Ce Protecteur n'a pas même un lit de brocart !
Sur sa table mourait une pauvre bougie ;
On ne s'y voyait pas. Grâce à sa léthargie,
Il n'a point remué quand nous l'avons saisi ;
4435 Nous l'avons bâillonné sans bruit, et le voici.

CROMWELL

Ah ! c'est lui ?

RICHARD CROMWELL (à part)

Qu'est cela ?

LORD CLIFFORD

Nous le tenons. Victoire !

RICHARD CROMWELL (à part)

Que dit-il ?

SIR PETERS DOWNIE

Le plus fort est fait ! — La nuit est noire ;
Allons, ne perdons point de temps. Marchons ! —

*A Drogheda, Roseberry, Sedley et Clifford, qui
portent le prisonnier endormi et se sont arrêtés.*

Eh bien ?

LORD ROSEBERRY (à Downie)

C'est fort commode à dire à qui ne porte rien.

SEDLEY (à Downie)

4440 Comme, pour arriver au but qu'on se propose,
On n'a point de relais, il faut qu'on se repose.

RICHARD CROMWELL (à part)

Je reconnais ces voix.

LORD ORMOND (l'œil fixé sur le fardeau que les cavaliers
ont déposé à terre)

Voilà donc ce Cromwell !
De son crime inouï châtiment solennel !
Le voilà dans nos mains, ce colosse de gloire
4445 En qui, plus qu'en un Dieu, le monde semblait croire !
C'est lui-même. — A nos pieds quelle place tient-il ?
Il n'est rien d'assez fort, ni rien d'assez subtil,

Pour ravir désormais ce coupable à son juge.
Tout fuyait devant lui; — le voilà sans refuge. —
4450 Ah ! malheureux soldat ! à quoi donc t'a servi
D'avoir tenu quinze ans tout un peuple asservi,
D'avoir tant combattu, tant faussé de cuirasses,
Substitué ton nom au nom des vieilles races,
Et régné par la haine, et l'erreur, et l'effroi,
4455 Et fait de White-Hall le calvaire d'un roi ?
Combien tous ces forfaits, scellés du diadème,
Sont un fardeau terrible à cette heure suprême !
Cromwell ! quel compte à rendre, et comment feras-tu ?
Je t'abhorrais puissant, je te plains abattu.
4460 Que ne t'ai-je au combat terrassé ! — Quelle chute !
Te prendre sans te vaincre ! un triomphe sans lutte !
Résignons-nous. L'épée a fait place aux poignards.
Pour la faire pencher du côté des Stuarts,
Quelle tête le sort jette dans la balance !

RICHARD CROMWELL *(à part)*

4465 Qu'entrevois-je ? Ecoutons, et gardons le silence.

CROMWELL *(à part)*

J'estime cet Ormond. Il parle noblement.
Le cœur d'un vrai soldat jamais ne se dément.

SIR WILLIAM MURRAY *(à lord Ormond en lui désignant
le prisonnier)*

Que d'honneur au maraud fait ici votre grâce !

CROMWELL *(à part)*

Vil courtisan !

DOWNIE *(à ceux qui portent le prisonnier)*
Marchons ! diable !

LORD DROGHEDA

Un instant, de grâce !
4470 C'est qu'il est déjà lourd comme s'il était mort.

SEDLEY

Il est fort malaisé de conduire à bon port
Cette cargaison-là. Délibérons. Qu'en faire ?

LORD CLIFFORD

Tuons ici notre homme, et terminons l'affaire !

LORD DROGHEDA

C'est cela ! tuons.

SEDLEY

Oui, c'est plus expéditif.

RICHARD CROMWELL  *(à part)*

4475 Quel conseil de démons ! Qui donc est le captif ?

CROMWELL  *(à part)*

Le harpon a bien pris; laissons filer le câble.

MANASSÉ *(qui jusqu'alors a tout observé dans un profond
silence, soulevant sa tête, à part)*

Ce spectacle adoucit le malheur qui m'accable.
Ils vont s'entre-tuer; c'est consolant, au moins !

LORD CLIFFORD  *(brandissant son épée sur Rochester,
aux cavaliers)*

Est-ce dit ?

LE DOCTEUR JENKINS  *(arrêtant Clifford)*

Quoi ! messieurs, sans juges, sans témoins,
4480 Sans verdict du jury, sans loi, sans procédure ?
C'est un assassinat ! L'expression est dure;
Mais enfin êtes-vous, par mandat spécial,
Une cour de justice, un conseil martial ?
Où sont, pour que les lois ne soient point violées,
4485 Vos lettres d'assesseurs, du sceau royal scellées ?
Lequel est attorney ? lequel est président ?
Je ne vois point ici deux avocats plaidant,
L'un pour cet accusé, l'autre pour la couronne.
Quel appareil légal enfin vous environne ?
4490 Savez-vous seulement le latin pour juger ?
Confronter les témoins et les interroger ?
Sur des textes formels bien asseoir la sentence
Qui condamne à la claie ou bien à la potence ?
A quel jour êtes-vous de votre session ?
4495 Comment dater l'arrêt de condamnation ?
Quel est le corps du crime ? où sont tous les complices ?
Sur quels chefs de délit basez-vous les supplices ?
Ce sont les lois qu'ici je défends; non Cromwell. —
Lui, quoique non jugé, je le crois criminel;
4500 Il a du roi son maître oublié l'allégeance;
Cas prévu par la loi qui frappe en sa vengeance,

*Qui lædit in rege majestatem Dei.*
Bref, aux lois d'Angleterre il a désobéi.
Que, pour faire éclater leur majesté sacrée,
4505 La tête du félon du tronc soit séparée,
C'est fort bien; mais il faut quelques formes aussi.
Messieurs, vous ne pouvez le condamner ainsi.
Vous prenez qualités que jamais on n'assemble.
Se faire accusateur et témoin, tout ensemble,
4510 Etre juge et bourreau, c'est absurde! et ma voix
Contre cet attentat proteste au nom des lois.

CROMWELL *(à part)*

Je reconnais Jenkins, le magistrat intègre!

LORD CLIFFORD *(aux cavaliers en haussant les épaules)*

Que diable nous vient-il dire avec sa voix aigre?

LORD DROGHEDA *(d'un air blessé, à Jenkins)*

Docteur! vous nous prenez pour des robins, je croi?

SIR PETERS DOWNIE

4515 Pensez-vous présider la cour du banc du roi?

SEDLEY *(riant)*

Depuis quand le hibou dit-il à son compère
L'autour : —

     *Il contrefait la voix et le geste de Jenkins.*

« Prenons séance, et jugeons la vipère! »

LORD ROSEBERRY *(riant)*

Il nous parle latin!

SIR WILLIAM MURRAY

Peste des sots discours!

LORD CLIFFORD

C'est ma dague qui juge, et juge sans recours!
4520 Frappons!

CROMWELL *(à part)*

Laissons frapper.

TOUS LES CAVALIERS

Finissons.

*Lord Clifford s'avance l'épée haute vers le pri-
sonnier toujours voilé.*

JENKINS *(gravement)*

Je proteste.

RICHARD CROMWELL *(à part)*

Dieu ! quelle scène horrible ! est-ce un rêve funeste ?

LORD CLIFFORD *(repoussant Jenkins)*

Protestez à votre aise !

LORD ORMOND *(arrêtant Clifford)*

Un moment, lord Clifford !
Le docteur a raison ; je l'approuve très fort.
L'ordre précis du roi m'enjoint de lui remettre
4525 Notre captif vivant : — veuillez vous y soumettre.

LORD CLIFFORD *(à lord Ormond)*

Mais il faudra demain soutenir cent combats
Pour l'enlever.

SIR PETERS DOWNIE

Et puis, quand il sera là-bas,
Vivant, le roi veut-il le mettre, je vous prie,
Avec une étiquette en sa ménagerie ?

LORD DROGHEDA

4530 Eh ! nous lui donnerons l'animal empaillé.

LORD CLIFFORD *(à lord Ormond)*

Mylord, hors du fourreau quand le glaive a brillé,
Il faut frapper. A nous nous n'avons que cette heure ;
Profitons-en. Cromwell est dans nos mains, qu'il meure !

TOUS LES CAVALIERS *(excepté Ormond et Jenkins)*

Oui !

*Ils se précipitent à la fois, leurs épées à la main,
sur le prisonnier toujours sans mouvement.*

JENKINS *(avec solennité)*

Je proteste !

RICHARD CROMWELL *(à part et hors de lui)*

Ils vont tuer mon père, ô ciel !

*Il se jette au milieu des cavaliers.*

Arrêtez, assassins !

TOUS LES CAVALIERS

4535                 Grand Dieu ! Richard Cromwell !

CROMWELL *(à part)*

Que fait-il ?

RICHARD CROMWELL *(aux cavaliers)*

Arrêtez ! — Ah ! par pitié, par grâce !
Si notre amitié laisse en vos cœurs quelque trace,
Roseberry, Sedley, Downie, écoutez-moi !

SIR WILLIAM MURRAY *(avec impatience)*

Diable !

RICHARD CROMWELL

Epargnez mon père !

SEDLEY

Epargna-t-il son roi ?

RICHARD CROMWELL

4540 Ah ! que me dites-vous ? ce fut sans doute un crime ;
Mais en suis-je coupable ? en dois-je être victime ?
Amis, en le frappant, vous me frappez aussi !

CROMWELL *(à part)*

Est-ce là ce Richard, parricide endurci ?
Je n'y comprends plus rien.

LORD ROSEBERRY *(à Richard Cromwell)*

                                Nous vous aimons en frère,
4545 Richard ; mais au devoir on ne peut se soustraire.

RICHARD CROMWELL

Non, vous ne tuerez pas mon père !

CROMWELL *(à part)*

                                        Il me défend !
Ah ! quel bonheur ! j'avais mal jugé mon enfant.

RICHARD CROMWELL *(aux cavaliers)*

Est-ce pour en venir à ce but détestable
Que vous faisiez asseoir Richard à votre table ?
4550 Que nous partagions tout, jeux, débauches, plaisirs ?
Que ma bourse toujours s'ouvrait à vos désirs ?
Comparez maintenant, mes compagnons de fêtes,
Ce que j'ai fait pour vous à ce que vous me faites !

LORD ROSEBERRY *(bas aux cavaliers)*

A-t-il tort ?

JENKINS *(à Richard)*

Bien, jeune homme ! allons, ce n'est point mal !
4555 Mais faites donc valoir le vice radical
De l'affaire. — Ils n'ont pas le droit. — Plaidez la cause,
Plaidez ! plaidez !

RICHARD CROMWELL *(à Jenkins)*

Monsieur !

JENKINS

Avec vous je m'oppose...

RICHARD CROMWELL *(joignant les mains, aux cavaliers)*

Mes amis !

CROMWELL *(à part)*

Je vois tout d'un plus juste regard.
Mon fils ! combien j'étais injuste à son égard !
4560 Certe, il ne connaissait d'une trame si noire
Que la part du complot qui consistait à boire.

LORD ORMOND *(à Richard)*

Votre père avec nous, monsieur, tenait gros jeu ;
Chacun jouait sa tête. Il a perdu.

RICHARD CROMWELL

Grand Dieu !
Aux yeux mêmes du fils assassiner le père !

*Il crie avec force.*

Au meurtre !     *(Aux cavaliers.)*
4565                    Ce n'est plus qu'en moi seul que j'espère.

*Il crie encore.*

Au meurtre ! à moi, soldats !

SIR WILLIAM MURRAY *(l'interrompant)*

Les soldats sont à nous.

RICHARD CROMWELL

Hé bien donc ! seul encor je vous fais face à tous !

*Il porte la main à son côté pour y chercher son épée.*

Mais quoi ! le fer vengeur manque à ma main trompée !
— Pourquoi m'as-tu, mon père, enlevé mon épée ?

CROMWELL  *(à part)*

4570 Pauvre Richard !

LORD ORMOND  *(à Richard)*

Monsieur, je vous plains. Croyez-moi,
Retirez-vous. Laissez faire les gens du roi.

RICHARD CROMWELL

Vous laisser faire, ô ciel ! Je ne veux point de grâce.
Avec lui tuez-moi sur son corps que j'embrasse !

*Il se précipite sur lord Rochester endormi, et le*
*serre étroitement dans ses bras.*

CROMWELL  *(à part)*

Mon fils ! il va trop loin; il serait trop cruel
4575 Qu'il se fît poignarder avec un faux Cromwell.

LORD ROSEBERRY  *(essayant de calmer Richard)*

Richard !

RICHARD CROMWELL  *(toujours attaché à Rochester)*

Non ! frappez-moi d'un fer impitoyable,
Ou je veux le sauver !

*Les cavaliers cherchent à arracher Richard du*
*corps de Rochester; il lutte avec eux, et s'y cram-*
*ponne avec plus de violence. — Pendant ce débat,*
*Cromwell semble épier tous les mouvements des*
*cavaliers et se tenir prêt à porter secours à son*
*fils. Manassé relève la tête, et observe attenti-*
*vement sans proférer une parole.*

LORD ROCHESTER  *(se réveillant en sursaut*
*et se débattant à son tour)*

Vous m'étranglez ! au diable !

*Tous s'arrêtent comme pétrifiés.*

LORD ORMOND

Dieu ! quelle est cette voix ?

*Lord Rochester arrache le mouchoir qui lui*
*couvre le visage, et Cromwell dirige en même*
*temps sur sa figure la clarté de la lanterne sourde.*

RICHARD CROMWELL  *(reculant)*

L'espion !

TOUS LES CAVALIERS

Rochester !

LORD ROCHESTER *(à Richard Cromwell)*

Vous êtes le bourreau ? — Vous m'étranglez, mon cher,
4580 Oui, comme si j'avais eu deux âmes à rendre !
Ne peut-on donc, l'ami, plus doucement s'y prendre,
Avec le patient agir de bon accord,
Et pendre un homme enfin, sans le serrer si fort ?

LORD ORMOND *(consterné)*

Rochester !

LORD ROCHESTER *(à demi éveillé
et touchant le mouchoir qui entoure son cou)*

A mon cou la corde est bien passée;
4585 Mais quoi ! je ne vois point de potence dressée.
A quelque clou rouillé me pendaient-ils ici,
Comme un chat-huant ?

LORD ORMOND

Où donc est Cromwell ?

CROMWELL *(se redressant et d'une voix de tonnerre)*

Le voici !
Hors des tentes, Jacob ! Israël, hors des tentes !

> *A ce cri de Cromwell, les cavaliers étonnés se
> retournent, et voient le fond du théâtre occupé
> par une multitude de soldats portant des torches,
> sortis de tous les points du jardin et de toutes
> les portes du palais. On distingue au milieu
> d'eux Thurloë et lord Carlisle. Toutes les
> fenêtres de White-Hall s'illuminent subitement,
> et montrent partout des soldats armés de
> toutes pièces. Cromwell, l'épée à la main, se des-
> sine sur ce fond étincelant.*

## SCÈNE VIII

Les Mêmes; LE COMTE DE CARLISLE, THURLOË, mousquetaires, pertuisaniers, gentilshommes, gardes du corps
de cromwell.

SIR WILLIAM MURRAY *(épouvanté)*

Cromwell ! Que de soldats ! que d'armes éclatantes !
4590 Je suis mort !

LES CAVALIERS

Trahison !

LORD ORMOND (*portant alternativement les yeux
      sur lord Rochester et le Protecteur*)

                    Cromwell ! — et Rochester !

      LORD ROCHESTER (*se frottant les yeux*)

Suis-je déjà pendu ? Serais-je dans l'enfer ?
Ce palais flamboyant, ces spectres, ces armées
De démons secouant des torches enflammées ;
C'est l'enfer ! car Wilmot comptait peu sur le ciel.

                                    *Regardant le Protecteur.*

4595 Oui, voilà bien Satan ; il ressemble à Cromwell !

      CROMWELL (*montrant les cavaliers à Thurloë
            et au comte de Carlisle*)

Arrêtez ces messieurs !

            *Une foule de soldats puritains se précipitent sur
            les cavaliers, les saisissent, et s'emparent de
            leurs épées avant qu'ils aient eu le temps de
            résister.*

      LORD ORMOND (*brisant son épée sur son genou*)

                    Nul n'aura mon épée.

      RICHARD CROMWELL (*à part*)

Qu'est-ce que tout cela ? Ma nouvelle équipée
Me vaudra de mon père un nouveau châtiment.
J'ai rompu mes arrêts ; je suis perdu.

LORD ROCHESTER (*promenant autour de lui des yeux ébahis*)
                                    Comment !
4600 Mais voici Drogheda, Roseberry, Downie !
Je rôtirai du moins en bonne compagnie. —
Tiens ! le juif Manassé, qui rançonnait Cliffort !
Sans doute on le fera cuire en son coffre-fort.
Çà, nous sommes tous morts et damnés, il me semble !

                                    *Aux cavaliers.*

4605 Bonsoir, amis ! — Narguons Satan qui nous rassemble ;
Donnons l'enfer au diable, et rions à son nez !

            LORD ORMOND

Dans quel piège fatal nous sommes entraînés !

      LORD ROCHESTER (*aux cavaliers*)

Nos bons projets ont eu mauvaise réussite ;
Cromwell dans notre vin met de l'eau du Cocyte.

*Cromwell jusqu'ici est resté silencieux dans son
triomphe, les bras croisés sur sa poitrine, et
promenant des yeux hautains sur les cavaliers
confus et désespérés.*

CROMWELL *(à part et regardant Ormond)*

4610  Je ne connaissais point Ormond. — A son aspect,
J'éprouve malgré moi je ne sais quel respect.

LORD ORMOND *(l'œil fixé sur Cromwell)*

Comme il nous a trompés ! Que de ruse et d'audace !

CROMWELL *(à part)*

Ormond seul ose encor me regarder en face.
C'est un noble adversaire ! il avait un mandat,
4615  Il le voulait remplir. — Parlons à ce soldat.

*Il s'approche d'Ormond qui le regarde fièrement.
— Haut.*

Ton nom ?

LORD ORMOND

    Bloum. —
    *(A part.)*    En mourant, je ne veux pas qu'il sache
Qu'il fut maître d'Ormond.

CROMWELL *(à part)*

                Par orgueil il se cache.

*Haut.*

Qu'es-tu ?

LORD ORMOND

    Rien, qu'un sujet contre toi révolté
Pour la vieille Angleterre et pour sa majesté.

CROMWELL

4620  Que penses-tu de moi ?

LORD ORMOND

            De toi, Cromwell ?...

CROMWELL

                    Achève.

LORD ORMOND

Des choses qu'on n'écrit qu'à la pointe du glaive.

CROMWELL

Argument péremptoire ! et qui n'a qu'un défaut,
C'est qu'au poignard parfois réplique l'échafaud.

LORD ORMOND

Que m'importe ?

CROMWELL *(croisant les bras)*

Ici donc la soif du sang te guide ?

LORD ORMOND

4625 J'y venais par le fer punir le régicide.

CROMWELL

Punir ! quel est ton droit ?

LORD ORMOND

Le droit du talion.

CROMWELL

Osais-tu pénétrer dans l'antre du lion ?

LORD ORMOND

Tu veux dire du tigre.

CROMWELL

Aux lieux même où réside
Le Protecteur ?...

LORD ORMOND

Cromwell, dis donc le régicide.

CROMWELL

4630 Régicide ! — toujours. C'est leur mot ! leur raison,
Jetée à tout propos, mise en toute saison !
L'ai-je donc mérité, ce nom de régicide ?
Ces peuples repoussaient un illégal subside;
Je fus sévère et pur, Charles fut imprudent.
4635 Sa chute fut un bien, sa mort un accident.
Il avait des vertus, je les vénère. En somme,
J'ai dû frapper le roi, tout en priant pour l'homme.

LORD ORMOND

Hypocrite ! va-t'en. Tu ne me trompes point.

CROMWELL

Nous différons d'avis, je le vois, sur ce point.

LORD ORMOND

4640 Auprès de Ravaillac ta place est réservée !

CROMWELL

Ton âme par la haine est trop loin enlevée,
Vieillard ! tes cheveux gris devraient mieux t'inspirer.
Cromwell un Ravaillac ! Peux-tu bien comparer
La main qui meut le monde à cette main vulgaire,
4645 Et la hache d'un peuple au couteau d'un sicaire ?
On vient au même point de l'enfer et du ciel ;
Le sang souillait Caïn et parait Samuel.

LORD ORMOND

Hé bien ! ce Ravaillac, d'exécrable mémoire,
N'a-t-il pas ce qu'il faut pour partager ta gloire ?
4650 Comme toi, d'un roi juste il causa le trépas ;
Que lui manque-t-il donc ?

CROMWELL

                    Il a frappé trop bas.
On ne frappe les rois qu'à la tête.

LORD ORMOND

                            O mon maître !
O Charle ! en tout son jour il vient de m'apparaître !

*A Cromwell en le repoussant.*

Je vous le dis encore, éloignez-vous de moi,
4655 Vous dont la main toucha la majesté d'un roi !

CROMWELL

Va, le sang tantôt souille et tantôt purifie.

*A part.*

Mais quoi donc ? il m'accuse, et je me justifie !
Je le laisse étaler, sans fléchir le genou,
Sa vertu d'imbécile et son honneur de fou !
4660 Sa conscience ignore où, dans sa tyrannie,
Parfois la destinée emporte le génie. —
Laissons cet incurable !

*Il tourne le dos à Ormond et s'approche de Jenkins.*

                    Eh ! quoi ! docteur Jenkins,

*Montrant Ormond et Murray.*

Parmi ces insensés !

*Montrant Sedley, Clifford et Rochester.*

Et parmi ces coquins !

Vous, le sage et le juste !

### LE DOCTEUR JENKINS *(gravement)*

Oui, vous êtes le maître
4665 De parler de la sorte, et pis encor peut-être.

### CROMWELL

Vous avez préféré, Jenkins, à mes faveurs,
L'honneur de partager avec quelques rêveurs
Une punition, qui doit être exemplaire.

### LE DOCTEUR JENKINS

Ah ! distinguons, monsieur Cromwell, sans vous déplaire !
4670 Vous pouvez vous venger, mais non pas nous punir.
Les mots sont importants en tout à définir.
*Tyrannus non judex*, le tyran n'est point juge.
Si, grâce à quelque traître, à l'aide d'un transfuge,
Vous avez dans la lutte été le plus adroit,
4675 Si vous avez la force, il nous reste le droit.
Violemment aux lois vous pouvez nous soustraire,
Qu'importe ? nous mourrons, mais de mort arbitraire,
Et seulement de fait ! — Consultez sur ce point
Vos propres avocats, Whitelocke, Pierpoint,
4680 Maynard. — Je m'en rapporte à vos conseillers même.
Quoique le Whitelocke ait un très faux système,
Et que souvent Pierpoint et le sergent Maynard
Contre le poulailler plaident pour le renard.

### CROMWELL

Eh bien donc ! vous aurez le gibet en partage.

### LE DOCTEUR JENKINS

4685 Soit. Mais voyez sur vous quel est notre avantage.
Nous irons au gibet d'un despote irrité,
Mais vous, au pilori de la postérité !

*Cromwell hausse les épaules.*

### LORD ROCHESTER *(toujours à demi éveillé)*

Où donc ai-je l'esprit ? — Si je ne dors pas, certe,
Je suis mort. — Ce Cromwell pourtant me déconcerte.
4690 Ici... déjà ! — Je l'ai laissé là-haut hier.

*S'adressant aux soldats qui l'environnent.*

Ne pourrait-on changer de rêve ou bien d'enfer ?
Délivrez-moi de Noll ! vous m'avez l'air bons diables.

CROMWELL *(après un moment de méditation, il croise ses bras
et s'adresse en souriant aux cavaliers)*

Or çà, vous méditiez des projets incroyables.
Prendre Olivier Cromwell à des pièges d'enfants !
4695 L'égorger ! — Car, messieurs, vos poignards triomphants
Ne m'auraient point traité, devant cette poterne,
Comme David traita Saül dans la caverne;
Nul de vous n'eût borné l'emploi de son couteau
A couper doucement le bord de mon manteau;
4700 Je le sais. C'est tout simple ! et je vous en approuve.
Tout en vous approuvant, à dire vrai, je trouve
Que votre plan pouvait être un peu mieux conçu,
Et qu'enfin votre trame est d'un frêle tissu.
Par malheur, je n'ai point su la chose à temps, frères,
4705 Pour vous communiquer sur ce point mes lumières;
Ne m'en veuillez donc pas. — Vous avez bien sué
Pour inventer cela ! — Moi, comme Josué,
Que de vingt rois unis le choc ne troublait guère,
J'ai coupé les jarrets à vos chevaux de guerre.
4710 Nous avons tous agi comme nous avons dû;
Vous avez attaqué, je me suis défendu.
Quant à votre projet en lui-même, j'avoue
Que j'aime ces élans du cœur qui se dévoue;
Le courage me rit et l'audace me plaît.
4715 Quoique votre succès n'ait pas été complet,
Je ne vous place pas moins haut dans mon idée.
Par un sentiment fort votre âme est possédée;
Vous marchez hardiment, d'un pas ferme et réglé;
Vous n'avez point fléchi, point pâli, point tremblé;
4720 Vous m'êtes, — agréez mes compliments sincères, —
Des ennemis de choix, de dignes adversaires;
Je ne vois rien en vous qui soit à dédaigner,
Et vous estime enfin trop — pour vous épargner.
Cette estime pour vous en public veut s'épandre,
4725 Et je vous la témoigne en vous faisant tous pendre.
Point de remerciements ! — Excusez-moi plutôt
De confondre avec vous sur le même échafaud

*Montrant sir William Murray consterné.*

Ce fanfaron pleureur, ce lâche qui m'écoute;
Quoiqu'il ne vaille pas la corde qu'il me coûte.

4730 Il doit vous rendre grâce; oui, certes ! car sans vous
Il n'eût point eu l'honneur d'éveiller mon courroux.

*Montrant Manassé toujours immobile.*

Souffrez que je vous joigne encor ce juif fétide.
C'est dur; à des chrétiens mêler un déicide !
Avec les bons larrons confondre un Barabbas ! —
4735 J'arrangerai la chose. — On le pendra plus bas. —
Çà, que chacun de vous maintenant me pardonne
De le payer si mal; ce que j'ai, je le donne.
— Ce que je fais pour vous, je le sens, est bien peu ! —
Allez; préparez-vous à rendre compte à Dieu;
4740 Nous sommes tous pécheurs, frères ! — Dans quelques
[heures,
Quand le jour renaissant blanchira ces demeures,
Vous serez tous pendus ! — Allez. — Priez pour moi.

*Les gardes, et lord Carlisle à leur tête, entraînent
les prisonniers qui tous, à l'exception de Murray
et du juif, conservent une attitude fière et méprisante. Cromwell reste quelques instants rêveur,
puis se tourne vivement vers Thurloë.*

Fais sur l'heure apprêter Westminster ! Je suis roi.

*Il rentre à White-Hall par la poterne, et
Thurloë, après un profond salut, sort par le parc.*

## SCÈNE IX

### LES QUATRE BOUFFONS

*Au moment où Cromwell et Thurloë sortent,
Gramadoch avance la tête hors de la cachette
des fous, puis sort avec précaution, examinant
autour de lui si le théâtre est bien désert, puis
fait signe aux autres fous de le suivre; et les
quatre fous, réunis sur la scène, se regardent les
uns les autres en poussant des éclats de rire
immodérés.*

GRAMADOCH *(à ses camarades)*

Hé bien ! qu'en dites-vous ?

GIRAFF *(riant)*

De plus en plus risible.

ELESPURU

4745 Scène de l'autre monde en celui-ci visible.

TRICK

Quelque chose de fou, de bouffon, d'inconnu.

GIRAFF

Un spectacle étonnant, gai. — Voir Cromwell à nu !
Voir le feu sans fumée et Belzébuth sans masque !

GRAMADOCH

Entre tous les acteurs de ce drame fantasque,
4750 Lequel est le plus fou ? Voyons, donnons le prix.

TRICK

C'est Murray qui, chargeant Cromwell de son mépris,
Tourne de Noll à Charle en une pirouette,
Et qui pour un drapeau prend une girouette.

GIRAFF

La palme est à Richard, ce fils du Bélial,
4755 Mourant pour Rochester par amour filial.

TRICK

Si Cromwell eût tué Richard dans sa manie,
C'eût été bon.

GIRAFF

Oui ; mais la pièce était finie.

TRICK

Grand dommage !

GRAMADOCH

Ainsi donc vous donnez à Richard
La marotte d'honneur, la palme de notre art ?

ELESPURU

4760 J'aime mieux de Jenkins la candeur doctorale.

TRICK

Et l'Ormond à Cromwell faisant de la morale !
N'est-il pas amusant ? Je préférerais, moi,
Enseigner la justice à quelque homme de loi,
Peigner un ours du pôle ou traire une panthère,
4765 Ou du Vésuve ardent ramoner le cratère.

GIRAFF

Et ce juif, qui n'est pas le moindre du roman !
Ce rabbin espion, usurier nécroman,

Qui, tout en méditant sur la beauté des piastres,
Vient avec sa lanterne examiner les astres !

ELESPURU

4770 Animal amphibie, aux deux camps étranger,
Ce juif venait ici comme on voit voltiger
Une chauve-souris dans la nuit d'une tombe.

GIRAFF

D'autant plus justement la comparaison tombe,
Que Noll sur quelque croix, devant quelque portail
4775 Va le faire clouer comme un épouvantail.

TRICK

Cromwell des cavaliers punit donc la jactance !
Il a plus d'une corde, amis, à sa potence.

GRAMADOCH

Et pourtant, quoiqu'il porte un monde sur son cou,
De ceux dont nous parlons Cromwell est le plus fou.
4780 Il veut être encor roi : sa mort est à sa porte.

*Ces paroles fixent l'attention des fous ; ils se*
*rapprochent vivement de Gramadoch.*

GIRAFF *(à Gramadoch)*

Quoi donc ?

GRAMADOCH

Vous verrez.

TRICK *(à Gramadoch)*

Mais dis...

GRAMADOCH

Plus tard.

ELESPURU *(à Gramadoch)*

Que t'im-
[porte ?

GRAMADOCH *(secouant la tête)*

Le mystère est un œuf, — écoutez, s'il vous plaît, —
Qu'il ne faut pas casser si l'on veut un poulet.
Attendez. — Ce Cromwell, à qui tout est propice,
4785 S'il fait ce dernier pas, se jette au précipice.
La mort l'attend. — Soyez à son couronnement,
Vous verrez ! vous rirez ! Cromwell est sûrement

Bien plus fou que ces nains qu'il écrase au passage,
D'autant plus fou cent fois qu'il se croit le plus sage.

TRICK

4790 Pour clore le concours, dans ceci, les plus fous,
Même en comptant Cromwell, messieurs, c'est encor
                                                    [nous.
Sommes-nous bien sensés de perdre à cette affaire
Un temps que nous pourrions employer à rien faire,
A dormir, à chanter à l'écho nos ennuis,
4795 Ou bien à regarder la lune au fond d'un puits ?

*Ils sortent.*

# ACTE CINQUIÈME

## LES OUVRIERS

## LA GRANDE SALLE DE WESTMINSTER

A gauche, vers le fond, la grande porte de la salle vue obliquement. —
Au fond, des gradins demi-circulaires s'élevant à une assez grande
hauteur. De riches tentures de tapisserie réunissent les intervalles
des piliers gothiques tout autour de la salle, et n'en laissent apercevoir que les chapiteaux et les corniches. — A droite, une charpente
revêtue de planches figurant les degrés de l'estrade d'un trône.
Plusieurs ouvriers sont occupés à y travailler au moment où la toile
se lève; les uns achèvent de clouer les planches des degrés, tandis
que les autres les recouvrent d'un riche tapis de velours écarlate à
franges d'or, ou s'occupent à hisser au-dessus de l'estrade un dais
de même étoffe et de même couleur, sous le ciel duquel sont brodées en or les armes du Protecteur. — Divers ustensiles de charpentier et de tapissier sont épars à terre, et des échelles adossées
aux piliers annoncent qu'on vient à peine d'en terminer la tenture.
— Vis-à-vis le trône, une chaire. — Tout autour de la salle, des
tribunes et des travées richement drapées. — Il est trois heures
du matin; le jour commence à poindre, et projette, à travers les vitraux
et la porte entrouverte, des rayons horizontaux qui font pâlir la
lumière de plusieurs lampes de cuivre à cinq becs, posées ou suspendues, pour le travail nocturne des ouvriers, dans plusieurs
endroits de la salle.

## SCÈNE PREMIÈRE

### DES OUVRIERS

#### LE CHEF DES OUVRIERS

*Il encourage du geste les manœuvres qui ajustent
le dais.*

L'ouvrage avance. Allons ! — Ce dais est assez ample. —

*A un autre ouvrier qui se tient debout, une Bible
à la main.*

Frère, édifiez-nous ! lisez.

#### L'OUVRIER *(lisant)*

« Or, le saint temple
Eut un lambris de cèdre, un plancher de sapin... »

LE CHEF *(aux ouvriers)*

Frères, nourrissons-nous de ce céleste pain.

LE LECTEUR *(continuant)*

4800 « Salomon l'étaya, d'espaces en espaces,
      De poteaux à cinq pans, de pieux à quatre faces,
      Couvrit de lames d'or son ouvrage immortel,
      Et plaça dans l'oracle, à côté de l'autel,
      Deux chérubins debout, les ailes déployées. »

UN OUVRIER *(jetant un coup d'œil sur les préparatifs)*

4805 Nos mains ont, cette nuit, été bien employées.
      Salomon, pour laisser des travaux plus complets,
      Mit sept ans à son temple et quinze à son palais.
      Nous, pour tous ces apprêts, nous n'avons pris qu'une
                                                   [heure.

LE CHEF

Bien dit, Enoch. —

                              *Aux ouvriers qui disposent le dais.*

                    Tenez, cette échelle est meilleure.—

                                                   *A Enoch.*

4810 Peut-on se trop hâter...

                  *Aux ouvriers qui attachent les rideaux du dais.*

                         — Bon, à cette hauteur ! —

                                                   *A Enoch.*

Quand on élève un trône à mylord Protecteur ?

UN SECOND OUVRIER

C'est donc pour aujourd'hui, cette cérémonie ?

LE CHEF

Oui. — Par bonheur l'estrade est à peu près finie.

                                                   *A Enoch.*

Ah ! nous n'avons jamais... —

                        *Aux ouvriers qui clouent les planches.*

                              Or çà ! vous, moins de
                                                   [bruit !
                                                   *A Enoch.*

4815 Rien fait de si pressé, sinon cette autre nuit...

ENOCH

Quelle nuit ?

LE CHEF

Vous n'avez point gardé la mémoire, —
Voilà huit ans passés, — d'une nuit froide et noire,
De la nuit du vingt-neuf au trente de janvier ?
Nous travaillions encor pour mylord Olivier.

LE SECOND DES OUVRIERS

4820 Ne construisions-nous pas l'échafaud du roi Charle,
Cette nuit-là ?

LE CHEF

Oui, Tom. — Mais est-ce ainsi qu'on parle
Du Barabbas royal, du Pharaon anglais ?

ENOCH *(comme recueillant ses souvenirs)*

J'y suis. — On appuya l'échafaud au palais.
Ah ! ce n'était point là des charpentes grossières
4825 A pendre des rabbins, à brûler des sorcières ;
Mais un échafaud noir, bien bâti, comme il sied.
Avec une fenêtre il était de plain-pied.
Pas d'échelle à descendre. Oh ! c'était fort commode !

LE CHEF

Et solide, à porter tous les enfants d'Hérode !
4830 Robin n'eût point trouvé de madriers meilleurs.
On y pouvait mourir, sans rien craindre d'ailleurs.

TOM *(sur l'estrade)*

Ce trône est moins solide ; en y montant, il tremble.

ENOCH

L'échafaud fut construit moins vite, ce me semble.

L'OUVRIER *(qui tient la Bible, hochant la tête)*

Dans cette nuit-là, frère, il ne fut pas fini.

ENOCH

4835 Quoi donc ?

L'OUVRIER *(montrant le trône)*

A l'échafaud, ce théâtre est uni.
C'est un degré de plus d'où Cromwell nous domine.
L'œuvre alors commencée aujourd'hui se termine ;
Ce trône de Stuart complète l'échafaud.

TOM

Ah ! Nahum l'Inspiré voit les choses de haut.

NAHUM *(l'œil fixé sur le trône)*

4840 Oui, tréteau pour tréteau, j'aimais encor mieux l'autre.
C'était le tour de Charle; aujourd'hui c'est le nôtre.
Cromwell sur le drap noir n'immolait que le roi;
Sur cette pourpre, il va tuer le peuple !

LE CHEF *(à Nahum)*

                                             Quoi ?
Oser parler ainsi ! — quelqu'un peut vous entendre.

NAHUM

4845 Que m'importe ? Je suis vêtu du sac de cendre.
Je voudrais pour Cromwell, d'ailleurs, qu'il m'entendît.
S'il veut s'élire roi, qu'il tombe ! il est maudit.
Je lui prédis sa mort, moi, pauvre et misérable,
Qui vaux mieux que cet homme, en sa gloire exécrable;
4850 Car le Seigneur à Tyr préfère le désert,
La grappe d'Ephraïm au cep d'Abiézer !

LE CHEF *(regardant Nahum qui demeure en extase)*

Imprudent ! —
        *(A Enoch.)*    Il nous reste à placer sur l'estrade
Le grand fauteuil royal. — Aidez-moi, camarade !

> *Tous deux montent les degrés, portant un grand
> fauteuil très chargé de dorures, recouvert de
> velours écarlate, étalant sur son dossier les
> armes du Protecteur brodées en or et relevées
> en bosse. Ils placent le fauteuil au milieu de
> l'estrade.*

TOM *(regardant le siège royal)*

Beau fauteuil ! — là-dedans il sera comme un roi.

ENOCH *(achevant d'arranger le fauteuil, au chef d'atelier)*

4855 La nuit dont vous parliez, c'est moi-même, je croi,
Qui disposai pour Charle un beau billot de chêne,
Muni de ses crampons et de sa double chaîne,
Tout neuf, et qui n'avait servi qu'à lord Strafford.

UN TROISIÈME OUVRIER

Qui donc vint nous prier de marteler moins fort ?

LE CHEF

4860 Hé ! ce fut Thomlinson, colonel de service.
Il nous dit de ne point commencer le supplice,

Et que de nos marteaux le bruit désordonné
De son dernier sommeil privait le condamné.

NAHUM

Il dormait ! c'est étrange.

UN QUATRIÈME OUVRIER

A ces heures funèbres,
4865 Si quelqu'un nous eût vus, cachés dans les ténèbres,
Construire un échafaud aux lueurs des flambeaux,
Comme des fossoyeurs qui creusent des tombeaux,
Ou comme ces démons qui, par leurs maléfices,
Dressent dans une nuit d'infernaux édifices, —
4870 Ce témoin eût sans doute été bien effrayé !

ENOCH

J'aime fort ces travaux de nuit; — c'est bien payé.
Avec mes dix enfants, créatures humaines,
Sur cet échafaud-là j'ai vécu deux semaines.

UN CINQUIÈME OUVRIER

Nous verrons si Cromwell agira comme il faut,
4875 Et s'il paiera le trône au prix de l'échafaud.

TOM

C'est pour le tapissier, pour maître Barebone,
Pour lui seul, non pour nous, que cette affaire est bonne.
Il fournit ces rideaux, ces sièges, ces brocarts,
Et de notre salaire il prendra les trois quarts.

NAHUM

4880 C'est un vendeur du temple !

LE CINQUIÈME OUVRIER

Un Mède !

LE QUATRIÈME OUVRIER

Un  vrai  fils
[d'Eve,
Qui marche aveuglément sur le tranchant du glaive !

NAHUM (reprenant)

Et qui, pilier de l'arche, arc-boutant de Babel,
Pose un pied dans l'enfer et l'autre dans le ciel !

TOM

Chut ! il nous chasserait, s'il venait à connaître
4885 Que nous le traitons, lui, comme il traite son maître.
Le voici ; taisons-nous.

> *Entre Barebone. Tous les ouvriers se remettent
> silencieusement à l'ouvrage. Le seul Nahum
> reste immobile, les yeux attachés sur la vieille
> Bible usée qu'il tient ouverte.*

## SCÈNE II

LES MÊMES, BAREBONE

BAREBONE *(jetant un coup d'œil*
*sur les travaux de ses ouvriers)*

Mais voilà qui va bien. —

> *Aux ouvriers.*

Je suis content de vous. Il ne reste plus rien
A faire, en vérité !
    *(A part.)*    Je suis au fond de l'âme
Ravi qu'ils aient sitôt fini cette œuvre infâme.
4890 Nos conjurés, qui vont venir, pourront du moins
Tenir conseil ici sans gêne et sans témoins,
Reconnaître les lieux, et voir par quelle voie
On peut d'un coup plus sûr frapper Noll dans sa joie.
Quel bonheur, pour entrer chez le tyran proscrit,
4895 Que je sois tapissier de ce même antechrist ! —
Congédions-les tous, vite. —
    *(Haut aux ouvriers.)*    Allez, mes chers frères ;
A l'esprit tentateur soyez toujours contraires.
Aimez votre prochain, et même le méchant.

> *Au chef d'atelier.*

Monsieur Néhémias ! —

> *Le chef d'atelier s'approche de Barebone pendant
> que les ouvriers ramassent leurs outils et se
> chargent des lampes et des échelles.*

    Il faudrait sur-le-champ
4900 Pour mylord Protecteur, à qui Dieu soit en aide,
Finir cette cuirasse en buffle de Tolède.

> *Bas et se penchant à l'oreille du chef d'atelier.*

Du cuir qui restera, loin de tous les regards,
Vous ferez pour nos saints des gaînes de poignards.

> *Le chef d'atelier incline la tête en signe d'adhé-
> sion, et sort accompagné de tous les ouvriers.*

## SCÈNE III

BAREBONE, seul.

**BAREBONE**

*Il se place comme en contemplation devant le trône.*

Le voilà donc, ce trône ! — exécrable édifice,
4905 Où Cromwell à Nesroch nous offre en sacrifice,
Où se transforme en roi ce chef longtemps béni,
Où va changer de peau le serpent rajeuni !
C'est là qu'il compte enfin appuyer son empire,
Ce faux Zorobabel en qui Nemrod respire ;
4910 Ce prêtre de l'enfer ; ce vil empoisonneur,
Qui, se prostituant l'église du Seigneur,
Veut, dans les noirs projets que son orgueil combine,
De l'épouse des saints faire sa concubine ;
Cet oppresseur du Dieu que son âme a trahi ;
4915 Cet homme, pire enfin que Stharnabuzaï !
Voilà son trône impur que l'anathème charge !
C'est bien cela : — six pieds de haut sur neuf de large.
Et le tout recouvert de velours cramoisi. —
Il en faut dix ballots pour le draper ainsi. —
4920 Donc il ne suffit pas à ce fils du blasphème
D'exercer un pouvoir usurpé sur Dieu même ;
De fouler Israël comme un roseau séché ;
D'avoir, géant glouton, sur l'Europe couché,
Plus qu'Adonibezec puissant et redoutable,
4925 Soixante rois mangeant ses restes sous sa table !
Non, il lui faut un trône. Et quel trône ! un amas
De franges, de plumets, de satin, de damas,
Où, comme il est écrit du sacré lampadaire,
L'art du sculpteur s'unit à l'art du lapidaire !
4930 Cromwell de ce clinquant veut s'entourer encor.
— Quand je dis ce clinquant, c'est bien de très bon or !
— Or vierge de Hongrie, — et ces glands magnifiques
Pourraient faire les frais de quatre républiques !
C'est moi qui les fournis ; et, s'ils étaient moins lourds,
4935 Leur mesquine splendeur souillerait ce velours. —
Velours d'Espagne ! — Allons, qu'il règne, mais qu'il
Que la couronne ici pare sa dernière heure !     [meure !
Essayons sur son front le clou de Sisara. —

*Il regarde les coussins du trône.*

Velours que j'ai payé cinq piastres la vara ! —
4940 Je le revendrai dix, suivant la mode antique. —
Cet Aod est pourtant une bonne pratique !

Oui; mais son avarice !... — Il touche à son trépas.
Ces royaux échelons vont rompre sous ses pas,
Sous ce dais triomphal, sous ces tentures même
4945 Où son blason bourgeois usurpe un diadème.
Que cette place est bonne à le bien poignarder !

*Il se promène de long en large devant le trône,
et son visage passe de la fureur à l'admiration
pour la richesse des ornements qui le décorent.*

Mais c'est qu'il est capable encor de marchander !
De faire par Maynard mutiler mon mémoire !
Rogner les brocarts d'or ! déprécier la moire !
4950 Puis, si j'ose me plaindre, alors sa bonne foi
Prête ses gens de guerre à ses hommes de loi.
Servez ces pharaons ! toujours l'ingratitude
Est de leurs cœurs glacés la première habitude.
Il devrait cependant être content de moi !
4955 Pour bien parodier la majesté d'un roi,
Rien ne manque à ce trône abominable au monde,
A ce hideux théâtre, à cet autel immonde.
C'est magnifique ! — Enfin, je n'ai rien épargné.
A décorer Moloch je me suis résigné,
4960 Et j'expose aux périls qui suivent l'anathème
Mes tapis de Turquie et mon cuir de Bohême. —
Jébuséen ! qu'il meure !          *Comme frappé d'une idée soudaine.*

                    — Oui, mais qui me paiera
Quand il n'y sera plus ? — L'auguste Débora
Ne laissa point son clou dans le front de l'impie;
4965 Samson ne risquait rien, quand sa force assoupie
Fit choir pour son réveil tout un temple ennemi;
Judith, qui triompha d'Holopherne endormi,
Fuyant, parée encor, de la sanglante fête,
Sans perdre un seul joyau sut emporter sa tête.
4970 Mais moi ! qui m'indemnise ? et quel profit réel
Me dédommagera de la mort de Cromwell ?
Ne faut-il pas laisser quelque chose à ma veuve ? —
La question ainsi me semble toute neuve.
Songeons-y ! — Mais voici nos bons amis les saints.

*Entrent les puritains conjurés, Lambert à leur
tête. Tous, enveloppés dans de larges manteaux,
portent de grands chapeaux coniques dont les
bords très larges se rabattent sur leurs visages
sombres et sinistres. Ils marchent à pas lents,
comme absorbés dans des contemplations profondes. Plusieurs semblent murmurer des prières.
On voit luire des poignées de dagues sous leurs
manteaux entrouverts.*

## SCÈNE IV

BAREBONE, LAMBERT, JOYCE, OVERTON, PLINLIMMON,
HARRISON, WILDMAN, LUDLOW, SYNDERCOMB, PIM-
PLETON, PALMER, GARLAND, PRIDE, JÉROBOAM
D'ÉMER, ET AUTRES CONJURÉS TÊTES-RONDES.

LAMBERT *(à Barebone)*

4975 Hé bien ?

> *Barebone, pour toute réponse, lui montre de la
> main le trône et les décorations royales sur les-
> quelles les conjurés jettent des regards indignés.
> Lambert se retourne vers l'assemblée, et poursuit
> gravement.*

— Vous le voyez. Fidèle à ses desseins,
Frères, Cromwell poursuit son œuvre réprouvée.
Westminster est tout prêt; l'estrade est élevée;
Et voici les gradins où ce vil parlement
Aux pieds d'un Olivier va traîner son serment.
4980 Profitons pour agir du moment qui nous reste;
Jugeons cet autre roi. Son crime est manifeste :
Voilà son trône !

OVERTON

Non. Voilà son échafaud !
Il y sera monté pour tomber de plus haut.
Sa dernière heure, amis, par lui-même est marquée.
4985 Que du tombeau des rois cette pompe évoquée
Soit sa pompe funèbre, et que notre poignard
Jette aujourd'hui son ombre à l'ombre de Stuart !
Ah ! nous y voilà donc ! ce despote hypocrite
Exhume à son profit la royauté proscrite;
4990 Et, pour reprendre à Charle un sceptre ensanglanté,
Fouille dans le sépulcre où nos mains l'ont jeté.
Cromwell ose ravir la couronne à la tombe :
Qu'en entraînant Cromwell la couronne y retombe !
Et si plus tard quelque autre ose encor régner seul,
4995 Que la robe de roi soit toujours un linceul !

LAMBERT *(à part)*

Il va trop loin.

OVERTON *(poursuivant)*

Qu'il soit anathème !

TOUS

Anathème !

OVERTON *(continuant)*

Tout conspire avec nous, tout, et Cromwell lui-même.
Oui, messieurs, sa fortune aveugle ce Cromwell,
Qui semble un Attila fait par Machiavel.
5000 S'il ne nous aidait point, notre vaine colère
S'userait à miner son pouvoir populaire;
C'est lui seul qui se perd, en ne comprenant pas
Qu'il change le terrain où s'appuyaient ses pas;
Qu'il sort du sol natal pour mourir, et qu'en somme,
5005 En devenant un roi, Cromwell n'est plus qu'un homme.
Sous ce titre de mort, il s'offre à tous les coups.
La foule, son appui, le quitte et passe à nous;
Lui seul, entre elle et lui, signe un fatal divorce.
En nous donnant le peuple, il nous donne sa force.
5010 On veut être opprimé, foulé, suivant la loi,
Par un lord Protecteur, mais jamais par un roi.
D'un tyran plébéien le peuple s'accommode.
Olivier, Protecteur, fût-il pire qu'Hérode,
Lui semble encor le seul dont le front sans bandeau
5015 Peut porter de l'Etat le vacillant fardeau.
Mais que ce même front ceigne le diadème,
Tout change; et ce n'est plus, pour ce peuple qui l'aime,
Qu'une tête de roi, bonne pour le bourreau !

TOUS *(excepté Lambert, et Barebone qui depuis l'arrivée
des conjurés semble absorbé dans de profondes réflexions)*

C'est bien dit !

JOYCE

Notre épée a quitté le fourreau;
5020 Qu'elle y rentre fumante, et jusqu'à la poignée
Pour la seconde fois du sang d'un roi baignée !

PRIDE

Cromwell vient donc chercher sa tombe à Westminster !
De sa secte infidèle et promise à l'enfer
Il était le grand prêtre; il veut être l'idole.
5025 Que sur son propre autel pour sa fête on l'immole !

LUDLOW

Wolsey, Goffe, Skippon, s'il couronne son front,
Propres chefs de sa garde, avec nous frapperont.
A nos couteaux vengeurs rien ne peut le soustraire.
Fletwood, son gendre, enfin, Desborough, son beau-frère,
5030 Le laisseront tomber; car, fermes dans la foi,
Leurs cœurs républicains l'aiment mieux mort que roi.

HARRISON

Honneur donc à Fletwood, à Desborough ! — leurs âmes
N'ont point de peurs d'enfants et de pitiés de femmes !

GARLAND *(qui jusque-là est resté silencieux,*
*l'œil fixé sur les premiers rayons du soleil levant)*

Jamais si beau soleil à mes yeux n'avait lui.
5035 Frères, quelle victime à frapper aujourd'hui !
Jamais je n'avais eu tant d'orgueil ni de joie
A sentir que je marche où le Seigneur m'envoie ;
Ni quand Strafford posa sa tête à notre gré
Entre le glaive saint et le billot sacré ;
5040 Ni quand mourut ce Laud, plus exécrable encore,
De la chambre étoilée infernal météore,
Prélat qui, de son temple où renaissait Béthel,
Tournait vers l'Orient le sacrilège autel,
Et, de notre sabbat moqueur incendiaire,
5045 Prostituait aux jeux le jour de la prière ;
Ni même quand Stuart qui, fier de ses vieux droits,
Pour des rayons de Dieu prit les fleurons des rois,
Avec sa royauté superbe et séculaire,
S'agenouilla devant la hache populaire !
5050 A chacun d'eux j'avais, selon qu'il est écrit,
Cru sous sa forme humaine immoler l'antechrist ;
Mais je vois aujourd'hui que Sion triomphante
Frappe enfin dans Cromwell ce fatal sycophante,
Et, des marches du trône encor mal affermi,
5055 Le replonge au Tophet d'où Satan l'a vomi !
Quel jour ! — Quel Goliath, l'effroi de l'Angleterre,
A jeter de son haut la face contre terre !

SYNDERCOMB

Quel beau coup de poignard à donner !

PRIDE

Quel honneur
Pour ceux qui combattront les combats du Seigneur !

JOYCE *(montrant le trône)*

5060 Que son sang, sur la pourpre où l'attend notre piège,
Va couler à grands flots !

> *A ces paroles de Joyce, Barebone, qui jusqu'alors*
> *a tout écouté en silence, tressaille, comme agité*
> *d'une inquiétude subite.*

BAREBONE *(se frappant le front, à part)*

                              Au fait, à quoi pensais-je ?
C'est qu'ils vont me tacher mon trône avec leur sang !
Qu'en faire après ? — L'étoffe y perdra vingt pour cent.

*Haut, après un instant de recueillement.*

Vos discours pour mon âme ont la douceur de l'ambre.
5065 De la communauté je suis le dernier membre,
Frères ; mais écoutez. — Aux saints textes soumis,
Vous voulez poignarder Cromwell. — Est-ce permis ?
Rappelez-vous Malchus, dont l'oreille coupée
De Pierre par Jésus fit maudire l'épée.
5070 N'est-il pas interdit, au nom du Tout-Puissant,
De frapper par le fer et de verser le sang ?
Sur ce point dans vos cœurs s'il reste quelques ombres,
Ouvrez, chapitre neuf, la GENÈSE ; et les NOMBRES,
Chapitre trente-cinq.

*Explosion de surprise et d'indignation parmi les têtes-rondes.*

JOYCE

Comment ! qui parle ainsi ?

LUDLOW

5075 Qui vous a, Barebone, à ce point radouci ?

GARLAND

Vous voulez épargner l'antechrist ?

BAREBONE *(balbutiant)*

                              Au contraire...
Je ne dis pas cela...

SYNDERCOMB

                    Seriez-vous un faux frère ?

HARRISON

Sommes-nous des brigands qu'on doive condamner ?
Des assassins ?

OVERTON

                Tuer n'est pas assassiner.
5080 Devant l'autel où brille une flamme épurée,
Le bouc impur se change en victime sacrée,
Et le boucher devient un sacrificateur.
Samuel tue Agag, et nous le Protecteur.
Du peuple et du Très-Haut nous sommes les ministres.

JOYCE *(à Barebone)*

5085 Monsieur, je n'attendais de vos regards sinistres
Rien de bon. — Vous vouliez sauver Cromwell. — Voilà !

BAREBONE

Barebone, grand Dieu, protéger Attila !

SYNDERCOMB *(jetant un regard indigné sur Barebone)*
C'est un Phérézéen, ou pour le moins un Guèbre !

GARLAND

D'où lui vient pour Cromwell cette pitié funèbre ?

BAREBONE

5090 Mais répandre son sang, c'est violer la loi !

SYNDERCOMB *(lui frappant sur l'épaule)*
Faut-il pas teindre enfin la pourpre de ce roi ?

PRIDE

Barebone est fou !

WILDMAN

Frère, est-ce que tu recules ?

LUDLOW *(hochant la tête)*
Il est des trahisons qu'on habille en scrupules !

BAREBONE *(effrayé)*
Vous penseriez ?...

SYNDERCOMB *(furieux, à Barebone)*
Silence !

GARLAND *(à Barebone)*
As-tu bu par hasard

5095 De l'eau de la mer Morte ?

HARRISON
Il soutient Balthazar !

OVERTON

Seriez-vous un Achan venu dans nos vallées
Pour troubler le repos des tribus désolées ?

PRIDE

Je ne reconnais plus Barebone ! — Un démon
Aurait-il pris ses traits pour secourir Ammon ?

GARLAND

5100 C'est cela ! — Cette nuit j'ai fait un mauvais rêve.

SYNDERCOMB  *(tirant sa dague)*

Soumettons sa magie à l'épreuve du glaive.

> *En voyant briller le fer, Barebone, qui n'a pu
> jusque-là se faire entendre, crie avec un nouvel
> effort.*

BAREBONE

Mais écoutez-moi !

LAMBERT

Parle.

BAREBONE  *(effrayé)*

Amis, je ne veux pas
Sauver l'Aod anglais d'un trop juste trépas ;
Mais on peut le tuer, sans faire un sacrilège,
5105 L'assommer, l'étrangler, l'empoisonner, — que sais-je ?

SYNDERCOMB  *(remettant son poignard dans le fourreau)*

A la bonne heure !

GARLAND  *(serrant la main de Barebone)*

Allons, j'avais mal entendu.

WILDMAN  *(à Barebone)*

A de bons sentiments j'aime à te voir rendu.

OVERTON  *(à Barebone)*

Quoique le sang versé soit une faute énorme,
Nous n'avons pas le temps de le tuer en forme.

BAREBONE  *(cédant de mauvaise grâce)*

5110 Soit ! comme il vous plaira, poignardez le maudit.

*A part.*

C'est terrible pourtant !

GARLAND

Le sabre de Judith
Est frère des couteaux qui vont frapper sa tête.
Dans l'arsenal du ciel leur place est déjà prête.

HARRISON

Mes frères, rendons grâce au Seigneur Dieu ! — C'est lui
5115 Qui des vils cavaliers nous épargne l'appui.
Leur aide eût souillé l'œuvre et flétri notre gloire.
Mais Dieu, qui pour nous seuls réserve la victoire,
D'Ormond et d'Olivier confondant les desseins,
Jette Ormond à Cromwell, donne Cromwell aux saints !

TOUS *(agitant leurs poignards)*

5120 Le Seigneur soit béni !

LAMBERT

Messieurs, l'heure s'écoule.
Le peuple à Westminster va se porter en foule.
Si l'on nous surprenait ?

OVERTON *(bas à Joyce)*

Lambert a toujours peur !

LAMBERT

Ne nous endormons pas dans un espoir trompeur.
Qu'arrêtons-nous, messieurs ? Hâtons-nous de conclure.

SYNDERCOMB

5125 Il faut frapper Cromwell au défaut de l'armure ;
Voilà tout.

LAMBERT

Mais où ? — quand ? — et comment ?

OVERTON

Ecoutez.
Au rang des spectateurs ou des acteurs postés,
Soyons tous attentifs à la cérémonie,
Et sans cesse à nos mains tenons la dague unie.
5130 D'abord nous entendrons parler force rhéteurs,
Harangues d'aldermen et de prédicateurs ;
Puis Cromwell recevra, sur son trône éphémère,
La pourpre de Warwick, le glaive du lord maire,
Les sceaux, de Whitelocke, et, pour l'enfreindre encor,
5135 De Thomas Widdrington, la Bible aux fermoirs d'or ;
Enfin, c'est de Lambert qu'il prendra la couronne.
C'est l'instant décisif. Qu'alors on l'environne,
Et, dès que sur son front luira l'impur cimier,
Frappons !

TOUS

*Amen !*

LAMBERT

Mais qui frappera le premier ?

SYNDERCOMB

5140 Moi !

PRIDE

Moi !

WILDMAN

Moi !

OVERTON

Cet honneur m'est dû.

GARLAND

Je le réclame.

Pour ne pas manquer Noll, j'ai béni cette lame.

HARRISON

J'entamerai ! — Ma dague au vieil empoisonneur
Doit un coup pour chacun des cent noms du Seigneur ;
Et, depuis quinze jours, mon bras, je puis le dire,
5145 S'exerce à bien frapper sur un Cromwell de cire.

LUDLOW

La gloire d'un tel coup est grande ; et je conçoi
Que chacun d'entre nous la veuille ici pour soi.
Moi-même, si jamais ma prière constante
Sollicita du ciel quelque grâce éclatante,
5150 C'est l'honneur d'immoler Cromwell à moi tout seul.
Je voulais que mes fils dissent de leur aïeul :
— Des Stuarts, de Cromwell il vainquit le génie ;
Et Ludlow a deux fois tué la tyrannie ! —
Mais ce même Ludlow, dévoué citoyen,
5155 Fait passer le bonheur du peuple avant le sien.
Lambert est parmi nous le plus haut par le grade.
Porteur de la couronne, il sera sur l'estrade
Le mieux placé de tous pour frapper sûrement.

LAMBERT *(alarmé, à part)*

Que veut-il dire ?

LUDLOW *(continuant)*

Il sied qu'en un pareil moment
5160 A l'intérêt public chacun se sacrifie.
Imitez-moi. — Ludlow abandonne et confie
L'honneur du premier coup au général Lambert.

LAMBERT *(à part)*

Hé, qui le lui demande ? Il me tue ! il me perd !

PRIDE

Soit ; je cède aux raisons de Ludlow.

SYNDERCOMB

Je m'immole.

*A Lambert.*

5165 Vous frapperez.

LAMBERT *(balbutiant)*

Messieurs, — tant d'honneur me console
Dans mes afflictions...
      *(A part.)*   Quel embarras affreux !

WILDMAN *(à Lambert)*

Vous abattrez Cromwell ! que vous êtes heureux !

GARLAND

Vous allez sur Satan monter comme l'archange !

LAMBERT *(troublé)*

Frères ! je suis confus...

OVERTON *(bas à Joyce)*

Voyez donc comme il change !

JOYCE *(bas à Overton)*

5170 Lâche !

LAMBERT *(continuant)*

Je suis ravi...
      *(A part.)*   Je suis désespéré !
Que faire ? Ah ! ce Ludlow ! —
      *(Haut.)*   D'un tel choix honoré,
Je ne puis dire assez ma joie...

OVERTON *(bas à Joyce)*

Il en est pâle !

LAMBERT *(poursuivant)*

Mais...

GARLAND *(à Lambert)*

Que le Dieu des forts par vos mains se signale !

SYNDERCOMB *(à Lambert)*

Votre rôle sera facile autant que beau !

*Il monte sur l'estrade et désigne le fauteuil.*

5175 Là s'assoira Cromwell, ou plutôt ce Nebo,
Car Cromwell et Nebo n'ont jamais fait qu'un diable ! —

*Il fait un pas et indique la place que Lambert
doit occuper sur le trône.*

Vous vous tiendrez ici. —

LAMBERT *(à part)*

C'est irrémédiable !

SYNDERCOMB *(continuant sa démonstration)*

Et vous pourrez sans peine, écartant son manteau,
En donnant la couronne enfoncer le couteau.
5180 Je vous envie.

LAMBERT *(à Syndercomb)*

Ami, je vous cède en bon frère
L'honneur de frapper.

LUDLOW *(vivement à Lambert)*

Non, vous êtes nécessaire.
Vous seul avez un poste à bien porter le coup.
En charger Syndercomb, ce serait risquer tout.

LAMBERT *(insistant)*

Mais je suis le moins digne...

OVERTON

Hé quoi ! Lambert hésite ?

LAMBERT *(à part)*

5185 Allons !    *(Haut.)*
        Je frapperai.

TOUS *(agitant leurs poignards)*

Meure l'amalécite !
Meure Olivier Cromwell !

BAREBONE *(d'un air suppliant)*

           De grâce, écoutez-moi,
Frères ; en délivrant Israël d'un faux roi,
En poignardant Cromwell, — ne gâtez point ce trône !
Ce velours est fort cher, et vaut dix piastres l'aune.

> *A ces paroles de Barebone, tous les puritains
> reculent en lui jetant des regards scandalisés.
> Barebone poursuit sans y prendre garde.*

5190 Ayez soin en frappant d'épargner ces rideaux !
Faites, si vous pouvez, qu'il tombe sur le dos ;
De sorte que le sang de ce Moloch visible
Sur mes tapis d'Alep coule le moins possible.

> *Nouvelle explosion d'indignation parmi les
> conjurés.*

SYNDERCOMB *(regardant Barebone de travers)*

Quel est ce publicain ?

PRIDE

         Quoi ! Barebone encor !

GARLAND

5195 Je crois ouïr parler Nabuchodonosor !

WILDMAN *(à Barebone)*

As-tu du mauvais riche appris la parabole ?

LUDLOW

Quand nous donnons nos jours, vous comptez votre obole !

OVERTON *(riant)*

C'est bien cela. — Monsieur, tapissier de Cromwell,
Pour sauver son velours faisant parler le ciel,
5200 Sous la garde de Dieu mettait sa marchandise !

GARLAND

Mêler de tels objets, s'il faut que je le dise,
C'est de la foudre oisive appeler les éclats !

WILDMAN

C'est un abominable érastianisme !

BAREBONE *(à part)*

           Hélas !
Au fond c'est bien le mot ! —

(*Haut.*)     Souffrez que je m'explique.

5205 Est-on rebelle à Dieu, traître à la république,
Pour ne pas dédaigner les biens qu'en sa bonté
Dieu donne à l'homme, un jour sur la terre jeté,
Les consolations à la chair accordées ?

*Montrant le trône.*

De sa base à son dais ce trône a dix coudées.
5210 Ne puis-je regretter ce riche ameublement ?
Tout ce que je possède est ici.

HARRISON (*jetant des yeux avides*
*sur les splendides décorations que désigne Barebone*)

Mais, vraiment,
C'est fort beau ! — Comment donc ! je n'y prenais pas
[garde !
Ces glands sont d'or, d'or pur ! Tiens, Syndercomb, regarde.
A lui seul, ce fauteuil de brocart revêtu
5215 Vaut mille jacobus.

BAREBONE

Pour le moins !

HARRISON (*à Syndercomb*)

Qu'en dis-tu ?

SYNDERCOMB (*dévorant le fauteuil du regard*)

Quel butin !

BAREBONE (*tressaillant*)

Qu'a-t-il dit ?

SYNDERCOMB (*aux autres conjurés*)

Le Dieu qui nous seconde,
Frères, donne à ses saints tous les biens de ce monde.
Ceci nous appartient. Cromwell mort sous nos coups,
Nous pourrons partager sa dépouille entre nous.

BAREBONE

5220 Non pas ! — Ciel ! mon drap d'or, mes courtines, ma soie !

SYNDERCOMB

Des aigles du Liban le veau d'or est la proie !

BAREBONE

Des aigles ! dis plutôt des corbeaux ! — Tu voudrais ?...

OVERTON *(les séparant)*

Messieurs, frappons d'abord ; nous réglerons après !

TOUS

Amen !

BAREBONE *(à part)*

Damnation ! — Mais ce sont des pirates !
5225 Le pillage est leur but ! Forbans ! âmes ingrates !
Que faire ? — Ils me rendraient infidèle à Sion ! —
Se partager entre eux mon bien ! — Damnation !

*Barebone se retire du milieu des conjurés et semble livré à d'amères réflexions.*

OVERTON *(aux têtes-rondes qui font groupe autour de lui)*

Frères ! — en attendant qu'Israël, sur son trône,
Attaque corps à corps le roi de Babylone,
5230 Et lève par nos mains contre Olivier Premier
L'étendard où revit la harpe et le palmier,
Six de nous prendront poste à la salle des gardes.

TOUS

Bien !

OVERTON *(continuant)*

Cachant leurs poignards devant les hallebardes,
Douze se grouperont aux degrés du perron
5235 Où Richard à Norfolk attacha l'éperon ;
Quatre aux Aides ; et quatre à la cour des Tutelles.
Les autres, dispersés dans toutes les chapelles
Des vieux Plantagenêts, des Stuarts, des Tudors,
Gardant les escaliers, barrant les corridors,
5240 Et, soit qu'Olivier gagne ou perde l'avantage,
Pouvant ou lui fermer ou nous ouvrir passage,
Devront par leurs discours nourrir l'embrasement
Qui, dans la foule en deuil couvera sourdement,
Et, des saintes tribus attisant la colère,
5245 Hâter l'éruption du volcan populaire.

TOUS *(excepté Barebone, agitant leurs poignards)*

Qu'il dévore Abiron ! Qu'il consume Dathan !

GARLAND

*Il se jette à genoux au milieu des puritains, et*
*s'écrie en levant sa dague vers le ciel.*

O Dieu, qui fis l'atome et le léviathan,
Seconde en ta bonté notre sainte entreprise !
Fais, pour manifester ton pouvoir qu'on méprise,
5250 Que du sein de Cromwell ce fer sorte fumant !
Guide nos coups, Dieu bon ! Dieu sauveur ! Dieu clément !
Qu'ainsi tes ennemis soient livrés au carnage !
Puisque nous te rendons ce pieux témoignage,
Dans nos mains, sur nos fronts, fais resplendir, ô Dieu !
5255 Tes glaives flamboyants et tes langues de feu !

*Il se relève, et les puritains, quelque temps*
*inclinés, semblent prier avec lui.*

BAREBONE *(à part)*

L'abomination habite en leur pensée.
— Se partager mon bien ! —

LAMBERT

Messieurs, l'heure est passée.
Sortons.      *(A part.)*
Comment frapper ce coup ? —

LUDLOW

Ne parlons plus.
Frappons ! — que le maudit compte avec les élus !

*Tous les conjurés, excepté Barebone, sortent*
*avec la même gravité processionnelle qui a*
*marqué leur entrée... — Au moment où Lambert*
*est sur le point de franchir le seuil de la salle,*
*Overton le retient par le bras.*

# SCÈNE V

## LAMBERT, OVERTON, BAREBONE

*Pendant toute la scène, Barebone, qui paraît*
*méditer douloureusement, est dérobé aux regards*
*de ses deux compagnons par l'estrade du trône.*

OVERTON

5260 Mylord général ?

LAMBERT

Quoi ?

OVERTON

De grâce, un mot.

LAMBERT

J'écoute.

*Tous deux reviennent sur le devant de la scène*
*et restent un moment en présence, Lambert dans*
*le silence de l'attente, Overton comme ne sachant*
*de quel côté faire explosion.*

OVERTON

Avez-vous la main sûre ?

LAMBERT

En doutez-vous ?

OVERTON

J'en doute.

LAMBERT *(avec hauteur)*

Comment !

OVERTON

Ecoutez-moi. — Pour jeter bas Cromwell,
On fie à votre bras le glaive d'Israël ;
C'est vous qu'on a choisi pour déchirer la trame,
5265 Et pour trancher le nœud de ce terrible drame.
Or vous n'avez reçu que d'un cœur effrayé
Cet honneur, qu'Overton de son sang eût payé.
Vous eussiez bien voulu qu'on vous fît votre tâche.
Je vous connais à fond. — Ambitieux et lâche !

*Lambert fait un geste d'indignation. Overton*
*l'arrête.*

5270 Laissez-moi dire ! — Ici je laisse de côté
Vos plans, couverts d'un masque assez mal ajusté.
Je ne vous dirai point que mon œil vous pénètre,
Que je sens, quoiqu'au fait il semble encore à naître,
Dans le complot commun sourdre votre complot ;
5275 Vous comptez par nos mains, mylord, vous mettre à flot.
Vous pensez, c'est ainsi que votre orgueil calcule,
Qu'on remplace un géant par un nain ridicule.
Vous voulez de Cromwell simplement hériter,
Et son fardeau n'a rien qui vous fasse hésiter.
5280 Pourtant, mylord, la charge est pour vous un peu forte ;
Je vois la main qui prend, et non le bras qui porte.
Mais rien de plus naïf que ces arrangements
Où vous faites le sort à vos contentements.

Vous vous flattez qu'en tout le peuple vous seconde,
5285 Comme s'il se voyait, dans l'histoire du monde,
Quand sur de libres fronts un joug s'appesantit,
Qu'un tyran soit moins lourd pour être plus petit !

LAMBERT  *(furieux)*

Colonel Overton ! cette injure...

OVERTON

                              A votre aise,
Je vous en répondrai. — Pour l'instant, qu'il vous plaise
5290 Entendre par ma voix la rude vérité.
Vous n'êtes pas encor roi, pour être flatté !
Or, sans plus m'occuper de vos rêves d'empire,
Voici ce que l'Esprit m'inspirait de vous dire. —
Vous avez à frapper un coup, dont vous tremblez ;
5295 Parmi les spectateurs en ce lieu rassemblés,
Je serai près de vous. Si votre main balance,
Si, de Cromwell Premier châtiant l'insolence,
Dès qu'il aura porté la couronne à son front,
Vous ne le poignardez, — moi, je serai plus prompt.
5300 Regardez ce couteau. —

                        *Il montre sa dague à Lambert.*

                              Ce fer, à défaut d'autre,
Pour aller à son cœur passera par le vôtre. —

                        *Lambert recule comme frappé de stupeur et de
                        colère.*

Maintenant je vous laisse entre deux lâchetés.
Choisissez ! — *( Il sort.)*


SCÈNE VI

LAMBERT, BAREBONE, toujours dans le coin du théâtre.

LAMBERT  *(tremblant de rage
et suivant Overton jusqu'à la grande porte)*

                        Vous osez ! Insolent ! — Ecoutez !...
Il sort. — Et sur mon front une rougeur brûlante
5305 Accuse cette main, à le punir trop lente !
Il sort ! — M'a-t-il, le traître, assez humilié ?
A quels fous furieux mes projets m'ont lié !
Hélas ! quel est mon sort, depuis que je conspire ?
Sans cesse rejeté loin du but où j'aspire,

5310 Menacé de tout perdre à l'heure où nous vaincrons,
Et dans mille périls poussé par mille affronts !
Foulé par le tyran, froissé par les esclaves ! —
Reculer ? dans l'abîme ! — Avancer ? sur des laves ! —
Overton, ou Cromwell ! — Ou victime, ou bourreau ! —
5315 Quoi ! tirer contre moi le glaive du fourreau ! —
Mais c'est qu'il le ferait ! Je l'en connais capable.
— Il faudra bien frapper !

BAREBONE *(sans être entendu ni vu de Lambert)*
                                    Cette engeance coupable
Me pillerait !

LAMBERT *(rêveur)*
                    Frapper Cromwell parmi les siens !
Devant ses gardes ! — Lui, qui m'a comblé de biens !
5320 C'est une ingratitude ! — Et puis, si je le manque ?

BAREBONE *(pensif)*
Piller un capital à fonder une banque !

LAMBERT
Fatale ambition ! tu m'as conduit trop haut !
Mon pied cherchait le trône et trébuche au billot !

*Il se promène vivement agité et jette un coup d'œil hors de Westminster.*

On vient. Sortons. — La foule est déjà réunie.
5325 Allons nous habiller pour la cérémonie.

*Il sort.*

BAREBONE
Faux frères ! de mes biens vous êtes donc jaloux !
Malheur à vous ! Malheur à moi ! Malheur à tous !

*Il sort.*

## SCÈNE VII

TRICK, GIRAFF, ELESPURU, ensuite GRAMADOCH

*Les trois fous arrivent dans la grande salle par la porte principale, et jettent un regard de travers à Barebone qui sort.*

TRICK
Barebone !

GIRAFF
Il n'a pas l'air gai.

ELESPURU

Sot fanatique !

TRICK

Samuel de comptoir ! Jérémie en boutique !

ELESPURU

5330 C'est lui qui pour Cromwell a fourni tout ceci.

TRICK

Il le vole.

GIRAFF

Il fait mieux : il l'assassine !

TRICK

Ainsi,

Sa soif de sang et d'or sur Noll est assouvie ;
Il veut lui prendre ensemble et la bourse et la vie.

ELESPURU

Que nous importe ?

GIRAFF

Allons, où nous placerons-nous ?

TRICK *(montrant une loge étroite*
*derrière le trône dans une travée)*

5335 A cette tribune.

ELESPURU

Oui. Nous y tiendrons bien tous.

*Les trois bouffons passent sous les tapisseries*
*et reparaissent un moment après dans la tribune.*

TRICK

On est fort bien ici.

GIRAFF

Nous verrons à merveille.

ELESPURU *(s'étendant sur un coussin et bâillant)*

Bonne place à dormir sur l'une et l'autre oreille !
J'en aurais besoin. — Trick, nous avons été sots
De veiller cette nuit sous d'humides berceaux,
5340 Et de suivre en plein air ce drame scène à scène,
Au risque d'attraper rhume et goutte sereine !

TRICK

Cromwell nous dédommage à son couronnement.
Gramadoch nous promet un rare dénoûment.

GIRAFF

Gramadoch ! Nous l'allons voir dans toute sa gloire
5345 De porte-queue, armé de la verge d'ivoire !

ELESPURU

Gloire ? A votre aise, amis ! — Je ne voudrais pas, moi,
Moi, vil bouffon, porter la queue à Cromwell roi !
Quelle honte ! devant la ville et la banlieue,
Etre ainsi vu, tirant le diable par la queue !

TRICK

*Il chante.*        Pour moi, je ne puis le nier,
J'aime fort Olivier dernier
Et Gramadoch, fou philosophe,
Aux deux bouts de la même étoffe.
Rien de plus drôle, en bonne foi,
Dans la grave cérémonie,
Que voir la folie au génie
Tenir par un manteau de roi !

GIRAFF

5350 Pour peu que Gramadoch garde un air de noblesse,
Il aura l'air d'un fou qui mène un sage en laisse.

ELESPURU

Le fou sera devant !

TRICK

                Mais pourquoi donc, enfin,
Cromwell fait-il porter sa queue ?

ELESPURU

                        Hé ! Trick est fin !
C'est afin d'empêcher que la robe royale
5355 Ne traîne dans la boue, en balayant la salle.

TRICK

Je comprends, le motif me semble naturel.
Mais qui l'empêchera de traîner sur Cromwell ?

GIRAFF

Ormond l'eût fait !

ELESPURU

Oui, mais Cromwell l'envoie au diable,
Pieds nus, la corde au cou, faire amende honorable.

GIRAFF

5360 Pauvre homme ! Est-il déjà pendu ?

TRICK

Non.

GIRAFF

Ah ! tant mieux !
Quand nous aurons ici clos ce drame ennuyeux,
Nous sortirons peut-être à temps pour le voir pendre.
Il faut bien rire un peu !

TRICK

Messires, à tout prendre,
Nous pourrions bien, je crois, trouver à rire ici.
5365 La mort à Westminster jouera son rôle aussi !
Si j'ai bons yeux, Cromwell marche droit à sa perte.
Sa fortune indignée à la fin le déserte.
Je viens de parcourir Londres dans tous les sens.
Partout le deuil au front s'abordent les passants.
5370 J'ai vu dans Temple-Bar, au Strand, à Gate-House,
Rugir au nom de roi la milice jalouse.
Contre Olivier, dans l'ombre échangeant leurs signaux,
Les partis ont déjà renoué leurs anneaux.
Tout menace.

ELESPURU

Et le peuple ?

TRICK

Il regarde. Il ressemble
5375 Au léopard, qui voit deux loups lutter ensemble.
Il attend, et les laisse en paix se déchirer,
Content que le vaincu lui reste à dévorer.
Bref, la mine est creusée, et, si je ne me flatte,
Sous les pieds d'Olivier c'est ici qu'elle éclate.

GIRAFF (joyeux)

5380 Quel bruit vont faire ensemble et les fous et les saints !
Ils choqueront le glaive, et nous battrons des mains !

ELESPURU

*Il chante.*                Prends garde, Olivier, mon maître !
Tout traître enfin trouve un traître.
C'est par les démons peut-être
Que ce trône fut bâti.
La mort en dressa l'estrade.
Il peut en lit de parade
Etre soudain converti.
Sur ce fatal édifice
Plane un secret maléfice.
Ton étoile aura menti.
Autour de ce palais sombre,
Des sorcières ont dans l'ombre
Dit leur magique alphabet.
Sous ces housses violettes,
Sous ce dais plein de paillettes,
On trouverait des squelettes,
Si cette pourpre tombait ;
Et, sur ces degrés perfides,
Ce tapis aux plis splendides
Cache à tes pas régicides
Une échelle de gibet !

TRICK ET GIRAFF *(applaudissant)*

C'est charmant !

TRICK

A propos, messires ! une idée.

*Elespuru et Giraff se rapprochent de Trick dans*
*l'attitude de l'attention.*

Pendant que Gramadoch, plus haut d'une coudée,
Soutiendra gravement la robe de Cromwell,
5385 Sous l'œil du parlement, au moment solennel,
A la barbe des clercs surchargés de leurs masses,
Il faut le faire rire, à force de grimaces.

ELESPURU *(battant des mains)*

Bien trouvé !

GIRAFF *(gambadant)*

Bon ! —

UNE VOIX AU DEHORS *(chante)*

C'est surtout quand la dame abbesse
Baisse
Les yeux, que son regard charmant
Ment.

Son cœur brûle en vain dans l'enceinte
          Sainte ;
Elle en a fait à Cupidon
          Don.

Ce ne sont pas reliques froides,
          Roides
Que l'abbesse de ce couvent
          Vend.

Amour ! quand on est chanoinesse,
          N'est-ce
Que pour ne savoir que ton nom ?
          — Non !

                                        *Entre Gramadoch.*

### TRICK

          Mais quoi ! c'est lui-même ! c'est
Gramadoch qui revient !                          [lui !

### GIRAFF *(à Gramadoch)*

          Qui t'amène aujourd'hui
5390 Parmi nous ?

### TRICK *(à Gramadoch)*

          Depuis quand voit-on sur cette terre
En avant de son maître aller le caudataire ?

### GRAMADOCH

Pour faire avec éclat sa cour au nouveau roi,
Le fils de lord Roberts a brigué mon emploi ;
Et, vu qu'un grand seigneur veut être mon confrère,
5395 Je suis pour aujourd'hui porte-queue honoraire.

### ELESPURU

Le fils d'un lord porter la cape d'Olivier !
Notre honte est sa gloire ! Il daigne l'envier !
Laissons-lui donc sa tâche. — Ami, que je t'embrasse ! —
Pour l'honneur des bouffons mon orgueil lui rend grâce.

                    *Gramadoch monte dans la tribune, et ses cama-*
                    *rades s'empressent autour de lui.*

### GIRAFF

5400 A notre gaieté, frère, il manquait ton esprit.

### TRICK

Oui, plus on est de fous, dit l'autre, plus on rit.
J'aime qu'un même abri tous quatre nous rassemble.

### ELESPURU

Ce sont plaisirs des dieux quand nous sommes ensemble
Tous les fous réunis.

### GRAMADOCH

C'est bien ce qui m'en plaît.

*Entre Milton.*

5405 Voici maître Milton : — nous sommes au complet.


## SCÈNE VIII

### LES QUATRE FOUS, MILTON

#### MILTON (*accompagné de son guide*)

*Il s'avance lentement et se tourne longtemps vers
le trône, comme abattu par un sombre désespoir.*

Il le faut. C'en est fait ! — Buvons tout le calice ;
Sans en perdre un tourment acceptons le supplice ;
Voyons faire ce roi ! — Le théâtre est dressé.
Il sera donc, avant que ce jour ait passé,
5410 Descendu dans la tombe ou tombé sur un trône !

#### TRICK (*bas à Gramadoch*)

Le chantre de Satan tourne assez bien un prône.

#### MILTON (*poursuivant*)

Ah ! qu'il meure ou qu'il règne, oui, dans ce jour de deuil,
C'est là que de Cromwell va s'ouvrir le cercueil.
Hélas ! à Cromwell roi Cromwell héros s'immole,
5415 Et pour le diadème il quitte l'auréole.
Des plus sublimes fronts ô rare abaissement !
Cromwell veut être prince ! Il donne avidement
Sa gloire pour un rang et son nom pour un titre !

#### GRAMADOCH (*bas à Trick*)

Il ne prêche point mal, pour n'avoir pas de mitre !

#### MILTON (*continuant*)

5420 Qu'il m'est dur de haïr cet archange mortel
Dont j'eusse écrit le nom aux pierres d'un autel !
Comme il nous a bercés d'une erreur décevante,
L'homme en qui j'adorais la vérité vivante !
Ah ! pour jamais ici je viens te dire adieu,
5425 Roi fatal, révolté contre le peuple et Dieu !

Prends donc la royauté de César et de Guise.
La couronne se dore et le poignard s'aiguise.

> *Il se retire dans un coin du théâtre, au côté*
> *opposé à la loge des fous, et demeure immobile.*

## SCÈNE IX

LES MÊMES, PEUPLE, puis RICHARD WILLIS, puis OVERTON,
SYNDERCOMB, ET LES CONJURÉS PURITAINS.

> *Entre un groupe de gens du peuple, hommes,*
> *femmes, vieillards, en habits puritains. Tous*
> *semblent appartenir à diverses professions. On*
> *distingue au milieu d'eux un vieux soldat*
> *réformé. — Ils arrivent en tumulte et avec pré-*
> *cipitation; les premiers entrés appellent ceux*
> *qui les suivent et leur crient :*

Par ici !

LE PAGE *(à son page)* — MILTON *(à son page)*

Qui vient là ?

LE PAGE

Des gens du peuple.

MILTON *(amèrement)*

Ah oui !
Le peuple ! — Toujours simple et toujours ébloui,
5430  Il vient, sur une scène à ses dépens ornée,
Voir par d'autres que lui jouer sa destinée.

UN BOURGEOIS

Pas de gardes encor !

UN SECOND

Nous sommes par bonheur
Les premiers.

UN TROISIÈME

Mettons-nous vite aux places d'honneur.

> *Tous se placent près du trône. — Entre*
> *Sir Richard Willis enveloppé d'un manteau.*

TRICK *(montrant les bourgeois et Willis à ses camarades)*

Voyez ces bons bourgeois et cet homme à l'œil louche.
5435  Dans la commune attente un autre objet le touche;
Ceux-ci viennent pour voir : lui vient pour observer.
C'est Willis l'espion.

GIRAFF

Pourquoi le réprouver ?
Faut-il que de vains mots le sage se repaisse ?
Ce sont des curieux de différente espèce ;
5440 Voilà tout.

*Entrent Overton et Syndercomb. — Ils viennent*
*se mêler en silence au groupe des spectateurs déjà*
*rassemblés.*

PREMIER BOURGEOIS *(montrant l'estrade à son voisin)*
Ce sera bien beau.

SECOND BOURGEOIS
Superbe, ami !

TROISIÈME BOURGEOIS
Olivier ne fait pas les choses à demi.

UNE FEMME
Ce trône est d'or massif !

UNE AUTRE FEMME
Ces franges sont parfaites !

UNE TROISIÈME FEMME
Nous aurons donc des jeux, des spectacles, des fêtes !
Enfin !

UN MARCHAND *(dans la foule)*
Ce Barebone est bien heureux, vraiment.
5445 Ce que c'est qu'avoir eu son frère au parlement !

PREMIER BOURGEOIS *(au marchand)*
Oui, dans le Croupion il faisait Maigre-Echine.

LE MARCHAND *(examinant la tenture d'un pilier)*
C'est qu'il leur vend cela pour étoffe de Chine !
Tapissier de la cour ! si tant d'heur m'arrivait,
Dans ma Bible, à genoux, je mettrais mon brevet. —
5450 Il doit gagner ici de l'or à pleines tonnes.

DEUXIÈME BOURGEOIS
Vive Olivier roi !

PREMIÈRE FEMME
Plus de prêcheurs monotones !
Nous reverrons les bals.

#### DEUXIÈME BOURGEOIS
Les courses de chevaux.

#### TROISIÈME FEMME
Et les comédiens, narguant les grands prévôts.

#### DEUXIÈME FEMME
Et ces Egyptiens, qui s'en venaient par bandes
5455 Au jardin du Mûrier danser des sarabandes.

#### LE SOLDAT
*Le vieux soldat, qui jusqu'alors est resté immo-
bile, fait un pas vers les femmes, et s'écrie d'une
voix tonnante :*

Taisez-vous, femmes !

*Mouvement de surprise dans le groupe.*

#### PREMIER BOURGEOIS
Quoi ! c'est un soldat, je crois ?

#### DEUXIÈME BOURGEOIS
Qu'a-t-il à remontrer aux femmes des bourgeois ?

#### LE SOLDAT *(aux bourgeois)*
Taisez-vous, femmes !

#### LES BOURGEOIS
Nous, des femmes ?

#### LE SOLDAT
Oui, des femmes !
Vous, plus qu'elles encor !
*(Montrant les femmes.)*    Ce sont de pauvres âmes ;
5460 Mais que dire de vous, qui ne les surpassez
Qu'en airs de folle joie et qu'en ris insensés ?

#### OVERTON *(frappant sur l'épaule du soldat)*
Bien ! — On vous a sans doute abreuvé d'injustices,
Mon brave ? — Comme nous, après de vieux services,
On vous a réformé ? privé de votre emploi ?

#### LE SOLDAT
5465 On fait bien plus encore ; on veut régner sur moi !

#### OVERTON *(à la foule)*
Il a raison, amis ! En effet, est-ce l'heure
De rire, quand Dieu tonne et quand Israël pleure ?

Quand un homme, opprimant ceux qui l'ont protégé,
Vient imposer un trône au peuple surchargé ?
5470 Quand tout aigrit les maux que l'Angleterre endure ?

PREMIER BOURGEOIS

C'est bon. — Mais le soldat a la parole dure.

*La foule grossit peu à peu. — Entre l'ouvrier
Nahum.*

OVERTON

Ah ! frères, pardonnez à ce noble martyr
L'accent d'un cœur troublé par les pompes de Tyr;
Laissez-le seul ici mêler sa plainte amère
5475 Aux cris de la patrie, hélas ! de notre mère,
Que déchire aujourd'hui l'enfantement d'un roi !

TROISIÈME BOURGEOIS

Un roi ! ce mot me blesse, et je ne sais pourquoi.

DEUXIÈME BOURGEOIS

Tout ce que je pensais, ce monsieur me l'explique.

NAHUM

Un roi, c'est un tyran.

DEUXIÈME BOURGEOIS

Vive la république !

OVERTON

5480 Et quel roi ? ce Cromwell ! un fourbe ! un oppresseur !
Qu'était-il donc hier ?

LE SOLDAT

Un soldat.

LE MARCHAND

Un brasseur.

TROISIÈME BOURGEOIS

Qui nous délivrera de cette fête horrible ?

PREMIER BOURGEOIS

L'eût-on dit de Cromwell ? usurper ! c'est terrible.

NAHUM

Il s'ose nommer roi ! c'est une impiété.

#### DEUXIÈME BOURGEOIS

5485 Un crime.

#### PREMIER BOURGEOIS

On a d'ailleurs proscrit la royauté.

#### OVERTON

Vous avez tous des droits à ce trône.

#### PREMIER BOURGEOIS

Sans doute.

Pourquoi lui plus que nous ?

#### OVERTON

L'enfer trace sa route.

Ressusciter les rois et les anciens abus !

#### NAHUM

Rendre à Jérusalem son vieux nom de Jébus !

#### OVERTON

5490 Nous écraser du poids d'un trône abominable !

#### PREMIÈRE FEMME

Dit-on pas qu'il a fait un pacte avec le diable ?

#### DEUXIÈME FEMME

On conte que la nuit ses yeux semblent ardents.

#### TROISIÈME FEMME

On dit que dans la bouche il a trois rangs de dents.

> *Entrent peu à peu tous les conjurés puritains,*
> *excepté Lambert. Ils se serrent la main quand*
> *ils se rencontrent, et se mêlent silencieusement*
> *à la foule.*

#### NAHUM

C'est le monstre annoncé par saint Jean.

#### DEUXIÈME BOURGEOIS

C'est la bête

5495 De l'Apocalypse.

#### LE SOLDAT

Oui.

OVERTON

Cromwell sur notre tête
Jette les neuf fléaux.

NAHUM

C'est un Assyrien !

OVERTON

Oui, nos maux sont au comble enfin.

LE MARCHAND

Je ne vends rien !

LE SOLDAT

Sans pain, aller pieds nus et coucher sur la dure !
Nous n'aurons bientôt plus, pour peu que cela dure,
5500 Tandis que Noll pendra son chiffre à ces piliers,
Qu'à faire de nos dents des clous pour nos souliers.

OVERTON

Nous irons à sa porte attendre ses aumônes !

NAHUM

Ce qu'il faut à Cromwell, ce ne sont pas des trônes,
C'est le gibet d'Aman, la croix de Barabbas.

SYNDERCOMB

5505 Mort à Cromwell !

SIR RICHARD WILLIS *(mêlé à la foule)*

Oui, mort !

MILTON *(tressaillant à la voix de Willis,*
*aux conjurés puritains)*

Messieurs, parlez plus bas.

SIR RICHARD WILLIS

Meure l'usurpateur !

LE SOLDAT

Parler plus bas ! qu'importe ?
J'irais lui crier : — Mort ! — sur le seuil de sa porte !

NAHUM *(au soldat)*

Les sentences de Dieu se font à haute voix.
Soldat, ta bouche est pure.

LE SOLDAT *(à Nahum)*

Oui, tel que tu me vois,
5510 Pauvre, et comme un limon oublié sur l'arène,
Laissé nu par le flot de la fortune humaine,
Si je puis voir punir cet enfant de Sirah,
Je meurs consolé !

OVERTON *(le tirant à part et lui montrant son poignard)*

Frère, on vous consolera.

*Le soldat fait un mouvement de joie et de surprise qu'Overton réprime.*

Silence !

*Entre un détachement de soldats du régiment de Cromwell, en uniforme rouge, cuirassés, le mousquet et la pertuisane sur l'épaule.*

On vient poser la garde ; il faut se taire.

*Les soldats refoulent des deux côtés de la salle le peuple qui la remplit.*

LE CHEF DU DÉTACHEMENT *(à voix haute)*

5515 Place aux Côtes-de-Fer du lion d'Angleterre !

*A quelques bourgeois qu'il repousse.*

Allons, vous !

UN DES BOURGEOIS *(bas à l'autre)*

On voit bien à leur air de hauteur
Qu'ils sont du régiment de mylord Protecteur.

*Les soldats se forment en haie du trône jusqu'à la porte.*

LE VIEUX SOLDAT *(bas à Overton en lui montrant l'officier)*
Ces officiers d'Achab ont des pourpoints de soie !

UNE JEUNE SENTINELLE *(le repoussant dans la foule)*
Rangez-vous donc, l'ami !

OVERTON *(bas au vieux soldat)*

Ha ! comme il vous rudoie !
5520 Les sicaires ont pris les façons du tyran,
Et déjà la recrue insulte au vétéran.

LE SOLDAT *(lui serrant la main)*
Patience !

LE CHEF DU DÉTACHEMENT *(à sa troupe)*
Soldats ! l'Esprit saint nous rassemble.
Pour notre général prions Dieu tous ensemble !

OVERTON (*au chef de la troupe*)

Pour votre général ? dites donc votre roi.

LE CHEF DU DÉTACHEMENT

5525 Lui, notre roi ? Qui l'ose insulter ainsi ?

OVERTON

Moi.

LE CHEF DU DÉTACHEMENT

Hé bien ! vous mentez.

OVERTON

Non.

LE CHEF DU DÉTACHEMENT

Cromwell roi ! Dieu l'en
[garde !

OVERTON

Il va l'être aujourd'hui.

LE CHEF DU DÉTACHEMENT

Qui te l'a dit ?

*Entre le champion d'Angleterre, armé de toutes
pièces, à cheval, et flanqué de quatre hallebardiers qui portent devant lui une bannière aux
armes du Protecteur.*

OVERTON

Regarde.

## SCÈNE X

LES MÊMES, LE CHAMPION D'ANGLETERRE

LE VIEUX SOLDAT (*bas à Overton*)

Voyons quelle parole il va jeter au vent.

LE CHAMPION

*Il se tient à cheval en avant du trône.*

Hosannah ! — Je vous parle au nom du Dieu vivant. —
5530 Le très haut parlement, ayant par ses prières
Longtemps de l'Esprit saint imploré les lumières,

Pour mettre fin aux maux du peuple et de la foi,
Prend Olivier Cromwell et le proclame roi.

*Murmures dans la foule.*

TRICK *(bas à ses camarades en leur montrant le peuple)*

Voyez donc s'indigner tous ces chanteurs de psaumes.

LE CHAMPION *(poursuivant)*

5535 Or, s'il se trouve à Londre, ou dans les trois royaumes,
Un homme, jeune ou vieux, bourgeois ou chevalier,
Qui conteste son droit à mylord Olivier,
Nous le défions, nous, champion d'Angleterre,
A la dague, à la hache, au sabre, au cimeterre,
5540 Et voulons, l'immolant sans merci ni rançon,
Aux crins de ce cheval pendre son écusson.
Si cet homme est ici, qu'il parle, qu'il se lève,
Qu'il soutienne son dire à la pointe du glaive.
Vous êtes tous témoins que, pur de tout péché,
5545 Je lui jette ce gant, de ma droite arraché !

*Le champion jette son gantelet devant le peuple,
tire son épée, et l'élève au-dessus de sa tête.*

LE PORTE-ÉTENDARD ET LES HALLEBARDIERS DU CHAMPION

Hosannah !

*Silence de stupeur dans le peuple; tous les yeux
s'attachent au gantelet.*

LE CHAMPION

Nul ne parle ?

OVERTON *(à part)*

Ah ! faut-il donc se taire ?

MILTON *(d'une voix haute)*

Pourquoi donc un seul gant, champion d'Angleterre ?
Votre maître aurait dû, si tels sont ses projets,
Jeter autant de gants qu'il se croit de sujets.

*Mouvement d'approbation dans la foule.*

LE CHAMPION

5550 Qui parle ? Cet aveugle ! — Eloignez-vous, brave homme.

*Les soldats repoussent Milton. — Overton
s'approche de l'officier qui commande la garde et
l'interroge du regard.*

L'OFFICIER *(baissant les yeux et d'un air sombre)*

Tout va mal.

OVERTON *(bas à Syndercomb)*
Tout va bien.

LE CHAMPION *(promenant ses regards sur le peuple)*
Hé bien ! nul ne se nomme ?

OVERTON *(bas à Milton en lui serrant la main)*
Nous enverrons Cromwell rejoindre ici son gant.

MILTON *(à part)*
Hélas !

LE CHAMPION
J'attends.

LE VIEUX SOLDAT *(à part, regardant le champion)*
Faquin ! satellite arrogant !

SYNDERCOMB *(bas à Overton)*
Je ne sais qui me tient que je ne le châtie.
*Il fait un pas vers le gantelet. Overton l'arrête.*

OVERTON *(bas à Syndercomb)*
5555 Soyons prudents !

GRAMADOCH *(bas à ses camarades,*
*en leur montrant le groupe des conjurés puritains)*
Ces fous vont brouiller la partie.
S'ils relèvent ce gant, adieu le dénouement.
Il faut les empêcher de tout perdre.

TRICK
Comment ?
*Gramadoch hoche la tête d'un air capable.*

LE CHAMPION *(toujours l'épée haute)*
Donc nul ne me répond ?

GRAMADOCH *(sautant de sa loge dans la salle)*
Si fait, moi !
*Surprise dans la foule.*

LE CHAMPION *(étonné)*
Tu ramasses
Ce gant ?

GRAMADOCH *(relevant le gantelet)*

Oui.

LE CHAMPION

Qu'es-tu donc ?

GRAMADOCH

Un marchand de grimaces,
5560 Comme toi. Notre masque à tous deux est trompeur.
Ma grimace fait rire et la tienne fait peur;
Voilà tout.

LE CHAMPION

Tu m'as l'air d'un drôle.

GRAMADOCH

Et toi de même.

LE CHAMPION *(aux hallebardiers)*

C'est un fou.

GRAMADOCH

Justement. — Par goût et par système.
Oui, je tiens à la cour en qualité de fou.
5565 Tu l'as dit.

VOIX DANS LA FOULE

L'arlequin expose là son cou. —
— C'est un bouffon de Noll. — La démarche est hardie ! —
— Un vrai fou ? —

MILTON

Qu'est-ce donc que cette parodie ?

*Longs éclats de rire dans la tribune des bouffons.*

GRAMADOCH

Allons ! prenons du champ.

LE CHAMPION

Malheureux baladin !
Va-t'en, ou je te fais fouetter.

GRAMADOCH

Quel fier dédain !
5570 Mannequin comme moi, ta grimace est moins gaie.
Je le répète, ami, Cromwell tous deux nous paie

Pour faire un peu de bruit dans ce concert falot,
Où ta voix est la cloche et ma voix le grelot.

LE CHAMPION

Maraud !

GRAMADOCH

Sans déroger nous pouvons, il me semble,
5575 Pour ou contre Olivier nous mesurer ensemble;
Je suis son porte-queue, et toi, son porte-voix.

LE CHAMPION *(avec colère)*

Quelle arme choisis-tu ?

GRAMADOCH

Moi ?
*( Il dégaine sa latte.)*    Ce sabre de bois.

*Il l'agite d'un air martial.*

C'est bien l'arme qu'il faut contre un guerrier de paille.
En garde, capitan !
*(A la foule.)*    Ha ! bataille ! bataille !

*Au champion.*

5580 Voyons si nous ferons un pendant à Dunbar,
Et si ta Durandal vaut mon Escalibar !

*A la foule.*

Vous, venez voir,    *(montrant Milton.)*
soit dit sans fâcher cet aveugle,
Lutter Falstaff qui chante avec Stentor qui beugle.
Venez voir un bouffon rosser un spadassin.

OVERTON *(bas à Syndercomb)*

5585 Cette scène m'a l'air préparée à dessein.

GRAMADOCH *(paradant devant le champion)*

Eh bien, mon champion ? qu'as-tu donc ? tu balances ?
Toi, qui sans les compter voulais rompre des lances !
Je ne veux que te mettre en poudre en deux assauts,
Et tu pourras après ramasser tes morceaux.

LE CHAMPION *(montrant Gramadoch)*

5590 Qu'on arrête ce fou.

*Les gardes entourent et saisissent Gramadoch.*

GRAMADOCH *(se débat en riant dans sa barbe)*

                    Je suis dans mon droit. — Lâche !
Il a peur ! — Je lui fais intenter, s'il me fâche,
Une bonne action de *quare impedit.*

> *Les bouffons de la tribune l'applaudissent avec
> des éclats de rire.*

LE CHAMPION *(d'une voix solennelle)*

Nul n'ayant contesté, peuple, ce que j'ai dit, —
Qu'un aveugle et qu'un fou, — devant toute la terre,
5595 Je proclame Olivier Cromwell roi d'Angleterre !

LES SATELLITES DU CHAMPION

Dieu sauve Olivier roi !

> *Profond silence dans la foule et dans la troupe.*

LE CHAMPION

Passons.

> *Il sort lentement avec son cortège.*

SYNDERCOMB *(bas à Overton,
en lui montrant Gramadoch qui rit)*

                         Oui, oui, c'était
Pour amuser le peuple.

OVERTON *(de même, en lui montrant le peuple consterné)*

                Il menace : il se tait.

## SCÈNE XI

### LA FOULE

VOIX DANS LA FOULE

Le vieux Noll est bien long ! — Quand pensez-vous qu'il
                                                  [sorte
De White-Hall ? — C'est dur d'attendre de la sorte.

> *Un grand bruit de cloches éclate au dehors. Des
> coups de canon lointains s'y mêlent à intervalles
> égaux.*

5600 — Silence ! entendez-vous les cloches ? le canon ?
— Il sort. — Passera-t-il par Old Bayley ? — Non,
Par Piccadilly. — Dieu ! voyez donc sur la place
Ce peuple ! — Ils sont bien là ; c'est de la populace.

— Que de têtes là-bas ! que de têtes là-haut !
5605 Tout fourmille. — Il n'est pas, quoiqu'il fasse bien chaud,
Une tuile des toits, pas un pavé des rues,
Qui ne soient tout chargés de faces incongrues.
— Je sais là des balcons qui se sont loués cher.
— Pour voir Cromwell ! pour voir un visage de chair !
5610 Ces Babyloniens sont fous. — Dieu me protège !
J'étouffe ! — Attention ! voici que le cortège
Débouche dans la place. — Enfin ! — Ah !

> *Mouvement dans la foule. Tous les yeux se*
> *portent avidement vers la grande porte.*

　　　　　　　　　　　　　　　　　　— Dites-moi,
Qui marche en tête ? — C'est le major Skippon. — Quoi !
Skippon ! — Un bon soldat de bonne renommée !
5615 — Il fut à Worcester le premier de l'armée
Qui passa la Severn sur le pont de bateaux.
— Les saints ont ce jour-là bien joué des couteaux !
— Moins bien qu'à White-Hall, le trente janvier ! —
　　　　　　　　　　　　　　　　　　　[L'homme !
Tu dis cela d'un ton qui vaudrait qu'on t'assomme.
5620 Tais-toi. — Je ris. — Tais-toi ! — Rire n'est point parler.
— Si l'on ne m'étouffait, je t'irais étrangler.
— Paix ! voici le lord maire. —

> *Entre le lord maire, avec les aldermen, les gref-*
> *fiers de ville et les sergents de la Cité, tous en*
> *costumes. — Le lord maire et le corps de ville*
> *s'arrêtent à gauche de la grande porte.*

　　　　　　　　　　　　　　Admirez dans la file
Pack l'alderman, que Noll, pour honorer la ville,
Fit chevalier avec un bâton de fagot.
5625 — Il se tient sur son rang comme sur un ergot.
— C'est sur sa motion qu'on fait roi ce Pilate.

> *Entrent les cours en procession. Les cours de jus-*
> *tice prennent place en haut des gradins au fond*
> *de la salle.*

— Ah ! les barons des cours en robes d'écarlate.
— Huzza, grand juge Hale ! — Huzza, sergent Wallop !
— Voici des colonels qui passent au galop.
5630 — Quoi ! n'a-t-on pas assez des gardes que l'on paie ?
Les corporations en robes font la haie !
Noll est un tyran ! — Noll est un usurpateur !
Un titan qui des cieux veut gravir la hauteur !
La force est le seul droit de cet autre Encelade.
5635 Cromwell ne monte pas au trône : il l'escalade.

— Paix, l'échappé d'Oxford ! Voyez donc ce pédant !
Parle-t-il pas latin ? — Hé, j'ai droit cependant
De maudire Appius sur sa chaise curule !
— Il croit tuer Cromwell avec une férule !

UN HUISSIER *(en noir paraît sur le seuil et crie :)*

5640 Place au parlement ! place !

> *Entre le parlement sur deux files, précédé de l'orateur devant qui marchent les massiers, les huissiers, les clercs et les sergents de la chambre. — Mouvement d'attention dans la foule. — Pendant que le parlement prend place au premier rang des gradins du fond, les entretiens continuent dans le peuple.*

VOIX DANS LA FOULE

Ah ! — Comment nomme-
[t-on
L'orateur ? — C'est, je crois, sir Thomas Widdrington.
— Un bel homme. — Un Judas ! —

OVERTON *(bas à Wildman)*

Le peuple a ses
[rancunes.
Voyez : nul n'a crié : Dieu garde les communes !

WILDMAN *(bas à Overton en lui montrant le parlement)*

Dieu les confonde ! Ils sont tous vendus à l'intrus.
5645 Ils adorent Cromwell et Belatucadrus.

TRICK *(promenant ses regards de la loge des fous sur l'assemblée)*

Les cours, — les aldermen, — le corps parlementaire, —
Oui, — voilà tous les dieux de la pauvre Angleterre !
Les voilà !

GIRAFF

Plaisants dieux !

ELESPURU

Frères, qu'en dites-vous ?

GIRAFF

Ils sont dieux à peu près comme nous sommes fous.

TRICK

5650 Il me tarde de voir éclater la bourrasque
Dans ce grave Olympe.

GIRAFF

Oui, Trick. Mon esprit fantasque
Préfère au Panthéon le Pandémonium,
Comme toi.

ELESPURU (*leur montrant Gramadoch, qui, toujours gardé
dans un coin de la salle par quatre hallebardiers, fait
mille contorsions*)

Gramadoch nous fait des signes.

GRAMADOCH (*faisant des grimaces à ses camarades*)

Hum !

*Les fous éclatent de rire.*

ELESPURU

Ouais ! sa plaisanterie était un peu bien forte.

TRICK

5655 Comment sortira-t-il de là ?

GIRAFF

Que nous importe ?

ELESPURU

Au fait, nous avons ri ; c'est tout pour le moment.

UN HUISSIER (*au balcon d'une grande tribune
richement décorée, en face du trône*)

Mylady Protectrice !

> *Tout le corps de ville se lève, se découvre, et fait
> un profond salut à la Protectrice, qui paraît
> accompagnée de ses quatre filles, parées chacune
> à leur manière. La Protectrice, mistress Flet-
> wood et lady Cleypole sont en noir, avec parure
> de jais ; lady Falconbridge en grand habit de
> cour, manteau de brocart d'or, basquine de
> velours gingembre avec broderie de scorpions de
> Venise, barbes et couronne de pairesse ; Francis
> en robe de gaze blanche lamée d'argent. La Pro-
> tectrice répond par une révérence au salut du
> lord maire et des aldermen, puis s'assied avec ses
> filles sur le devant de la tribune. Le fond est
> occupé par leurs femmes.*

TRICK  *(aux bouffons)*

Ah ! c'est heureux, vraiment,
Que ce visage-là ne prenne pas encore
Le nom de reine.

UN SOLDAT  *(à la tribune des bouffons)*

Paix, sires de l'ellébore !

TRICK  *(ricanant)*

5660  Parlez-moi d'un guerrier pour bien prêcher la paix.

> *Le soldat fait un geste menaçant; Trick se rassied
> en haussant les épaules. — Au moment où la
> famille de Cromwell est entrée, un grand mouve-
> ment s'est fait dans l'assemblée, et tous les
> regards sont restés attachés à la grande tribune.*

VOIX DANS LA FOULE

Quoi ! c'est la Protectrice ! Elle a l'air bien épais.
— La fille d'un certain Bourchier. — C'est un beau rêve
Qu'elle fait là. — Monsieur, quelle est cette jeune Eve
A sa droite ? — Ici ? — Non; là. — C'est lady Francis.
5665  — Sa fille ? — Oui. — Le vieux Noll en a donc cinq ou six ?
— Non, quatre. Vous voyez. — La plus jeune est char-
                                                              [mante.
— Qu'il fait chaud ! — Qu'on est mal ! — La foule encore
— On est ici pressé comme ces fils d'enfer    [augmente.
Dont le nombre égalait le sable de la mer.
5670  — Les oiseaux sont heureux avec leur paire d'ailes.
— On m'écrase ! —

> *On entend tout à coup près de Westminster un
> coup de canon dans la place.*

SYNDERCOMB  *(bas au groupe des conjurés)*

Il arrive !

> *Second coup de canon. Grande rumeur dans la
> place au dehors. Vif murmure d'attention dans la
> salle.*

OVERTON  *(bas aux conjurés)*

A vos postes, fidèles !

> *Les conjurés s'échelonnent dans la foule. — Les
> coups de canon se suivent à intervalles égaux. On
> entend le bruit des fanfares et des acclamations.
> Le corps de ville sort pour aller au-devant du
> Protecteur.*

### VOIX DANS LA FOULE

Ah ! le voilà ! — C'est lui ! — Voyons ! — Lui-même ! —
[Ah ! — Oh !
— L'Achan des nations ! — Pharaon Néchao !
— Il est seul en carrosse. — Il regarde à sa montre.
5675 — Le maire et les shériffs marchent à sa rencontre.
— Monsieur, vous qui voyez, comment est-il vêtu ?
— En velours noir. — Voisin, votre coude est pointu.
— Le maire l'aborde. — Ah !... — La voiture s'arrête.
— On le harangue. — Il fait un signe de la tête.
5680 — On lui donne un placet qu'il passe à lord Broghill.
— Le maire parle encor. — Toujours ! — Finira-t-il ?
Il est presque à genoux. — Eunuque d'Holopherne !
Il harangue toujours n'importe qui gouverne.
— Le Protecteur réplique. — Ecoutez ! — Ecoutons !
5685 — Dérision ! le loup sermonne les moutons.
— Noll avait à Dunbar la barbe un peu plus sale.
— Il descend. — Où va-t-il ? — Prier Dieu dans la salle
De la chancellerie. — Il va prier l'enfer !
— Comme il marche entouré de ses Côtes-de-Fer !
5690 — Vaine précaution ! sa garde est mécontente
De garder un roi... — Chut ! — Allons ! nouvelle attente !
— Comment le trouvez-vous ? — Il est sombre. — Il est
[gai.
— Pesant. — Majestueux. — Vieilli. — Non, fatigué.
— Le soleil le gênait. — Je crois qu'il a la goutte.
5695 — Traîné par huit chevaux, ce monstre me dégoûte.
C'est porter du fumier dans un char triomphal.
— Voilà qu'il nous revient. Bon ! à Westminster Hall !
— Voici le porte-épée, et puis le porte-queue.
— Le révérend ministre avec sa cape bleue.
5700 — N'est-ce pas Lockyer ? — Oui. — Les clercs du palais,
Les sergents de la cour, les pages, les valets. —
— Le lord maire à cheval précède son carrosse,
L'épée en l'air, nu-tête. — Usurpateur féroce !
Les airs des anciens rois ! — Meure Olivier dernier !
5705 — Laissez-moi voir un peu, seigneur pertuisanier !
— Le voici ! —

> *Cromwell, entouré de son cortège, paraît sur le
> seuil de la grande porte. — Long frémissement
> dans la foule. Toute l'assemblée se lève et se
> tient découverte dans l'attitude du respect. — Le
> Protecteur est tout en velours noir, sans épée et
> sans manteau. Son cortège forme un cercle étin-
> celant d'or et d'acier à quelque distance derrière
> lui. Le plus près du Protecteur, en avant, se*

*tient le lord maire, l'épée haute; en arrière,
lord Carlisle, l'épée haute. On distingue dans le
cortège les généraux Desborough et Fletwood,
Thurloë, Stoupe, les secrétaires d'Etat et les
secrétaires particuliers de cabinet, Richard Cromwell, Hannibal Sesthead avec son luxe de brocart
d'or, de pages et de chiens danois, une foule de
généraux, de colonels, dont les uniformes éclat-
tants et les resplendissantes cuirasses contrastent
avec le manteau bleu et l'habit brun du prédicateur
Lockyer, mêlé dans leurs rangs. — A droite de la
porte, un groupe de grands dignitaires qui doivent
figurer dans la cérémonie, portant sur des coussins de velours rouge, lord Warwick, la robe de
pourpre; lord Broghill, le sceptre; le général
Lambert, la couronne; Whitelocke, les sceaux
de l'Etat; un alderman pour le lord maire,
l'épée; un clerc des communes pour l'orateur du
parlement, la Bible.*

## SCÈNE XII

CROMWELL, SA FAMILLE, SON CORTÈGE, LA FOULE.

*Au moment où Cromwell se montre sur le seuil de
Wesminster-Hall, au milieu du bruit du canon
qui n'a cessé de tirer durant la scène précédente,
des cloches, des fanfares et des roulements de
tambours, on distingue les acclamations qui le
suivent du dehors.*

VOIX *(du dehors)*

Huzza! lord Protecteur d'Angleterre!

OVERTON *(bas à Garland)*

Ces hurleurs sont payés. Mais nous les ferons taire.
C'est ainsi que déjà, quand Noll, à Grocers-Hall,
Fit de Thomas Vinet un baronnet féal,
5710  Il fut pour son argent applaudi dans Cheapside.

*Cromwell reste un moment arrêté sur le seuil de la
porte et salue à plusieurs reprises le peuple du
dehors.*

VOIX DANS LA FOULE

Cromwell! — C'est là Cromwell? — Ce roi! — Ce régicide!
— Il est fort laid! — Qu'il est petit pour un héros!
— On l'aurait dit plus grand. — Je le croyais moins gros.
— Qu'avec son grand chapeau cet homme m'embarrasse!
5715  Otez votre chapeau. — Moi? depuis quand, de grâce,
Ote-t-on son chapeau, madame, à l'antechrist?

*Cromwell se retourne vers la foule de l'intérieur.
— Profond silence.*

CROMWELL *(faisant quelques pas)*

Au nom du Père, au nom du Fils et de l'Esprit,
La paix soit avec vous !

> *Silence dans l'assemblée. Les acclamations
> continuent dans la place.*

LES VOIX *(du dehors)*

Olivier, Dieu vous aide !
— Vive à jamais Cromwell !

> *Cromwell se retourne encore et salue le peuple
> amassé sur la place.*

THURLOË *(bas à Cromwell)*

Tout vous rit, tout vous cède.
5720 Que d'acclamations ! quels élans ! quel beau jour !

CROMWELL *(amèrement, bas à Thurloë)*

Oui ! ce peuple innombrable, heureux, ivre d'amour,
Qui de mon haut destin semble un puissant complice,
N'applaudirait pas moins si j'allais au supplice.
Il voit dans mon triomphe un spectacle éclatant,
5725 Il y court, en jouit, et rien ne lui plaît tant,
Lorsqu'en joyeux transports tu le vois se répandre,
Que me voir couronner, sinon de me voir pendre.
— Bon peuple ! — Vois, ici, quel silence d'ailleurs !

THURLOË *(bas)*

Ce peuple est travaillé par les saints niveleurs.

> *Le parlement, l'orateur en tête, s'avance sur
> deux files vers Cromwell. Il salue profondément
> le Protecteur, qui ôte et remet son chapeau.*

L'ORATEUR DU PARLEMENT *(à Cromwell)*

5730 Mylord ! — quand Samuel offrait des sacrifices,
Il gardait à Saül l'épaule des génisses,
Pour montrer à ce roi, sous le sacré rideau,
Qu'un peuple pour un homme est un rude fardeau.
D'où Maximilien fut souvent pris à dire
5735 Qu'il est bien malaisé de se faire à l'empire.
On voit peu de mortels, maîtres des factions,
Qui sachent gouverner le pas des nations.
Il roule lourdement, ce grand char où nous sommes,
Que les événements traînent, tout chargé d'hommes.
5740 Et, pour le bien guider dans les âpres chemins,
Il faut un ferme bras et de puissantes mains.

Souvent, marchant la nuit sous un ciel peu propice,
En évitant l'ornière, on tombe au précipice;
Car ce char, dont la terre entend l'essieu crier,
5745 Ne se dételle pas et ne peut s'enrayer.
Il faut qu'il marche ! Il faut qu'il roule ! Il faut qu'il aille !
Il faut qu'on voie, ardents comme un jour de bataille,
Ruer malgré le fouet, courir malgré le frein,
Les coursiers que Dieu lie à son timon d'airain;
5750 Et qu'enfin, écrasant rois, peuples, capitales,
Sa roue aveugle passe en ses routes fatales !
Quand on laisse au hasard courir ce char pesant,
Dans sa profonde ornière il coule tant de sang
Que les chiens, s'ils ont soif, sur sa trace l'étanchent.
5755 Le monde alors chancelle et les royaumes penchent.
Aussi quels soins il faut pour choisir le cocher
De ce lourd chariot qu'on tremble à voir marcher !
Il faut qu'un double appel l'ait fait monter au faîte.
Elu par deux pouvoirs, il faut que sur sa tête
5760 Le choix du peuple tombe avec le choix de Dieu;
Que le bandeau s'y joigne à la langue de feu.
Alors il est compté parmi ces mortels rares
Que les peuples de loin suivent comme des phares.
Mais par de durs travaux ce rang est acheté.
5765 Il faut que son esprit veille de tout côté.
Il ressemble aux soleils, qu'un Dieu seul a pu faire,
Qui roulent, entraînant des mondes dans leur sphère,
Dont les rayons du ciel éclairent les sommets,
Et qui, brillant toujours, ne reposent jamais ! —
5770 De tout ce que j'ai dit, ce peuple doit conclure
Qu'un seul bras de l'Etat peut bien régler l'allure.
On a besoin d'un chef qui s'élève entre tous.
Il faut un homme au monde; et cet homme, c'est vous.

*Le parlement et toute l'assemblée s'inclinent.*

Mylord, guidez-nous donc dans toutes nos fortunes,
5775 Et daignez agréer la foi de vos communes.

*Profond silence dans la foule.*

OVERTON *(bas à Milton)*

Ses communes !

CROMWELL *(à l'orateur)*

                    Monsieur, je suis reconnaissant.
Cet empire est prospère, au gré du Tout-Puissant.
En Irlande, malgré les discordes civiles,
La foi marche à grands pas, envahissant les villes.

5780 Sur l'ulcère papiste acharné maintenant,
Par le feu, par le fer, Harry, mon lieutenant,
Extirpe d'une main, cautérise de l'autre.
Armagh brûle. En ses murs Rome n'a plus d'apôtre.
En Ecosse, les clans sont rentrés au devoir.
5785 Au dehors, tout va bien. Dunkerque est sans espoir ;
Et la vieille Angleterre, à la France alliée,
Tient sous sa large main l'Espagne humiliée.
Notre commerce en Inde a fait d'heureux progrès.
Le Castillan jaloux se consume en regrets :
5790 Dieu montre en nous aidant que notre cause est bonne.
Nous avons fait verser à Madrid, à Lisbonne,
Bien du sang, bien de l'or, pour leurs rébellions ;
Blake en notre échiquier vide leurs galions.
J'ai vers la Jamaïque envoyé deux escadres.
5795 L'armée en attendant remplit ses anciens cadres.
Le Toscan se repent : il sera pardonné.
Et lorsqu'autour de nous tout sera terminé,
Nous pourrons, puisqu'il nous appelle et nous invite,
Des hordes du sultan, sauver le Moscovite. —
5800 Si nous formons un vœu, Dieu l'exauce aussitôt.
Enfin, vous le voyez, nul peuple n'est plus haut.
Vivons donc assurés dans la faveur céleste.
Mais pour que le Seigneur sur nous se manifeste,
Il faut courber le front et plier les genoux.
5805 Prions, et que l'Esprit descende parmi nous.

> *Cromwell s'agenouille ; tout son cortège, le par-*
> *lement, le corps de ville, les cours de justice et*
> *les soldats s'agenouillent aussi. — Moment de*
> *silence et de recueillement, pendant lequel on*
> *n'entend que les cloches, le canon, les fanfares*
> *et le bruit de la foule au dehors.*

SYNDERCOMB *(bas à Overton et à Garland*
*qui se sont rapprochés du trône)*

Ils sont tous à genoux, le tyran et sa garde ;
Les glaives sont baissés. Point d'œil qui nous regarde.
Que ne frappons-nous ?

GARLAND *(le repoussant indigné)*

Dieu !

SYNDERCOMB

Pourquoi si haut crier ?

GARLAND

Le frapper quand il prie !

SYNDERCOMB
### Et que faire ?

GARLAND
                                              Prier.
5810 Prier contre lui. — Trêve aux fureurs meurtrières !
Et laissons Dieu choisir entre les deux prières.

*Les conjurés puritains s'inclinent et prient. — Une*
*pause.*

CROMWELL *(se relevant)*

Allons !

*Toute l'assemblée se relève. — Le comte de*
*Warwick s'avance à pas lents et mesurés vers le*
*Protecteur, met un genou en terre, et lui présente*
*la robe de pourpre bordée d'hermine.*

LE COMTE DE WARWICK *(à Cromwell)*
Daignez vêtir cette pourpre, mylord.

*Cromwell, aidé de lord Warwick, endosse la robe.*

OVERTON *(bas aux puritains)*
Amis ! amis ! il met son suaire de mort.

GARLAND *(bas)*
Voyez-le maintenant. C'est le fils écarlate
5815 De Tyr prostituée.

WILDMAN *(bas)*
                        Oh ! que la foudre éclate !

*Cromwell, vêtu de la robe de pourpre dont le*
*jeune lord Roberts, richement paré, soutient la*
*queue, s'avance gravement vers le trône. Le*
*comte de Warwick le précède l'épée haute.*
*Lord Carlisle le suit, la pointe de l'épée vers la*
*terre.*

SYNDERCOMB *(à part)*
Quel éclatant cortège il emprunte à l'enfer !
Pourpre, hermine, seigneurs dorés, soldats de fer,
Un trône empanaché qu'un dais altier surmonte,
Des femmes sans pudeur et des hommes sans honte,
5820 Faste, pouvoir, triomphe, il ne lui manque rien.
Il nage dans l'orgueil et dans la joie. Eh bien !
Pour faire évanouir tout cela comme un rêve,
Comme l'ombre d'un char, comme l'éclair d'un glaive,
Que faut-il au Dieu fort ? Que faut-il au Seigneur ?

*Il serre son poignard sur son sein.*

5825 Un peu de fer, aux mains d'un malheureux pécheur.

> *Cromwell, après avoir traversé lentement la salle*
> *au milieu d'un profond silence, arrive au pied du*
> *trône et se dispose à y monter. Les conjurés se*
> *glissent en silence dans la foule et cernent l'estrade.*

MILTON *(dans la foule, d'une voix éclatante)*

Cromwell, prends garde à toi !

CROMWELL *(se retournant vers le peuple)*

Qui parle ?

SYNDERCOMB *(bas à Garland)*

Dieu confonde
L'aveugle, dont la voix dit gare à tout le monde !

MILTON *(à Cromwell)*

Songe aux ides de Mars !

OVERTON *(bas à Milton)*

Ne dis pas nos secrets !

CROMWELL *(à Milton)*

Milton, expliquez-vous.

MILTON *(à Cromwell)*

MANÉ, THÉCEL, PHARÈS.

> *Cromwell hausse les épaules et monte sur le trône.*

OVERTON *(bas à Garland)*

5830 Il monte ! Je respire.

GARLAND *(bas)*

Ah ! l'alerte était forte.

> *Cromwell s'assied sur le trône. Les comtes de*
> *Warwick et de Carlisle se placent debout, l'épée*
> *nue, derrière son fauteuil; Thurloë et Stoupe à*
> *ses côtés. Le lord maire, suivi de ses aldermen,*
> *s'avance au pied du trône, portant le coussin où*
> *est placée l'épée; il monte quelques degrés, met*
> *un genou en terre, et présente l'épée à Cromwell.*

LE LORD MAIRE *(à Cromwell)*

Lord Olivier, ceci qu'entre vos mains j'apporte,
C'est l'épée. A défaut d'enclume, un peuple entier
Sur le front des tyrans en a forgé l'acier.

La lame a deux tranchants pour qu'on en puisse faire
5835 Le glaive de justice et le glaive de guerre,
Qui, tour à tour terrible au combat, au saint lieu,
Brille aux mains du soldat, flamboie aux mains de Dieu.
L'honorable cité de Londres vous le livre.

> *Cromwell ceint l'épée, la tire du fourreau, l'élève*
> *au dessus de sa tête, puis la rend au lord maire*
> *qui la remet dans le fourreau et se retire à recu-*
> *lons.*

WHITELOCKE *(s'approchant de Cromwell*
*avec le même cérémonial que le lord maire)*

Mylord, voici les sceaux.

> *Cromwell prend les sceaux, puis les rend à Whi-*
> *telocke qui se retire. L'orateur du parlement,*
> *suivi des officiers des communes, s'avance à son*
> *tour portant la Bible à fermoirs d'or.*

L'ORATEUR DU PARLEMENT *(un genou en terre*
*devant Cromwell)*

Mylord, voici le livre.

> *Cromwell prend la Bible, et l'orateur se retire*
> *avec de profondes révérences. — Le général Lam-*
> *bert, pâle et inquiet, s'approche portant la cou-*
> *ronne sur un riche coussin de velours cramoisi. —*
> *Overton fend la presse et se place près de lui.*

LE GÉNÉRAL LAMBERT *(agenouillé*
*sur les degrés de l'estrade de Cromwell)*

5840 Mylord...

OVERTON *(bas à Lambert)*

C'est moi ! Courage !

LAMBERT *(à part)*

Il est à mes côtés !

> *A Cromwell en balbutiant.*

Recevez la couronne...

OVERTON *(tirant son poignard, bas à Lambert)*

Et la mort !

> *Tous les conjurés, épars dans la foule, mettent à*
> *la fois la main sur leurs poignards.*

CROMWELL *(comme s'éveillant en sursaut)*

Arrêtez !

Que veut dire ceci ? Pourquoi cette couronne ?
Que veut-on que j'en fasse ? et qui donc me la donne ?

Est-ce un rêve ? Est-ce bien le bandeau que je vois ?
5845 De quel droit me vient-on confondre avec les rois ?
Qui mêle un tel scandale à nos pieuses fêtes ?
Quoi ! leur couronne, à moi qui fait tomber leurs têtes !
S'est-on mépris au but de ces solennités ? —
Mylords, messieurs, Anglais, frères, qui m'écoutez,
5850 Je ne viens point ici ceindre le diadème,
Mais retremper mon titre au sein du peuple même,
Rajeunir mon pouvoir, renouveler mes droits.
L'écarlate sacrée était teinte deux fois.
Cette pourpre est au peuple, et, d'une âme loyale,
5855 Je la tiens de lui. — Mais la couronne royale !
Quand l'ai-je demandée ? Et qui dit que j'en veux ?
Je ne donnerais pas un seul de mes cheveux,
De ces cheveux blanchis à servir l'Angleterre,
Pour tous les fleurons d'or des princes de la terre.
5860 Otez cela d'ici ! Remportez, remportez
Ce hochet, ridicule entre les vanités !
N'attendez pas qu'aux pieds je foule ces misères !
Qu'ils me connaissent mal, les hommes peu sincères
Qui m'osent affronter jusqu'à me couronner !
5865 J'ai reçu de Dieu plus qu'ils ne peuvent donner,
La grâce inamissible ; et de moi je suis maître.
Une fois fils du ciel, peut-on cesser de l'être ?
De nos prospérités l'univers est jaloux.
Que me faut-il de plus que le bonheur de tous ?
5870 Je vous l'ai dit. Ce peuple est le peuple d'élite.
L'Europe de cette île est l'humble satellite.
Tout cède à notre étoile ; et l'impie est maudit.
Il semble, à voir cela, que le Seigneur ait dit :
— Angleterre ! grandis, et sois ma fille aînée.
5875 Entre les nations mes mains t'ont couronnée ;
Sois donc ma bien-aimée, et marche à mes côtés. —
Il déroule sur nous d'abondantes bontés ;
Chaque jour qui finit, chaque jour qui commence,
Ajoute un anneau d'or à cette chaîne immense,
5880 On croirait que ce Dieu, terrible aux Philistins,
A comme un ouvrier composé nos destins ;
Que son bras, sur un axe indestructible aux âges,
De ce vaste édifice a scellé les rouages,
Œuvre mystérieuse, et dont ses longs efforts
5885 Pour des siècles peut-être ont monté les ressorts.
Ainsi tout va. La roue, à la roue enchaînée,
Mord de sa dent de fer la machine entraînée ;
Les massifs balanciers, les antennes, les poids,

Labyrinthe vivant, se meuvent à la fois;
5890 L'effrayante machine accomplit sans relâche
Sa marche inexorable et sa puissante tâche;
Et des peuples entiers, pris dans ses mille bras,
Disparaîtraient broyés, s'ils ne se rangeaient pas.
Et j'entraverais Dieu, dont la loi salutaire
5895 Nous fait un sort à part dans le sort de la terre !
J'irais, du peuple élu foulant le droit ancien,
Mettre mon intérêt à la place du sien !
Pilote, j'ouvrirais la voile aux vents contraires !

*Hochant la tête.*

Non, je ne donne pas cette joie aux faux frères.
5900 Le vieux navire anglais est toujours roi des flots.
Le colosse est debout. Que sont d'obscurs complots
Contre les hauts destins de la Grande-Bretagne ?
Qu'est-ce qu'un coup de pioche aux flancs d'une montagne ?

*Promenant des yeux de lynx autour de lui*

Avis aux malveillants ! on sait tout ce qu'ils font.
5905 Le flot est transparent, si l'abîme est profond.
On voit le fond du piège où rampe leur pensée.
La vipère parfois de son dard s'est blessée;
Au feu qu'on allumait souvent on se brûla;
Et les yeux du Seigneur vont courant çà et là. —
5910 Qui du peuple et des rois a signé le divorce ?
Moi. — Croit-on donc me prendre à cette vaine amorce ?
Un diadème ! — Anglais, j'en brisais autrefois.
Sans en avoir porté, j'en connais bien le poids.
Quitter pour une cour le camp qui m'environne ?
5915 Changer mon glaive en sceptre et mon casque en couronne ?
Allons ! suis-je un enfant ? me croit-on né d'hier ?
Ne sais-je pas que l'or pèse plus que le fer ?
M'édifier un trône ! Eh ! c'est creuser ma tombe.
Cromwell, pour y monter, sait trop comme on en tombe.
5920 Et d'ailleurs, que d'ennuis s'amassent sur ces fronts
Qui se rident sitôt, hérissés de fleurons !
Chacun de ces fleurons cache une ardente épine.
La couronne les tue; un noir souci les mine;
Elle change en tyran le mortel le plus doux,
5925 Et, pesant sur le roi, le fait peser sur tous.
Le peuple les admire, et, s'abdiquant lui-même,
Compte tous les rubis dont luit le diadème;
Mais comme il frémirait pour eux de leur fardeau,
S'il regardait le front et non pas le bandeau !
5930 Eux, leur charge les trouble, et leurs mains souveraines

De l'Etat chancelant mêlent bientôt les rênes. —
Ah ! remportez ce signe exécrable, odieux !
Ce bandeau trop souvent tombe du front aux yeux. —

*Larmoyant.*

Et qu'en ferais-je enfin ? Mal né pour la puissance,
5935 Je suis simple de cœur et vis dans l'innocence.
Si j'ai, la fronde en main, veillé sur le bercail,
Si j'ai devant l'écueil pris place au gouvernail,
J'ai dû me dévouer pour la cause commune.
Mais que n'ai-je vieilli dans mon humble fortune !
5940 Que n'ai-je vu tomber les tyrans aux abois,
A l'ombre de mon chaume et de mon petit bois !
Hélas ! j'eusse aimé mieux ces champs où l'on respire,
Le ciel m'en est témoin, que les soins de l'empire;
Et Cromwell eût trouvé plus de charme cent fois
5945 A garder ses moutons qu'à détrôner des rois !

*Pleurant.*

Que parle-t-on de sceptre ? Ah ! j'ai manqué ma vie.
Ce morceau de clinquant n'a rien qui me convie.
Ayez pitié de moi, frères, loin d'envier
Votre vieux général, votre vieil Olivier.
5950 Je sens mon bras faiblir, et ma fin est prochaine.
Depuis assez longtemps suis-je pas à la chaîne ?
Je suis vieux, je suis las, je demande merci.
N'est-il pas temps qu'enfin je me repose aussi ?
Chaque jour j'en appelle à la bonté divine,
5955 Et devant le Seigneur je frappe ma poitrine.
Que je veuille être roi ! Si frêle, et tant d'orgueil !
Ce projet, et j'en jure à côté du cercueil,
Il m'est plus étranger, frères, que la lumière
Du soleil à l'enfant dans le sein de sa mère !
5960 Loin ce nouveau pouvoir à mes vœux présenté !
Je n'en accepte rien, — rien que l'hérédité.
Encor vais-je appeler, pour qu'en mon âme il lise,
Un théologien, lumière de l'église.
J'en consulterai deux sur ce point, s'il le faut.
5965 De votre liberté je dois compte au Très-Haut,
Et je veux, de sa loi faisant ma loi suprême,
Accomplir ce que dit le psaume cent dixième.

> *Les acclamations et les applaudissements font
> irruption de toutes parts. — Peuple et soldats,
> dont la harangue de Cromwell a peu à peu
> dissipé l'hostilité, laissent éclater leur enthou-
> siasme. Stupeur dans le parlement et dans le*

*cortège du Protecteur. — Cromwell se redresse*
*et fait un geste d'empire à la foule, qui se tait.*

Sur ce, nous prions Dieu, d'un cœur humble et soumis,
Qu'il vous ait en sa sainte et digne garde, amis.
5970 Nous vous avons montré notre âme tout entière,
Vous demandant pardon, pour dernière prière,
D'avoir, un jour si chaud, fait un discours si long.

*Il se rassied. — Les transports et les acclamations*
*du peuple éclatent de nouveau avec fureur. Les*
*conjurés puritains déconcertés gardent un sombre*
*silence et jettent leurs poignards.*

OVERTON *(bas à Garland)*

Il mourra dans son lit !

GARLAND *(bas)*

Ils le veulent, ils l'ont !

LA FOULE

5975 Huzza !

WILDMAN *(bas)*

Voilà pourtant qu'il est héréditaire !
Escamoteur !

LA FOULE

Huzza ! Protecteur d'Angleterre ! —
Vive Olivier Cromwell ! — Gloire au vainqueur de Tyr !

OVERTON *(bas aux puritains)*

Comme il nous a joués ! On a dû l'avertir.
Quelqu'un nous a trahis ; c'est une forfaiture.

BAREBONE *(à part)*

C'était le seul moyen de sauver ma facture.

*La plupart des conjurés puritains se dispersent*
*dans la foule qui continue à saluer de bruyantes*
*acclamations Cromwell triomphant. Lambert,*
*blême et pétrifié, s'apprête à descendre de*
*l'estrade. Cromwell l'arrête.*

CROMWELL

5980 Lambert, vous dînerez avec nous aujourd'hui.

*Bas à Lambert qui se retourne interdit.*

Pourquoi trembler encore ? Il n'est plus là.

LAMBERT *(balbutiant)*

Qui ?

CROMWELL  (*toujours bas*)

                                        Lui,
Overton, qui devait pousser ta main peu sûre...

                              *Avec un sourire sardonique.*

Vous étiez du complot.

LAMBERT

            Moi, mylord, je vous jure...

CROMWELL

Ne jurez de rien.

LAMBERT

            Mais, mylord...

CROMWELL

                        J'ai des témoins.
5985 Vous en étiez le chef.

LAMBERT

            Le chef !

CROMWELL

                        De nom, du moins.
D'ailleurs vous aviez peur de votre propre audace,
Et vous n'auriez osé me poignarder en face.

LAMBERT

Mylord...  (*A part.*)
            Pour ce tyran, au coup d'œil sûr et prompt,
Chaque homme a sa pensée écrite sur le front.

CROMWELL  (*haut à Lambert en souriant*)

5990 M'a-t-on dit vrai, mylord ? Une voix peu discrète
Conte que vous avez du goût pour la retraite.
On dit que vous aimez les fleurs de passion.

                              *Bas et grinçant des dents.*

Vous me rapporterez votre commission.

            *Il le congédie du geste. Lambert descend de l'es-
            trade et rentre dans le cortège. En ce moment
            Cromwell aperçoit le sceptre que lord Broghill a
            déposé sur les marches du trône.*

CROMWELL  (*d'une voix éclatante*)

Quoi donc ? un sceptre ! — Otez de là cette marotte.

                              *Se tournant vers Trick.*

5995 Pour toi, mon fou !

            *Redoublement d'acclamations parmi le peuple
            et la milice.*

TRICK *(de sa loge)*

Non pas, et qu'un plus fou s'y frotte.

*Entre un huissier de ville. Il s'incline devant le trône et s'adresse à Cromwell.*

L'HUISSIER DE VILLE *(à Cromwell)*

Mylord, le haut shériff.

CROMWELL

Qu'il entre.

*Entre le haut shériff suivi de deux sergents d'armes.*

CROMWELL *(au shériff)*

Quoi ?

LE HAUT SHÉRIFF *(saluant)*

Mylord,

Ce Bloum, ces prisonniers, ces condamnés à mort...

CROMWELL *(tressaillant)*

Quoi ? serait-ce fini ?

LE HAUT SHÉRIFF

Non, mylord, pas encore.

CROMWELL

A la bonne heure !

LE HAUT SHÉRIFF

Hewlet a dressé dès l'aurore
6000 Leur gibet à Tyburn. Au lieu fatal conduits,
Ils veulent près de vous, mylord, être introduits.
Faut-il qu'on exécute ou faut-il qu'on diffère ?

CROMWELL

Qu'allèguent-ils ?

LE HAUT SHÉRIFF

Qu'ils ont une requête à faire.

CROMWELL

Eh bien ! qu'on les amène.

LE HAUT SHÉRIFF

Ici, mylord ?

CROMWELL

Ici.

*A un signe de Cromwell, le shériff s'incline et sort.*
*— Cromwell reste quelque temps silencieux au*
*milieu des acclamations du peuple et des chu-*
*chotements des généraux et du parlement; puis*
*il s'arrache vivement de son inertie, et s'adresse*
*au docteur Lockyer qui est mêlé à son cortège.*

6005 — Çà, maître Lockyer, vous a-t-on pas choisi
Pour nous édifier par la sainte parole ?
On attend. L'heure fuit, et la Grâce s'envole.

*Le docteur Lockyer monte lentement et comme avec*
*embarras dans la chaire placée vis-à-vis du trône.*

LE DOCTEUR LOCKYER

Mylord, voici mon texte...      *( Il hésite et semble troublé.)*

CROMWELL

Allons, parlez, parlez.

LE DOCTEUR LOCKYER *(lisant dans une Bible*
*qu'il tient à la main)*

« Un jour pour faire un roi les arbres assemblés
6010 Dirent à l'olivier : — Soyez notre roi... »

CROMWELL *(l'interrompant avec colère)*

Frère,
Où prenez-vous cela ? Le texte est téméraire.

LOCKYER

Dans la Bible, mylord.

CROMWELL

Quoi ?

LOCKYER *(lui présentant le livre)*

Voyez comme nous.
JUGES. *Chapitre neuf, verset huit.*

CROMWELL

Taisez-vous !
En quoi ce texte a-t-il rapport aux conjonctures ?
6015 Ne lit-on rien de mieux aux Saintes Ecritures ?
Ne pouviez-vous trouver un chapitre, un verset
Qui s'appliquât enfin à ce qui se passait ?

Par exemple, écoutez : « Maudit qui dans sa route
Trompe l'aveugle errant ! » — « Le vrai sage ose et doute. »
6020 — « L'archange alla lier le démon au désert. » —
Puis il est des sujets qu'un orateur disert
Peut aborder encore, et cette circonstance
En eût haussé le prix et grandi l'importance.
Ainsi : — « L'homme est-il double ? » — Ou : — « Les
[anges de Dieu,
6025 Pour venir jusqu'à nous, changent-ils de milieu ? » —
Ou bien : « Qu'adviendrait-il, si, vraiment dogmatistes,
Les whiggamors étaient antipædobaptistes ? » —
A la bonne heure ! au moins, voilà qui se comprend.
Vous pouviez, pour ce peuple instruit, pieux et grand,
6030 Traiter ces questions, et vingt autres ! Que sais-je ?
Ah ! je suis las d'ouïr les prêcheurs de collège
Prêcher, parler du nez, louer du même ton
Le soleil, et la lune, et mylord Eglinton !
Allez !

> *Nouvelles acclamations. — Lockyer confus descend de la chaire et se perd dans la foule. — Entre un huissier de ville qui s'arrête sur le seuil de la grande porte et crie :*

Les prisonniers, mylord.

### CROMWELL

Qu'ils entrent.

> *Entrent les cavaliers prisonniers, lord Ormond à leur tête. Ils sont précédés du haut shériff, et marchent entourés d'archers et de sergents d'armes.*

## SCÈNE XIII

Les Mêmes, LORD ORMOND, LORD ROCHESTER, LORD ROSEBERRY, LORD CLIFFORD, SIR PETERS DOWNIE, LORD DROGHEDA, SEDLEY, SIR WILLIAM MURRAY, le docteur JENKINS, MANASSE-BEN-ISRAËL, tous, les mains liées derrière le dos, les pieds nus, la corde au cou. Le haut shériff, archers de ville, sergents d'armes.

> *A l'entrée des cavaliers, la foule se range avec un murmure d'étonnement et de curiosité.*

#### LES SERGENTS D'ARMES

Place !

6035 Place !

> *Les cavaliers s'arrêtent devant le trône de Cromwell, Ormond et Rochester au premier rang. Ils ont une attitude ferme et tranquille; Murray et*

*Manassé seuls semblent atterrés. — Cromwell
promène quelque temps des regards satisfaits sur
les prisonniers, sur l'assemblée, sur la foule, et
semble jouir du silence d'anxiété qui l'entoure.
— Pendant toute la scène, Rochester fait des
mines à Francis qu'il a aperçue dans la tribune en
entrant.*

CROMWELL *(croisant les bras, aux cavaliers)*

Que voulez-vous ?    *(A part.)*

S'ils me demandaient grâce ! —

LORD ORMOND *(d'une voix assurée)*

Nous sommes gens de cœur, et nous ne prétendons
Ni pitié, ni merci, ni faveurs, ni pardons.
Des mourants comme nous sont fiers de leur supplice ;
Il n'a rien qui les trouble et qui les avilisse.
6040 Puis, qu'attendre après tout de vous, d'un meurtrier,
D'un vassal, qui, chargeant son écu roturier
Du cimier, du manteau, du sceptre héréditaire,
Y fait écarteler les armes d'Angleterre ?

CROMWELL *(l'interrompant)*

Que me voulez-vous donc ?

LORD ORMOND

Un mot, monsieur Cromwell.
6045 Quel chemin choisit-on pour nous conduire au ciel ?
On nous mène au gibet : mais sait-on qui nous sommes ?

CROMWELL

Des brigands condamnés à mort.

LORD ORMOND

Des gentilshommes.
Vous l'ignoriez sans doute, et nous vous l'apprenons.
Le gibet n'est point fait pour qui porte nos noms.
6050 Et, si petite enfin que soit votre noblesse,
La corde qui nous souille autant que nous vous blesse.
On ne se fait pas pendre entre hommes de bon goût
Et gens de qualité. Nous réclamons.

CROMWELL

C'est tout ?

*A part.*

Ils demandent la vie !

LORD ORMOND

Oui. Pesez la requête.

CROMWELL

6055 Que souhaitez-vous donc ?

LORD ORMOND

Qu'on nous tranche la tête.
Arrière la potence, et ses indignités !
Nous avons tous le droit d'être décapités.

CROMWELL *(bas à Thurloë)*

Singuliers hommes ! Vois. Point de peur, point de honte.
Jusque sur l'échafaud l'orgueil avec eux monte.
6060 Leur préjugé les suit devant l'éternité ;
Et pour eux le billot est une vanité !

*Aux cavaliers avec un sourire railleur.*

Je comprends. — En entrant au ciel, il vous importe
Qu'on vienne à deux battants vous en ouvrir la porte ;
Et pour un chanvre impur ce serait trop d'honneur
6065 Que d'étrangler très haut et très puissant seigneur.
Cela pourtant s'est vu. Puis dans vos rangs, mes maîtres,
J'en vois qu'on pendrait bien sans fâcher leurs ancêtres.
Ils n'en ont pas. — Ce juif, ce magistrat bourgeois...

LE DOCTEUR JENKINS

Je ne suis point jugé. Vous n'avez aucuns droits
6070 Pour m'infliger la mort, la prison, ou l'amende.
Je suis libre ; et je lis dans la charte normande :
*Nullus homo liber imprisionetur.*

LORD ROCHESTER *(riant à Sedley)*

Bon ! va-t-il lui citer des lois du temps d'Arthur ?

CROMWELL *(aux cavaliers)*

Messieurs, nous vous tenons ; chefs, lieutenants, complices,
6075 Tous ! — Vous vous êtes pris à vos propres malices.
L'heure a sonné, le bras se lève pour punir.
Or vous choisissez mal le temps pour obtenir
Des faveurs...

LORD ORMOND *(l'interrompant)*

Des faveurs, monsieur ! A Dieu ne plaise !
Nous réclamons un droit de la noblesse anglaise.
6080 Entendez-vous ? un droit ! — Des faveurs ! un billot ?
Un coup de hache ?...

CROMWELL

Paix, vous qui parlez si haut !
— Vous êtes cette nuit venus, ceints de l'épée,
Dans ma maison, la garde ou séduite ou trompée,
Vous m'avez dans mon lit cru saisir sans témoins.
6085 Que me prépariez-vous ?

LORD ORMOND

Pas le gibet, du moins.

CROMWELL

Oui, vous étiez pressés. Le poignard va plus vite.
Aujourd'hui qu'en mes mains le ciel vous précipite,
Messieurs mes assassins, que voulez-vous de moi ?

LORD ORMOND

Mourir en chevaliers, mourir pour notre roi.

LORD ROCHESTER

6090 Oui, mourons pour Rowland ! —
                    (Bas à Roseberry.)   Moi, toujours je lui
                                                    [prête.
Hier c'était mon argent, aujourd'hui c'est ma tête.
Une dette de plus sur son compte !

CROMWELL (après un instant de réflexion, à lord Ormond)

Vieillard,
Vous-même, jugez-vous. — Voyons, si le hasard
M'eût jeté dans vos fers, vous eût mis à ma place,
6095 Parlez, — que feriez-vous ?

LORD ORMOND

Je ne ferais pas grâce.

CROMWELL

Je vous la fais.

                              *Mouvement de surprise dans l'assemblée.*

TOUS LES CAVALIERS

Comment ?

CROMWELL

Vous êtes libres.

LORD ORMOND

Dieu !

*A Cromwell.*

Si vous saviez mon nom...

CROMWELL *(l'interrompant)*

Il m'inquiète peu.

*Bas à Thurloë.*

Du peuple, s'il se nomme, on ne pourrait répondre.

*Il se tourne brusquement vers lord Broghill, qui
a jusqu'ici gardé un morne silence dans le cortège.*

Un de vos vieux amis, lord Broghill, est à Londre.

*Lord Ormond et lord Broghill se détournent
étonnés.*

LORD BROGHILL

6100 Qui donc, mylord ?

CROMWELL

Ormond.

LORD BROGHILL

Ormond !
*(A part.)* Dieu ! saurait-il ?...

CROMWELL

Il est depuis cinq jours ici, mon cher Broghill.

*Il fouille dans son justaucorps, et en tire le paquet
scellé qu'il a pris sur Davenant.*

Voici même un paquet, tenez, qui l'intéresse.
Son nom est sur le pli. Savez-vous son adresse ?

LORD BROGHILL *(troublé)*

Non, mylord...

CROMWELL

Bloum, au Strand, hôtel *du Rat.*

LORD BROGHILL *(balbutiant)*

Pourquoi ?...

LORD ORMOND *(examinant le parchemin que tient Cromwell,
à part)*

6105 Le traître est Davenant : c'est la lettre du roi !

CROMWELL *(donnant le paquet à Broghill)*

Rendez-le à lord Ormond de ma part; cette lettre,
Tombant en d'autres mains, l'aurait pu compromettre.

Dites-lui qu'il s'en aille au plus tôt, en songeant
A ne pas revenir. S'il a besoin d'argent,
6110 Donnez-en.

          LORD ROSEBERRY *(bas à Ormond)*

               De l'argent ! quel homme heureux vous êtes !
S'il m'offrait seulement caution pour mes dettes !

     LORD ROCHESTER *(félicitant Ormond, bas)*

Le trait est délicat, et je suis fort charmé
Qu'il vous épargne ici l'affront d'être nommé.

     CROMWELL *(d'une voix haute et rude)*

Mylord Rochester !

     LORD ROCHESTER *(tressaillant de surprise)*
               Quoi ?

               CROMWELL

               Vous avez votre grâce.
6115 Allez au diable !

          LORD ROCHESTER *(bas à Roseberry)*

               Il met avec moi moins de grâce. —
N'importe ! il est protée ! il est magicien.
On l'aborde ; on croit voir un lion royal. — Bien ;
Tâchez de l'endormir. — Bst ! un coup de baguette,
Le lion qui dormait est un chat qui vous guette ; —
6120 Le chat devient un tigre aux rugissements sourds ; —
Puis, la griffe se change en patte de velours. —
Velours, où perce encor cette griffe hypocrite.

               CROMWELL

Mon docte chapelain, souffrez qu'on vous invite
A ne pas trop rester parmi nous.

          LORD ROCHESTER *(à part)*

               On vous croit.

     CROMWELL *(continuant)*

6125 Grâce à plus d'une amende, imposée à bon droit,
Il fait très cher jurer, saint homme, en Angleterre.
Or, quoi que vous fassiez, vous ne pouvez vous taire,
Et, taxé par la loi presque à tous les moments,
Vous vous ruineriez bien vite en jurements.

LORD ROCHESTER

6130 Merci du bon conseil.

*Au peuple qui le poursuit de rires et de dérisions.*

Applaudis, race infâme !

CROMWELL

Attendez donc, docteur. Emmenez votre femme.

LORD ROCHESTER *(tremblant)*

Ma femme !

CROMWELL

Mylady Rochester !

*Dame Guggligoy descend précipitamment de la tribune de la Protectrice et vient se jeter au cou de Rochester. — Huées dans la foule.*

DAME GUGGLIGOY *(embrassant Rochester)*

Cher époux !

LORD ROCHESTER *(cherchant à la repousser)*

Merci de Dieu !

CROMWELL

Soyez unis. — Que dirions-nous
De voir qu'une moitié sans l'autre soit partie ?

*A dame Guggligoy.*

6135 Suivez votre mari.

*Dame Guggligoy prend le bras de Rochester, qui se résigne douloureusement.*

LORD ROCHESTER *(à part)*

Wilmot ! quelle amnistie !
N'es-tu pas des plus sots et des plus châtiés !
Vois le grotesque effet que font tes deux moitiés,
L'une avec cet habit, l'autre avec ce visage !
Et Francis qui nous voit ! Ah ! j'en deviendrai sage !

CROMWELL *(désignant du doigt sir William Murray dans le groupe des cavaliers)*

6140 Murray, va recevoir le fouet qu'a mérité,
Pour ce complot d'enfant, pauvrement avorté,
Charles, vulgairement nommé prince de Galle.

*Applaudissements du peuple. — Des archers et
des valets de justice s'emparent de Murray, qui
se cache le visage dans les mains et paraît
accablé de honte et de désespoir. — Cromwell
s'adresse au rabbin.*

Ce juif, qui du gibet eût orné l'astragale,
Est libre... —

*Manassé relève la tête avec joie. — Cromwell
poursuit, se tournant vers Barebone placé à côté
du trône.*

        Seulement, pour racheter sa chair,
6145 Barebone, il paiera ton mémoire.

*Barebone tire de sa poche un long parchemin
qu'il remet à Manassé.*

MANASSÉ *(examinant le mémoire)*

        C'est cher.

CROMWELL *(aux autres prisonniers)*

Vous êtes libres tous.

        *Les archers détachent les cavaliers.*

THURLOË *(bas à Cromwell)*

        Tous ! mais les circonstances
Sont graves...

CROMWELL *(bas)*

        J'ai ce peuple ; à quoi bon dix potences ?

*Sir William Murray, que les archers entraînent,
se jette à genoux et tend ses mains jointes vers
Cromwell.*

SIR WILLIAM MURRAY

Grâce, mylord !...

CROMWELL

        Du fouet ? Allons ! finissons-en.
N'est-ce donc pas l'emploi de ton dos courtisan ?
6150 Puis, fouetté pour ton roi ! Tu sers la bonne cause.
Tu te diras martyr ! tu feras le Montrose !

*Il fait un signe, et les archers entraînent Murray.
Le Protecteur s'adresse alors à la foule d'un air
impérieux et inspiré.*

CROMWELL *(au peuple)*

Peuple saint, épargnons nos ennemis rampants.
L'éléphant a pitié d'écraser les serpents.

Qu'ainsi toujours le ciel vous sauve des embûches,
6155 Vases d'élection !

LORD ROCHESTER *(bas à Sedley)*

Les vases sont des cruches.

*Le peuple répond au Protecteur par de longues
acclamations. Il les fait taire d'un geste, et
reprend.*

CROMWELL

Par ma clémence, Anglais, je veux marquer ce jour.

*Au haut shériff.*

Qu'on aille chercher Carr, prisonnier à la Tour.

*Le haut shériff sort. — Cromwell s'accoude sur
les bras de son fauteuil et semble méditer. —
Silence et attente dans l'auditoire. — Willis,
qui a été quelque temps absent et qui vient de
rentrer, accoste Ormond dans le groupe des
cavaliers.*

SIR RICHARD WILLIS *(saluant lord Ormond)*

Je vous fais compliment, mylord.

LORD ORMOND *(étonné)*

Quoi ! c'est vous-même,
Willis ! Vous libre aussi ! — Cet homme est un problème !
6160 A nous faire ainsi grâce, il prend des airs de roi.

*Serrant la main à Willis.*

Mais je lui sais bon gré, pour vous, sinon pour moi.

*Il se penche d'un air mystérieux à l'oreille de
sir Richard.*

Davenant est le traître ! Ah ! si je le rencontre !...

SIR RICHARD WILLIS

Le croyez-vous ? Il est des raisons pour et contre.
Défiez-vous-en ! soit. Au péril échappé,
Soyez prudent.

LORD ORMOND *(lui serrant la main de nouveau)*

6165                    Willis ! ah ! comme on est trompé !

CROMWELL *(sortant de sa rêverie et désignant les cavaliers,
à Stoupe)*

Stoupe ! on embarquera demain sur la Tamise
Ces fous, à qui leur peine est pleinement remise.

> *Il apostrophe rudement Hannibal Sesthead qui*
> *étale son riche équipage sur les marches de*
> *l'estrade.*

Sir Hannibal Sesthead ! — quoique cousin d'un roi,
Vous saurez que je veux rester maître chez moi.
6170 Vous êtes de ces gens qui sont de mœurs légères ;
Vous avez ramassé dans les cours étrangères
Des façons qui vont mal chez les peuples élus.
Portez-les donc ailleurs. — Allez, ne péchez plus.

HANNIBAL SESTHEAD *(à part)*

Il pardonne plutôt un complot qu'un sarcasme.
6175 Je suis le seul puni.

> *Il sort avec ses pages et ses chiens. — La foule*
> *le hue et applaudit Cromwell.*

OVERTON *(bas à Garland)*

Voyez l'enthousiasme
Du peuple. Une harangue, un rien les a changés.

LORD ROCHESTER *(bas à Roseberry)*

Contre le Protecteur Dieu nous a protégés.
Restons-en là.

GARLAND *(bas à Overton)*

D'un mot il a brisé nos armes.

CROMWELL *(apercevant Gramadoch entre ses gardes)*

Que fait là mon bouffon entre quatre gendarmes ?

GRAMADOCH *(effrontément)*

6180 Ce sont des garde-fous.

UN ARCHER

Ce nain extravagant,
Mylord, de votre altesse a relevé le gant.

CROMWELL *(irrité, à Gramadoch)*

Drôle !

GRAMADOCH

Il n'était qu'un fou, mylord, qui pût le faire.

CROMWELL *(souriant et faisant signe aux archers de le délivrer)*

Va ! va !

*Gramadoch va trouver dans leur loge ses cama-*
*rades qui l'embrassent et lui font joyeux accueil.*
*— Cependant le Protecteur s'adresse à Milton.*

Milton est-il content ?

MILTON

Il attend.

CROMWELL

Frère,
Je suis content de vous, moi. Parlez aujourd'hui.
6185 Avez-vous quelque chose à me demander ?

MILTON

Oui.

CROMWELL

Qu'est-ce ?

MILTON

Une grâce.

CROMWELL

Ami, parlez, je vous la donne

MILTON

A tous ses ennemis votre altesse pardonne.
Un seul reste oublié.

CROMWELL

Qui donc ?

MILTON

Davenant.

CROMWELL

Quoi !
Davenant ! Ce papiste ! Un espion du roi !
6190 Demandez autre chose.

MILTON

Ah ! souffrez que j'insiste.
Il était du complot, sans doute ; il est papiste,
C'est juste ; il conspirait votre mort ; mais, depuis,
Vous avez bien fait grâce à ceux-là.

CROMWELL

Je ne puis.

MILTON

Je sais qu'il a pris part à ces trames ourdies,
6195 Mais...

CROMWELL *(avec impatience)*

Ne m'en parlez plus ! il fait des comédies.

> *Milton désappointé s'éloigne. Cromwell le rappelle d'un air radouci.*

Nous avons trouvé bon, Milton, qu'on vous créât
Poète lauréat.

MILTON

Poète lauréat !
Je ne puis accepter, mylord, qu'en survivance.
L'emploi n'est pas vacant.

CROMWELL *(étonné)*

Qui donc l'a pris d'avance ?

MILTON

6200 Davenant.

CROMWELL *(haussant les épaules)*

Il l'obtint sous feu Jacques Premier !

MILTON

Puisqu'il garde ses fers, laissons-lui son laurier.

CROMWELL

C'est cela ! Voilà bien des raisons de poètes.
Phrases d'une coudée ! Ampoulé que vous êtes !
Et vous voulez régir et gourmander toujours
6205 Les gouverneurs d'Etats, vous qui passez vos jours
A tourmenter des mots dans des mètres frivoles !

MILTON

Salomon composa cinq mille paraboles.

> *Cromwell lui tourne le dos, et fait signe à son fils Richard d'approcher.*

CROMWELL *(à Richard Cromwell)*

Richard, — mon héritier, — il faut présentement
Vous ouvrir la milice avec le parlement.
6210 Je vous fais colonel, pair d'Angleterre, et membre
Du conseil privé.

RICHARD CROMWELL *(saluant son père avec embarras)*

        Mais... les travaux de la chambre...
Mes goûts... — Vous êtes bien mon père et mon seigneur,
Et je suis tout confus, mylord, de tant d'honneur.
Si vous le permettez pourtant, j'ose le dire,
6215 J'ai plus que je ne vaux et que je ne désire.
J'aime les bois, les prés, le loisir, le repos ;
J'aime à chasser des daims et des cerfs par troupeaux ;
Et je tiens à mes champs, — où je ne crains d'émeutes
Que parmi mes faucons, mes gerfauts et mes meutes.

        *Cromwell mécontent et déconcerté le congédie du*
        *geste.*

      CROMWELL *(amèrement à part)*

6220 Si l'autre était l'aîné ! — Que sert ce que je fais ?

        *Entre Carr accompagné du haut shériff. Il*
        *perce lentement la foule, considère avec indigna-*
        *tion l'appareil royal qui l'environne, et s'avance*
        *gravement vers le trône de Cromwell.*

## SCÈNE XIV

### LES MÊMES, CARR.

CARR *(croisant les bras et regardant Cromwell en face)*

Que me veux-tu ? — Tyran par le droit des forfaits,
Les cachots contre toi n'ont donc pas de refuge ?
Que me veut l'apostat ? que me veut le transfuge ?

### VOIX DANS LA FOULE

Silence au furieux !

      CROMWELL *(au peuple)*

        Laissez-le faire, amis.
6225 Le ciel veut éprouver David, il a permis
Au fils de Semeï de lui dire anathème.    *(A Carr.)*
Continue.

### CARR

        Hypocrite ! Oui. Voilà ton système.
Couvrir de beaux semblants tes plans fallacieux !
Sur ton front infernal mettre un voile des cieux !
6230 Railler en torturant ! farder la tyrannie !
Et sur un cœur qui saigne étaler l'ironie !

Mais, pour briser ton sceptre et ton masque à la fois,
Le Seigneur m'a tenu caché dans son carquois.
Il m'a dit : — Prends ton luth, tourne autour de la ville,
6235 Du temple de Cromwell chasse un peuple servile,
Mets en poudre l'autel, jette l'idole au feu,
Dis-leur : l'Egyptien est homme, et non pas dieu ! —
Te voilà donc, Cromwell, sur ton trône de gloire !
Tremble : au jour radieux succède la nuit noire.
6240 Pense au chasseur Nemrod. Le Seigneur triomphant
Brisa son arc de fer comme un jouet d'enfant.
Souviens-toi d'Isboseth. Ce roi vain et peu sage
Fit ranger le premier le peuple à son passage;
Il mit sur des chevaux cent guerriers d'Issachar
6245 Qui sans cesse couraient en avant de son char.
Mais Dieu fait toujours naître, et c'est l'effroi de l'âme,
Le malheur du bonheur, la cendre de la flamme.
Or Isboseth tomba, tel qu'un fruit avorté,
Tel qu'un bruit sans écho par le vent emporté.
6250 Songe à Salmanasar. Sur ses coursiers rapides,
Ce roi, qu'environnaient les grands argyraspides,
Passa, comme l'été, sous la nue enchaîné,
Passe un éclair du soir, — sans même avoir tonné.
Songe à Sennachérib, qui venait d'Assyrie,
6255 Traînant après sa tente une armée aguerrie;
Neuf cent mille soldats, si fiers, si furieux,
Que leur souffle eût poussé les nuages des cieux;
D'impurs magiciens; d'affreux onocentaures;
Des Arabes, heurtant les cymbales sonores;
6260 Des bœufs, des léopards accoutumés au frein;
Des chariots de guerre armés de faux d'airain;
D'ardents chevaux, qu'avaient allaités des tigresses;
Et six cents éléphants, mouvantes forteresses,
Qui, dans les légions déchaînant leurs pas lourds,
6265 Sur leur dos monstrueux faisaient bondir des tours.
Ce n'était que chameaux, buffles, zèbres, molosses,
Mammons, d'un monde éteint prodigieux colosses;
Rugissante mêlée, où se croisait encor
La roue aux dents d'acier des chars écaillés d'or.
6270 La nuit, le camp semblait une plaine enflammée;
Et quand se réveillait cette innombrable armée,
Le pêcheur, apprêtant sa barque de roseaux,
Croyait entendre au loin mugir les grandes eaux.
Tout jetait des éclairs autour du roi superbe;
6275 Ses cavales volaient et du pied broyaient l'herbe;

Il passait, dominant de son front étoilé
Son char pyramidal, d'éléphants attelé ;
Et sur ses pas couraient drapeaux, flammes, bannières,
Pareils aux astres d'or qui traînent des crinières.
6280 Mais le ciel eut pitié de vingt peuples tremblants.
Dieu souffla sur cet astre aux crins étincelants ;
Et soudain s'éteignit l'effrayante merveille,
Comme une lampe aux mains d'une veuve qui veille.
Te crois-tu donc plus grand, sycophante fatal,
6285 Que ces grands rois, soleils du monde oriental ?
Peux-tu fondre à ton gré, comme l'aigle qui plane,
Sur Damas, Charcamis, Samarie, ou Calane ?
As-tu, comme le sable envahit le bazar,
Détruit Sochoth-Benoth et Theglath-Phalazar ?
6290 Tes chevaux et tes chars, bruyante multitude,
Ont-ils du vieux Liban troublé la solitude ?
Non. Rien de tout cela. — Maître des potentats,
Ton bras a déplacé la borne des Etats ;
La foule à ton aspect recule et se resserre ;
6295 Tu tiens comme une proie un monde dans ta serre ;
Voilà tout. — Dans ta marche et dans tes grands combats,
Dieu te soutint d'en haut et le peuple d'en bas.
Tu n'es rien par toi-même. Instrument de colère,
Tu n'es que le fléau qui bat le blé dans l'aire. —
6300 Où sont les dieux d'Emath ? Où sont les dieux d'Ava ?
Que peut Sépharvaïm touché par Jéhovah ?
Ces idoles régnaient : tu passeras comme elles,
Comme un grelot qui pend au long cou des chamelles.
Bientôt dans leur manteau les saints feront un pli.
6305 Gab, Zabulon, Azer, Benjamin, Nephtali
Se tiendront sur le mont Hébal pour te maudire.
Les femmes, les enfants, te suivront de leur rire.
Pour tes pas, pour tes yeux, qu'aveuglera l'enfer,
Le ciel sera de bronze et la terre de fer.
6310 Un lit de pourpre endort tes superbes paupières ;
Mais, Dieu t'écrasera la tête entre deux pierres,
Et nous verrons un jour les peuples enfin grands
Avec tes os blanchis lapider les tyrans.
Car on a vu, Cromwell, sur plus d'un trône impie,
6315 Pharaons de Memphis, sultans d'Ethiopie,
Papes, ducs, empereurs, despotes empourprés,
Se faire un jeu sanglant des peuples torturés.
Mais dans tous ces fléaux dont le Seigneur nous frappe,
Cromwell, un homme, un mage, un monarque, un satrape,

6320 Autant que toi hardi, cruel, astucieux,
C'est ce qu'on n'a pas vu sous le soleil des cieux !
— Sois maudit !

CROMWELL

Avez-vous fini ?

CARR

Non. Pas encore.
Sois maudit au couchant ! sois maudit à l'aurore !
Sois maudit dans ton char ! maudit dans ton coursier !
6325 Dans tes armes de bois, dans tes armes d'acier !

CROMWELL

Est-ce là tout ?

CARR

Dans l'air que le zéphyr t'apporte !
Dans le ciel de ton lit ! dans le seuil de ta porte !
Sois maudit !

CROMWELL

Est-ce tout, enfin ?

CARR

Non. Sois maudit !

CROMWELL

Vous vous déchirerez les poumons. — Tout est dit ? —
6330 Ecoutez-moi. Frappé d'une ancienne disgrâce,
Vous êtes en prison. Frère, je vous fais grâce.
Allez. Je romps vos fers.

CARR

Et de quel droit, tyran ? —
Commets-tu pas assez d'iniquités par an ?
De tes forfaits encor veux-tu grossir la liste ?
6335 Pourquoi viens-tu frapper ma tour de ta baliste ?
M'arracher aux cachots où mes jours sont plongés !
Mais pour rompre mes fers, dis, les as-tu forgés ?
Tu m'accordes ma grâce ! — Ha ! despote implacable !
Comme ta rage, il faut que ta clémence accable !
6340 Par le long parlement je fus mis en prison.
Je l'avais mérité par une trahison;
J'avais du joug sacré repoussé les entraves;
J'avais marqué deux parts dans le butin des braves.
Je suis puni. Je vis dans le fond d'une tour
6345 Où des barreaux croisés emprisonnent le jour;

L'araignée à mon lit suspend sa toile frêle
Où la chauve-souris embarrasse son aile ;
Du sépulcre la nuit j'entends sourdre le ver ;
J'ai faim ; j'ai soif ; l'été, j'ai chaud ; j'ai froid, l'hiver.
6350 C'est bien fait. Je me courbe, et je donne l'exemple.
Mais toi, Noll, de quel droit viens-tu toucher au temple ?
En dois-tu seulement déranger un pilier ?
Ce qu'ont lié les saints, le peux-tu délier ?
D'ailleurs efface-t-on les traces de la foudre ?
6355 Les saints m'ont condamné, nul n'a droit de m'absoudre ;
Et dans ce peuple vil je marche avec fierté,
Seul vestige vivant de leur autorité.
Pin foudroyé, j'étale au fond du précipice
De mon front abattu l'auguste cicatrice.
6360 Tu veux briser mes fers de force ! — Anglais, voyez
Quel effréné tyran vous foule sous ses pieds !
Va, je préfère encor, moi Carr, moi qui te brave,
Le carcan du captif au collier de l'esclave.
Que dis-je ? J'aime mieux mon sort que ton destin,
6365 Ma tour, que ton palais encombré de butin ;
Je ne donnerais pas ma peine pour ton crime,
Pour ton sceptre usurpé ma chaîne légitime !
Car, tous deux criminels, Dieu, quand nous serons morts,
Comptera tes forfaits, pèsera mes remords. —
6370 Rouvre-moi ma prison ! — Ou si tu me veux libre,
— Absolument, — remets l'Etat en équilibre,
Rends-nous le parlement. Ensuite, nous verrons. —
Tu viendras avec moi ; tous deux courbant nos fronts,
Tous deux ceints d'une corde, et nous souillant la face,
6375 Nous irons à sa barre implorer notre grâce.
Cromwell, en attendant ce jour tant souhaité,
Rends-moi mes fers ; respecte au moins ma liberté.

*Eclats de rire dans l'auditoire.*

— Fais donc taire ta meute ! — En mon cachot, peut-être
Je suis le seul Anglais dont tu ne sois pas maître ;
6380 Oui, le seul libre ! — Là, je te maudis, Cromwell ;
Là, tous deux je nous offre en holocauste au ciel.
Ma prison ! A l'enfreindre en vain tu me condamnes.
Ma prison ! Et, s'il faut citer des lois profanes
Et des textes mondains à vos cœurs corrompus,
6385 J'y retourne, en vertu de l'*habeas corpus*.

### CROMWELL

A votre aise ! — Il invoque un bill que rien n'abroge.

TRICK *(dans la tribune des fous)*

Sa prison ! il se trompe, il veut dire sa loge.

> *Carr sort fièrement au milieu des huées du peuple.*

SYNDERCOMB *(bas à Garland)*

Carr est le seul de nous qui soit homme.

VOIX DANS LA FOULE

Hosannah !
Gloire aux saints ! Gloire au Christ ! Gloire au Dieu du
[Sina !
6390 — Longs jours au Protecteur !

> *Syndercomb, exaspéré par les imprécations de
> Carr et les acclamations du peuple, tire son
> poignard et s'élance vers l'estrade.*

SYNDERCOMB *(agitant son poignard)*

Mort au roi de Sodome !

LORD CARLISLE *(aux hallebardiers)*

Arrêtez l'assassin !

CROMWELL *(écartant la garde du geste)*

Faites place à cet homme.

> *A Syndercomb.*

Que voulez-vous ?

SYNDERCOMB

Ta mort.

CROMWELL

Allez en liberté,
Allez en paix.

SYNDERCOMB

Je suis le vengeur suscité.
Si ton cortège impur ne me fermait la bouche...

CROMWELL *(faisant signe aux soldats de le laisser libre)*
6395 Parlez.

SYNDERCOMB

Ah ! ce n'est point un discours qui te touche.
Mais si l'on n'arrêtait mon bras...

CROMWELL

Frappez.

SYNDERCOMB *(faisant un pas et levant sa dague)*

Meurs donc,
Tyran !    *(Le peuple se précipite sur lui et le désarme.)*

VOIX DANS LA FOULE

Quoi ! par le meurtre il répond au pardon !
Périsse l'assassin ! Meure le parricide !

> *Le peuple indigné s'empare de Syndercomb, qui,*
> *tout en se débattant, est entraîné hors de la salle.*

CROMWELL *(à Thurloë)*

Voyez ce qu'ils en font.    *(Thurloë sort.)*

VOIX DU PEUPLE

Assommez le perfide !

CROMWELL

6400 Frères, je lui pardonne. Il ne sait ce qu'il fait.

VOIX DU PEUPLE *(au dehors)*

A la Tamise ! à l'eau !    *(Rentre Thurloë.)*

THURLOË *(à Cromwell)*

Le peuple est satisfait.
La Tamise a reçu le furieux apôtre.

CROMWELL *(à part)*

La clémence est, au fait, un moyen comme un autre.
C'est toujours un de moins. — Mais qu'à de tels trépas
6405 Ce bon peuple pourtant ne s'accoutume pas.

> *Une pause. — On n'entend que les cris de joie*
> *et de triomphe de la foule. Cromwell, assis sur*
> *son trône, semble savourer paisiblement les*
> *acclamations délirantes de la multitude et de*
> *l'armée.*

OVERTON *(bas à Milton)*

Une victime humaine immolée à l'idole !
Tout est à lui, l'armée et ce peuple frivole.
Rien ne lui manque enfin ! il a ce qu'il lui faut.
Nos efforts n'ont servi qu'à le placer plus haut.
6410 On l'ose en vain braver; on l'ose en vain combattre.
Il peut, l'un après l'autre, à présent nous abattre;
Il inspire l'amour, il inspire l'effroi.
Il doit être content.

CROMWELL *(rêveur)*

Quand donc serai-je roi ?

# NOTES

## DE L'ÉDITION ORIGINALE

# NOTE SUR CES NOTES

Ces notes ont été, comme l'avant-propos, arrachées à l'auteur. Il en est pourtant dans le nombre qui dépendent de la préface, qui en font partie intégrante, et qu'elle amenait naturellement avec elle; celles-là, l'auteur ne regrette point de les avoir écrites. Toutes les autres, qui ne se rattachent qu'au drame, sont de trop. Il est peu de vers de cette pièce qui ne puissent donner lieu à des extraits d'histoire, à des étalages de science locale, quelquefois à des rectifications. Avec quelque bonne volonté, l'auteur eût pu facilement élargir et dilater cet ouvrage jusqu'à trois tomes in-8°. Mais à quoi bon faire, des quatre-vingts ou cent volumes [1] qu'il a dû lire et pressurer dans celui-ci, les caudataires de ce livre ? Ce qu'il prétend donner ici, c'est œuvre de poète, non labeur d'érudit. Après qu'on a exposé devant le spectateur la décoration du théâtre, pourquoi le traîner derrière la toile et lui en montrer les équipes et les poulies ? Le mérite poétique de l'œuvre gagne-t-il grand-chose à ces preuves testimoniales de l'histoire ? Qui doutera, cherchera. Dans les productions de l'imagination, il n'est pas de *pièces justificatives*. La poésie fait peine à voir, ainsi hermétiquement enterrée sous des notes; c'est le plomb du cercueil.

On ne trouvera donc probablement pas dans ces notes ce qu'on y cherchera. Elles sont numériquement fort incomplètes. L'auteur les a tirées au hasard d'un amas énorme de déblais et de matériaux; il a pris, non les plus importantes, mais les premières venues. Peu propre à ce travail, il l'a fort mal fait. N'importe, les voilà telles qu'elles sont. On verra, après les avoir lues, qu'il eût mieux valu brûler tous ces copeaux.

---

1. Sans compter tous les Mémoires sur la révolution d'Angleterre, *State Papers, Memoirs of the protectoral House, Hudibras, Acts of the Parliament, Eykon Basilikè*, etc., etc., l'auteur a pu consulter quelques documents originaux, les uns fort rares, les autres même inédits, *Cromwell politique*, pamphlet flamand, *el Hombre de demonio*, pamphlet espagnol, *Cromwell and Cromwell*, et le *Connaught-Register*, qu'a bien voulu lui communiquer un noble pair d'Irlande, auquel il en adresse ici de publics remerciements.

## PRÉFACE

### I

Page 64. ... Cependant les nations commencent à être trop serrées sur le globe; elles se gênent et se froissent; de là les chocs d'empires, la guerre.

*L'Iliade.*

### II

Page 64. Elles débordent les unes sur les autres; de là les migrations de peuples, les voyages.

*L'Odyssée.*

### III

Page 69. « ... Donc, vous faites du *laid* un type d'imitation, du *grotesque* un élément de l'art! »

Oui sans doute, oui encore, et toujours oui! C'est ici le lieu de remercier un illustre écrivain étranger qui a bien voulu s'occuper de l'auteur de ce livre, et de lui prouver notre estime et notre reconnaissance en relevant une erreur où il nous semble être tombé. L'honorable critique *prend acte*, telles sont ses textuelles expressions, de la déclaration faite par l'auteur dans la préface d'un autre ouvrage, que : « Il n'y a ni *classique* ni *romantique*, mais, en littérature comme en toutes choses, deux seules divisions, le bon et le mauvais, le beau et le difforme, le vrai et le faux. » Tant de solennité à constater cette profession de foi n'était pas nécessaire. L'auteur n'en a jamais dévié et n'en déviera jamais. Elle peut se concilier à merveille avec celle « qui fait du *laid* un type d'imitation, du *grotesque* un élément de l'art ». L'une ne contredit pas l'autre. La division du beau et du laid dans l'art ne symétrise pas avec celle de la nature. Rien n'est beau ou laid dans les arts que par l'exécution. Une chose difforme, horrible, hideuse, transportée avec vérité et poésie dans le domaine de l'art, deviendra belle, admirable, sublime, sans rien perdre de sa monstruosité; et, d'une autre part, les plus belles choses du monde, faussement et systématiquement arrangées dans une composition artificielle, seront ridicules, burlesques, hybrides, *laides*. Les orgies de Callot, la *Tentation* de Salvator Rosa avec son épouvantable démon, sa *Mêlée* avec toutes ses formes repoussantes de mort et de carnage, le *Triboulet* de Bonifacio, le mendiant rongé de vermine de Murillo, les ciselures où Benvenuto Cellini fait rire de si hideuses figures dans les arabesques et les acanthes, sont des choses laides selon la nature, belles selon l'art; tandis que rien n'est plus *laid* que tous ces profils grecs et romains, que ce beau idéal de pièces de rapport qu'étale, sous ses couleurs violâtres et cotonneuses, la seconde école de David. Job et Philoctète, avec leurs plaies sanieuses et fétides, sont beaux; les rois et reines de Campistron sont fort laids dans leur pourpre et sous leur couronne d'oripeau. Une chose bien faite, une chose mal faite, voilà le beau et le laid de l'art. L'auteur avait déjà expliqué sa pensée en assimilant cette distinction à celle du *vrai* et du *faux*, du *bon* et du *mauvais*. Du reste, dans l'art comme dans la nature, le grotesque est un élément, mais non le but. Ce qui n'est que grotesque n'est pas complet.

## IV

Page 71. Près des colosses homériques, Eschyle, Sophocle, Euripide, que sont Aristophane et Plaute ?

Ces deux noms sont ici réunis, mais non confondus. Aristophane est incomparablement au-dessus de Plaute; Aristophane a une place à part dans la poésie des Anciens, comme Diogène dans leur philosophie.

On sent pourquoi Térence n'est pas nommé dans ce passage avec les deux comiques populaires de l'Antiquité. Térence est le poète du salon des Scipions, un ciseleur élégant et coquet sous la main duquel achève de s'effacer le vieux comique fruste des anciens romains.

## V

Page 71. C'est lui enfin qui, colorant tour à tour le même drame de l'imagination du Midi et de l'imagination du Nord, fait gambader Sganarelle autour de don Juan et ramper Méphistophélès autour de Faust.

Ce grand drame de l'homme qui se damne domine toutes les imaginations du Moyen Age. Polichinelle, que le diable emporte, au grand amusement de nos carrefours, n'en est qu'une forme triviale et populaire. Ce qui frappe singulièrement quand on rapproche ces deux comédies jumelles de *Don Juan* et de *Faust*, c'est que don Juan est le matérialiste, Faust le spiritualiste. Celui-ci a goûté tous les plaisirs, celui-là toutes les sciences. Tous deux ont attaqué l'arbre du bien et du mal; l'un en a dérobé les fruits, l'autre en a fouillé la racine. Le premier se damne pour jouir, le second pour connaître. L'un est un grand seigneur, l'autre un philosophe. Don Juan, c'est le corps; Faust, c'est l'esprit. Ces deux drames se complètent l'un par l'autre.

## VI

Page 73. ... Les ogres, les aulnes, les psylles, etc.

Ce n'est pas à l'aune, arbre, que se rattachent, comme on le pense communément, les superstitions qui ont fait éclore la ballade allemande du *Roi des Aulnes*. Les Aulnes (en bas latin *alcunæ*) sont des façons de follets qui jouent un certain rôle dans les traditions hongroises.

## VII

Page 75. ... Il jette du premier coup sur le seuil de la poésie moderne trois Homères bouffons.

Cette expression frappante, *Homère bouffon*, est de M. Ch. Nodier, qui l'a créée pour Rabelais, et qui nous pardonnera de l'avoir étendue à Cervantes et à l'Arioste.

## VIII

Page 76. L'ode chante l'éternité, l'épopée solennise l'histoire, le drame peint la vie.

Mais, dira-t-on, le drame peint aussi l'histoire des peuples. Oui, mais comme *vie*, non comme *histoire*. Il laisse à l'historien l'exacte série des faits généraux, l'ordre des dates, les grandes masses à remuer, les batailles, les conquêtes, les démembrements d'empires, tout l'extérieur de l'histoire. Il en prend l'intérieur. Ce que l'histoire oublie ou dédaigne, les détails de costumes, de mœurs, de physionomies, le dessous des événements, la vie, en un mot, lui appartient; et le drame peut être immense d'aspect et d'ensemble quand ces petites choses sont prises dans une grande main, *prensa manu magna*. Mais il faut se garder de chercher de l'histoire pure dans le drame, fut-il *historique*. Il écrit des légendes et non des fastes. Il est chronique et non chronologique.

## IX

Page 79. Les deux types, ainsi isolés et livrés à eux-mêmes, s'en iront chacun de leur côté, laissant entre eux le réel, l'un à sa droite, l'autre à sa gauche.

D'où vient que Molière est bien plus vrai que nos tragiques ? Disons plus, d'où vient qu'il est presque toujours vrai ? C'est que, tout emprisonné qu'il est par les préjugés de son temps en deçà du pathétique et du terrible, il n'en mêle pas moins à ses grotesques des scènes d'une grande sublimité qui complètent l'humanité dans ses drames. C'est aussi que la comédie est bien plus près de la nature que la tragédie. On conçoit en effet telle action dont les personnages, sans cesser d'être naturels, pourront constamment rire ou exciter le rire; et encore les personnages de Molière pleurent-ils quelquefois. Mais comment concevoir un événement, si terrible et si borné qu'il soit, où non seulement les principaux acteurs n'aient jamais un sourire sur les lèvres, fût-ce de sarcasme et d'ironie, mais encore où il n'y aura, depuis le *prince* jusqu'au *confident*, aucun être humain qui ait un accès de rire et de nature humaine ? Molière enfin est plus vrai que nos tragiques, parce qu'il exploite le principe neuf, le principe moderne, le principe dramatique : le grotesque, la comédie; tandis qu'ils épuisent, eux, leur force et leur génie à rentrer dans cet ancien cercle épique qui est fermé, moule vieux et usé, dont la vérité propre à nos temps ne saurait d'ailleurs sortir, parce qu'il n'a pas la forme de la société moderne.

## X

Page 88. Que le poète se garde surtout de copier qui que ce soit, pas plus Shakespeare que Molière, pas plus Schiller que Corneille.

Ce n'est pas non plus en accommodant des romans, fussent-ils de Walter Scott, pour la scène, qu'on fera faire à l'art de grands progrès. Cela est bon la première ou la seconde fois, surtout quand les translateurs ont d'autres titres plus solides; mais cela au fond ne mène à rien qu'à substituer une imitation à une autre.

Du reste, en disant qu'on ne doit copier ni Shakespeare ni Schiller, nous entendons parler de ces imitateurs maladroits qui, cherchant des règles où ces poètes n'ont mis que du génie, reproduisent leur forme sans leur esprit, leur écorce sans leur sève; et non des traductions habilement faites que d'autres vrais poètes en pourraient donner. Mme Tastu a excellemment traduit plusieurs scènes de Shakespeare. M. Emile Deschamps reproduit en ce moment pour notre théâtre *Roméo et Juliette*, et telle est la souplesse puissante de son talent, qu'il fait passer tout

Shakespeare dans ses vers comme il y a déjà fait passer tout Horace. Certes, ceci est aussi un travail d'artiste et de poète, un labeur qui n'exclut ni l'originalité, ni la vie, ni la création. C'est de cette façon que les psalmistes ont traduit Job.

## XI

Page 90. L'art... s'étudie à reproduire la réalité des faits, surtout celle des mœurs et des caractères, bien moins léguée au doute et à la contradiction que les faits.

On est étonné de lire dans Gœthe les lignes suivantes : « Il n'y a point, à proprement parler, de personnages historiques en poésie; seulement, quand le poète veut représenter le monde qu'il a conçu, il fait à certains individus qu'il rencontre dans l'histoire l'honneur de leur emprunter leurs noms pour les appliquer aux êtres de sa création. — *Ueber Kunst und Alterthum* (sur l'Art et l'Antiquité). » On sent où mènerait cette doctrine, prise au sérieux : droit au faux et au fantastique. Par bonheur, l'illustre poète, à qui elle a sans doute un jour semblé vraie par un côté puisqu'elle lui est échappée, ne la pratiquerait certainement pas. Il ne composerait pas à coup sûr un Mahomet comme un Werther, un Napoléon comme un Faust.

## XII

Page 95. Et lorsqu'il lui adviendrait d'être *beau*, n'étant beau en quelque sorte que par hasard, malgré lui et sans le savoir.

L'auteur de ce drame en causait un jour avec Talma, et, dans une conversation qu'il écrira plus tard, lorsqu'on ne pourra plus lui supposer l'intention d'appuyer son œuvre ou son dire sur des autorités, exposait au grand comédien quelques-unes de ses idées sur le style dramatique. — Ah oui! s'écria Talma l'interrompant vivement; c'est ce que je m'épuise à leur dire : Pas de beaux vers! — *Pas de beaux vers!* c'était l'instinct du génie qui trouvait ce précepte profond. Ce sont en effet les *beaux vers* qui tuent les belles pièces.

Page 108. S'il lui arrive trop rarement de les corriger, c'est qu'il répugne à revenir après coup sur... une œuvre refroidie.

Voici encore une contravention de l'auteur aux lois de Despréaux. Ce n'est point sa faute s'il ne se soumet point aux articles : *Vingt fois sur le métier*, etc., *Polissez-le sans cesse*, etc. Nul n'est responsable de ses infirmités ou de ses impuissances. Du reste, nous serons toujours les premiers à rendre hommage à ce Nicolas Boileau, à ce rare et excellent esprit, à ce janséniste de notre poésie. Ce n'est pas sa faute, à lui non plus, si les professeurs de rhétorique l'ont affublé du sobriquet ridicule de *législateur du Parnasse*. Il n'en peut mais.

Certes, si l'on examinait comme code le remarquable poème de Boileau, on y trouverait d'étranges choses. Que dire, par exemple, du reproche qu'il adresse à un poète de ce qu'il

> Fait parler ses bergers *comme on parle au village ?*

Faut-il donc les faire parler comme on parle à la cour ? Voilà les bergers d'opéra devenus types. Disons encore que Boileau n'a pas compris les deux seuls poètes originaux de son temps, Molière et La Fontaine. Il dit de l'un :

> C'est par là que Molière, illustrant ses écrits,
> *Peut-être* de son art *eût* remporté le prix...

Il ne daigne pas mentionner l'autre. Il est vrai que Molière et La Fontaine ne savaient ni *corriger* ni *polir*.

## ACTE PREMIER — LES CONJURÉS

Page 117.  Voilà bien la taverne; et c'est le même lieu
Que Charle, à Worcester abandonné de Dieu,
Seul, disputant sa tête après son diadème,
Avait, pour fuir Cromwell, choisi dans Londres même.

« Tous deux, en effet (le roi et lord Wilmot), nous étions convenus de nous réunir à Londres, aux *Trois-Grues*, dans le marché au vin, et de nous informer de William Ashburnham. »

*(Mémoires de Charles II sur sa fuite de Worcester.)*

Page 131.  C'est ainsi que, fidèle à mon double devoir,
J'ai su parler au roi, sans toutefois le voir.

Tous les détails de ce fait, avec les conséquences qu'il a dans ce drame, sont historiques.

Page 132.  Vous savez, Davenant ? — Dans le *Roi bûcheron.*

Pièce du temps.

Page 139.  Ce Carr est un sectaire, un vieil oiseau de proie.
Dans la rébellion, assisté de Strachan,
Du camp parlementaire il sépara son camp.

Quelques contemporains écrivent *Straumghan*. Nous rappelons que ce bizarre caractère de Carr est, comme tous les autres, donné par l'histoire.

Page 148.  Le *damné* Barebone, inspiré corroyeur.

Les fanatiques de cette sorte avaient l'usage de remplacer leur nom de baptême par quelque sobriquet religieux, tiré, pour l'ordinaire, de la Bible, ou exprimant une réflexion pieuse. Le frère de ce *Praise-God* (Loue-Dieu), Barebone, membre du parlement, s'appelait : *Si-Christ-n'était-pas-mort-pour-vous-vous-auriez-été-damné-Barebone*, d'où le peuple, pour avoir plus tôt fait, l'appelait le *Damné-Barebone.*

*(Mémoires de Ludlow.* Note, t. II, p. 216.)

Page 148.                    Là, déclame
          Le ravisseur du roi, Joyce.

Le cornette Joyce, ci-devant tailleur, avait enlevé, assisté de quarante cavaliers, Charles Iᵉʳ du château d'Holmby, comté de Northampton, où le tenaient les commissaires du parlement (1644). Ce fut le commencement de sa fortune.

Page 164.  Je bois à la santé du roi Charles!

Historique. Au reste, afin d'épargner au lecteur la fastidieuse répétition de ce mot, nous le prévenons qu'ici, comme dans le palais de Cromwell, comme dans la grande salle de Westminster, l'auteur n'a hasardé aucun détail, si étrange qu'il puisse paraître, qui n'ait ou son germe ou son analogue dans l'histoire. Les personnes qui connaissent à fond l'époque lui rendront cette justice que tout ce qui se passe dans ce drame s'est passé, ou, ce qui revient au même, a pu se passer dans la réalité.

## ACTE DEUXIÈME — LES ESPIONS

Page 174. *A. S. A. monseigneur le Protecteur de la république d'Angleterre,* etc.

Cette lettre est un document exact de la diplomatie de Mazarin, ramené seulement aux proportions de la scène. Toute cette scène des ambassadeurs, dans ses moindres incidents, est de l'histoire.

Page 180. *Cromwell à Balthazar ne veut pas s'allier!*

« Cromwell ne put jamais se défaire de la rudesse de son éducation et de son humeur. Il parla toujours avec diffusion et mauvais goût. L'enthousiasme et la dissimulation étaient si mêlés à la plupart de ses actions, qu'il était difficile de décider qui chez lui l'emportait du fanatique ou de l'hypocrite. C'est qu'il était effectivement l'un et l'autre à un haut degré, comme je l'ai ouï dire à Wilkins et à Tillotson. Le premier avait épousé sa sœur, le second sa mère. »

(BURNET, *Histoire de mon temps.*)

Page 181.                             *A ma colère*
         *L'envoyé portugais a-t-il soustrait son frère ?*

Peu de temps auparavant, il avait fait décapiter, pour meurtre d'un sujet anglais dans une rixe, le frère de l'ambassadeur de Portugal, don Pantaleon Sà.

Page 186. *Mylady Protectrice et madame Cromwell.*

Elisabeth Bourchier, en effet, ne put jamais s'accoutumer à ses titres et prendre le pli de sa fortune. Son étonnement dura toute sa vie.

Page 187. *Ecosse. — Le marquis grand prévôt veut se rendre.*

Le marquis d'Argyle, grand prévôt héréditaire des îles Hébrides.

Page 189.                                De Manning,
                    Votre agent près de Charles.

On connaît la fin tragique de ce malheureux capitaine
Manning.

Page 191. ... « Deux mille au moins sont morts; le sang coule en tout
                « Et je viens de l'église y rendre grâce à Dieu! »        [lieu,

Textuel.

Page 197. Va! sois tranquille, ami! — Songe aux fausses nouvelles
                    Dont on a tant de fois tourmenté nos cervelles.

« ... Celui-ci traita l'avis de bagatelle. Il dit qu'on en
recevait tous les jours de pareils, qui ne tendraient qu'à
faire croire au monde que le Protecteur avait à craindre
pour sa vie; et qu'en y prêtant une attention trop scrupu-
leuse, il se donnerait un air de crainte qui convenait mal
à un aussi grand homme. »

(BURNET, *Histoire de mon temps.*)

Page 216.                                ... J'avais
                    Le privilège unique, et qui n'était pas mince,
                    De recevoir le fouet que méritait le prince.

Ce William Murray, gentilhomme de la chambre, qui
avait été dans son enfance appelé à la cour pour recevoir
le fouet toutes les fois que le prince de Galles (Charles Ier)
le méritait, était frère de sir Robert Murray, colonel au
service de France sous Richelieu, homme de tête et de
courage. Il y a souvent de ces extrêmes qui se touchent
dans les familles.

## ACTE TROISIÈME — LES FOUS

Page 250.                    GRAMADOCH

        Est-ce, pour être diable, assez d'avoir des cornes ?

Il est inutile de rappeler au lecteur que ce genre de
plaisanteries de mauvais goût avait cours et faisait fortune à cette époque.

Page 252. Siècle bizarre!
        Job et Lazare, etc.

Les personnes à qui cette chanson semblera étrange y
pourront voir encore un échantillon de l'esprit du temps,
un amphigouri, une énigme à la façon des allégories de
notre poète Théophile, importé en Angleterre avec les
autres modèles du goût français.
C'est ce même Théophile, si exalté par Scudéry au détri-
ment de Corneille, et valant mieux du reste que cette
recommandation ne le ferait croire, qui écrivait dans son
exil : « Qu'ay-je à regretter ? le ciel est aussi près d'ici que
de Paris. » Mme de Staël était moins poète quand, près du
lac de Genève, elle s'écriait tout au contraire : *Ah! mon
cher Talma, le ruisseau de la rue Saint-Honoré !*

Page 253. Sylphes dont les cavalcades,
        Bravant monts et barricades,
        En deux sauts vont des Orcades
        A la flèche de Saint-Paul.

Le Saint-Paul de Londres actuel a un dôme, et n'est,
malgré toute sa réputation, qu'une bâtarde contre-épreuve
du Saint-Pierre de Rome, comme notre Panthéon. L'ancienne cathédrale de Saint-Paul, détruite avec son admirable
flèche dans un grand incendie (celui de 1665, si notre
mémoire est bonne), était un de ces monuments gothiques
si merveilleux et si irréparables.

Page 254. Dites, — Quel est le plus diable,
        Du vieux Nick ou du vieux Noll ?

Le démon familier, le diable du peuple, en Angleterre, s'appelle le *Vieux Nick*. Cette chanson est encore d'un mauvais goût tout historique. Voyez, comme archétype, entre les chansons des cavaliers, *la marche de David Lindsay*.

Page 261.

THURLOË

             Mylord, le parlement
Dans la salle du trône attend...

CROMWELL

             Hé! qu'il attende!

Le mot est historique. Le parlement attendit trois heures pendant que Cromwell visitait les chevaux frisons que lui avait donnés le duc de Holstein.

Page 263. ... Le soleil en habit de gala.

Peinture exacte, d'après une gravure du temps, dont l'auteur possède un rare et curieux exemplaire.

Page 275. Son œil ne saurait voir le but que j'ai cherché,
        Et pour me pardonner, il est trop débauché.

La proposition et la réponse sont toutes deux historiques. *Il est trop damnablement débauché*, dit Cromwell, *pour me pardonner la mort de son père*. Au reste, chacun des avis exposés dans ce conseil privé résume fidèlement une des opinions des hommes du temps sur la question de faire roi Cromwell.

Page 315. Voici les derniers bills, votés en parlement

Tous ces textes de lois sont réels.

Page 317. On voit, en méditant Gabaon, Actium, etc.

Le combat pour la régence, entre les troupes de David et celles d'Isboseth, fils de Saül, eut lieu près de la piscine de Gabaon.

Page 329. ... Etant enfant, j'eus une vision.

Le fait de la vision est vrai, quoique à peu près oublié de l'histoire. Cette vision a dominé toute la vie de Cromwell. Il en parlait sans cesse, tantôt avec raillerie, tantôt avec terreur, et disait avoir été souvent châtié dans son enfance pour s'être vanté qu'un fantôme lui avait prédit qu'il serait roi. Cette circonstance dramatique jetait un jour trop nouveau dans l'âme de Cromwell pour que l'auteur la dédaignât. Il fallait la mettre en œuvre; et la nécessité seule a pu le décider à hasarder cette esquisse, après la vision de Macbeth.

Page 332.  Et les fileuses centenaires
            Qui soufflent en faisant des nœuds !

Ces vers inintelligibles sont textuellement traduits des sourates du Coran contre les enchanteurs et les magiciennes. Il paraît qu'on leur supposait une grande vertu, puisqu'on les gravait sur les amulettes. L'auteur a dû les traduire aveuglément, mais il déclare tout le premier qu'il n'y comprend rien.

## ACTE QUATRIÈME — LA SENTINELLE

Page 339.          CROMWELL, déguisé en soldat.

Ces travestissements étaient communs au Protecteur; il s'en servait fréquemment pour éprouver sa garde.

## ACTE CINQUIÈME — LES OUVRIERS

Page 417. Et lève par nos mains contre Olivier Premier
L'étendard où revit la harpe et le palmier.

Les monnaies et les bannières de la république anglaise portaient d'un côté une harpe et un palmier, de l'autre une croix et un laurier.

Page 429. Oui, dans le Croupion il faisait Maigre-Echine.

Cette gaieté de mauvais goût donne la date de l'époque et la couleur du pays. On appelait le parlement le *Croupion (the Rump)*. Un Barebone en avait été orateur, et *Barebone* signifie *maigre-échine*.

L'auteur n'a pas cru devoir refuser à la fidélité historique et locale de son drame la reproduction franche, ou, si l'on veut, brutale, de ce genre de *lazzi anglais*, qui ont souvent besoin d'une explication pour être intelligibles.

Page 430. Et ces Egyptiens, qui s'en venaient par bandes
Au jardin du Mûrier danser des sarabandes.

Lieu public hanté, sous les règnes précédents, par les bateleurs et les prostituées.

Page 434. Place aux Côtes-de-Fer du lion d'Angleterre.

On donnait ce nom au régiment de Cromwell.

Page 439. Voyons si nous ferons un pendant à Dunbar,
Et si ta Durandal vaut mon Escalibar!

Deux noms d'épées fameuses dans les temps héroïques de la chevalerie. Durandal était l'épée de Roland, Escalibar l'épée d'Esplandian, si nous avons bonne mémoire.

Page 441. — Huzza, grand juge Hale!

Mathews Hale était très populaire, quoique dévoué de cœur aux Stuarts.

Page 447.  Mylord! — quand Samuel offrait des sacrifices,
               Il gardait à Saül l'épaule des génisses.

Voyez ce discours conservé dans les procès-verbaux du
temps : « Mylord, on a souvent observé que lorsque Samuel
offrait un sacrifice, il réservait à Saül les épaules des victimes, afin de lui montrer quel était le poids du gouvernement. La considération de cette vérité a fait dire à
Maximilien qu'aucun de ceux, etc., etc. »

Page 449.  Par le feu, par le fer, Harry, mon lieutenant,
               Extirpe d'une main, cautérise de l'autre.

Le colonel Harry, second fils de Cromwell, lord lieutenant d'Irlande. Aussi ferme et aussi décidé que Richard
était mou et insouciant, Harry Cromwell était de ces
hommes qui, comme Napoléon, sont toujours, quel que
soit leur ordre de naissance, les aînés de leur famille.

Page 452.                                  Arrêtez!
               Que veut dire ceci ? Pourquoi cette couronne ?

Tout ce discours est en germe, et souvent en propres
termes, dans la harangue diffuse, emphatique, obscure,
interminable, que Cromwell adressa au peuple à ce moment
critique de sa vie. On en a scrupuleusement conservé les
mots caractéristiques.

Page 454.  Et les yeux du Seigneur vont courant çà et là.

Il y a dans ce vers une irrégularité, que le « je suais
sang et eau » de Racine autoriserait au besoin, mais qui est
plus que justifiée par la nécessité de conserver ici à Cromwell sa textuelle et pittoresque expression. C'est le cas de
laisser crier Richelet.

Page 458.                          Hewlet a dressé dès l'aurore
               Leur gibet à Tyburn.

Le lecteur devine que ce Hewlet, c'était le bourreau.
C'est lui qui joua plus tard un rôle si dramatique dans les
procès des régicides.

# TABLE DES MATIÈRES

# GF — TEXTE INTÉGRAL — GF

2338-1968. — IMPRIMERIE-RELIURE MAME
Nº d'édition 6259. — 3ᵉ trimestre 1968. — PRINTED IN FRANCE.